ullstein

NELE NEUHAUS

In ewiger Freundschaft

Kriminalroman

Ullstein

Besuchen Sie uns im Internet:
www.ullstein.de

Wir verpflichten uns zu Nachhaltigkeit
• Klimaneutrales Produkt
• Papiere aus nachhaltiger
  Waldwirtschaft und anderen
  kontrollierten Quellen
• ullstein.de/nachhaltigkeit

MIX
Papier | Fördert
gute Waldnutzung
FSC® C083411

Ungekürzte Ausgabe im Ullstein Taschenbuch
1. Auflage Oktober 2022
© Ullstein Buchverlage GmbH, Berlin 2021 / Ullstein Verlag
Umschlaggestaltung: www.zero-media.net, München
Titelabbildung: arcangel/ © Nic Skerten (Haus, Zaun, Gelände);
iStock / Getty Images Plus / © velkol (Pflastersteine);
© FinePic®, München (Himmel, Katze)
Satz: Pinkuin Satz und Datentechnik, Berlin
Gesetzt aus der Sabon LT Pro
Druck und Bindearbeiten: CPI books GmbH, Leck
ISBN 978-3-548-06710-0

Für Marion
meine wunderbare Lektorin
Danke für die großartige Zusammenarbeit.

Personenregister

Das K11 in Hofheim:
Oliver von Bodenstein, Erster Kriminalhauptkommissar, Leiter des K11
Pia Sander, ehem. Kirchhoff, Kriminalhauptkommissarin, K11
Dr. Nicola Engel, Kriminaldirektorin, Leiterin der RKI Hofheim
Kai Ostermann, Kriminalhauptkommissar, K11
Kathrin Fachinger, Kriminaloberkommissarin, K11
Cem Altunay, Kriminalhauptkommissar, K11
Tariq Omari, Kriminaloberkommissar, K11
Christian Kröger, Kriminalhauptkommissar, Erkennungsdienst

Prof. Dr. Henning Kirchhoff, Leiter des Instituts für Rechtsmedizin in Frankfurt
Dr. Frederick Lemmer, Rechtsmediziner
Ronnie Böhme, Sektionshelfer

Personen in alphabetischer Reihenfolge:

Greta Albrecht, Bodensteins Stieftochter
Karoline Albrecht, Bodensteins Ehefrau
Waldemar Bär, Hausmeister im Winterscheid-Verlag
Cosima von Bodenstein, Bodensteins Ex-Frau
Marie-Louise von Bodenstein, seine Schwägerin
Quentin von Bodenstein, sein Bruder
Sophia von Bodenstein, seine jüngste Tochter
Julia Bremora, Lektorin von Henning Kirchhoff beim Winterscheid-Verlag
Anja Dellamura, Artdirektorin beim Winterscheid-Verlag
Paula Domski, Kulturjournalistin und Ehefrau von Alexander Roth

Hellmuth Englisch, preisgekrönter Schriftsteller

Stefan Fink, Ehemann von Dorothea Winterscheid-Fink und Inhaber der Druckerei Fink

Maria Hauschild, Literaturagentin von Henning Kirchhoff

Josefin Lintner, Eigentümerin der Buchhandlung House of Books im Main-Taunus-Zentrum

Josef Moosbrugger, Literaturagent von Severin Velten

Alexander Roth, Programmleiter Literatur beim Winterscheid-Verlag

Severin Velten, Bestsellerautor

Heike Wersch, ehemalige Programmleiterin des Winterscheid-Verlages und Lektorin von Severin Velten

Carl Winterscheid, Verleger des Winterscheid-Verlages

Dorothea Winterscheid-Fink, Carls Cousine und Vertriebsleiterin des Winterscheid-Verlages

Henri Winterscheid, Dorotheas Vater und ehemaliger Verleger des Winterscheid-Verlages

Margarethe Winterscheid, seine Ehefrau und Dorotheas Mutter

Prolog

Île de Noirmoutier, 18. Juli 1983

Oh, mein Gott, ich bin verliebt! Verliebt in diese zauberhafte Insel! Es ist hier wirklich genau so, wie John es mir beschrieben hat – einfach magisch! Eine karge Schönheit, die sich erst auf den zweiten Blick erschließt, dieses flache Stück Land unter einem endlosen Himmel, der seit sechs Tagen wolkenlos blau ist. Allein dieses Licht ist unbeschreiblich. Nicht umsonst wird Noirmoutier auch »l'Île de Lumière« genannt, die Insel des Lichts. Ich liebe die weiß getünchten Häuser mit den hellblauen Fensterläden und den orangefarbenen Dächern, die so hübsche Namen haben wie »Toi et moi«, »Stella Maris«, »Nid d'amour« oder »Luciole«, die schmalen Gassen mit den blühenden Malven, den betörenden Duft der Pinien in der Mittagshitze und – das Meer! Es mag seltsam klingen, aber diese Insel berührt etwas tief in meinem Innern, fast so, als sei ich in einem anderen Leben schon einmal hier gewesen, und ich wünschte, ich könnte für immer bleiben. Ich liebe die Salzgärten mit den glitzernden Salzwasserbecken, in denen das Fleur de Sel gewonnen wird, das man an jeder Ecke kaufen kann.

Das Haus ist der pure Wahnsinn! Zwölf Zimmer, drei Terrassen, und aus dem oberen Stockwerk hat man einen Blick über die Dünen und den weißen Sandstrand aufs Meer! Es gibt auf dem Grundstück noch ein Häuschen, dort wohnen die Haushälterin Finette und ihr Mann, die sich hier um alles kümmern. Es ist ein absoluter Traum, und diese privilegierte, verwöhnte Bande weiß das alles überhaupt nicht zu schätzen! Für die ist das normal. Wenn ich nur höre, wo sie schon überall im Urlaub waren: Bahamas, Sylt, Kalifornien, Mallorca, Portugal! Ich bin das erste Mal überhaupt in meinem Leben am Meer! Aber das sag ich keinem. Müssen die nicht wissen.

Heute haben Götz, Stefan, Mia und ich eine Tour mit dem Méhari zum einzigen Wald der Insel gemacht, dem Bois de la Chaise. Dort gibt es einen Strand, an dem eine Reihe weißer Umkleidehäuschen aus dem 19. Jahrhundert steht, und ich habe mir vorgestellt, wie sich dort früher die feinen Damen mit Sonnenhüten und Reifröcken umgezogen haben. Es gibt wunderschöne Villen aus der Belle Époque, die versteckt an kleinen felsigen Buchten stehen, und auf einem langen Holzsteg standen Angler und hielten geduldig ihre Angeln ins Meer. Anschließend waren wir noch in der Markthalle im Hauptort Noirmoutier-en-l'Île, und spätestens da wußte ich, daß ich wirklich im Paradies bin. Aber wie in jedem Paradies fehlen auch hier die Schlangen nicht. Hätte ich geahnt, wie gräßlich und egoistisch sie sich alle benehmen, wäre ich erst später mit John hergefahren. Das Versprechen, das ich Götz gegeben habe, war leichtfertig, das merke ich von Tag zu Tag mehr. Auch wenn Mia ihre Rolle gut spielt, so müssen die anderen das Theater doch durchschauen! Ich kapiere nicht, warum er Heike, Alex, Josi und Mia überhaupt eingeladen hat. Vielleicht ist es ja auch wegen seiner Eltern. Sie sind wohl schon den vierten oder fünften Sommer hier, es ist mittlerweile eine Art Tradition. Möglicherweise liebt Götz aber auch die Macht, die er über sie hat, und genießt es insgeheim, sie herumzukommandieren und zu schikanieren, auch, wenn er das abstreitet. Es ist unerträglich, wie sie ihn umschwärmen und sich gegenseitig übertrumpfen wollen, nur um gut vor ihm dazustehen. Für ihn ist das wohl alles nur ein Spiel, aber ich halte es für gefährlich, weil er nicht sehen will, wie ernst sie das nehmen, worüber er sich lustig macht. Das ist eine echt schräge Clique. Ich habe immer mehr den Eindruck, daß sie krampfhaft an etwas festhalten, was es nicht mehr gibt. Noch drei Tage, bis John da ist!!!! Ich zähle die Stunden …

P. S.: Heute gibt's frische Austern, die wir vom Markt mitgebracht haben. Ich wünschte, dieser Sommer ginge nie zu Ende. Trotz der blöden Schlangen.

Seit zehn Tagen, seit sie seine Karriere, ja, sein ganzes Leben zerstört hatte, antwortete sie nicht mehr auf seine Mails und ging auch nicht ans Telefon. Er hatte sich vor dem Sturm der Empörung in seiner Wohnung verkrochen, wie eine ängstliche Maus in ihrem Mauseloch, während draußen Reporter, Fernsehteams und enttäuschte Fans darauf lauerten, dass er den Kopf aus der Tür streckte, um über ihn herzufallen. Zugegeben, er hatte einen großen Fehler gemacht. Ja, er hatte betrogen. Aber *sie* war es gewesen, die ihn dazu gedrängt, die ihn geradezu genötigt hatte, diesen Betrug zu begehen, und er hatte ihrem Drängen nachgegeben, wider besseres Wissen, in erster Linie aus Eitelkeit und vielleicht auch, weil er das Geld brauchte. Sie hatte ihm versichert, dass es niemand bemerken würde – wer kannte schon das unbedeutende Büchlein eines längst verstorbenen chilenischen Autors? –, aber jetzt, nachdem sie ihn ohne Vorwarnung der Öffentlichkeit zum Fraß vorgeworfen hatte, ignorierte sie ihn, ihren erfolgreichsten Autor, ihr ›Geschöpf‹, als das sie ihn so gerne bezeichnet hatte. Seine Angst und sein Selbstmitleid hatten sich allmählich in Verärgerung verwandelt, dann war der Zorn gekommen und schließlich ein Hass, wie er ihn noch nie zuvor in seinem Leben empfunden hatte. Er war ruiniert. Sein guter Name beschmutzt. Und er hatte keinen blassen Schimmer, warum sie ihn verraten hatte. Letzte Nacht hatte er beschlossen, sie zur Rede zu stellen. Früher wäre er mit der S-Bahn gefahren, denn er genoss es insgeheim, wenn man ihn erkannte und er so tat, als bemerke er nicht, wie die Leute aufgeregt kichernd die Köpfe zusammensteckten und ihm Blicke zuwarfen. Auch, wenn er in Interviews Bescheidenheit heuchelte und behauptete, diese Aufmerksamkeit sei ihm unangenehm, war er geradezu süchtig danach, wenn ihn Frauen mit glänzenden Augen anhimmelten und schüchtern lächelnd um ein Selfie oder ein Autogramm baten. Allerdings war es jetzt, nachdem sein Betrug aufgeflogen war, eindeutig klüger, solche Begegnungen zu vermeiden. Die Reporter und seine Fans waren des Wartens müde geworden, und so hatte er unbehelligt das Haus verlassen und in sein Auto steigen können. Nun, eine halbe Stunde später, stand er vor dem rot lackierten schmiedeeisernen Tor, und seine Handflächen wurden feucht, als er ihren Namen auf dem verwitterten Klingelschild neben dem Briefkasten las. Ihm sank der Mut, als ihm bewusst wurde, dass das Gespräch, das er seit Tagen im Geiste wieder und wieder geführt hatte, nun kurz bevorstand. Versteckt hinter Rosen- und Rhododendronbüschen, umstanden von mehreren hässlichen Mammutbäumen, lag das Haus. Vorne, zur Straße hin, gab es eine Doppelgarage mit modernem Kunststofftor, aber das Haus selbst mochte aus den dreißiger Jahren des vergangenen Jahrhunderts stammen. Weiße Sprossenfenster mit Fensterläden in einem ausgebleichten Rotton, ein zierlicher Balkon über dem mittleren Fenster im ersten Stock und zwei bogenförmige Fenster in der Mansarde. Eigentlich ein hübsches Haus, doch neben den gepflegten Häusern in der Nachbarschaft wirkte es ungeliebt und irgendwie schäbig, genau wie seine Eigentümerin, die er bis vor Kurzem für einen Großstadtmenschen gehalten hatte. Wenn sie manchmal bis tief in die Nacht miteinander telefonierten, hatte er sie sich in der eleganten Gründerzeitvilla in Frankfurt am Grüneburgpark vorgestellt, in der er schon häufig zu Gast gewesen war. Seltsam, dass man über einen Menschen, mit dem man zwölf Jahre lang so eng zusammengearbeitet hatte, derart wenig wissen konnte. Nie in diesen zwölf Jahren war er in ihrem Haus gewesen. Nichts wusste er über sie und ihr Leben, aber sie wusste alles von ihm, kannte seine Ängste und Fantasien, seine Vorlieben und Schwächen. Sie war es gewesen, die die Qualität seines ersten Manuskripts bemerkt hatte, für das er von mehr als dreißig Verlagen nur Absagen erhalten hatte. Sie hatte ihn entdeckt und zu einem Winterscheid-Autor gemacht, eine Ehre, die nur den wenigsten und besten Schriftstellern zuteilwurde, und zweifellos hatte sie sich in all diesen Jahren zu seiner wichtigsten Bezugsperson entwickelt, nachdem seine Ehe in die Brüche gegangen war. Häufig hatten sie über seine Figuren diskutiert, fast so, als ob es sich bei ihnen um reale Menschen handeln würde; gemeinsam hatten sie an seinen Texten, an einzelnen Sätzen und Formulierungen gefeilt, bis sie zufrieden waren. Sie hatte ihn angespornt und ermutigt, wenn er mit dem Schreiben nicht weiterkam und immer wieder alles hinwerfen wollte. Sie war es gewesen, die ihn vor nunmehr zwölf Jahren angerufen hatte, um ihm die unglaubliche Mitteilung zu machen, dass sein Debütroman *Federzart* auf Anhieb in die Bestsellerliste einsteigen würde. Er konnte sich daran erinnern, als wäre es erst gestern gewesen, wie ungläubig und zugleich überglücklich er in seiner winzigen Küche an dem von Wasserringen und Brandlöchern übersäten Tisch gesessen hatte, an dem *Federzart* entstanden war.

Viel wichtiger als Verkaufszahlen war ihm die Anerkennung gewesen, die sein Buch endlich bekommen hatte. Diesen einen Anruf von ihr würde er nie vergessen, obwohl sie ihm in den darauffolgenden Jahren Dutzende wunderbarer Nachrichten überbracht hatte. Platz 1 der Bestsellerliste. Deutscher Buchpreis. Büchner-Preis. Filmoptionen. Lizenzverkäufe in vierundzwanzig Länder. Begeisterte Kritiken in den Feuilletons. Er hatte unzählige Lesungen absolviert, zunächst in kleinen Buchhandlungen, später in den größten Sälen. Interviews. Talkshows. Auf der Buchmesse in Frankfurt hatte ein überlebensgroßes Plakat mit seinem Konterfei den Stand seines Verlages geziert. Er war zum Star der deutschen Literaturszene avanciert. Innerhalb von zehn Jahren hatte er sich sieben Bücher mit einer Leichtigkeit von der Seele geschrieben, die ihn hatte glauben lassen, es würde immer so weitergehen. Doch nach *Links vom Fluss* war es vorbei gewesen. Plötzlich hatte völlige Leere in seinem Kopf und seiner Seele geherrscht. Mit wachsender Verzweiflung hatte er monatelang den blinkenden Cursor auf dem weißen Bildschirm angestarrt, hatte zehn, fünfzehn holprige Anfänge geschrieben, nur um sich schließlich eingestehen zu müssen, dass einfach nichts mehr in ihm war, was er erzählen wollte. Er hatte nicht die geringste Idee gehabt, worüber er noch schreiben sollte.

Zunächst waren alle geduldig gewesen. Niemand hatte ihn gedrängt, denn schließlich produzierte kein ernst zu nehmender Literat Bücher am Fließband. Nach wie vor hatte ihm sein Verleger zum Geburtstag und zu Weihnachten Champagner geschickt, man hatte ihn weiterhin zu den legendären Kaminabenden in die Verlegervilla eingeladen und er hatte lukrative Lesereisen gemacht. Aber nachts hatte er nicht mehr schlafen können. Der Traum vom Schriftstellerleben schien ausgeträumt, und als er sah, wie beängstigend schnell sich sein Bankkonto leerte und wie aus Bestsellern Backlisttitel wurden – neulich hatte er sogar zu seinem Entsetzen Exemplare von *Federzart* und *Kopf oder Zahl* auf dem Wühltisch im Supermarkt entdeckt –, dann war ihm klar gewesen, dass er sich wohl bald wieder einen Brotjob suchen musste, eine Vorstellung, die ihm Panikattacken bescherte. Was für eine Niederlage! Welch ein Abstieg!

Aber dank der Frau, die in dem Haus mit den roten Fensterläden und den Mammutbäumen im Garten wohnte, war es so schlimm nicht gekommen, denn sie hatte eine Lösung für sein Dilemma gewusst. Sie hatte diese längst vergessene Novelle ausgegraben, und er hatte daraus *Der einbeinige Kranich* gemacht. Zuerst hatte er sich nicht wohlgefühlt dabei, aber schnell hatte er gemerkt, dass die Geschichte seine unverwechselbare Handschrift trug, auch wenn er sich von dem Werk eines anderen Autors hatte inspirieren lassen. Der Roman war zur Buchmesse in Leipzig im März erschienen und von null auf Platz eins der Bestsellerliste geschossen. Kritiker und Leser liebten ihn gleichermaßen, der Rest des Garantiehonorars war geflossen, die Panikattacken hatten aufgehört. Er hatte sich eine Atempause verschafft, und für ein paar Jahre schien sein Leben als einer der meistgelesenen deutschen Literaten gesichert zu sein. Der Verlag war zufrieden, sein Agent war glücklich, die Buchhändler, Kritiker und Leser freuten sich. Und dann wie aus heiterem Himmel ... *das*!

Hinter einem Fenster im Obergeschoss des Hauses nahm er eine Bewegung wahr. Sie war also zu Hause, die Frau, die er bewundert, ja, geliebt hatte und die er jetzt aus tiefstem Herzen hasste. Er atmete tief durch, nahm all seinen Mut zusammen und drückte auf die Klingel. Nichts geschah. Im Rhododendron zankten sich zwei Amseln. Hin und wieder fuhr unten auf der Hauptstraße ein Auto vorbei. Aus den umliegenden Gärten klangen Stimmen zu ihm herüber, manchmal brandete Gelächter auf und irgendwo grillte offenbar jemand. Auf der gegenüberliegenden Straßenseite spazierte ein Mann mit einem Hund vorbei, aber er beachtete ihn nicht.

Zaudernd stand er vor dem Zaun, spielte kurz mit dem Gedanken, aufzugeben. Aber nein! Er durfte jetzt nicht einfach den Schwanz einziehen und unverrichteter Dinge zurückfahren, schließlich ging es um seine Existenz, seinen guten Ruf, seine Glaubwürdigkeit! Ihretwegen lag sein Leben in Schutt und Asche, und er wollte von ihr hören, warum sie ihn ohne jede Vorwarnung als Plagiator enttarnt und damit alles, was sie gemeinsam erreicht hatten, zerstört hatte. Mit zitternden Knien stieg er an einer Stelle, die von der Straße aus nicht zu sehen war, über den Zaun und ging entschlossen über den vermoosten Rasen auf das Haus zu.

Tag 1

Donnerstag, 6. September 2018

»In zehn Minuten müssen wir los.« Kriminalhauptkommissar Oliver von Bodenstein reichte seiner Tochter die Frühstücksbox mit den Schulbroten und stellte das Schneidebrett in die Spüle.

»Ich muss oben noch schnell mein Bild für Kunst holen«, sagte Sophia. »Was ist auf den Broten drauf?«

»Pastrami und Hähnchenbrust«, erwiderte Bodenstein, der die Schulbrotzubereitung zu einem festen Bestandteil ihres morgendlichen Vater-Tochter-Rituals gemacht hatte. Eigentlich wohnte Sophia bei ihrer Mutter, wenn diese nicht gerade auf irgendeiner Filmexpedition war, und verbrachte nur jedes zweite Wochenende bei ihm. Doch wegen Cosimas Erkrankung war seine Tochter ganz zu ihnen gezogen, denn es war nicht abzusehen, wann seine Ex-Frau das Krankenhaus wieder verlassen konnte.

»Butter und Fleisch sind so was von ungesund und klimaschädlich«, kommentierte Greta, Bodensteins Stieftochter, die in einem fleckigen Pyjama am Frühstückstisch hockte, ihr Müsli löffelte und dabei auf ihr Smartphone starrte. »Davon kriegt man übrigens auch Krebs, nicht nur vom Rauchen.«

Sophia wurde blass und warf ihrem Vater einen ängstlichen Blick zu.

»Ups, jetzt hab ich doch echt aus Versehen das K-Wort gesagt!« Greta schlug die Hand vor den Mund und lächelte zerknirscht, aber in ihren Augen glitzerte die pure Bosheit. »So sorry.«

»Hol dein Bild, Sophia.« Bodenstein spürte, wie sich sein Puls beschleunigte. Er hatte es sich abgewöhnt, auf die ständigen Provokationen von Karolines achtzehnjähriger Tochter zu reagieren, denn das führte unweigerlich zu einem Streit mit ihrer Mutter, die grundsätzlich Partei für ihre Tochter ergriff und Entschuldigungen für jede Frechheit und jedes Fehlverhalten fand. Das wusste Greta natürlich ganz genau und nutzte es weidlich aus. Vom ersten Tag an war sie ihm mit offener Ablehnung und Eifersucht begegnet; sie hatte alles versucht, um Bodenstein wieder aus dem Leben ihrer Mutter zu drängen. Dabei hatte sie mitunter eine Raffinesse an den Tag gelegt, die ihn schockiert hatte. Er hatte morgens am Frühstückstisch keine Zeitung mehr lesen dürfen, weil Greta behauptete, sie würde von den Dämpfen der Druckerschwärze keine Luft mehr bekommen. Ebenso war klassische Musik auf dem Index gelandet, denn die löste Schreikrämpfe bei Greta aus, weil sie sie angeblich an ihre Großmutter erinnerte. Und seitdem Sophia bei ihnen wohnte, bestand die fast Neunzehnjährige darauf, auf einer Matratze neben dem Bett ihrer Mutter zu schlafen, weil sie sonst Albträume hatte. Abgesehen von den wenigen Monaten, die das Mädchen in einem Internat verbracht hatte, war in fünf Jahren nichts besser geworden, eher schlechter, und ihr Familienleben war ein ständiger Eiertanz.

»Ist mir nur so rausgerutscht.« Greta grinste Bodenstein träge an und zwirbelte ihr fettiges Haar im Nacken zu einem Knoten.

»Natürlich. Ganz aus Versehen«, erwiderte er ironisch und räumte das benutzte Geschirr in die Spülmaschine. Er hasste diese Streitereien. Er hasste es, dass er dieser niederträchtigen jungen Frau nicht seine Meinung sagen konnte, ohne damit seine Ehe in Gefahr zu bringen. Aber am meisten störte ihn, dass er seiner zwölfjährigen Tochter kein friedliches Familienleben bieten konnte, gerade jetzt, wo Cosima so schwer krank war und Sophia nichts dringender als Sicherheit und Harmonie brauchte.

»Ist doch wahr!« Greta hob die Stimme. »Nur, weil deine Ex Krebs hat, darf ich hier jetzt nicht mehr die Wahrheit sagen, oder was?«

Bodenstein zählte stumm bis zehn.

»Ey, krieg ich vielleicht mal 'ne Antwort?«

Sophia kehrte in die Küche zurück, das Aquarell, an dem sie eine Woche lang gearbeitet hatte und auf das sie sehr stolz war, in den Händen. Ihr dichtes, dunkles Haar hatte sie von ihm geerbt, die grünen Augen und die grazile Figur von ihrer Mutter. Letztere neidete Greta, die sich in den vergangenen Jahren ein erhebliches Übergewicht angefuttert hatte, ihrer Stiefschwester besonders.

»Was ist *das* denn?« Greta lachte höhnisch. »Es gibt Kindergartenkinder, die das besser hingekriegt hätten.«

»Klar. Du hast jetzt ja voll die Erfahrung mit Kindergartenkindern«, entgegnete Sophia herablassend, bevor Bodenstein etwas sagen konnte. »Wie lange hast du noch mal in der Kita gearbeitet? Einen Tag? Oder waren es sogar zwei Tage?«

»Halt die Klappe, du blöde Kuh!« Greta lief rot an.

Wegen ihres schlechten Sozialverhaltens und ungenügender Leistungen war sie von mehreren Schulen geflogen, im letzten Sommer sogar von einem Internat, das auf schwierige Schüler und Leistungsverweigerer spezialisiert war. Nachdem sie zweimal in der E-Phase, der 10. Klasse des Gymnasiums sitzengeblieben war, konnte sie kein Abitur mehr machen und stand nun ohne Lehrstelle und ohne Beschäftigung da. Ihr Vater hatte Greta einen Praktikumsplatz in einer Kita in Bad Soden besorgt, aber schon nach einem Tag hatte sie verkündet, sie sei allergisch gegen die Linoleumböden dort und überhaupt bekomme sie von dem Kindergeschrei Migräne. An ihrem Pferd, das ihre Eltern ihr kurz nach dem schrecklichen Vorfall gekauft hatten, hatte sie völlig das Interesse verloren, und Karoline bezahlte monatlich eine horrende Summe dafür, dass es von anderen Leuten bewegt wurde.

Karoline betrat die Küche. Das gelbe Sommerkleid und die goldenen Riemchensandalen betonten ihre schlanke Figur und ihre Sonnenbräune, das glänzende dunkle Haar hatte sie zu einem Knoten im Nacken frisiert. Früher hätte Bodenstein ihr ein Kompliment gemacht und dafür einen liebevollen Kuss bekommen. Heute bemerkte er jedoch nur noch ihren verkrampften Unterkiefer, die zusammengepressten Lippen und den gereizten Blick, der über ihn hinwegglitt, als wäre er unsichtbar.

»Ihr seid so gemein!«, schrie Greta los, und Tränen spritzten wie auf Knopfdruck aus ihren Augen.

»Was ist denn hier schon wieder los?«, fragte Karoline genervt.

»Dein *Ehemann* macht mich blöd an!«, log Greta mit weinerlicher Stimme.

»Aber Papa hat überhaupt nichts …«, begann Sophia empört, doch Greta übertönte sie.

»Ihr seid so *fies* zu mir! Dauernd macht ihr euch über mich lustig, weil ich so *fett* geworden bin!«

»Das ist doch gar nicht wahr!«, widersprach Sophia, fassungslos über diese unverfrorene Lüge. Mit ihrem ausgeprägten Sinn für Gerechtigkeit scheute sie im Gegensatz zu ihrem Vater keine Konfrontation, auch wenn es einfacher war, Greta nicht zu widersprechen, um ihr keinen Grund für einen neuen Wutanfall zu liefern.

»Ist es doch! Meinst du, ich bin blind und seh nicht, wie ihr mich anguckt und grinst?« Wie immer, wenn Greta merkte, dass sie im Unrecht war, steigerte sie sich in einen hysterischen Anfall hinein.

»Beruhig dich, Gretalein«, versuchte Karoline zu beschwichtigen und wollte ihre erwachsene Tochter in den Arm nehmen, doch diese stieß sie grob von sich. *Gretalein!* Bodenstein begann innerlich zu kochen. Wenn er diesen albernen Kosenamen und den unterwürfigen Tonfall, in dem Karoline ihn aussprach, nur schon hörte! Aber Greta war nun einmal Karolines Achillesferse. Noch immer fühlte sie sich schuldig, weil sie glaubte, sie habe ihre Tochter früher ihres Berufes wegen vernachlässigt. Seit Jahren versuchte Bodenstein, seine Frau davon zu überzeugen, sich psychologische Hilfe zu holen, denn das eigentliche Problem war seiner Meinung nach das Trauma, das Mutter und Tochter vor sechs Jahren erlitten und dessen Schwere auch er lange unterschätzt hatte. Die damals dreizehnjährige Greta hatte neben ihrer Großmutter gestanden, als diese durch das Küchenfenster von einem Heckenschützen erschossen worden war, und Karoline hatte nicht nur die schrecklich entstellte Leiche ihrer Mutter gesehen, sondern auch erleben müssen, dass ihr Vater, ein angesehener Herzchirurg, zu einer langjährigen Gefängnisstrafe verurteilt worden war. Bodenstein war damals im Fall des Heckenschützen der leitende Ermittler gewesen und hatte oft das

Gefühl, dass diese schrecklichen Ereignisse zwischen ihnen lagen wie ein Minenfeld, das keiner von ihnen zu betreten wagte. Greta hatte mehrere Therapeuten verschlissen, doch bis auf Bodenstein hatte nie jemand ernsthaft versucht, ihr Grenzen zu setzen. Erst nachdem Karoline ihm unmissverständlich klargemacht hatte, dass Gretas Erziehung nicht seine, sondern allein ihre Sache sei, hatte er aufgegeben und sich herausgehalten. In einer Mischung aus schlechtem Gewissen und Angst vor ihren unbeherrschten Wutanfällen gab Karoline Greta immer nach, statt Konflikte auszuhalten, und das war jetzt das Ergebnis: Sie führten ein Leben auf Zehenspitzen, unter dem Kommando einer narzisstischen Achtzehnjährigen.

»Ich lass mich nicht mehr länger von dem da dissen!«, kreischte Greta und deutete anklagend mit dem Zeigefinger auf Bodenstein. »Ich zieh zu Papa! Heute noch!«

Bodenstein seufzte nur. Das war eine leere Drohung. Greta war bei der Familie ihres Vaters nicht mehr erwünscht, weil sie zu ihrer Stiefmutter genauso frech war wie zu ihm.

»Ich *hasse* dich!«, zischte Greta in seine Richtung und stürmte aus der Küche. »Ich hasse euch alle!«

»Warum müsst ihr sie auch immer ärgern?«, warf Karoline Bodenstein und Sophia vor. »Sie hat es doch gerade wirklich nicht einfach!«

»Ich hab's gerade auch nicht einfach«, erwiderte Sophia. »Meine Mutter hat *Krebs*, falls du das vergessen haben solltest.«

Oben krachte eine Tür ins Schloss, Sekunden später dröhnte laute Musik durchs Haus.

»Wie könnte ich *das* wohl vergessen?«, antwortete Karoline bitter und streifte Bodenstein mit ihrem Märtyrerinnenblick. »Dein Vater verbringt ja mehr Zeit mit ihr als mit mir.«

Damit wandte sie sich ab und eilte die Treppe hoch, um Greta einmal mehr zu besänftigen. Bodenstein blickte ihr nach, und ihm wurde klar, dass dieser letzte Satz der Tropfen gewesen war, der das Fass endgültig zum Überlaufen gebracht hatte.

»Lass uns fahren«, sagte er zu Sophia. Sie gingen in die Garage und stiegen in seinen Porsche. Bodenstein fuhr das Auto, ein

Geschenk seiner Ex-Schwiegermutter, nur dann, wenn er nicht zur Arbeit musste. Nicola Engel, seine Chefin, sah es nicht gerne, wenn er ihn auf dem Mitarbeiterparkplatz der Regionalen Kriminalinspektion parkte. Drei Minuten später fuhr er den Gagernring entlang Richtung Stadtmitte.

»Es ist so *asozial*, dass Greta dauernd lügt und so fiese Sachen über dich sagt und Karoline ihr immer alles glaubt!«, empörte sich Sophia. »Sie nennt Mama nur ›Krebsnella‹ oder ›Mrs. Leber-Cancer‹! Stimmt es eigentlich, dass nur Alkoholiker Leberkrebs kriegen?«

Bodensteins Finger schlossen sich so fest um das Lenkrad, dass seine Fingerknöchel weiß hervortraten. Er hatte Karoline eindringlich gebeten, Sophia die Einzelheiten von Cosimas Erkrankung vorerst zu ersparen, aber offenbar hatte sie alles brühwarm ihrer Tochter erzählt, die wiederum nichts Besseres zu tun gehabt hatte, als es Sophia unter die Nase zu reiben.

»Mamas Erkrankung hat nichts mit Alkohol zu tun«, erklärte er und zwang sich, so sachlich wie möglich zu bleiben. »Sie hat sich vor vielen Jahren auf einer ihrer Reisen mit Hepatitis angesteckt, und die Ärzte vermuten, dass der Leberzellkrebs eine Spätfolge dieser Infektion ist.«

»Wird Mama sterben?«

»Ich glaube nicht«, erwiderte er. »Die Ärzte tun alles, um ihr zu helfen, damit sie schnell wieder gesund wird.«

»Hm.« Sophia warf ihm einen raschen Blick zu. »Greta hat nämlich zu mir gesagt, wenn Mama stirbt, hätten wir kein Geld mehr, weil du nur Polizist bist und kaum was verdienst.«

»Wie bitte?« Bodenstein warf seiner Tochter einen ungläubigen Blick zu.

»Und sie sagt, wenn ich nicht tue, was sie will, dann sorgt sie dafür, dass ihre Mutter uns rausschmeißt, weil das ja ihr Haus ist und nicht deins. Stimmt das, Papa? Müssen wir in eine Wohnung in einem Hochhaus ziehen?«

Bodenstein war wie vor den Kopf geschlagen und für einen Moment glaubte er, ihm müsse das Herz brechen.

»Nein, das müssen wir nicht«, beruhigte er Sophia.

»Ich hasse Greta«, sagte seine Tochter mit der ganzen Inbrunst einer Zwölfjährigen. »Ich wünschte, ich müsste sie in meinem ganzen Leben nie mehr sehen!«

›Ich auch‹, dachte Bodenstein. ›Oh ja, ich auch!‹

Er setzte den Blinker und hielt in einer Parkbucht vor der Schule. Sophia, die eigentlich nicht zu Zuneigungsbekundungen in der Öffentlichkeit neigte, schlang ihm die Arme um den Hals und küsste seine Wange.

»Ich hab dich lieb, Papa!«

»Ich hab dich auch lieb, meine Kleine«, erwiderte er.

»Kannst du mein Bild Mama geben, wenn du sie besuchst?« Sophia löste sich aus der Umarmung und zwinkerte ihm zu.

»Brauchst du es nicht für Kunst?«

»Nein.« Sie grinste. »Ich hab letzte Woche 'ne Eins drauf gekriegt. Das habe ich Greta nur nicht gesagt.«

»Du bist mir eine!« Bodenstein lächelte. »Ich bringe es Mama mit. Sie wird sich sehr darüber freuen.«

Sophia stieg aus, warf sich den Rucksack über die Schulter, lächelte ihm noch einmal zu und verschwand dann im Strom der Schüler.

Bodenstein fädelte wieder in den fließenden Verkehr ein und ignorierte das penetrante Summen seines Handys. Karoline versuchte ihn zu erreichen, wahrscheinlich, um sich zu entschuldigen, aber er war des immer gleichen Spiels müde. Auf Streit, Unterstellungen und Vorwürfe folgten Zerknirschung und tränenreiche Beteuerungen, dass sie ihn lieben und nicht mehr zulassen würde, dass Greta sich zwischen sie stellte. Doch dann dauerte es keine drei Tage und das Theater ging von vorne los. Bodenstein spielte kurz mit dem Gedanken, ans Telefon zu gehen und Karoline zu sagen, was Sophia ihm eben erzählt hatte, aber dann besann er sich. Sein ganzes Leben breitete sich vor seinem inneren Auge aus, und was er sah, deprimierte ihn, denn ihm wurde bewusst, dass er wieder einmal Opfer seiner eigenen Illusionen geworden war. Vom ersten Moment an war die Beziehung zwischen Karoline und ihm kompliziert und fragil gewesen, und er wusste selbst nicht, weshalb er immer und immer wieder dieselben Fehler machte, statt aus ihnen zu lernen. Was er nicht länger ignorieren konnte, war die Tatsache, dass er mit Mitte fünfzig vor den Scherben seiner zweiten Ehe stand. An einer roten Ampel sah er, dass Karoline ihm bereits zwei Sprachnachrichten und fünf SMS geschickt hatte, denen im Laufe des Tages ein Trommelfeuer weiterer Nachrichten und Anrufe folgen würden, wenn er nicht irgendwann nachgab. Doch diesmal würde er das nicht tun. Er würde keine ihrer Nachrichten lesen oder anhören, weil er sowieso schon wusste, was sie sagen und schreiben und weil das alles rein gar nichts ändern würde.

* * *

Kriminalhauptkommissarin Pia Sander sah die zwei freilaufenden Weimaraner schon von Weitem, als sie auf dem Rückweg ihrer morgendlichen Hunderunde durch das Süße Gründchen, ein malerisches Tal mit Streuobstwiesen und einem Bach, Richtung Parkplatz am Sauerborn lief.

»Na super«, murmelte sie und verkürzte die Schleppleine, an der Beck's lief, bis er dicht neben ihr war. Der Malinois-Rüde hatte die beiden Artgenossen, die gerade mitten auf der Wiese ihr großes Geschäft erledigten, ebenfalls erspäht. Sein Körper versteifte sich, er stellte das Nackenfell auf und fing an zu knurren.

»Sei ruhig.« Pia ahnte schon, dass es der Besitzerin der Hunde, die telefonierend den Wiesenweg entlangschlenderte, nicht gelingen würde, die beiden rechtzeitig anzuleinen, bevor sie auf Beck's zustürmten.

»Würden Sie bitte Ihre Hunde an die Leine nehmen?«, rief sie.

»Die tun nichts!«, rief die Frau aus der Ferne, ohne das Handy vom Ohr zu nehmen.

»Mein Hund aber!«, erwiderte Pia und fasste in Beck's' Halsband, denn auch wenn er eigentlich gutmütig und sozialverträglich war, so hasste er es, wenn andere Hunde auf ihn zustürzten, ihn ansprangen und belästigten. Die Weimaraner hatten Beck's nun auch bemerkt und rannten auf ihn zu, fokussiert wie zwei Kurzstreckenraketen. Zwei gegen einen, und der eine war auch noch im Nachteil, da er angeleint war! Im Nu war ein wildes

24

Getümmel im Gange. Bei aller Gutmütigkeit war Beck's jedoch ein äußerst wehrhafter Hund, der sich nichts gefallen ließ, und innerhalb von Sekunden hatte er Weimaraner Nummer eins, obwohl größer und schwerer als er selbst, an der Gurgel.

»Eddi! Billy! Hierher!«, kreischte die Frau jetzt. Mit wedelnden Armen stolperte sie durch das hohe Gras, aber ihre Hunde ignorierten ihr Schreien und Pfeifen.

»Tun Sie doch was!«, schrie die Frau Pia aufgebracht an. »Ihr Hund beißt meinen Hund tot!«

»Tun Sie doch selber was!«, erwiderte Pia wütend. Sie dachte nicht im Traum daran, mit bloßen Händen raufende Hunde zu trennen. »Mein Hund ist an der Leine und Ihre sind es nicht!«

Nachdem Beck's ihn ins Ohr gezwickt hatte, fand Weimaraner Nummer zwei den Wald erheblich interessanter als den Kampf gegen einen überlegenen Gegner und verdrückte sich ins Unterholz. Nummer eins warf sich quiekend auf den Rücken, woraufhin Beck's sofort von ihm abließ.

»Ich werde Sie anzeigen! Das wird teuer für Sie!« Die Frau hob ihr Handy und fotografierte Pia. »Und das ist ein Beweis!«

»Wenn's Ihnen Spaß macht.« Pia zuckte die Schultern. »Ich kann Ihnen auch meine Telefonnummer geben.«

»So ein aggressiver Hund muss einen Maulkorb tragen!«, zeterte die Blondine.

»Mein Hund ist nicht aggressiv. Er hat sich gewehrt. Wenn Sie Ihre Hunde angeleint oder unter Kontrolle gehabt hätten, wäre gar nichts passiert«, entgegnete Pia scharf.

»Meine Hunde müssen ja wohl auch mal laufen dürfen!« Die Frau, eine typische Taunus-Torte in den Vierzigern mit blondiertem Pagenschnitt und verkniffenem Gesicht, kontrollierte das Fell ihres Hundes auf Verletzungen. »Hier! Blut! Ihr Köter hat ihn gebissen!«

»Selbst schuld«, sagte Pia. »Übrigens ist dieses Tal ein Flora-Fauna-Habitat. Ein Naturschutzgebiet. Vorne steht ein Schild, auf dem steht, dass Hunde zum Schutz des Wildes angeleint werden sollen.«

Beck's schüttelte sich und scharrte siegesbewusst mit den Hinterpfoten. Die Weimaraner-Besitzerin murmelte etwas, das sich wie ›dämliche Schlampe‹ anhörte und schnaubte verächtlich. Jede Diskussion war verschwendete Zeit, deshalb ging Pia weiter.

»Gut gemacht, Beck's«, lobte sie ihren Hund. »Lass dir nichts gefallen.«

Als sie etwa fünfzig Meter entfernt war, schrie ihr die Taunus-Torte ein vulgäres Wort hinterher, das durchaus den Tatbestand der Beleidigung erfüllte. Pia reagierte nicht darauf, auch wenn sie sich kurz der Fantasie hingab, Beck's von der Leine zu lassen und der Dame auf den Hals zu hetzen.

Im vergangenen Herbst hatte sie sich für drei Monate vom Dienst freistellen lassen, um Zeit mit ihrer Schwester Kim und deren Tochter Fiona zu verbringen, die beide in der Gewalt eines psychopathischen Serienkillers gewesen waren. Doch Kim hatte wieder einmal die Flucht ergriffen, wie immer, wenn es in ihrem Leben schwierig wurde. Sie hatte das Jobangebot des Profilers Dr. David Harding in den USA angenommen. Fiona war daraufhin enttäuscht zurück nach Zürich gegangen, und Pia hatte die freie Zeit genutzt, an der Polizeiakademie in Mühlheim mit Beck's eine Ausbildung zum Schutzhund zu absolvieren, die der hellbraune Malinois-Rüde mit Bravour abgeschlossen hatte. Sein Vorbesitzer hatte ihn nur auf seinem großen Grundstück und im Haus gehalten. Nachdem Theodor Reifenrath im Frühjahr letzten Jahres gestorben war, hatten eigentlich seine Nachbarn den Hund zu sich nehmen wollen, aber es hatte sich herausgestellt, dass eines der Kinder hochgradig allergisch gegen Hundehaare war. Pia hatte nicht lange gezögert und den Hund adoptiert, damit er nicht ins Tierheim musste. Seitdem war sie wieder rundum glücklich, denn ein Leben ohne Hund war ihr irgendwie leer erschienen. Der morgendliche Spaziergang vor dem Dienst war ein perfekter Start in den Tag und die regelmäßige Bewegung tat auch ihr selbst gut. Kriminaldirektorin Dr. Nicola Engel höchstpersönlich hatte Pia die Genehmigung erteilt, Beck's mit zur Arbeit zu bringen. Der Hund war in der RKI Hofheim eine Legende, denn er hatte sie auf die Fährte eines Serienkillers gebracht. Ihre Kollegen vom KII waren vom vierbeinigen Zuwachs hellauf begeistert, und

Beck's, unkompliziert und verfressen, hatte ganz besonders Pias Kollegen Kai Ostermann in sein Hundeherz geschlossen, denn der bunkerte in seinen Schreibtischschubladen immer etwas Essbares, das er gerne mit Beck's teilte.

Sie hatte den Parkplatz an der Sportanlage im Sauerborn erreicht. Außer ihrem orangefarbenen Mini Cabrio stand nur ein anderes Auto dort, ein schwarzer SUV. Pia fotografierte das Kennzeichen ab, bevor sie Beck's in den Fußraum des Beifahrersitzes springen ließ und sich hinter das Steuer setzte. Sie öffnete das Dach und genoss den kühlen Fahrtwind. Die Luft war noch frisch, aber der wolkenlose blaue Himmel und die Wetternachrichten im Radio versprachen einen weiteren trockenen Spätsommertag mit Temperaturen, die für die Jahreszeit wohl wieder einmal zu hoch sein würden. Nach der anhaltenden Hitzewelle der letzten Monate und einer ungewöhnlichen Trockenheit ähnelte die sonst so liebliche Vordertaunuslandschaft mit ihren saftigen Streuobstwiesen, kleinen Bachläufen und tiefen, schattigen Wäldern dem sonnenverbrannten Hinterland Andalusiens. Ganz Europa ächzte seit Monaten unter einer Rekordhitze, und die heftigen Gewitter am vergangenen Wochenende hatten nur kurz für Abkühlung gesorgt. Überall waren Tiefbrunnen und Zisternen leer und der Grundwasserspiegel so dramatisch abgesunken, dass bereits einige Ortschaften im Taunus von der Feuerwehr mit Trinkwasser versorgt werden mussten. Daran änderten auch kurze Gewitterschauer nichts.

»... gab es von Juni bis August bereits 75 Sommertage mit mindestens 25 Grad und mehr als 20 Hitzetage mit mindestens dreißig Grad«, verkündete die Moderatorin im Radio wieder einmal, als gäbe es außer den Hitzerekorden und Donald Trump nichts anderes mehr zu berichten. »Seit Beginn der Wetteraufzeichnungen im Jahr 1881 hat es solche Werte nicht ...«

Pia fuhr am Eichwald entlang und bog vor dem Krankenhaus in die Kronberger Straße ein. Gestern hatte es eine Verstimmung zwischen Christoph und ihr gegeben, und sie hatten sich nicht versöhnt, bevor er heute Morgen zu einer Tagung der EUROPEAN ASSOCIATION OF ZOOS AND AQUARIA aufgebrochen war. Da er genauso stur sein konnte wie sie, rechnete Pia nicht damit, von ihm zu hören, bis er am Samstag zurückkehrte. Sie hatte nicht vor nachzugeben, zumal der Grund für den Streit total albern war. Christoph war eifersüchtig, und zwar ausgerechnet auf Pias Ex-Mann Henning Kirchhoff, den Leiter der Frankfurter Rechtsmedizin. Henning hatte einen zweiten Krimi geschrieben, nachdem sein Erstling im vergangenen Herbst überraschenderweise ein Riesenerfolg geworden war. Die Protagonisten – ein Frankfurter Rechtsmediziner und seine Ex-Frau, eine Kriminalhauptkommissarin – ermittelten in einem Fall, der einen realen Hintergrund hatte, und diese Mischung aus Fiktion und Realität faszinierte nicht nur Leserinnen und Leser, sondern auch die Presse. Und Henning hatte wenig Hemmungen gehabt, Werbung für seinen Roman *Eine unbeliebte Frau* zu machen. Er hatte eifrig Lesungen absolviert und Interviews gegeben und war, dank der tatkräftigen Unterstützung einer Doktorandin, plötzlich bei Facebook, Instagram, YouTube und mit einer eigenen Webseite im Internet präsent. Als das Buch schließlich kurz vor Weihnachten Platz 1 der Taschenbuch-Bestsellerliste erklommen hatte und bei Amazon das meistbestellte Buch des Monats November gewesen war, waren die Fernsehsender aufmerksam geworden und man hatte ihn in jede wichtige Talkshow Deutschlands eingeladen, begierig darauf, einen leibhaftigen Rechtsmediziner und dazu noch einen Star seiner makabren Zunft vor die Kamera zu bekommen.

»Dein Ex macht einen auf Professor Börne!«, hatte Christoph damals gespottet. Nun war der Nachfolgeroman fertig und sollte in Kürze, rechtzeitig zur Frankfurter Buchmesse Anfang Oktober, erscheinen. Henning hatte Christoph vor ein paar Monaten beiläufig gefragt, ob er den Opel-Zoo in Kronberg, dessen Direktor Christoph seit vielen Jahren war, zu einem der Schauplätze in seinem Krimi machen und die Figur des Zoodirektors für eine Nebenrolle nutzen dürfe. Christoph, der das nicht allzu ernst genommen hatte, hatte es ihm gestattet und gleich wieder vergessen. Als Henning Pia vor drei Tagen die Druckfahnen von *Mordsfreunde* als PDF geschickt hatte, hatte Christoph zuerst gelesen. Die unübersehbaren Parallelen zu dem realen Mordfall, bei dessen Ermittlungen sie sich damals kennengelernt hatten, hatten ihn zunächst amüsiert, aber das Lachen war ihm schnell vergangen und jetzt war er stinkwütend.

Pias Telefon meldete sich mit einem melodischen Klingelton über die Freisprechanlage, gerade als sie in den Heinrich-Heine-Weg einbog.

»Sander?«, meldete sie sich

»Guten Morgen, Pia.« Es war Henning, als ob er geahnt hätte, dass sie gerade über ihn nachgedacht hatte.

»Hallo, Henning«, erwiderte sie kühl. »Danke, dass du endlich mal zurückrufst. Ich bin echt sauer auf dich!«

»Wieso denn das?« Er klang erstaunt.

»Ich habe einen Riesenkrach mit Christoph wegen deinem neuen Buch«, sagte Pia. »Er hat es gelesen und ist fast ausgeflippt!«

»Moment mal!«, rief Henning. »Ich habe ihn um Erlaubnis gefragt! Und die Figur kommt doch gut weg! Immerhin kriegt der Zoodirektor am Ende die Kommissarin.«

»Ach komm schon, Henning!« Pia war verärgert. »Die Kommissarin hat im Buch Sex mit ihrem Ex, muss das sein?«

»Da hat sie ja auch noch nichts mit dem Zoodirektor.« Henning klang belustigt. »Außerdem erwischt sie den Ex ja später in flagranti mit der Staatsanwältin.«

»Wenn du meine Ehe nicht in Gefahr bringen willst, ändere wenigstens noch die Widmung«, sagte Pia. »*Für Pia* reicht vollkommen. *In Liebe* – das ist kompromittierend.«

»Findest du? Okay, ich werde sehen, ob ich noch etwas machen kann. Die Fahnen sind allerdings schon zum Druck freigegeben«, erwiderte Henning. »Aber warum ich eigentlich anrufe: Könntest du wohl mal kurz nach Bad Soden fahren? Ich habe gerade einen Anruf von Maria bekommen, ähm … ich meine von Frau Hauschild, äh … meiner Agentin. Ich glaube, du kennst sie, oder?«

»Klar kenne ich sie. Ich habe sie auf deiner letzten Buchpremiere kennengelernt.« Pia wunderte sich über das Gestammel, das für ihren Ex völlig untypisch war, und ihr kam nicht zum ersten Mal der Gedanke, dass da irgendetwas lief zwischen ihm und dieser Frau, die ihn darin bestärkt hatte, mit Mitte fünfzig die eingefahrenen Bahnen seines Lebens zu verlassen und etwas ganz Neues zu wagen, nämlich einen Kriminalroman zu schreiben. Es war Pia nicht verborgen geblieben, wie sehr Henning sich seitdem verändert hatte, ganz so, als hätte ihm die Rolle des sarkastischen Misanthropen nie wirklich behagt.

»Was ist denn mit ihr?«

»Mit ihr ist … nichts. Ich … ich habe gleich eine Vorlesung und kann nicht hier weg, deshalb habe ich ihr versprochen, dich anzurufen.«

»Und weshalb?« Pia hielt vor ihrer Garage und ließ mithilfe der Fernbedienung das Tor hochfahren.

»Sie ist am Haus einer Freundin, von der sie seit ein paar Tagen nichts mehr gehört hat, und befürchtet, ihr könnte etwas zugestoßen sein, weil sie Blutflecken an der Tür bemerkt haben will.«

»Aha.« Pia verbiss sich die Frage, ob er denn wohl, wenn er Zeit gehabt hätte, selbst um halb neun morgens in den Vordertaunus gefahren wäre, um der vagen Vermutung seiner Agentin auf den Grund zu gehen. »Na gut, ich fahre hin. Aber nur unter einer Bedingung: Du lässt die Widmung ändern.«

»Ich rufe sofort im Verlag an und rede mit meiner Lektorin«, versprach Henning eifrig. »Ehrenwort.«

»Na gut«, sagte Pia gnädig. »Ich bin sowieso noch zu Hause. Wo genau muss ich hin?«

»Burgbergstraße 74«, erwiderte Henning. »Vielen Dank, Pia. Du Liebe!«

Pia ließ das Garagentor wieder herunter und setzte zurück auf die Straße.

»Ach, halt die Klappe, Henning!«, sagte sie und drückte das Gespräch weg.

* * *

»Hallo, Oliver.« Cosima lächelte erfreut, als er ihr Krankenzimmer betrat, aber es war nur ein schwacher Abglanz ihres einst so strahlenden Lächelns. Bei ihrem Anblick schnürte es Bodenstein für einen Moment die Luft ab. Der Krebs hatte all das Sprühende, Kraftvolle, das immer von Cosima ausgegangen war, ausgelöscht, und die Chemotherapie schien ihr vollends den Rest zu geben. In dem schmalen Krankenbett lag nur noch die Hülle der Frau, die sie einmal gewesen war. Während all der Jahre seiner ersten Ehe hatte er in der ständigen Angst gelebt, plötzlich Witwer zu werden und mit zwei halbwüchsigen Kindern allein zurückzubleiben. Immer, wenn Cosima auf einer ihrer abenteuerlichen Filmexpeditionen gewesen war, um in den entlegensten Winkeln der Welt ihre Dokumentarfilme zu drehen, hatte er nachts schlecht geschlafen. Manchmal waren Tage, in früheren Zeiten, als es noch keine Handys gegeben hatte, auch Wochen vergangen, in denen er auf ein Lebenszeichen von ihr gewartet hatte, während er den Spagat zwischen Arbeit und Kindererziehung bewältigen musste, und in jeder einzelnen dieser durchwachten Nächte hatte er sich geschworen, Cosima nie wieder wegzulassen, weil er die ständige Sorge um sie nicht mehr ertragen konnte. Aber wenn sie dann wieder da gewesen war, erschöpft, aber glühend vor Begeisterung und zur Freude der Kinder gelegentlich mit einem Hund oder einer Katze, die sie unterwegs aufgelesen hatte, im Gepäck, dann hatten sich seine Ängste für eine Weile in nichts aufgelöst. Er hatte gelernt, damit zufrieden zu sein, sie unversehrt in die Arme schließen zu können, bis ihr Fernweh aufs Neue erwachte und sie ein nächstes Filmprojekt plante.

Schon als er sich in sie verliebt hatte, war ihm klar gewesen, dass sich die temperamentvolle, freiheitsliebende Cosima niemals in einem geordneten und wenig aufregenden Leben, wie er es brauchte, wohlfühlen würde, und weil er sie geliebt hatte, hatte er immer wieder die Zähne zusammengebissen und ihre Expeditionen, die Gesellschaft der merkwürdigen Filmleute, die oft wochenlang ihr Haus bevölkerten, die Zeit, die sie in Schneideräumen verbracht hatte, und ihre Reisen zu Filmfestivals auf der ganzen Welt akzeptiert. Doch ihre Affäre mit einem russischen Polarforscher und Bergsteiger vor zehn Jahren hatte ihm das Herz gebrochen, und es hatte lange gedauert, bis er ihr hatte vergeben können. Aber das hatte er getan, nicht zuletzt den Kindern zuliebe, und ihr Verhältnis war in den letzten Jahren besser gewesen als jemals während ihrer Ehe.

»Hey, Cosi«, sagte er. »Wie geht es dir?«

»Mir geht's ganz gut«, erwiderte sie und richtete sich auf. Sogar ihre Stimme hatte sich verändert und klang brüchig. Ihre Haut war gelblich und dünn wie Pergamentpapier, das glänzende rote Haar der Chemo zum Opfer gefallen, genauso wie ihre Wimpern und Augenbrauen.

»Schau mal, Sophia hat ein Bild für dich gemalt.« Bodenstein rollte das Blatt auseinander und hielt es hoch. »Sie hat eine Eins darauf bekommen.«

»Die Skyline von Frankfurt! Das ist ihr aber gut gelungen!« Cosima lächelte. »Ich werde die Schwestern bitten, es so aufzuhängen, dass ich es immer sehen kann.«

Bodenstein legte das Bild auf den Tisch unter dem Fernseher. Für ein Krankenhauszimmer war der Raum geradezu luxuriös. Er hatte einen eigenen kleinen Balkon, ein schönes Badezimmer, es gab sogar eine Sitzecke mit Couch und gemütlichen Ledersesseln und eine Minibar.

»Kann ich irgendetwas für dich tun?«, fragte Bodenstein. »Brauchst du was? Hast du noch genug zu lesen?«

»Danke, ich habe alles, was ich brauche. Ich würde nur wahnsinnig gerne eine rauchen«, gab Cosima zu und grinste spitzbübisch. »Hast du zufällig Zigaretten dabei?«

»Nein. Ich habe seit drei Wochen nicht mehr geraucht.« Bodenstein warf einen Blick auf seine Uhr, dann setzte er sich. Er hatte noch eine halbe Stunde Zeit, bis der Untersuchungs-Marathon mit EKG, Thorax-Röntgen, Kernspin-Angiografie und -volumetrie der Leber und einer Leberbiopsie losging. »Du weißt, weshalb.«

»Natürlich.«

Sie sahen sich an.

»Du wirkst so bedrückt. Was ist los, Oliver? Tut es dir leid, dass du alldem hier zugestimmt hast?«

»Nein. Das ist es nicht.« Bodenstein seufzte. Eigentlich hatte er nicht vor, Cosima mit seinen Problemen zu belasten, aber sie kannte ihn einfach zu gut, als dass er etwas vor ihr hätte verheimlichen können.

»Karolines Eifersucht ist einfach unerträglich geworden«, sagte er und berichtete ihr, welche Szenen sich heute Morgen abgespielt hatten. »Ich kann nicht mehr so weitermachen und hoffen, dass sich alles eines Tages einrenkt. Das wird es nicht. Und Sophia leidet. Ich möchte sie zu meinen Eltern bringen oder zu Marie-Louise und Quentin, bis ich eine andere Lösung gefunden habe.«

»Das tut mir leid«, erwiderte Cosima. »Natürlich ist es okay, wenn Sophia bei deiner Familie wohnt. Das ist wohl auch das Beste für die Zeit danach.«

»Ja, das denke ich auch.« Bodenstein nickte.

Über die medizinischen Aspekte dessen, was auf sie beide zukam, hatten sie schon oft genug gesprochen, ihr Gespräch wandte sich anderen, allgemeineren Themen zu. Er erzählte ihr von Henning Kirchhoffs neuem Krimi, dem die Kollegen der RKI gespannt entgegenfieberten und über den sich Pia Sanders Ehemann ärgerte. Sie lachten und genossen diesen seltenen Augenblick von Normalität, von Unbefangenheit.

Cosimas Erkrankung hatte Bodenstein vor Augen geführt, dass das Leben zu kurz war, um es mit Dingen zu vergeuden, die man eigentlich gar nicht tun wollte, oder mit Menschen, die einem nicht guttaten. Von einem Tag auf den anderen konnte es vorbei sein. Vor zwei Monaten war Cosima beim Einkaufen im Supermarkt zusammengeklappt und ins Krankenhaus gebracht worden. Die Diagnose Leberzellkrebs im fortgeschrittenen Stadium war ein Zufallsbefund gewesen und ein Schock für die ganze Familie. Ihre einzige Überlebenschance war eine Lebertransplantation, denn noch hatten die Tumorzellen nicht in Lymphknoten oder andere Organe gestreut. Man hatte ihren Namen auf die Warteliste für eine postmortal gespendete Leber bei EUROTRANSPLANT gesetzt und mit einer transarteriellen Chemo-Embolisation begonnen, um die vorhandenen Tumore am weiteren Wachstum zu hindern, bis ein passendes Organ zur Verfügung stand. Niemand wusste allerdings, wie lange das dauern würde, deshalb hatten sich Lorenz und Rosalie als mögliche Lebendspender testen lassen, doch leider hatten einige Faktoren nicht gepasst. Das Transplantationsgesetz war streng, für eine Lebendspende kamen nur

Familienangehörige, Ehe- oder Lebenspartner in Betracht, deshalb hatte Bodenstein auch einen Test machen lassen. Bei ihm stimmten alle Parameter, die ihn zu einem geeigneten Spender für Cosima machten, und so hatte er sich dazu entschlossen, der Mutter seiner Kinder einen Teil seiner Leber zu spenden. Nach einer ausführlichen medizinischen und sozialen Anamnese hatte die Lebendspendekommission schließlich grünes Licht gegeben, heute würde er sich weiteren Tests unterziehen. Es war ein Wettlauf mit der Zeit, denn Cosimas Zustand verschlechterte sich zusehends, und wenn sie nicht mehr kräftig genug für eine OP war, würde der Krebs sie besiegen.

»Zehn vor neun«, stellte Bodenstein fest. »Ich sollte mich auf den Weg machen.«

»Hast du es Karoline mittlerweile gesagt?«, fragte Cosima.

»Nein«, erwiderte Bodenstein. »Und das werde ich auch nicht mehr tun. Ich ziehe morgen zu Marie-Louise ins Hotel. Dann bin ich in Sophias Nähe und habe meine Ruhe.«

»Oh!«, machte Cosima nur.

»Ich hätte es längst tun sollen«, sagte er.

»Du bist so ein guter Mensch, Oliver«, flüsterte Cosima. »Ich danke dir so sehr. Und auch, wenn die ganze Sache schiefgehen sollte …«

»Das wird sie nicht«, fiel er ihr rasch ins Wort. »Du wirst wieder gesund.«

»Leider besteht die Möglichkeit, dass das nicht passiert, und das wissen wir beide.« Cosima sah ihn ruhig an. »Aber falls ich das hier nicht überstehe, dann hatte ich auf jeden Fall ein wunderbares Leben. Und das verdanke ich zu einem sehr großen Teil dir, Oliver. Wir haben drei großartige Kinder und vier süße Enkelkinder. Ich habe in beruflicher Hinsicht das tun können, was mich glücklich gemacht hat. Wenn es also vorbei sein sollte, dann verlasse ich diese Welt als zufriedener Mensch.« Ihre Stimme war heiser geworden, und Bodenstein hatte einen Kloß im Hals.

»Lass dir nicht einfallen zu sterben, nach allem, was ich hier über mich ergehen lasse«, scherzte er, auch, wenn ihm kein bisschen danach zumute war. »Weißt du eigentlich, wie ätzend eine Leber-Biopsie ist?«

Cosima lachte, wurde aber gleich wieder ernst.

»Ich weiß sehr zu schätzen, was du tust, mein Lieber«, antwortete sie. »Vor allen Dingen, weil ich deine Aversion gegen Nadeln und Spritzen kenne.«

* * *

Pia war es ganz recht, dass Henning ihr eine Ausrede geliefert hatte, heute Vormittag nicht ins Büro zu müssen. Abgesehen von ein paar Körperverletzungen, einem gesprengten Geldautomaten und zwei Brandstiftungen war im K11 in letzter Zeit nicht sonderlich viel zu tun gewesen, deshalb hatte Kriminaldirektorin Dr. Nicola Engel den Mitarbeitern sämtlicher Kommissariate Fortbildungen mit so sperrigen Bezeichnungen wie *Individuelle Handlungskompetenzen – selbstsicher und bürgernah, Analyse des Kriminalitätsgeschehens, von der Taktik bis zur Strategiebildung* oder *Methodische Kompetenzen – situationsgerecht und zielgruppenorientiert handeln* aufgebrummt. Die Teilnahme sei fakultativ, hatte es in einer Rundmail geheißen, aber als sich daraufhin nur drei Leutchen angemeldet hatten, war eine weitere Mail aus der Chefetage gekommen, in dem das Adjektiv ›fakultativ‹ durch ›obligatorisch‹ in Fettdruck ersetzt worden war. Nur ein dringlicher beruflicher Grund befreie von der Pflicht zur Fortbildung, hatte es geheißen. Insofern war Pia nicht unglücklich darüber, Nachforschungen zum Verbleib einer Freundin der Agentin ihres Ex-Mannes anstellen zu dürfen.

Sie fuhr die Parkstraße oberhalb des Alten Kurparks entlang, die in die Burgbergstraße mündete, und hielt Ausschau nach der Hausnummer, die Henning ihr genannt hatte. Das Haus lag ein Stück von der Straße entfernt hinter wild wuchernden Rosenbüschen, beschattet von ein paar mächtigen Nadelbäumen mit knorrigen rotbraunen Stämmen. Auf der niedrigen Mauer, die das Grundstück zur Straße hin begrenzte, saß eine blonde Frau und telefonierte. Pia hielt hinter einem weißen Smart mit Frankfurter Kennzeichen, ergriff ihren Rucksack, klippte die Leine in den Ring von Beck's Geschirr und stieg aus. Die Frau beendete ihr Telefonat, erhob sich von der Mauer und setzte die Sonnenbrille ab. Der Anblick des Hundes zauberte ein Lächeln auf ihr Gesicht, das aber rasch wieder erlosch.

»Hallo, Frau Hauschild«, begrüßte Pia Hennings Agentin.

»Hallo, Frau Kirchhoff«, erwiderte die Frau.

»Sander. Ehemals Kirchhoff«, korrigierte Pia lächelnd.

»Ach, natürlich. Bitte verzeihen Sie. Danke, dass Sie so schnell gekommen sind.«

Aus der Nähe sah Maria Hauschild nicht mehr ganz so jung aus wie von Weitem, aber sie war noch immer eine attraktive Frau, und Pia überlegte kurz, ob Henning wohl mit ihr ins Bett ging. »Kein Problem. Ich war sowieso gerade in der Nähe.«

Die Agentin trug ein weißes Leinenhemd, eine dreiviertellange Jeans und neongrüne Sneaker an den Füßen. Ihr kinnlanger Bob war silbergrau und nicht blond, aber wären die Fältchen rings um ihre Augen und über der Oberlippe nicht gewesen, hätte sie locker für Ende vierzig durchgehen können.

»Das ist ja ein schöner Hund«, sagte sie. »Wie heißt er?«

»Beck's«, erwiderte Pia. »Wie das Bier.«

Bei der Erwähnung seines Namens legte Beck's den Kopf schief und wedelte erwartungsvoll mit dem Schwanz.

»Henning sagte mir, Sie machen sich Sorgen um eine Bekannte.« Nach dem Streit mit Christoph und der unerfreulichen Begegnung mit der Weimaraner-Tussi war Pia nicht in Stimmung für Höflichkeitsfloskeln und kam deshalb gleich zur Sache.

»Ja, das tue ich. Ich versuche schon seit Tagen, meine Freundin Heike zu erreichen, aber sie geht nicht ans Telefon und antwortet mir auch auf keine Mail oder Nachricht.« Die Agentin war unverkennbar besorgt. »Wir sind seit vierzig Jahren befreundet und in all diesen Jahren ist das nicht einmal vorgekommen. Sie hat vor einer Weile ihren Job verloren, und ich fürchte, ihr könnte etwas … hm … zugestoßen sein.«

»Was meinen Sie damit?« Pia runzelte die Stirn. »Vermuten Sie, dass sie sich etwas angetan hat?«

»Ich weiß es nicht.« Maria Hauschild hob ratlos die Schultern.

»Aber es ist schon sehr ungewöhnlich, dass ich tagelang nichts von ihr höre. Und gerade vor dem Hintergrund dessen, was passiert ist ...«

Pia hasste es, wenn Leute Sätze nicht beendeten in der Hoffnung, man würde nachfragen. Aber solange nicht feststand, dass der Freundin tatsächlich etwas zugestoßen war, interessierte Pia sich nicht für irgendwelche Hintergründe.

»Henning sagte mir, Sie hätten Blutflecken an einer Tür entdeckt«, sagte sie.

»Ja. Kommen Sie, ich zeige sie Ihnen.« Maria Hauschild öffnete das Tor, von dem der rote Lack abblätterte, und betrat das Grundstück. Pia warf einen Blick durch das kleine Garagenfenster. In der Doppelgarage stand ein dunkles Auto.

»Ihr Auto ist da«, sagte die Agentin. »Ich habe schon geschaut.«

»Kann es nicht sein, dass Ihre Freundin einfach nur verreist ist?«, fragte Pia. »Vielleicht ist sie mit dem Zug gefahren oder geflogen und besucht Verwandte oder Freunde. Menschen, die ihren Job verlieren, brauchen manchmal einen Tapetenwechsel.«

»Heike hat keine Verwandten und auch nur wenige Freunde«, behauptete Frau Hauschild. »Und sie verreist nie. Erst recht nicht mit dem Zug, weil sie es nicht aushält, stundenlang nicht rauchen zu können. Glauben Sie mir, ich kenne sie schon sehr lange und sehr gut.«

Pia folgte ihr mit Beck's an der Leine einen von Moos und Tannennadeln bedeckten Weg entlang, der hoch zum Haus führte. Der Garten wirkte vernachlässigt. Sträucher und Blumen waren in der Hitze der letzten Wochen verwelkt, und der Rasen war schon so lange nicht mehr gemäht worden, dass er eigentlich einer Wiese glich. Die Terrasse vor dem Haus wirkte, als wäre sie lange nicht benutzt worden. Sechs Gartenstühle waren an einen Tisch gekippt, daneben standen eine altersschwache Hollywoodschaukel, ein eingerollter Sonnenschirm und ein rostiger Grill. Für die verdursteten Pflanzen in Blumentöpfen aller Größen und Formen kam jede Hilfe zu spät. Eine Markise, die ursprünglich einmal erdbeerrot gewesen sein mochte, war zu einem fadenscheinigen Rosa ausgebleicht und der Volant hing schlaff herunter. Der Putz des Hauses war an vielen Stellen schadhaft, und an einer Seite war die Hausmauer bis hoch zur Regenrinne mit Efeu bewachsen.

»Wann haben Sie zuletzt mit Ihrer Freundin gesprochen?«, erkundigte sich Pia.

Maria Hauschilds Antwort ging im ohrenbetäubenden Kreischen einer Kreissäge unter. Auf dem Nachbargrundstück zur Rechten erhob sich der gigantische Rohbau eines jener verglasten Betonklötze, in denen Menschen heutzutage gerne wohnten. Von ihren Hundespaziergängen kannte Pia einige dieser Neubauten und wunderte sich immer wieder, was aus Bebauungsplänen herauszuholen war, wenn man einen cleveren Architekten auf der einen und eine flexible Baubehörde auf der anderen Seite hatte. Wo früher kleine Einfamilienhäuser mit Garage und Garten gestanden hatten, wuchsen rechteckige Glasbunker aus dem Boden, oft mit Tiefgarage für mehrere Fahrzeuge, die jeden Millimeter des Baufensters ausnutzten, zum Entsetzen der Nachbarn, die sich unversehens im Schatten eines zweistöckigen Glaskastens wiederfanden.

Pia wiederholte ihre Frage.

»Letzte Woche irgendwann«, räumte Maria Hauschild ein. »Ich weiß, es mag Ihnen seltsam erscheinen, dass ich mir schon nach ein paar Tagen solche Sorgen mache. Aber Heike war am Dienstagabend in eine Live-Talkshow eingeladen, die ihr sehr wichtig war. Sie hat diese Sendung viele Jahre lang selbst mitmoderiert. Doch sie ist nicht aufgetaucht. Sie hat nicht einmal abgesagt.«

»Aha.«

Sie blieben vor einer weißen Holztür stehen, deren Farbe Risse zeigte und abblätterte.

»Diese Tür führt in die Küche. Heike benutzt sie häufiger als die eigentliche Haustür«, erklärte die Agentin. Sie wies auf ein paar Flecken auf der Treppenstufe und einen Streifen am Türblatt. »Sehen Sie hier, das ist doch Blut, oder?«

Pia befahl Beck's, sich hinzulegen und zu warten, dann ging sie in die Hocke und begutachtete die bräunlichen Flecken.

»Ja, das könnte Blut sein«, bestätigte sie. »Allerdings sollten Sie sich nicht gleich das Schlimmste ausmalen. Ihre Freundin könnte sich bei der Gartenarbeit verletzt haben.«

Oder sie hatte Nasenbluten. Oder sie hat ein blutiges Steak zum Grill getragen. Pia spähte durch einen der Glaseinsätze der Tür und erkannte Küchenschränke und einen Kühlschrank. Sie zupfte ein Paar Latexhandschuhe aus der Seitentasche ihres Rucksacks und streifte sie über. Dann klopfte sie an die Tür.

»Das habe ich auch schon versucht«, sagte Frau Hauschild.

»Wie kommen wir ins Haus?«, fragte Pia. »Ich nehme an, Sie haben keinen Schlüssel.«

»Äh, ich … ich dachte, die Polizei darf in einem Notfall Türen öffnen«, sagte Frau Hauschild zögernd.

»Das ist richtig.« Pia wandte sich der Agentin zu. »Aber hier ist weder Gefahr im Verzug, noch liegt ein Notfall vor. Ihre Freundin ist volljährig und darf sich aufhalten, wo sie will, auch ohne jemandem Bescheid zu sagen. Ließe ich die Tür aufbrechen, wäre das Hausfriedensbruch.«

»Ich mache mir wirklich *sehr* große Sorgen«, beteuerte Maria Hauschild eindringlich. »Was, wenn sie verletzt im Haus liegt? Der Winterscheid-Verlag war immer Heikes Familie. Über dreißig Jahre lang. Sie lebt für ihre Arbeit und für ihre Autoren. Und jetzt hat sie nichts mehr.«

Pia horchte auf.

»Winterscheid? Ist das nicht der Verlag, bei dem auch Henning ist?«

»Ja, genau.« Die Agentin nickte.

»Hat irgendjemand sonst einen Haustürschlüssel?«, erkundigte Pia sich. »Ein Nachbar vielleicht?«

»Das weiß ich nicht.« Frau Hauschild legte die Stirn in Falten. Auf einmal trat ein entschlossener Zug um ihren Mund. Sie rollte den rechten Ärmel ihrer Bluse herunter. Bevor Pia sie daran hindern konnte, rammte die Agentin ihren Ellbogen durch einen Glaseinsatz in der Tür.

»Was tun Sie denn da?«, rief Pia entgeistert. »Das ist Einbruch!«

»Ich werde für den Schaden aufkommen.« Frau Hauschild griff durch das Loch, drehte den innen steckenden Schlüssel um und öffnete die Tür. »Aber jetzt, wo die Tür offen ist, können wir im Haus nachschauen, ob sie dort irgendwo ist, oder nicht?«

»Heike?« Sie machte Anstalten, das Haus zu betreten.

»Stopp!«, bremste Pia die Frau. »Sie bleiben hier. Ich sehe mich da drin erst mal alleine um, falls ... na ja ...«

»Oh! Natürlich.« Maria Hauschild sah sich bestürzt um.

Menschen hatten sich schon aus weitaus nichtigeren Gründen als einem Jobverlust das Leben genommen, und sollte Frau Hauschilds Freundin sich tatsächlich etwas angetan und ihre Leiche bei der momentan herrschenden Hitze mehrere Tage im Haus gelegen haben, dann bot sie jetzt keinen sonderlich attraktiven Anblick mehr. Die Glasscherben knirschten unter Pias Schuhsohlen, als sie die Küche betrat. Sie schnupperte. Es roch nur nach kaltem Zigarettenrauch, der typische Leichengeruch nach Käse und Ammoniak fehlte. Die Fensterscheiben, trüb von Nikotin und Schmutz, tauchten den Raum in ein diffuses Zwielicht. Der Kühlschrank summte laut. Pia ließ ihren Blick durch die große Küche wandern. Auf dem Herd standen Töpfe und Pfannen. Sie hob die Deckel hoch und sah eingetrocknete Essensreste. Die Glaskanne der Kaffeemaschine war zur Hälfte gefüllt, das Kaffeepulver im Papierfilter schimmelte bereits. Der Küchentisch aus massivem Holz diente offenbar als Arbeitsplatz. Rings um einen zugeklappten Laptop stapelten sich Papiere, Bücher, geöffnete und ungeöffnete Post. Neben einem überquellenden Aschenbecher und einem Kaffeebecher aus Porzellan, in dem Schimmel schwamm, lagen ein Päckchen Zigaretten und ein Feuerzeug. Pia warf einen Blick in den Kühlschrank. Ein paar Flaschen Wein. Butter. Aufschnitt. Käse. Eine Sechserpackung Eier. Jede Menge Fertigsalate. Mehrere gefüllte Vorratsboxen. Sie betrat den Flur, der von der Küche zur Haustür führte, und schaute in die angrenzenden Zimmer. Auf jeder freien Fläche türmten sich Bücher, Zeitschriften und Zeitungen. Der Raum neben der Küche schien der verschwundenen Hausbesitzerin als Schlafzimmer zu dienen. Das Bett war nicht gemacht. Über einem stummen Diener hingen Kleidungsstücke, auf dem Nachttisch lagen Medikamentenpackungen und Bücher, auf dem Fußboden neben dem Bett standen ein weiterer voller Aschenbecher und ein Weinglas mit einem eingetrockneten Rest Rotwein. Ein Buch, aufgeschlagen und umgedreht, als ob seine Leserin es nur kurz weggelegt hätte, lag auf dem zerdrückten Kopfkissen, und auf einem Stuhl stand eine Handtasche. Pia öffnete sie und entdeckte neben allerhand Kram ein abgenutztes Portemonnaie, das außer etwas Bargeld Kredit- und EC-Karten, einen Personalausweis, einen Fahrzeugschein und den Führerschein von Heike Wersch enthielt.

Maria Hauschild schien recht zu behalten. Hier stimmte etwas nicht. Niemand, der für ein paar Tage verreisen wollte, ließ seine Tasche mit allen Papieren zurück. Gerade als sie ihr Handy hervorzog, um ihren Kollegen Christian Kröger anzurufen, hörte sie Beck's bellen. Pia trat in den Flur. Eine schwarze Katze sauste wie ein Pfeil an ihr vorbei, dicht gefolgt von ihrem Hund, dem die pure Mordlust in den Augen stand. Bei Katzen, mit Ausnahme ihrer eigenen, versagte seine Impulskontrolle leider völlig. Pia versuchte, die schleifende Leine noch zu erhaschen, aber sie war nicht schnell genug. Die Katze huschte die Treppe, die in den oberen Stock führte, hoch, der Malinois ihr dicht auf den Fersen.

»Verdammt!«, fluchte Pia und folgte den beiden Tieren. »Beck's! Stopp! Zurück!«

Von oben ertönte Beck's Gebell, dessen hysterische Tonlage Pia alarmierte. Sie kannte die unterschiedlichen Stimmen ihres Hundes genau und diese hier verhieß nichts Gutes. Hatte er etwa die Leiche von Heike Wersch gefunden? Atemlos erklomm Pia die letzten Treppenstufen und hielt erschrocken inne. Im Halbdunkel des Flurs saß ein alter Mann in einem gestreiften Schlafanzug, den Rücken an die Wand gelehnt. Beck's stand vor ihm und bellte ihn an, wie er es bei seiner Schutzhunde-Ausbildung gelernt hatte.

»Aus! Gut gemacht!« Pia ergriff Beck's am Halsband und zog ihn zurück. Der Hund verstummte und wedelte mit dem Schwanz.

»Entschuldigen Sie bitte, wenn mein Hund Sie erschreckt hat.«

Pia ging in die Hocke. »Mein Name ist Pia Sander von der Kriminalpolizei Hofheim.«

Der Mann starrte sie an. Er war barfuß und unrasiert, sein weißes Haar stand wirr von seinem Kopf ab.

»Bitte«, flüsterte er mit zittriger Stimme. »Bitte helfen Sie mir.«

Es klirrte, als er sein Bein bewegte, und da bemerkte Pia die Kette, die an seinem rechten Fußgelenk befestigt war.

* * *

»Nächster Halt: Hauptwache!«, verkündete die Computeransage. Julia Bremora verstaute ihr Tablet, auf dem sie noch einmal ihre Vorträge durchgegangen war, in ihrer Tasche und stand auf. Es war zwanzig vor zehn, und obwohl es gestern Abend spät geworden war, hatte sie heute Morgen keinen Wecker gebraucht, um aufzuwachen. Die Feier in dem italienischen Restaurant im Westend war ein voller Erfolg gewesen, und das hatte nicht zuletzt daran gelegen, dass *ihr* Autor der Star des Abends gewesen war. Eigentlich hatte sie damit gerechnet, dass die Riege altgedienter Winterscheid-Lektoren meckern würde, weil ein *Krimiautor* und nicht einer der hochdekorierten Literaten Ehrengast der diesjährigen Vertreterkonferenz sein sollte, aber nachdem die Wersch, diese alte Hexe, die nichts als Unruhe gestiftet hatte, vor vier Wochen gefeuert worden war, hatte sich die Stimmung im Verlag deutlich gebessert. Henning Kirchhoff war es dann gestern Abend auch mit einer launigen Rede, gespickt mit Anekdoten aus seinem Rechtsmediziner-Alltag, und der kurzen Lesung aus seinem neuen Krimi gelungen, der Anti-Carl-Winterscheid-Fraktion das ein oder andere, wenn auch verkniffene, Lächeln zu entlocken. Am Ende hatten sie alle brav applaudiert, sogar Herr Roth, der Programmleiter Literatur, mit seiner Beethoven-Mähne und der runden Hornbrille, die vor dreißig Jahren mal modern gewesen war. Julia war vor Freude und Stolz beinahe geplatzt, als der Verleger sie bei seiner Ansprache vor allen Kollegen und den Vertretern geradezu überschwänglich gelobt hatte. Sie habe ein hervorragendes Gespür für Sprache und Inhalte, für den Zeitgeist und den Buchmarkt, hatte Carl Winterscheid gesagt, und wahrscheinlich lag es nicht nur an seinen Worten, sondern auch an dem Blick, mit dem er sie angesehen hatte, dass sie weiche Knie bekommen hatte. Natürlich hatten ihre Kollegen nur mit zusammengebissenen Zähnen gelächelt, aber ihr Neid war Julia völlig gleichgültig. Keinem von ihnen war es je gelungen, einen neuen Autor zu entdecken, der mit seinem ersten Buch zum meistverkauften Krimiautor des Jahres geworden war und damit alle üblichen Verdächtigen hinter sich gelassen hatte. Und Kirchhoffs zweiter Roman *Mordsfreunde* würde mit einer Startauflage von 150000 Exemplaren in gut drei Wochen seinen Vorgänger höchstwahrscheinlich noch in den Schatten stellen und hoch in die Bestsellerliste einsteigen. Klar, Henning Kirchhoff würde nie den Literaturnobelpreis gewinnen, wie ein Günther Gantenberg oder ein Alfried Kempermann, auch nicht den Georg-Büchner-Preis oder sonst irgendeine literarische Auszeichnung; er war kein Liebling der Literaturkritiker wie Marina Bergmann-Ickes, Robert Sachtleben, Severin Velten, Gesa Richter oder Fabian Maria Noll, aber dafür erreichten seine Krimis ein breites Publikum. *Eine unbeliebte Frau* war der Überraschungserfolg des vergangenen Jahres gewesen, das Buch hatte die Bestsellerlisten im *Spiegel* und bei Amazon im Sturm erobert, und für Umsätze gesorgt, von denen die überheblichen literarischen Autoren und ihre Lektoren nur träumen konnten. Gute Umsätze und kommerzielle Erfolge waren, seit Carl Winterscheid vor anderthalb Jahren die Leitung des renommierten Verlages übernommen und ihn mit einer strategischen Neuausrichtung vor der drohenden Insolvenz gerettet hatte, längst nicht mehr anrüchig.

Der Zug hielt. Die Türen öffneten sich mit einem pneumatischen Seufzen, und Menschenmassen quollen aus den Wagen auf den Bahnsteig, hauptsächlich Anzugträger, die für den Rest des Tages in Banken, Büros und Anwaltskanzleien verschwinden würden. Julia eilte die Treppen hoch, überquerte die Biebergasse und bog in die Schillerstraße ein. Heute, am zweiten Tag der Vertreterkonferenz, durfte sie gleich vier neue Titel für das Frühjahrsprogramm vorstellen. Darauf freute sie sich schon seit Wochen! Julia lächelte, als das Verlagshaus, ein monumentales Gebäude des Neoklassizismus mit einer ungewöhnlichen, leicht konkaven Fassade, Kolossalsäulen und mehreren steinernen Putten, die sich in Zweiergruppen auf dem Portikus tummelten, in Sicht kam. Das Gebäude hatte als eines der wenigen Bauwerke in der Innenstadt die verheerenden Luftangriffe des Zweiten Weltkriegs nahezu unbeschädigt überstanden. Jeden Morgen, wenn Julia durch die Eingangstür in das Foyer trat und die gerahmten Porträts der berühmten Autoren an den Wänden und im Treppenhaus sah, empfand sie Freude und Stolz. Überhaupt liebte sie ihren Beruf. Es war aufregend, neue Buchprojekte zu entdecken und in der wöchentlichen Lektoratsrunde für sie zu kämpfen. Sie liebte es, mit Autoren an Plots zu feilen, mit Agenten aus dem In- und Ausland zu telefonieren, Klappentexte zu schreiben und Fahnen zu kollationieren, bevor sie endgültig in den Druck gingen. Außerdem begann in drei Wochen die Frankfurter Buchmesse, das wichtigste Ereignis der internationalen Bücherwelt, und sie, Julia Bremora, würde diesmal mittendrin sein, und nicht mehr nur als irgendeine unbedeutende Junior-Lektorin, oh nein! Als Entdeckerin des neuen Shootingstars der deutschen Krimiszene hatte sie sich in der Branche einen Namen gemacht! Ihr Messe-Terminkalender war randvoll. Im Dreißig-Minuten-Takt würde sie sich mit Agenten aus England, Frankreich, Italien und den USA im Agents Centre treffen und über Lizenzrechte verhandeln, und abends würde sie auf die Verlagspartys gehen, Kollegen treffen, den neuesten Tratsch und Klatsch austauschen und den Trubel genießen. Gerade als sie das Foyer betrat, klingelte ihr Handy. Es war Henning Kirchhoff.

»Guten Morgen!«, begrüßte sie ihn fröhlich.

»Guten Morgen, Frau Bremora«, erwiderte Kirchhoff, und seine Stimme klang förmlich. »Ich hoffe, ich habe Sie nicht geweckt.«

»Oh nein, ich bin schon im Verlag.« Julia betrat den gläsernen Aufzug und drückte auf den Knopf für den dritten Stock. »War das gestern nicht ein toller Abend? Alle waren absolut begeistert!«

Der Aufzug setzte sich in Bewegung und glitt aufwärts.

»Ja, es war schön.« Kirchhoff war offenbar nicht in Plauderlaune. Er räusperte sich. »Frau Bremora, wir müssen noch etwas am Manuskript ändern.«

»Oh!«, machte Julia. »Das dürfte schwierig werden. Ich habe letzte Woche den Satz freigegeben und die Herstellerin hat das Manuskript zur Druckerei geschickt.«

»Ich würde Sie nicht darum bitten, wenn es nicht wirklich wichtig wäre«, insistierte Kirchhoff. »Ich habe meiner Ex-Frau fest versprochen, die Widmung zu ändern. Es soll einfach nur ›Für Pia‹ heißen.«

Nur die Widmung, zum Glück nichts Inhaltliches! Julia atmete auf. Aber wieso fiel ihm das erst jetzt ein? Er hatte doch wahrhaftig genug Zeit gehabt, um sich das zu überlegen!

»Ich muss schauen, ob ich das noch hinkriege.« Der Aufzug stoppte. Julia eilte den Flur entlang in ihr winziges Büro. Eigentlich hatte sie keine Zeit, sich jetzt damit zu beschäftigen, aber Henning Kirchhoff war ihr wichtigster Autor, sie wollte und durfte ihn nicht verärgern.

»Haben Sie eigentlich mal etwas von der Lektorin gehört, die kürzlich entlassen wurde?«, fragte Kirchhoff.

»Von Frau Wersch? Ich?« Julia war erstaunt. »Nein. Wieso fragen Sie?«

»Meine Agentin, Frau Hauschild, kann sie seit ein paar Tagen nicht erreichen und ist zu ihr hingefahren, weil sie sich Sorgen macht«, antwortete er. »Ihr zuliebe habe ich meine Ex-Frau gebeten, sich dort mal umzuschauen, und sie hat zur Bedingung gemacht, dass ich die Widmung ändere.«

Ein kalter Schauer rieselte Julia über den Rücken, und sie musste schlucken. Kirchhoffs Ex-Frau war das reale Vorbild für eine seiner Hauptfiguren, das wusste sie, und genau wie die fiktive Ina Grevenkamp war Pia Sander Kriminalhauptkommissarin beim Kommissariat 11 der Regionalen Kriminalinspektion in Hofheim, zuständig für Gewaltdelikte wie Mord und Totschlag. Was hatte es also zu bedeuten, wenn die Kripo sich am Haus von Heike Wersch umschaute?

»Aha …« Julia ließ ihre Tasche achtlos auf den Boden fallen und setzte sich an ihren Schreibtisch, weil ihre Knie plötzlich ganz weich waren. Sie bemerkte mit Schrecken, dass ihre Hände zitterten. »Haben ... haben Sie schon mit Ihrer Ex-Frau gesprochen?«

»Nein, aber Maria hat mir gerade geschrieben«, entgegnete Kirchhoff, nicht ahnend, was seine Worte in ihr anrichteten. »Irgendetwas scheint dort nicht zu stimmen. Sie warten auf die Spurensicherung.«

»Oh!« Durch ihre Zusammenarbeit mit Kirchhoff wusste Julia mittlerweile ziemlich gut über das Prozedere Bescheid, das in Gang gesetzt wurde, wenn man irgendwo eine Leiche fand. Und wenn die Kriminalpolizei die Spurensicherung einschaltete, dann tat sie das nicht ohne Grund. Es musste also etwas geschehen sein, etwas Schlimmes. Etwas, woran möglicherweise sie schuld war. Unvermittelt fiel ein Schatten über den Tag, dem sie so aufgeregt entgegengefiebert hatte.

»... wäre es wirklich toll, wenn Sie das noch irgendwie hinbekommen könnten, Frau Bremora«, hörte sie Henning Kirchhoff wie aus weiter Ferne sagen.

»Ja, ja, natürlich«, stammelte sie. »Ich ... ich schreibe sofort eine Mail an die Herstellerin.«

Am liebsten hätte sie ihn darum gebeten, sie auf dem Laufenden zu halten, aber das konnte sie natürlich nicht tun, ohne sein Misstrauen zu wecken. Er war ihr Autor und ihr durchaus wohlgesinnt, aber gleichzeitig war er auch der Ex-Mann der Kriminalkommissarin, die es für nötig erachtete, die Spurensicherung zum Haus von Heike Wersch zu beordern. Julia beendete das Telefonat und starrte auf den schwarzen Computermonitor. Frau Wersch war eine unangenehme Person, überheblich und auf eine verletzende Art direkt, und Julia hatte sie nicht leiden können, manchmal hatte sie sie sogar richtiggehend gehasst. Mehr als einmal war sie in der wöchentlichen Lektoratsrunde oder bei Besprechungen mit Frau Wersch heftig aneinandergeraten. Dennoch hatte Julia sie respektiert, schließlich war sie eine Ikone der deutschsprachigen Gegenwartsliteratur und über zwanzig Jahre lang der *Spiritus Rector* des Winterscheid-Verlags gewesen. Aber dann war sie fristlos entlassen worden, und jetzt war ihr womöglich etwas zugestoßen. Verdammt! Julia biss sich auf die Lippe und kämpfte gegen die aufsteigenden Schuldgefühle. Wieso hatte sie nicht einfach den Mund gehalten und das, was sie zufällig mit angehört hatte, für sich behalten?

* * *

Pia hatte Maria Hauschild gebeten, nach oben zu kommen. Nun stand die Agentin fassungslos da, die Hände vor den Mund geschlagen, bis Pia sie darum bat, den Notarzt zu verständigen. Auf einer Anrichte neben dem Treppenaufgang hatte sie den Schlüssel für die Fußfessel gefunden und den alten Herrn von der Kette befreit. Er hatte das Glas Leitungswasser, das sie ihm geholt hatte, dankbar ausgetrunken und nach Heike und einer Gisela gefragt. Ihre erste Annahme, Heike Wersch habe den alten Mann, der wohl ihr Vater war, gegen seinen Willen gefangen gehalten, revidierte Pia, als sie all die Zettel sah, die überall klebten. »Kleiderschrank«, »Hausschlappen anziehen!«, »Wasserhahn – links kalt, rechts warm«, »Toilette abziehen!« oder »Trinken nicht vergessen!« und »Licht ausmachen«. Die Kette war so lang, dass er sich im gesamten Obergeschoss frei bewegen, nicht aber die Treppe hinuntergehen konnte, und wahrscheinlich hatte Frau Wersch diese praktikable, wenngleich ethisch höchst fragwürdige Methode ersonnen, um ihren Vater in Sicherheit zu wissen, wenn sie das Haus verlassen musste. Auf einem Tisch im Flur standen mehrere leere Flaschen Wasser und ein Senioren-Telefon mit großen Zifferntasten, neben dem ein Zettel mit drei Telefonnummern klebte. Ganz oben stand eine Mobilnummer von ›Heike‹, gleich darunter die eines Dr. Sniehotta (Hausarzt), gefolgt von der Festnetznummer von Klaus und Gerda Wiedebusch (Nachbarn).

»Wer sind Sie noch mal?«, fragte Herr Wersch Maria Hauschild ein zweites Mal. Er saß auf einem Stuhl und kraulte Beck's' Kopf.

»Ich bin Mia, Heikes Freundin, die Tochter vom Notar Molitor«, erklärte die Agentin ihm ebenfalls zum zweiten Mal. »Wir waren zusammen in Kelkheim auf der Schule und an der Uni. Ich war früher oft hier.«

»Die Tochter von Notar Molitor? Nein, das kann nicht stimmen.« Der alte Mann musterte sie skeptisch von Kopf bis Fuß. »Die Mia ist ein junges Ding, aber Sie ... Sie sind doch eine alte Schachtel!«

Pia verkniff sich ein Lächeln und fotografierte den Zettel neben dem Telefon mit ihrem Handy ab. Sie wählte die Nummer von Heike. *»Die gewählte Rufnummer ist zurzeit nicht erreichbar«*, teilte ihr eine Computerstimme mit. Als Nächstes rief Pia den Hausarzt an. Seine Mailbox sprang an, und Pia hinterließ eine Nachricht mit der Bitte um Rückruf. Anschließend telefonierte sie mit Christian Kröger, dem Chef des Erkennungsdienstes der RKI Hofheim, und danach mit ihrem Kollegen Cem Altunay. Beide brauchte sie hier, um die Blutspuren zu untersuchen.

Notarzt und Rettungswagen trafen ein. Maria Hauschild ging nach unten, um Arzt und Sanitätern den Weg zu zeigen. Als Pia den alten Herrn in der Obhut des Notarztes wusste, ging auch sie hinunter, um von Frau Hauschild mehr über die vermisste Freundin zu erfahren. Hennings Agentin saß zusammengesackt auf einem der verrosteten Gartenstühle auf der Terrasse, schneeweiß im Gesicht und sichtlich betroffen.

»Heike hat nie ein Wort darüber verloren, dass sie ihren Vater pflegt«, sagte sie dumpf und fuhr sich mit beiden Zeigefingern unter den Augen entlang. Dann straffte sie die Schultern und erhob sich. »Was ist das für eine Freundschaft, in der man so etwas nicht erzählt?«

Diese Frage hatte sich Pia auch bereits gestellt.

»Kommen Sie, lassen Sie uns außerhalb des Grundstücks warten«, sagte sie. »Ich habe die Spurensicherung angefordert.«

»Also denken Sie, Heike ist etwas zugestoßen?«, fragte Maria Hauschild besorgt und folgte Pia die Stufen hinab.

»Ich schließe diese Möglichkeit zumindest nicht aus«, erwiderte Pia. Sie ließ Beck's in den Fußraum des Beifahrersitzes ihres Mini springen, dessen Dach halb geöffnet war, sodass es dem Hund nicht zu warm werden würde. Dann schrieb sie eine Nachricht an ihren Kollegen Kai Ostermann, in der sie ihn bat, die Datenbanken nach unbekannten weiblichen Toten, die erst kürzlich aufgefunden worden waren, zu durchsuchen.

»Also, was können Sie mir über Ihre Freundin sagen?« Pia wollte erst einen der Mauerpfeiler als Schreibpult benutzen, dann fiel ihr Blick auf die Restmülltonne, die auf dem Bürgersteig vor der Doppelgarage stand. Sie schob sie mit dem Knie an die Mauer, legte ihren Rucksack auf den Deckel und kramte ihren Notizblock und einen Kugelschreiber hervor.

»Sie schreiben mit einem Kuli in ein Notizbuch?« Die Agentin hob überrascht die Augenbrauen.

»Ich bin halt altmodisch«, entgegnete Pia.

»Sehr sympathisch.« Maria Hauschild hatte sich wieder gefangen. Ein Lächeln huschte über ihr blasses Gesicht.

»Warum hat Ihre Freundin ihren Job verloren?«, wollte Pia wissen.

»Heike hatte Probleme mit dem neuen Verleger. Über zwei Jahrzehnte war sie verantwortlich für das Verlagsprogramm, aber vor anderthalb Jahren änderte sich alles. Heike ist kein einfacher Mensch. Mit ihrer direkten Art stößt sie Leute schnell vor den Kopf. Sie ist impulsiv und streitlustig, kann manchmal ziemlich verletzend werden. Sie hat sich immer wieder mit ihrem Chef angelegt, und vor vier Wochen hat er sie schließlich gefeuert. Fristlos! Nach dreißig Jahren Verlagszugehörigkeit! Daraufhin ist sie vor's Arbeitsgericht gezogen und hat gute Aussichten, zu gewinnen, denn bei der Kündigung gab es einen Formfehler, weil Heike Betriebsrätin war.«

»Aber für eine fristlose Kündigung muss es einen triftigen Grund gegeben haben«, merkte Pia an.

»Ich glaube, die Geschäftsleitung hatte erfahren, dass Heike einen eigenen Verlag gründen und Autoren und Kollegen bei Winterscheid abwerben will.«

Das klang in der Tat nach einem Kündigungsgrund.

»Wer weiß von diesem Plan?«, fragte Pia.

»Ich«, sagte Frau Hauschild nachdenklich. »Außerdem Heikes langjährige Kollegen im Lektorat und der Programmleiter Alexander Roth. Der ehemalige Verleger Henri Winterscheid und seine Frau. Vermutlich auch Alexanders Frau Paula Domski, mit der Heike früher die Sendung *Paula liest* moderiert hat. Und natürlich all die Autoren, die sie gerne mitnehmen würde, und deren Agenten. Ich fürchte, der Kreis ist ziemlich groß.«

»Mit wem – außer Ihnen – ist Frau Wersch befreundet oder beruflich enger verbunden?«, wollte Pia wissen.

»Sehr viele Freunde hat sie nicht. Aber Alexander Roth, ihr Nachfolger als Programmleiter, ist ein Freund«, erwiderte Maria Hauschild. »Und Josefin Lintner. Ihrem Mann und ihr gehört die Buchhandlung im Main-Taunus-Zentrum. Heike, Alexander, Josi und ich sind seit unserer Schulzeit befreundet. Wir haben auch zusammen studiert.«

Pia machte sich eine weitere Notiz.

»Josef Moosbrugger, ein Agentenkollege aus Frankfurt, würde ich durchaus auch als einen ihrer Freunde bezeichnen. Zusammen mit ihm organisiert Heike seit Jahren Seminare für ambitionierte Hobby-Schriftsteller, die in Moosbruggers Haus in der Toskana, in der Nähe von Siena, stattfinden. Wobei ...«

»Wobei, was?«

»Ach nichts.«

Maria Hauschild massierte ihren Nasenrücken mit Daumen und Zeigefinger. Unter ihrer Sonnenbräune war sie wieder blass geworden, Schweißperlen standen auf ihrer Stirn. Sie wirkte plötzlich fahrig und durcheinander.

»Geht es Ihnen nicht gut, Frau Hauschild?« Pia blickte auf, nachdem sie alle Namen notiert hatte.

»Doch, doch.« Die Agentin zog eine Wasserflasche aus ihrer Tasche, schraubte sie auf und trank ein paar Schlucke. »Ich komme einfach nicht darüber hinweg, dass Heike niemandem von uns erzählt hat, dass sie ihren Vater pflegt. Wir sind doch Freunde, und das schon seit ewigen Zeiten!«

Pia ging auf diese Bemerkung nicht ein. Immer wieder hörte sie solche Sätze, ganz so, als ob *Wir sind doch die besten Freunde* eine Art Garantie für Vertrauen und Ehrlichkeit wäre! Oft genug waren es gerade die sogenannten Freunde, die einen am meisten verletzten, und nicht selten führten enttäuschte Erwartungen in ein Kühlfach im Keller des Rechtsmedizinischen Instituts.

»Hat Frau Wersch Feinde?«

Bevor Frau Hauschild auf ihre Frage antworten konnte, rief Kai Ostermann an. Laut Datenbank des BKA gab es in ganz Deutschland keinen aktuellen Treffer für eine unbekannte weibliche Leiche, die innerhalb der letzten drei Tage gefunden worden war.

»Alles klar, danke, Kai«, sagte Pia knapp, weil schon ein nächster Anrufer anklopfte. Es war der Hausarzt von Herrn Wersch. Dr. Sniehotta bestätigte, dass er schon seit geraumer Zeit der Hausarzt von Gernot Wersch sei. Pia schilderte dem Arzt kurz die Lage und fragte ihn nach Angehörigen, die sie informieren konnte.

»Soweit mir bekannt ist, hat er keine anderen Angehörigen als seine Tochter«, erwiderte der Arzt. »Seine Frau ist schon vor vielen Jahren gestorben, sein Sohn bereits im Kindesalter. Die Alzheimer-Erkrankung wurde bei Herrn Wersch vor ungefähr zehn Jahren diagnostiziert, aber seine Tochter wollte ihn nicht in ein Pflegeheim stecken. Sie kümmert sich wirklich großartig um ihn. Wenn sie beruflich verreisen muss, bringt sie ihn immer in die Kurzzeitpflege des Alten- und Pflegeheims von St. Elisabeth in Bad Soden.«

Ob der Arzt wohl wusste, dass Heike Wersch ihren Vater ankettete, wenn sie das Haus verließ?

»Ich kenne die Leiterin von St. Elisabeth«, fuhr Dr. Sniehotta fort. »Wenn Sie wollen, kann ich mich bei ihr erkundigen, ob ein Platz für Herrn Wersch frei ist. Für den Fall, dass seiner Tochter tatsächlich etwas zugestoßen sein sollte.«

»Ja, das wäre sehr freundlich von Ihnen.« Pia bedankte sich für die Auskünfte und beendete das Gespräch. Der Notarzt kam die Treppe herunter und öffnete das Tor für die Sanitäter, die ihm mit dem alten Herrn Wersch auf einer Trage folgten. Ein altes Paar, der Mann auf einen Rollator gestützt, beobachtete von der gegenüberliegenden Straßenseite aus interessiert das Geschehen.

»Wie geht es ihm?«, erkundigte Pia sich bei dem Notarzt, den sie von ähnlichen Gelegenheiten kannte.

»Er ist dehydriert, unterzuckert und desorientiert, aber weitgehend stabil«, antwortete der Arzt. »Wir bringen ihn jetzt erst mal ins Krankenhaus. Gibt es Angehörige, die wir verständigen können?«

»Ich habe gerade mit seinem Hausarzt telefoniert«, erwiderte Pia. »Er weiß nichts über Angehörige.« Sie reichte dem Notarzt ihre Visitenkarte.

»Die Ärzte sollen mich bitte auf dem Laufenden halten, bis ich herausgefunden habe, wer zuständig ist.«

Die Türen des Rettungswagens wurden geschlossen, wenig später setzte er sich in Bewegung. Der Notarzt stieg ebenfalls in sein Auto und fuhr weg. Pia wandte sich wieder zu Frau Hauschild um.

»Brauchen Sie mich hier noch?«, fragte die Agentin unsicher.

»Nein, für den Moment nicht«, erwiderte Pia. »Danke für die Auskünfte. Wenn ich weitere Informationen brauche, komme ich auf Sie zu.«

»In Ordnung.« Maria Hauschild zögerte. »Ich … ach nein.«

»Was denn?«

»Es ist wohl nicht üblich, dass Sie Leute, die keine direkten Angehörigen sind, auf dem Laufenden halten, oder?«

»Nein, das ist nicht üblich«, bestätigte Pia. »Aber wenn ich etwas über den Verbleib von Frau Wersch in Erfahrung bringe, informiere ich Sie.«

»Vielen Dank.« Die Agentin wirkte erleichtert. »Das ist sehr freundlich von Ihnen. Ich hoffe sehr, dass Heike nichts Schlimmes zugestoßen ist.«

Sie verabschiedete sich, und Pia blickte ihr nach, wie sie die Straße überquerte und in ihren weißen Smart stieg.

»Entschuldigen Sie bitte«, sprach der alte Herr mit dem Rollator Pia höflich an. »Mein Name ist Klaus Wiedebusch, das ist meine Frau Gerda. Wir sind die direkten Nachbarn von Gernot Wersch und etwas in Sorge um ihn. Dürften wir wohl erfahren, was mit ihm ist und wer Sie sind? Wo ist Heike?«

»Ich bin Pia Sander von der Kripo in Hofheim«, stellte Pia sich vor. Direkte Nachbarn waren meistens eine gute und ergiebige Informationsquelle. »Eine Freundin von Heike Wersch hat uns alarmiert, weil sie seit ein paar Tagen nichts von ihr gehört hat.«

Wie beinahe alle Menschen, die nicht regelmäßig mit der Kriminalpolizei zu tun hatten, reagierte auch das Ehepaar Wiedebusch mit plötzlicher Befangenheit.

»Wann haben Sie Heike zuletzt gesehen?«, fragte Pia freundlich.

Die beiden sahen sich an.

»Das weiß ich nicht mehr genau«, erwiderte Frau Wiedebusch zögernd. »Es könnte Samstag gewesen sein. Ja, es war am Samstag. Gernot saß auf der Terrasse, wir haben etwas über den Zaun geplaudert und Heike kam dann dazu.«

»Herr Wersch leidet an Alzheimer, oder?«, fragte Pia.

»Ja, das ist richtig«, bestätigte Frau Wiedebusch. »Manchmal hat er gute Tage, da erkennt er mich und wir reden etwas über das Wetter oder den Garten. Heike kümmert sich wunderbar um ihn. Ohne sie wäre er schon längst in einem Heim.«

»Ich habe Heike am Montagnachmittag gesehen. Sie hatte Besuch von einem Mann. Der blieb aber nicht sehr lange«, erinnerte sich der Nachbar. »Ich war im Vorgarten und habe die verblühten Malven zurückgeschnitten. Für den Abend war ein Gewitter angekündigt und ich wollte das vorher erledigt haben.« Er klopfte mit der flachen Hand auf seinen Rollator und lachte. »Den hier brauche ich nur für längere Strecken. Zu Hause komme ich gut ohne ihn klar, wenn auch nur noch im Zeitlupentempo.«

»Wie sah der Mann aus?«, wollte Pia wissen.

»Hm. Er hatte graue Kraushaare, bis auf die Schultern, und eine Brille. Ein Künstlertyp. Nicht mehr ganz jung«, antwortete der Nachbar, und Pia, die wieder ihr Notizbuch gezückt hatte, schrieb mit.

»Wir kennen Heike, seitdem sie ein kleines Mädchen war«, sagte Frau Wiedebusch. »Früher, als ihre Mutter noch lebte, hatte sie Klavierunterricht bei mir.«

»Was ist mit der Mutter passiert?«

»Ach, das war eine Tragödie.« Die Scheu vor der Kriminalpolizei verflog, die Nachbarn wurden redselig. »Heikes kleiner Bruder Daniel wurde auf dem Schulweg von einem Bus überfahren, direkt vor dem Rathaus. Er war erst sieben Jahre alt. Gisela ist darüber nicht hinweggekommen. Sie fing an zu trinken und starb ein paar

Jahre später, das war um 1980 herum. Gernot wohnte eine Weile alleine im Haus. Als er krank wurde, zog Heike wieder ein.«

»Das heißt, sie war nie verheiratet?« Pia blickte von ihren Notizen auf. »Sie hat keine Kinder? Cousinen oder Cousins?«

Das Ehepaar Wiedebusch tauschte erneut einen Blick, dann schüttelten beide die Köpfe.

»Wir sagen immer: Die Heike, die braucht keinen Mann. Die ist mit ihrer Arbeit verheiratet. Sie ist ja eine große Nummer in der Welt der Bücher«, sagte Herr Wiedebusch.

»Als es Gernot noch nicht ganz so schlecht ging, haben wir öfter nach ihm gesehen, wenn Heike mal wegmusste oder länger gearbeitet hat. Sie hat uns als Dank immer Bücher geschenkt, oft mit persönlichen Widmungen der Schriftsteller«, ergänzte Frau Wiedebusch stolz. »Bis Heike aufgehört hat, haben wir auch regelmäßig sonntags die Literatursendung *Paula liest* geschaut, in der sie mit anderen Buch-Experten über neue Bücher diskutiert hat. Heike kann so herrlich sarkastisch sein. Ohne sie wurde die Sendung fade.«

Erst jetzt schien Herrn Wiedebusch wieder einzufallen, mit wem sie sprachen.

»Ist Heike etwas zugestoßen?«, fragte er besorgt. »Das wäre für Gernot eine Katastrophe.«

»Ich weiß es nicht«, antwortete Pia ehrlich. »Aber ich kann es nicht ausschließen. Ich habe Herrn Wersch im Haus gefunden, er war durcheinander und dehydriert, deshalb ist er jetzt erst mal ins Krankenhaus gebracht worden.«

»Es ist ungewöhnlich, dass Heikes Mülltonne noch draußen steht.« Herr Wiedebusch wies auf die Tonne, die Pia als Pult benutzt hatte, und seine Frau nickte bestätigend.

»Okay.« Pia verteilte ein drittes Mal an diesem Vormittag ihre Visitenkarte. »Rufen Sie mich bitte an, wenn Ihnen noch etwas einfällt, was Sie in den letzten drei Tagen beobachtet haben, Ihnen aber zuerst nicht so wichtig erschien.«

»Das werden wir tun«, versprachen die Wiedebuschs. »Hoffentlich ist Heike nichts passiert und sie taucht heil und gesund wieder auf.«

»Das hoffe ich auch«, versicherte Pia, aber ihr Instinkt sagte ihr, dass das nicht der Fall sein würde. Heike Wersch schien zwar eine schwierige, aber dennoch sehr verantwortungsbewusste Frau zu sein, die sich gewissenhaft und liebevoll um ihren alten Vater kümmerte. Jemand wie sie fuhr nicht einfach in den Urlaub oder brachte sich um, ohne Vorsorge zu treffen.

* * *

Seit seiner unglaublichen Metamorphose vor vier Tagen hatte er seinen Schreibtisch nur verlassen, um sich etwas zu trinken zu holen oder mal aufs Klo zu gehen. Er hatte die Rollläden nicht hochgezogen, sein Handy nicht mehr aufgeladen, er hatte weder gegessen noch geschlafen und wusste nicht, ob es gerade Tag war oder Nacht, aber das spielte keine Rolle, denn er konnte endlich wieder schreiben. Seit vier Tagen saß er an seinem Laptop, seine Finger flogen nur so über die Tastatur und er schrieb wie im Rausch. Zum ersten Mal in seinem Leben fühlte er sich *lebendig*. Wie ein Mensch. Ein *Mann*. Wie jemand, der wirklich etwas zu erzählen hatte, und nicht wie ein Schwindler, der nur etwas beschrieben hatte, von dem er sich vorgestellt hatte, dass es sich so anfühlen müsse. Immer hatte er sich wie ein passiver Beobachter gefühlt, wie einer, der ängstlich hinter dem Vorhang am Fenster stand und nur zuschaute, wie andere das Spiel spielten, das sich ›Leben‹ nannte. Und genau so waren seine Romane gewesen: unbeholfene Beschreibungen aus zweiter Hand. Wie mühsam er um Formulierungen und Worte gerungen hatte, wie endlos lang er an den verschachtelten, manchmal seitenlangen Sätzen gedrechselt hatte, die nie wirklich das ausgedrückt hatten, was er eigentlich meinte! Doch wie wundervoll leicht floss ihm jetzt alles aus dem Kopf in die Finger! Er war wie beflügelt, erleichtert und glücklich, befreit von dem Korsett, in das er sich hatte zwängen lassen. Ihre mahnende Stimme war für immer verstummt. Nie wieder würde sie ihm verbieten, Adjektive zu benutzen! Nie wieder würde sie seine Figuren sezieren, bis sie ihn anwiderten und zu leblosen Scherenschnitten verkamen!

Severin Velten konnte selbst kaum fassen, welch kolossale

Veränderung innerhalb der letzten Tage mit ihm vorgegangen war. Sein altes Ich, dieses ewig zaudernde, hasenfüßige Ich, war tatsächlich ins Auto gestiegen und zu ihr gefahren, es war vor ihrem Haus ausgestiegen und über ihren Gartenzaun geklettert, und genau dort musste es hängen geblieben sein, dieses alte, feige, weltfremde Ich. Wie eine zu eng gewordene Schlangenhaut hatte er den alten Severin abgestreift, und der neue Severin war in ihr Haus gegangen und hatte sie zur Rede gestellt, selbstbewusst und wütend. Sein neues Ich, das sie nicht erkannt hatte, weil es äußerlich noch genauso ausgesehen hatte wie sein altes, schwächliches Memmen-Ich, hatte sich von ihr nicht einschüchtern lassen. Er wusste, dass er etwas getan hatte, wofür man ihn eines Tages zur Verantwortung ziehen würde, und er würde nichts abstreiten, sondern mannhaft und stolz die Konsequenzen seines Tuns tragen.

Aber vorher wollte, nein, *musste* er dieses Buch fertigschreiben, die Geschichte erzählen, die sie ihm zu schreiben verboten hatte, weil sie ihrer Meinung nach zu trivial für einen Severin Velten sei. Aber er liebte diese Geschichte, die Figuren. Er fühlte körperlich, was sie fühlten. Er litt und liebte und mordete mit ihnen. Sie waren so prall, brutal und schonungslos echt wie das, was er mit seinen Händen getan hatte, und er verhedderte sich nicht länger in komplizierten, kaum verständlichen Wörterschlangen, die sie und die Kritiker so liebten, nein, seine Sätze waren jetzt knapp und präzise, boten keinen Spielraum mehr für semantische Interpretationen, sondern drückten exakt das aus, was er ausdrücken wollte. Endlich war das, was er schrieb, echt. Er selbst. Vielleicht musste er ihr sogar dankbar dafür sein, dass sie ihn in aller Öffentlichkeit bloßgestellt hatte. Möglicherweise würde man ihm seinen Fehler eines Tages verzeihen und verstehen, was und wer ihn dazu getrieben hatte, die Worte und Gedanken eines anderen Autors zu stehlen. Aber für den Moment war ihm das egal. Jetzt zählte nur, dass er wieder schreiben konnte, und das besser als je zuvor.

***

Der Lärm auf der Baustelle nebenan war verstummt, der Rohbau lag wie ausgestorben da. Um sich die Zeit bis zum Eintreffen der Spurensicherung zu vertreiben, durchsuchte Pia auf ihrem Handy das Internet nach Informationen über Heike Wersch. Zu ihrer Überraschung poppten innerhalb von Sekunden Hunderte Treffer auf, manche waren erst wenige Tage alt. Zunächst las Pia den recht mageren Wikipedia-Eintrag und erfuhr, dass die Verschwundene 1962 in Frankfurt am Main geboren war, ihr Abitur auf dem Friedrich-Schiller-Gymnasium in Kelkheim gemacht und anschließend in Tübingen und Frankfurt Literaturtheorie, Germanistik und Anglistik studiert hatte. Sie hatte als Lektorin für den Winterscheid-Verlag, als Übersetzerin und Literaturkritikerin gearbeitet und von 2004 bis 2016 gemeinsam mit der Kulturjournalistin Paula Domski die monatlich ausgestrahlte Literatursendung *Paula liest* moderiert. Pia tippte auf der Suchmaschinen-Seite auf den Reiter ›Bilder‹, und machte einen Screenshot von einem Foto von Heike Wersch, auf dem sie mit einem leicht spöttisch wirkenden Lächeln vor einer Bücherwand für den Fotografen posierte; die rote Lockenmähne, eine auffallende schwarze Kastenbrille und eine brennende Zigarette zwischen den Fingern schienen ihre Markenzeichen zu sein. Neugierig überflog Pia einige der verlinkten Artikel mit Schlagzeilen wie *Literaturperlen vor die Profitsäue*, *Ein Erbsenzähler als Erbe* und *Denn er weiß nicht, was er tut*, und begriff, dass Frau Wersch sich nach ihrer fristlosen Kündigung nicht damit begnügt hatte, vors Arbeitsgericht zu ziehen, sondern gleichzeitig auch eine Schmutzkampagne gegen den Verleger Carl Winterscheid lanciert hatte. Die flüchtige Lektüre reichte aus, um zu erkennen, dass die Frau kein Blatt vor den Mund genommen und sich damit womöglich jede Menge Feinde gemacht hatte.

Unten auf der Straße fuhren gleich drei dunkelblaue VW-Busse der Spurensicherung vor, gefolgt von zwei Streifenwagen und einem zivilen Dienstfahrzeug aus dem Fuhrpark der RKI, dem Cem Altunay, Tariq Omari und Kathrin Fachinger entstiegen. Auch Christian Kröger, Leiter des Erkennungsdienstes, war mit seiner kompletten Abteilung angereist. Pia steckte Lesebrille und Handy weg und ging die Treppe hinunter.

»Na, das ist ja mal ein Aufgebot«, sagte sie. »Kann es sein, dass das etwas mit den Fortbildungs-Seminaren zu tun hat?«

»Oh Mann, Pia, das ist so schrecklich öde, das kannst du dir nicht vorstellen!«, klagte Tariq Omari, der Jüngste im Team des K11, und rollte die Augen.

»Dieser Seminarleiter ist ungefähr hundert Jahre alt und schläft beim Reden fast ein«, pflichtete Kathrin Fachinger ihm bei. »Keine Ahnung, wo die Engel dieses Fossil ausgegraben hat!«

»Wir hoffen alle sehr, dass du was für uns zu tun hast. Egal was.« Cem Altunay war gerade von einem vierwöchigen Familienurlaub aus der Türkei zurückgekehrt und sah mit seiner Sonnenbräune und dem perfekten Kurzhaarschnitt mehr denn je wie ein Hollywoodschauspieler aus, der einen Kriminalpolizisten spielte.

»Ich fürchte, das habe ich.« Hatte sie anfänglich noch gedacht, Maria Hauschild sei überbesorgt, so nahm Pia die Angelegenheit nun sehr ernst. Oft wirkten die Gründe, die jemanden zum Mörder werden ließen, auf Außenstehende erschreckend banal, aber Pia hatte in ihren zwanzig Jahren bei der Kripo schon so viel erlebt und gesehen, dass sie Menschen alles zutraute. Anders als in Filmen oder Thrillern dargestellt, hatten sie es bei Tötungsdelikten nur äußerst selten mit Tätern zu tun, die in keiner Beziehung zu ihren Opfern standen; in 99 Prozent aller Fälle kannten sich Opfer und Täter, und sehr häufig handelte es sich bei Mord oder Totschlag um Beziehungstaten.

»Von der Bewohnerin dieses Hauses, Heike Wersch, gibt es seit Montag kein Lebenszeichen. Eine Freundin, die sich Sorgen gemacht hat, weil sie sie nicht erreichen kann, hat heute Morgen an der Küchentür Blutspuren bemerkt und daraufhin Henning angerufen, der wiederum mich gebeten hat, hierherzufahren.«

»Wieso hat sie den Rechtsmediziner angerufen und nicht die Polizei?«, wollte Tariq wissen.

»Weil sie ihn gut kennt«, erwiderte Pia. »Bei Maria Hauschild, der Freundin, handelt es sich um Hennings Agentin. Zuerst habe ich vermutet, dass Frau Wersch verreist sein könnte, weil sie kürzlich ihren Job verloren hat, aber das schließe ich mittlerweile aus, genauso wie einen Selbstmord, denn Beck's hat im Obergeschoss des Hauses den demenzkranken Vater der verschwundenen Frau aufgestöbert, der mit einer Kette am Fuß gefesselt war. Er war dehydriert und unterzuckert, ist aber inzwischen vom Notarzt versorgt und ins Krankenhaus gebracht worden.«

»Wie heißt die Frau noch mal? Annie Wilkes?«, witzelte Cem.

»Nicht komisch, Altunay.« Kröger, der am liebsten jeden Schauplatz eines Verbrechens für sich allein hatte, bevor irgendjemand etwas verändern oder ihn kontaminieren konnte, runzelte verärgert die Stirn. »Erst der Hund und dann noch der Notarzt und die Sanis, die durchs ganze Haus trampeln und Spuren zerstören!«

»Heike Wersch? Ist das nicht die Frau, die früher diese Büchersendung sonntags vormittags im Fernsehen moderiert hat?«, fragte Kathrin Fachinger. »So Mitte/Ende fünfzig mit roter Lockenmähne und einer tiefen Raucherstimme?«

»Ja, das ist sie«, bestätigte Pia. »Ich habe im Internet ein Foto von ihr gefunden und euch einen Screenshot davon geschickt.«

»Sag bloß, du guckst sonntagvormittags *Büchersendungen* im Fernsehen?«, fragte Tariq Omari seine Kollegin ungläubig. »Echt jetzt?«

»Warum denn nicht?«, gab Kathrin Fachinger zurück. »Solange die Wersch dabei war, war die Sendung total unterhaltsam, so ähnlich wie das *Literarische Quartett* mit Marcel Reich-Ranicki. Als sie aufgehört hat, wurde es öde.«

Tariq und Cem wechselten einen belustigten Blick.

»Idioten!«, schnaubte Kathrin verärgert. »Es gibt sonntags auch noch was anderes als Fußball und Formel 1 in der Glotze!«

Während Kröger und seine Mitarbeiter in weiße Ganzkörperoveralls schlüpften und ihr Equipment ausluden, gab Pia den Kollegen von der Streife die Anweisung, keine Unbefugten in die Nähe des Grundstücks zu lassen, denn erfahrungsgemäß würde es sich bald herumsprechen, dass Kripo und Spurensicherung vor Ort waren und die ersten Neugierigen auftauchen. Dann wandte sie sich an ihr Team.

»Mit Wiedebuschs, den Nachbarn von nebenan, habe ich bereits gesprochen«, sagte sie. »Befragt bitte die gesamte Nachbarschaft, nicht nur die direkte. Ich will wissen, wann Heike Wersch das letzte Mal gesehen wurde und ob sie mit irgendjemandem Streit hatte.«

Als alle loszogen, ging Pia mit Kröger zum Haus. Sie zeigte ihm die Blutspuren an der geöffneten Küchentür und erklärte, weshalb Glasscherben auf dem Fußboden lagen. Sollte es im Haus irgendwelche Hinweise auf eine Gewalttat geben, dann würden Kröger und seine Leute das herausfinden.

*　*　*

Helles Sonnenlicht fiel durch die hohen Fenster und beleuchtete die deckenhohen verglasten Bücherregale der Bibliothek im zweiten Stock des Verlagshauses. In den Regalen befanden sich alle Bücher, die jemals im Winterscheid-Verlag seit seiner Gründung im Jahr 1919 erschienen waren, viele von ihnen gehörten zu den bedeutendsten Werken zeitgenössischer deutschsprachiger Literatur. Für die Vertreterkonferenz hatte man die Tische in U-Form gestellt; Julia trat an das Pult an der offenen Seite des U und ließ ihren Blick über die Gesichter der Verlagsvertreter und ihrer Kollegen und Kolleginnen von Vertrieb und Lektorat gleiten. Carl Winterscheid hatte hinten im Raum Platz genommen und nickte ihr ermutigend zu. Julia war überrascht, auch Silvia Blanke, Christine Weil und Manja Hilgendorf unter den Zuhörern zu sehen. Die drei Lektorinnen, die jahrelang eng mit Heike Wersch zusammengearbeitet hatten und erklärte Gegnerinnen der Neuausrichtung des Verlages waren, demonstrierten mit gequälten Mienen ihr Desinteresse an den Titeln für das Frühjahrsprogramm in Unterhaltung und Sachbuch. Und Alexander Roth, Programmleiter Literatur, gähnte sogar hinter vorgehaltener Hand und blickte immer wieder verstohlen auf seine Armbanduhr. Ob er wohl wusste, dass Heike Wersch verschwunden war?

Julia versuchte angestrengt, sich auf ihre Präsentation zu konzentrieren und nicht an den Streit zwischen Alexander Roth und Heike Wersch zu denken, den sie vor ein paar Monaten zufälligerweise mit angehört hatte. Bei der Auseinandersetzung war es darum gegangen, dass Frau Wersch vorhatte, einen eigenen Verlag zu gründen und die wichtigsten literarischen Autoren des Winterscheid-Verlages sowie einige ihrer Kollegen mitzunehmen. Roth, der offenbar zunächst ihre Pläne unterstützt hatte, war in seiner Entscheidung wankend geworden, worüber Frau Wersch außerordentlich erbost gewesen war. Julia war sich der Brisanz dessen, was sie da unfreiwillig belauscht hatte, bewusst gewesen, dennoch hatte sie erst eine Weile überlegt, bevor sie sich Alea Schalk, der Assistentin der Geschäftsleitung und der einzigen Arbeitskollegin, mit der sie sich auch nach Feierabend gelegentlich traf, anvertraut hatte. Alea war mit dieser Information schnurstracks zum Verleger marschiert, ohne jedoch Julia als Quelle preiszugeben. Am nächsten Tag war Alexander Roth zum Programmleiter Literatur befördert worden, auf den Posten, den Heike Wersch unter Carl Winterscheids Onkel Henri zwanzig Jahre lang innegehabt hatte und der ein Jahr lang vakant gewesen war. Nur drei Tage später war Frau Wersch zu Julias Entsetzen während der wöchentlichen Lektoratsrunde fristlos entlassen worden, nachdem sie Carl Winterscheid mehrfach über den Mund gefahren war. Unter den Augen des kaufmännischen Geschäftsführers hatte sie ihren Schreibtisch ausräumen und die Schlüssel abgeben müssen, ein Akt maximaler Demütigung, der die Gräben in der ohnehin gespaltenen Belegschaft weiter vertieft und die Gerüchteküche zum Brodeln gebracht hatte.

Heike Wersch hatte nicht lange gezögert und öffentlich gegen den Verlag und Carl Winterscheid vom Leder gezogen; in ihrem Zorn hatte sie nicht einmal vor ihrem eigenen Autor haltgemacht und den aktuellen Bestseller von Severin Velten als Plagiat geoutet. Diese Nachricht hatte für fette Schlagzeilen gesorgt, und die Presse hatte den Skandal begierig aufgegriffen, denn endlich schien ein Blick hinter die Fassade des Winterscheid-Verlags möglich, bei dem es brodelte, seitdem Carl vor anderthalb Jahren die Leitung übernommen hatte. Der Verleger hatte sich zu keiner öffentlichen Entgegnung oder Stellungnahme hinreißen lassen, obwohl die Angriffe gegen ihn sehr persönlich und verletzend gewesen waren und Heike Wersch erfolgreich beim Arbeitsgericht gegen ihre Kündigung geklagt hatte.

Julia fühlte sich schuldig an der ganzen Sache, denn wenn sie den Mund gehalten und Alea nichts erzählt hätte, wäre das alles womöglich nie passiert. Andererseits – war sie das nicht ihrem Arbeitgeber schuldig gewesen? Ihm sollte ihre Loyalität gelten, nicht einer Frau, die …

»Sie dürfen loslegen, Frau Bremora«, forderte Dorothea Winterscheid-Fink, die Vertriebschefin, die im Verlag nur ›Frau Wi-Fi‹ genannt wurde, sie nun freundlich auf.

Julia atmete tief durch, verdrängte jeden Gedanken an die Spurensicherung und die Ex-Frau von Henning Kirchhoff, die gerade das Haus von Heike Wersch durchsuchten, und begann mit ihrer ersten Präsentation.

»Ich freue mich, Ihnen heute eine ganz außergewöhnliche junge Autorin und ihren neuen Roman vorstellen zu dürfen«, begann sie mit fester Stimme. »Ich bin sehr stolz, Shannon Schwarz für uns gewonnen zu haben. Sie ist eine der erfolgreichsten Selfpublisherinnen Deutschlands und hat in den letzten drei Jahren einen Wirtschaftsthriller und zwei Kriminalromane, die ersten Bände einer vielversprechenden Serie mit einer starken weiblichen Protagonistin, veröffentlicht, die alle in den TOP 50 der E-Book-Charts gelandet sind. Sie ist in den sozialen Medien sehr präsent, hat bereits eine große Fan-Community und dadurch eine starke Positionierung am Markt.«

Es gelang ihr, die Vertreter für ihre neue Autorin zu begeistern, das merkte Julia an den Zwischenfragen und dem wohlwollenden Lächeln der Vertriebschefin. Auch der Coverentwurf für *Eisschwestern* kam gut an, nur den Buchtitel fanden die Vertreter schwach und wenig aussagekräftig. Während noch darüber diskutiert wurde, flog plötzlich die Tür auf, ein weißhaariger Mann in einem hellblau gestreiften Seersucker-Anzug stürmte in die Bibliothek und blickte sich wild um. Ihm folgten Henri Winterscheid und seine Frau. Der Vertreter, der die Buchhandlungen in Nordrhein-Westfalen und Niedersachsen bereiste, verstummte mitten im Satz, alle Anwesenden wandten sich verblüfft um. Der Weißhaarige stürzte mit wutverzerrtem Gesicht auf Carl Winterscheid zu.

»Was fällt dir ein, dich am Telefon verleugnen zu lassen, wenn ich anrufe?«, brüllte der Mann wütend. »Auf meinen Knien hast du gesessen, als du ein kleiner Hosenscheißer warst, und jetzt glaubst du, du kannst mich von deinem Winkeladvokaten abbügeln lassen?«

Seine sich überschlagende Stimme hallte vom Parkettboden wider.

»Hallo, Herr Englisch«, entgegnete Carl Winterscheid höflich und erhob sich, und da erst erkannte Julia in dem ungehobelten Störenfried den weltberühmten Schriftsteller und Büchner-Preisträger Hellmuth Englisch, der in natura nur noch wenig Ähnlichkeit mit seinem huldvoll lächelnden Porträtfoto im Treppenhaus hatte.

»Ich verlange auf der Stelle eine angemessene Entschuldigung für diesen ... diesen verschissenen Wisch hier!« Englisch, krebsrot im Gesicht, warf mit einer bühnenreifen Geste ein Blatt Papier in die Luft. »Ich *verlange*, dass der Vertrag vom Verlag erfüllt wird!«

Er schnappte nach Luft.

»Hellmuth, bitte beruhige dich doch!« Alexander Roth war aufgesprungen und ging nun mit ausgebreiteten Armen auf den alten Mann zu, aber der wehrte ihn unwirsch ab.

»Was willst *du* denn?«, giftete Englisch. »Du bist doch nur eine Marionette und hast keine Eier in der Hose, sonst hättest du niemals zugelassen, dass mich dieser ... dieser *Banause* wie den letzten Dreck behandelt!«

Derart getadelt lief der Programmleiter blutrot an.

»Bleiben wir doch sachlich.« Der sonore Bass von Henri Winterscheid war das Gegenteil zu Hellmuth Englischs aufgeregtem Falsett. »Carl, Hellmuth hat es wahrhaftig verdient, dass du persönlich mit ihm sprichst und dich nicht von deiner Vorzimmerdame verleugnen lässt.«

Julia hatte den Vorgänger und Onkel von Carl Winterscheid noch nie leibhaftig gesehen, sie kannte ihn nur von Fotos und von den Geschichten der älteren Mitarbeiter, die so klangen, als sei er der liebe Gott persönlich. Früher, in der Blüte seiner Jahre, musste er ein imponierender Mann gewesen sein: Hochgewachsen, mit vollem, silbergrauem Haar, scharfgeschnittenen Gesichtszügen, hellwachem Blick und einer gebogenen Adlernase, die seinem Aussehen etwas Aristokratisches verlieh. Mittlerweile wirkte er gebrechlich, er stützte sich schwer auf seinen Stock, aber er machte keine Zugeständnisse an die hochsommerlichen Temperaturen und war makellos gekleidet: grauer Straßenanzug, weißes Hemd, Krawatte und blank polierte Schuhe.

»Einem Autor wie Hellmuth Englisch die Zusammenarbeit aufzukündigen und dann auch noch auf eine solche Weise, ist eine Schande! Ein Armutszeugnis!«, rief er pathetisch, und seine Frau nickte mit einem frostigen Lächeln auf den schmalen Lippen zu jedem seiner Worte.

»Das hier ist wohl kaum der passende Rahmen für dieses Thema, Vater«, mischte sich Dorothea Winterscheid-Fink nun verärgert ein. »Wir sind gerade mitten in der …«

»Welches der passende Rahmen ist, entscheide ich selbst, Dorothea!«, maßregelte der ehemalige Verleger seine Tochter, die schon den Mund zu einer Erwiderung öffnete, aber Carl kam ihr zuvor.

»Du hast selbstverständlich das Recht, deinen Unmut zu äußern, Henri«, sagte er. »Noch bist du schließlich Gesellschafter dieses Verlages.«

»Was soll das heißen: *noch*?«, fuhr Frau Wi-Fi auf, aber Carl beachtete den Einwand seiner Cousine nicht. Seine Miene war völlig beherrscht, sein Tonfall ausgesucht höflich. Genauso hatte er bei jener denkwürdigen Lektoratsrunde gesprochen, als er Heike Wersch gefeuert hatte.

»Es dürfte dir nicht entgangen sein, dass es mir in den vergangenen achtzehn Monaten gelungen ist, das Verlagshaus Winterscheid, das du um ein Haar in den Bankrott getrieben hast, vorerst zu retten«, sagte er zu seinem Onkel.

»Niemand hat den Verlag in den Bankrott getrieben!« Der Alte schnaubte verächtlich.

»Wir konnten nicht nur alle Arbeitsplätze erhalten, sondern sogar expandieren. Und wir waren in der Lage, unseren Autoren ihre Tantiemen zu zahlen, was in der Vergangenheit ohne fremde Hilfe nicht immer der Fall gewesen ist«, fuhr Carl Winterscheid ungerührt fort. »Gute Bücher sind nach meiner Auffassung solche, die gelesen werden und sich gut verkaufen. Nicht die, die von Kritikern und Feuilletons hochgelobt werden und danach in den Regalen verstauben. Welcher Titel von den 1000 lieferbaren Titeln des Verlages hat sich im Geschäftsjahr 2017 mehr als 2000-mal verkauft, Henri? Welcher? Ich sage dir, wie viele es waren: genau acht Titel aus der Backlist, weil sie in den Schulen Pflichtlektüre sind!«

»Das ist doch alles dummes Zeug!«, widersprach Henri Winterscheid.

»Auf das neue Buch von Herrn Englisch warten wir nun seit *sieben Jahren*, aber ihm wurden immer weiter Vorschussraten gezahlt! Raten eines Vorschusses, der im Übrigen nie wieder hereingeholt werden wird. Einen solchen Luxus kann sich ein Verlag nur dann leisten, wenn er finanziell gut dasteht. Meine Strategie ist es, durch kommerziell erfolgreiche Titel auch ›gute‹ Bücher, wie du sie so gerne nennst, lieber Onkel Henri, verlegen zu können. Aber dazu muss man erst einmal ausmisten und Ballast abwerfen.«

Hellmuth Englisch hatte mit nervös zuckenden Gesichtsmuskeln den Schlagabtausch verfolgt.

»Willst du damit etwa behaupten, meine Werke und ich seien *Ballast*?«, regte er sich nun auf und drohte Carl Winterscheid sogar mit der geballten Faust. »Was glaubst du, wer du bist, du überheblicher Rotzjunge? Ich war für den Literaturnobelpreis im Gespräch, da warst du noch gar nicht auf der Welt!«

»Deshalb sind wir ja auch sehr stolz darauf, die verlegerische Heimat von Hellmuth Englisch zu sein«, erwiderte Carl Winterscheid glatt. Alle Beschimpfungen prallten an ihm ab wie Wasser an einer teflonbeschichteten Bratpfanne. »Aber jeder Titel, der in den vergangenen Jahren nicht einmal seine Kosten eingebracht hat, wird nicht nachgedruckt und künftig nur noch als E-Book lieferbar sein. Es spielt keine Rolle, wessen Name auf dem Buchrücken steht.«

»Das wird dir noch leidtun!«, zeterte Hellmuth Englisch. »Mein Name hat in der Literaturwelt Gewicht! Der Tag wird kommen, da wirst du mich anbetteln, wieder zu Winterscheid zu kommen. Aber das werde ich nicht! Niemals! Basta! Das Tischtuch ist zerschnitten!«

Erst jetzt schien er zu begreifen, dass er in die Vertreterkonferenz geraten war. Nervös zwinkernd starrte er die Whiteboards an, an denen die Coverentwürfe für das Frühjahrsprogramm befestigt worden waren, dann riss er eines der Plakate herunter und zerknüllte es mit einem unartikulierten Laut der Empörung.

»Was ist *das* denn für ein Dreck?« Speichel sprühte von seinen Lippen. Empört wandte er sich zu dem ehemaligen Verleger um und breitete die Arme aus. »*Liebesromane? Krimis?* So ein Schund! Henri, wie kannst du das nur zulassen? Mein guter Name in einer Reihe mit diesen … diesen Schmierfinken und … und Pipimädchen?«

Ungläubig blickte Julia ihre Kollegen an, die peinlich berührt wegsahen. Selbst der Verleger und die Vertriebschefin ließen zu, dass dieses wild gewordene Männlein in seinem zerknitterten Anzug ihre Arbeit von Monaten in den Schmutz zog und ihre Autoren brüskierte. Julias Enttäuschung verwandelte sich erst in Entrüstung, dann platzte ihr der Kragen. Nobelpreisanwärter hin oder her, wenn sie eines nicht ertragen konnte, dann waren das Ungerechtigkeit und Arroganz. Sie marschierte um den Tisch herum.

»Was fällt Ihnen ein, so abfällig über meine Autoren und ihre Bücher zu sprechen?«, fuhr sie den Alten an, riss ihm das Plakat aus den Händen und glättete es wieder. »Sie haben absolut kein Recht dazu, diese jungen Schriftsteller, die wunderbare Bücher geschrieben haben, derart zu beleidigen!«

Man hätte eine Stecknadel fallen hören können, so still war es plötzlich in dem großen Saal. Hellmuth Englisch, aus dem Konzept gebracht, starrte Julia aus wässrigen Augen verblüfft an.

»Wa … was sind Sie denn für ein vorlautes Frauenzimmer?«, stotterte er. »Wissen Sie nicht, wer ich bin?«

»Oh doch, ich weiß sogar sehr gut, wer Sie sind, Herr Englisch!« Julia stemmte furchtlos die Hände in die Seiten. »Sie sollten sich schämen! Ich bin entsetzt über Ihr respektloses Verhalten. Sie unterbrechen meine Präsentation bei der Vertreterkonferenz, ohne sich dafür zu entschuldigen, Sie führen sich auf wie Rumpelstilzchen und machen sich lächerlich! Glauben Sie denn wirklich, mit Ihrer Schreierei beeindrucken Sie irgendjemanden?«

Der Alte wurde erst leichenblass, dann schoss ihm das Blut ins Gesicht. Für den Bruchteil einer Sekunde glaubte Julia so etwas wie Respekt in seinen Augen aufflackern zu sehen, dann wandte er sich jäh um und verließ mit großen Schritten die Bibliothek; Silvia Blanke und Manja Hilgendorf flatterten hinter ihm her wie zwei aufgescheuchte Hühner, gefolgt von Henri und Margarethe Winterscheid. Der Spuk war vorbei. Als die Tür hinter ihnen ins Schloss gefallen war, erwachten alle aus ihrer Erstarrung und begannen durcheinanderzureden. Julia sah, wie Alexander Roth leichenblass auf seinen Stuhl sackte und ins Nichts starrte. Sie warf energisch ihren Zopf über die Schulter und ging zurück ans Stehpult. Ihr Blick fiel auf Carl Winterscheid, der mit verschränkten Armen an einem der Tische lehnte und sie aus unergründlich dunklen Augen mit einer Intensität musterte, die ihr ein flaues Gefühl im Magen verursachte. Überlegte er, ob er sie erst abmahnen oder besser gleich feuern sollte?

»Ich bitte um Ruhe!« Dorothea Winterscheid-Fink räusperte sich und zwang sich zu einem Lächeln. »Ich entschuldige mich für diese ärgerliche Unterbrechung. Bitte, Frau Bremora. Fahren Sie fort.«

›Familienbande‹, schoss es Julia durch den Kopf. Und nicht zum ersten Mal in ihrem Leben war sie heilfroh darüber, dass ihre Eltern nie von ihr erwartet hatten, in ihrem Dorf zu bleiben und eines Tages ihren Gartenbaubetrieb zu übernehmen.

* * *

Die Spurensicherung arbeitete im Haus, und ihre Kollegen waren in der Nachbarschaft unterwegs, deshalb beschloss Pia, rasch nach Hause zu fahren und sich umzuziehen. Es sah ganz danach aus, als ob der Tag heute lang werden würde, und sie hatte keine Lust, sich eine Rüge ihrer Chefin einzuhandeln, wenn diese sie in den Uraltjeans und abgelatschten Turnschuhen sah, die Pia am Morgen für den Hundespaziergang angezogen hatte. Seitdem Pia und Dr. Nicola Engel um das Leben von Pias Schwester Kim gezittert und in einer dramatischen Verfolgungsjagd gemeinsam einen Serienmörder dingfest gemacht hatten, war das Verhältnis zwischen ihnen fast als freundschaftlich zu bezeichnen. Die Kriminaldirektorin hatte ihre Unnahbarkeit abgelegt und Pia sogar das ›Du‹ angeboten, und genau deshalb wollte Pia sie, die großen Wert auf angemessene Kleidung legte, nicht unnötig provozieren.

Auf dem gegenüberliegenden Bürgersteig versammelten sich bereits die unvermeidlichen Schaulustigen. Nur die Streifenpolizisten, die vor dem Grundstück von Frau Wersch Position bezogen hatten, hinderten sie daran, näher zu kommen. Das Gerücht, in der friedlichen Wohngegend habe sich möglicherweise ein Gewaltverbrechen ereignet, zog die Leute an wie ein Stück Kuchen die Wespen. Die Bewohner eines Hochhauses schräg gegenüber standen auf ihren Balkonen oder lehnten sich neugierig aus ihren Fenstern, filmten sensationslüstern mit ihren Handys, obwohl es rein gar nichts zu sehen gab, und manche versuchten, mit Ferngläsern einen Blick auf schaurige Details zu erhaschen. Die Faszination am Abscheulichen war so uralt wie die Menschheit selbst. Im Mittelalter hatten sich die Leute mit Vorliebe um Galgen und Scheiterhaufen gedrängt, heute lasen sie stattdessen bluttriefende Krimis oder schauten sich mit wollüstigem Schaudern die brutalsten Filme an.

Eine Dreiviertelstunde später war Pia zurück, frisch geduscht, umgezogen und sogar dezent geschminkt. Weil es im Auto für den Hund zu warm wurde, nahm sie Beck's an die Leine und überquerte die Straße. Er schnüffelte an der Mülltonne. Pia nahm den Griff der Tonne und zog sie durchs Tor, um sie an die Seitenwand der Garage neben die blaue und die braune Tonne zu stellen. Beck's zerrte an der Leine und winselte.

»Pia!« Tariq kam auf sie zu. »Ich habe ein paar interessante

Dinge erfahren! Frau Wersch hat gegen den Bauherrn des Neubaus auf dem Nachbargrundstück einen Baustopp erwirkt, seitdem streiten sie sich vor Gericht. Es geht um die Überschreitung des Baufensters und um eine geplante Erdwärmepumpe.«

»Aber da drüben wurde den ganzen Vormittag lang gearbeitet«, wunderte sich Pia. »Die Kreissäge lief bis vor einer halben Stunde.«

»Das sind keine Bauarbeiter«, erwiderte Tariq. »Stell dir vor: Der Bauherr bezahlt Leute dafür, dass sie Lärm machen, um Frau Wersch weichzukochen.«

»Ich bin mir sicher, du weißt, wie der Typ heißt, oder?« Pia ruckte unsanft an der Leine. »Verdammt, Beck's, Schluss jetzt mit dem Gezerre, sonst musst du zurück ins Auto!«

»Klar. Ich habe das Bauschild abfotografiert.« Tariq zog sein Smartphone hervor und rief ein Foto auf. »Hier: Der Bauherr ist ein gewisser Marcel Jahn und wohnt auch in Bad Soden. Am Sonntagnachmittag hatten das Ehepaar Jahn und Frau Wersch mal wieder einen lautstarken Streit. Das hat mir die Nachbarin auf der anderen Seite des Neubaus erzählt. Sie müssen sich gegenseitig solche Obszönitäten an den Kopf geworfen haben, dass die Nachbarin eingeschritten ist, ihrer Kinder wegen. Daraufhin hat die Frau des Bauherrn die Nachbarin beleidigt.«

Hechelnd sprang Beck's an Pia hoch.

»Was hat er denn?«, fragte Tariq. »So ist er doch sonst nicht.«

»Keine Ahnung, was plötzlich mit ihm los ist.« Pia hatte Mühe, den Hund festzuhalten, gleichzeitig vernahm sie das unverwechselbare Motorengeräusch eines 911er Porsche.

»Der Chef!«, stellte Tariq erstaunt fest. »Was macht der denn hier?«

Bodenstein parkte seinen Boliden, den er sonst immer sorgfältig vor den Augen der Kollegen versteckte, direkt vor Pias Mini und stieg aus. Obwohl er ein wahrer Meister darin war, seine Gefühle hinter einer unbewegten Miene zu verbergen und dazu eine Sonnenbrille trug, war Pia bei seinem Anblick sofort klar, dass etwas nicht stimmte. Er strahlte mehr aus als nur die Niedergeschlagenheit eines Menschen, der einen schlechten Tag hat, es war etwas Tiefergehendes, Umfassenderes. In den letzten Monaten hatte Bodenstein mindestens zehn Kilo abgenommen, und in sein dichtes, dunkles Haar mischten sich immer mehr silberne Fäden. Seit Jahren verfolgte Pia, wie dieser fürsorgliche Mann, dieses Musterbeispiel an Integrität und Loyalität, mehr und mehr von seinen privaten Problemen aufgezehrt wurde. Bodenstein hatte leider eine fatale Vorliebe für ein und denselben Typ Frau; zielsicher verliebte er sich immer wieder in Karrierefrauen, die irgendeinen Psychoknacks hatten und seine Gutmütigkeit und Nachsicht ausnutzten. Nach Nicola Engel, Cosima von Bodenstein, Annika Sommerfeld und Inka Hansen war es jetzt Karoline Albrecht, in die sich Bodenstein unglücklicherweise vor sechs Jahren im Zuge von Ermittlungen verliebt hatte, obwohl die Frau Probleme mit sich herumschleppte, die ebenso offensichtlich wie unlösbar waren. Und als ob Bodensteins private Misere noch einer Steigerung bedurft hätte, war Cosima vor ein paar Monaten an Krebs erkrankt. Er sprach nicht darüber, aber Pia wusste, wie sehr ihr Chef noch immer an der Mutter seiner drei Kinder hing. Seit der längst beendeten Affäre lebte Cosima allein, und es war Bodenstein, der sich nun um sie kümmerte, so gut er konnte, und sich verpflichtet fühlte, die Bedürfnisse einer schwerkranken Ex-Frau, seiner zwölfjährigen Tochter Sophia, seiner eifersüchtigen Ehefrau und deren verkorkster Tochter unter einen Hut zu bringen. Jeder andere hätte wahrscheinlich längst das Handtuch geworfen, aber Bodensteins aristokratisches Ethos trieb ihn zur heroischen Selbstaufgabe.

»Hallo, Chef«, begrüßte Pia ihn. »Ich dachte, du hättest heute frei.«

»Hatte ich auch«, entgegnete Bodenstein. »Aber Frau Dr. Engel hat mich gebeten hierherzufahren, um zu überprüfen, ob die Anwesenheit von zwölf Leuten tatsächlich vonnöten ist. Die Fortbildungen sind jetzt übrigens nur verschoben und nicht abgesagt worden.«

»So ein Pech aber auch«, sagte Tariq verstimmt.

»Lasst uns mal gucken, wie weit Christian und seine Leute sind.« Pia wollte losgehen, aber Beck's stemmte alle vier Pfoten in den Boden und weigerte sich, mitzukommen. Plötzlich setzten sich in ihrem Kopf die Zahnrädchen in Bewegung. Sie ließ dem Hund mehr Leine, und Beck's stürzte prompt auf die Mülltonne zu, schnüffelte und bellte auffordernd. Pia beugte sich vor, und ihr Herz begann aufgeregt zu klopfen, als sie rostbraune Flecken an der Seite und am Rand der schwarzen Tonne sah.

»Schaut mal«, sagte sie zu Bodenstein und Omari und bemühte sich, ruhig zu bleiben. »Könnte das Blut sein?«

Bodenstein setzte seine Sonnenbrille ab, und Pia erschrak, als sie die violetten Schatten unter seinen Augen sah. Die Männer begutachteten die Flecken und nickten.

»Tariq, bitte hol Kröger her«, sagte Bodenstein. »Er soll einen Schnelltest für Humanblut mitbringen.«

»Geht klar.« Tariq verschwand Richtung Haus, und Pia lobte Beck's überschwänglich und fütterte ihm eine Handvoll seiner Lieblingskekse als Belohnung.

»Ist alles okay bei dir?«, fragte sie ihren Chef beiläufig.

»Nicht wirklich.«

»Ist etwas mit Cosima? Geht es ihr schlechter?«

»Nein. Ihr geht's den Umständen entsprechend gut.«

Bodenstein war niemand, der mit seinen Gefühlen hausieren ging. In dieser Beziehung waren sich Pia und er, die sonst so gegensätzlich waren wie Feuer und Wasser, ziemlich ähnlich. Ihn zu bedrängen hatte wenig Sinn, wenn er nicht von sich aus reden wollte.

»Ich werde bei Karoline ausziehen«, sagte er.

Die Erleichterung, die Pia bei seinen Worten überflutete, überraschte sie selbst. Um ein Haar hätte sie laut ›Endlich!‹ gerufen, aber sie biss sich gerade noch rechtzeitig auf die Zunge.

»Das tut mir leid«, sagte sie stattdessen in neutralem Tonfall.

»Muss es nicht. Das hätte ich längst tun sollen«, erwiderte Bodenstein. »Also, was haben wir hier?«

Pia setzte ihren Chef ins Bild und berichtete ihm, was sie bisher über die Vermisste erfahren hatte und weshalb sie daran zweifelte, dass Heike Wersch verreist war oder sich das Leben genommen hatte.

»Was sagtest du? Wo hat sie gearbeitet?«, fragte Bodenstein nach.

»Zufälligerweise im selben Verlag, in dem Hennings Bücher erscheinen«, entgegnete Pia. »Bei Winterscheid.«

»Also deshalb kam mir der Name gleich bekannt vor.« Bodenstein runzelte nachdenklich die Stirn. »Wenn mich nicht alles täuscht, dann hat sie vor ein oder zwei Wochen einen ziemlichen Skandal losgetreten.«

»Ja, darauf bin ich eben im Internet gestoßen.« Pia nickte. »Nach ihrer Kündigung hat sie kein gutes Haar an ihrem früheren Arbeitgeber gelassen und allerhand schmutzige Wäsche gewaschen.«

»Das auch. Aber vor allen Dingen hat sie Severin Velten, einen Autor, öffentlich des Plagiats bezichtigt und damit seinen Ruf und den des Winterscheid-Verlages schwer beschädigt«, erwiderte Bodenstein. »Und weil Velten einer der wichtigsten zeitgenössischen Autoren ist und seine Romane schon mit allen möglichen Literaturpreisen ausgezeichnet wurden, hat das für ein mediales Erdbeben gesorgt. Sein aktueller Roman *Der einbeinige Kranich* ist erst im Frühjahr erschienen und war wochenlang auf Platz eins der Bestsellerliste.«

»*Der einbeinige Kranich?*« Pia schüttelte den Kopf. »Wem fällt denn wohl so ein beknackter Buchtitel ein?«

»Der Skandal ist umso pikanter, weil ausgerechnet Veltens eigene Lektorin, die langjährige Programmleiterin seines Verlages, die kurz zuvor entlassen wurde, die Wahrheit ans Licht gebracht haben soll«, fuhr Bodenstein fort. »Es kam heraus, dass Velten bei einem anderen Schriftsteller hemmungslos abgekupfert hat, und zwar nicht nur ein paar Sätze, sondern offenbar den kompletten Plot. Jetzt ist natürlich sein Gesamtwerk des Plagiats verdächtig und Winterscheid, ein hoch angesehener Verlag, in Erklärungsnot.«

Pia las durchaus gerne, wenn es ihre Zeit erlaubte, am liebsten Krimis, aber sie hatte sich nie Gedanken darüber gemacht, woher all die Bücher kamen, die in den Buchhandlungen die Regale füllten, und den Begriff ›Agent‹ hatte sie eher mit Spionage und James Bond assoziiert als mit jemandem, der Manuskripte an Verlage vermittelte. Erst seitdem Henning unter die Autoren gegangen war, hatte sie einen kleinen Einblick in die Welt des Verlagswesens und der Bücher bekommen.

»Also dürfte dieser Schreiberling eine Mordswut auf Frau Wersch haben«, folgerte sie aus Bodensteins Worten. Sie zog das Haargummi aus ihrem Pferdeschwanz, fuhr sich auf ihre unprätentiöse Art mit allen zehn Fingern durch ihr schulterlanges Haar, bevor sie es wieder zu einem schlichten Knoten band, und Bodenstein musste unwillkürlich daran denken, wie lange seine Ehefrau morgens im Bad brauchte, bis ihre Frisur, ihre Kleidung und ihr Make-up zu ihrer Zufriedenheit saßen.

»Wir sollten auf jeden Fall mit ihm reden«, bestätigte er. »Genauso wie mit den Verantwortlichen des Winterscheid-Verlags.«

Tariq kehrte zurück, gefolgt von Kröger im weißen Overall.

»Was ist denn hier so wichtig, dass ihr mich bei meiner Arbeit stört?«, fragte er gereizt. »Hallo, Oliver. Seit wann bist du denn hier?«

»Gerade eingetroffen«, erwiderte Bodenstein. »Die Chefin will wissen, ob der hohe Personalaufwand gerechtfertigt ist.«

»Das ist er, mein Lieber. Und wie!«, erwiderte Kröger.

Pia deutete auf die Flecken an der Mülltonne.

»Das ist Blut«, sagte Kröger nach einer kurzen Inspektion bestimmt. Er riss ein Schnelltest-Set auf, wischte mit dem Teststäbchen über die Flecken an der Mülltonne, steckte es in das Fläschchen mit der Reagenzflüssigkeit und schüttelte es, bevor er ein paar Tropfen in die runde Öffnung am unteren Ende des Tests gab. Dann legte er den Probenträger auf den Deckel der blauen Altpapiertonne.

»Übrigens«, verkündete er, während sie auf das Testergebnis warteten. »In der Küche muss ein wahres Blutbad stattgefunden haben. Irgendjemand hat ziemlich dilettantisch versucht, sauber zu machen. Allerdings hatte derjenige keine Ahnung, dass man schon Chlorbleiche benutzen muss, wenn man Blutspuren wirklich wegkriegen will. Außerdem hat er ein paar Blutspritzer an den Küchenschränken übersehen.«

»Erinnert ihr euch an den Fall von vor ein paar Jahren, als ein Typ seine Freundin erdrosselt und ihre Leiche in die Mülltonne gesteckt hat?«, fragte Pia ihre Kollegen.

»Ja«, Bodenstein nickte. »Das war vor vier Jahren in Frankfurt.«

»Die Kollegen mussten fast sechs Wochen warten, bis die Schlackereste, die man schon aus der Müllverbrennungsanlage auf die Deponie in Wicker gebracht hatte, so weit ausgekühlt waren, dass man sie überhaupt durchsuchen konnte«, wusste Kröger. »Aber sie haben tatsächlich noch Knochenreste des Opfers gefunden.«

»Tariq«, sagte Pia. »Finde bitte heraus, wann hier zuletzt der Restmüll geleert wurde.«

»Mach ich.«

Kröger kontrollierte den Probenträger.

»Zwei rote Linien.« Er blickte von Pia zu Bodenstein. »Eindeutig menschliches Blut.«

»Okay. Habt ihr euch schon das Auto angeschaut?«, fragte Pia.

»Eins nach dem anderen«, entgegnete Kröger unwirsch. Er beauftragte einen seiner Mitarbeiter, den Schlüssel für den schwarzen BMW zu holen, der in der Küche am Schlüsselbrett hing, und öffnete die Hintertür der Doppelgarage. Bodenstein und Pia folgten ihm und sahen zu, wie er um das Auto herumging und es von allen Seiten unter die Lupe nahm.

»Da tropft was aus dem Kofferraum«, bemerkte Pia, und ihr schwante Übles. Sie blickte durch die Scheiben ins Innere des Autos, sah aber nichts Auffälliges. Krögers Kollege war zurück und öffnete per Fernbedienung die Zentralverriegelung. Ein Schwall von Verwesungsgeruch gemischt mit einem Hauch von kaltem Zigarettenrauch drang aus dem Fahrzeuginnern.

»So, dann schauen wir mal.« Kröger trat an den Kofferraum. »Riechen tut's schon mal nicht so gut.«

Er ließ den Kofferraum aufschnappen. Bodenstein und Pia beugten sich nach vorne und prallten zurück, als ihnen ein Fliegenschwarm entgegensummte.

***

Julia hatte für die Präsentation der ersten drei Bücher großen Applaus von Kollegen und Vertretern erhalten. Ihren persönlichen Lieblingstitel hatte sie sich für den Nachmittag aufgehoben. Für den herrlich schwarzhumorigen Krimi, der gleichzeitig eine Art Achtsamkeits-Ratgeber war, hatte sie sich etwas Besonderes ausgedacht: Der Autor persönlich würde als Überraschungsgast ein paar Seiten aus seinem Werk zum Besten geben. Darüber wussten nur die Vertriebschefin und der Hausmeister, der Torsten Busse in die Bibliothek schmuggeln sollte, Bescheid. Aber der seltsame Auftritt von Hellmuth Englisch hatte Julias Euphorie einen Dämpfer versetzt. Ihr Smartphone brummte. Karla, eine Kollegin aus dem Belletristik-Lektorat, hatte ihr eine Nachricht geschrieben. ›Du warst klasse, Juli‹, las sie. Darauf folgte ein Daumen-hoch-Emoji. Weitere heimlich unter Tischplatten getippte Nachrichten trafen ein, zwar anerkennend und bewundernd im Tonfall, aber so verstohlen wie vieles, was hier im Verlag geschah, und das erfüllte Julia mit Unbehagen. Außerdem war sie wütend auf ihre Kollegen. Wütend und enttäuscht, weil vorhin niemand den Mumm gehabt hatte, Partei für ihre Autoren zu ergreifen. Wie verschreckte Mäuse hatten sie dagesessen, statt dagegen zu protestieren, von einem alten Mann mit gekränktem Ego als Publikum missbraucht zu werden. In dem Verlag, in dem sie vorher gearbeitet hatte, war auch nicht alles eitel Sonnenschein gewesen; sie hatte drei Verlegerwechsel innerhalb kürzester Zeit miterlebt und die damit einhergehenden Veränderungen, die für Unruhe und Kompetenzgerangel gesorgt hatten. Aber nach ein paar Wochen hatte sich die Aufregung gelegt und man war zur Tagesordnung übergegangen. Doch hier war es anders. Niemand spielte mit offenen Karten, und die Belegschaft des Winterscheid-Verlags war in zwei Lager gespalten. Auf der einen Seite gab es die alten Mitarbeiter, die den Veränderungen innerhalb des Verlags kritisch bis ablehnend gegenüberstanden, und auf der anderen Seite waren da die neuen, die wie Julia in den letzten anderthalb Jahren von Carl Winterscheid eingestellt worden waren. Zwar ging man höflich miteinander um, aber die ›Alten‹ hielten stur an alten Gepflogenheiten fest und bildeten so etwas wie einen elitären Club, der den Neuen verschlossen blieb. Dazu gehörte die eigenartige Angewohnheit, hinter geschlossenen Bürotüren zu arbeiten, genauso wie die Zusammenkünfte in der Verlegervilla am Grüneburgpark, zu denen Henri Winterscheid und seine Frau an jedem ersten Donnerstagabend im Monat einluden, wohl als Reminiszenz an die legendären Kaminabende, zu denen sich früher die intellektuelle Elite des Landes getroffen hatte.

Julias Blick wanderte zu Alexander Roth, der auf seinem Smartphone herumtippte und dem Vortrag eines Sachbuch-Lektors, der das Buch einer jungen Medizinerin über den menschlichen Darm vorstellte, so wenig folgte wie sie selbst. Was für ein Spiel spielte er? Hatte er den Rauswurf von Heike Wersch bedauert oder war er insgeheim froh gewesen, sie los zu sein, nachdem er zwanzig Jahre lang in ihrem Schatten gestanden hatte? Auch Carl Winterscheid wirkte abwesend. Die Arme vor der Brust verschränkt und die Knöchel überkreuzt, saß er da, und für einen winzigen Moment schoss Julia der Gedanke durch den Kopf, ob er womöglich etwas mit dem Verschwinden von Heike Wersch zu tun hatte. Ein Motiv hatte er wahrhaftig.

Freundlicher Applaus brandete auf, als Frau Wi-Fi verkündete, dass unten im Aufenthaltsraum ein kalt-warmes Buffet warte. Unter Gemurmel und Stühlerücken löste sich die Zuhörerschaft auf. Julia beeilte sich, aus dem Saal herauszukommen, ohne von irgendjemandem angesprochen zu werden. Sie hatte keinen Appetit und keine Lust auf heuchlerische Komplimente, außerdem wollte sie Shannon Schwarz anrufen und ihr berichten, wie begeistert die Vertreter von den *Eisschwestern* waren. Das war ihr umso wichtiger, als Shannon im Frühjahr um ein Haar bei einem anderen Verlag unterschrieben hätte, weil ihr Agent urplötzlich der Meinung gewesen war, ein großer Konzernverlag könne erheblich mehr Geld und Marketingpower in sie investieren als Winterscheid. Glücklicherweise hatte sich jedoch zwischen Shannon Schwarz und Julia ein enges Verhältnis entwickelt, und so hatte ihr die Autorin im Vertrauen erzählt, dass jemand von der Programmleitung des Verlags ihrem Agenten geraten habe, doch besser zur Konkurrenz zu gehen. Julia hatte sofort Frau Wersch in Verdacht gehabt und war wutentbrannt in deren verqualmtes Büro gestürzt, um sie wegen dieser hinterhältigen Sabotage zur Rede zu stellen.

»Werde ich nach meiner Meinung gefragt, dann sage ich sie«, hatte sie geknurrt, eine glimmende Zigarette zwischen den nikotingelben Fingern. Mit der schwarzen Kastenbrille mit sektflaschenbodendicken Gläsern hatte sie Julia immer ein bisschen an Professor Trelawney aus den Harry-Potter-Verfilmungen erinnert. »Ein Agent, den ich seit vielen Jahren kenne, wollte von mir wissen, ob Winterscheid wohl der passende Verlag für eine junge Krimischreiberin sei. Ich habe ihm geantwortet, ich hielte andere Verlage für geeigneter. Das war alles.«

»Damit haben Sie beinahe meinen Deal, an dem ich monatelang gearbeitet habe, kaputt gemacht!«, hatte Julia ihr vorgeworfen.

»Aber nur beinahe«, hatte Heike Wersch daraufhin erwidert und spöttisch gelächelt. »Offensichtlich haben Sie ja etwas richtig gemacht, denn die Autorin hat sich gegen den Rat ihres Agenten für Sie und Winterscheid entschieden.«

»Halten Sie sich in Zukunft bitte mit solchen Pauschal-Ratschlägen zurück«, hatte Julia kühl entgegnet. »Krimi ist nicht Ihr Genre. Wenn Sie von einem Agenten noch mal so etwas gefragt werden, können Sie ihn gerne an mich verweisen.«

Im Nachhinein hatte Julia sich nicht mehr erklären können, woher sie den Mut genommen hatte, so mit Frau Wersch, dieser Legende der Literaturwelt, zu sprechen, aber es hatte gewirkt. Heike Wersch hatte sie einen Moment lang schweigend angesehen, dann hatte sich ein widerwillig anerkennendes Lächeln in ihre Mundwinkel gestohlen.

»Gut gebrüllt, Löwe«, hatte sie zu Julias Verwunderung geantwortet. »Sie haben vollkommen recht. Das werde ich in Zukunft tun. Und Sie sollten daraus lernen, wie überaus wichtig es ist, als Lektorin ein gutes und vertrauensvolles Verhältnis zu seinen Autoren zu haben.«

Julia lief die Treppe hoch und las im Laufen auf ihrem Handy die Nachricht, die ihr die Herstellerin geschrieben hatte. Es war ihr in letzter Sekunde gelungen, die Widmung in *Mordsfreunde* so zu ändern, wie der Autor sich das gewünscht hatte. In einem ersten Impuls wollte Julia Henning Kirchhoff die gute Nachricht sofort mitteilen, doch dann überlegte sie es sich anders. Wenn sie es ihm erst heute Abend oder morgen sagte, konnte sie ihm womöglich gleichzeitig Neuigkeiten über Heike Wersch entlocken. Sie war schon fast im dritten Stock, als sie bemerkte, dass sie ihre Tasche in der Bibliothek vergessen hatte. Mit einem Fluch machte sie kehrt. Gerade als sie den Saal betreten wollte, vernahm sie die erregte Stimme von Dorothea Winterscheid-Fink.

»Natürlich bin ich sauer! Ich bin sogar stinkwütend! Wärst du das an meiner Stelle nicht auch? Wieso hast du mir nichts davon gesagt? Wie kann sie nur so hinterhältig sein? Ich rufe sie an, auf der Stelle!«

Julia blieb unentschlossen stehen. Sie wollte nicht lauschen, aber leider brauchte sie ihre Tasche dringend, bevor sie sich mit Waldemar Bär, dem Hausmeister, traf, um Torsten Busse durch den Hintereingang ins Verlagsgebäude zu schleusen.

»Heute Morgen ist sie nicht zur Anhörung beim Arbeitsgericht erschienen.« Julia erschrak, als sie die Stimme von Carl Winterscheid erkannte. Sie wollte ihm kein zweites Mal an einem Tag unangenehm auffallen. Aber bevor sie den Rückzug antreten konnte, erschien er in der Tür der Bibliothek. »Ihr Anwalt hat ein paar Mal versucht, sie zu erreichen, aber ihr Telefon war ausgeschaltet. Der Richter war so verärgert, dass er ...«

Er brach mitten im Satz ab, als er Julia erblickte.

»Entschuldigung, ich ... ich habe meine Tasche hier vergessen«, stotterte sie verlegen. Hatten die beiden gerade über Heike Wersch gesprochen? Wenn ja, dann schienen sie nicht zu wissen, dass sie verschwunden war und ihre Freundin Maria die Polizei informiert hatte.

Hinter dem Verleger tauchte Dorothea Winterscheid-Fink auf.

»Ah, Julia, das waren eben drei großartige Vorträge.« Von ihrer Verärgerung war ihr nichts anzumerken, sie lächelte. »Und sehr couragiert, wie Sie Hellmuth den Schneid abgekauft haben! Gehen wir runter zum Mittagessen? Ich habe Herrn Bär angerufen, wir treffen ihn um kurz nach zwei an seinem Büro.«

Sie verließ den Saal und ging zur Treppe.

»Wir reden heute Abend«, sagte Carl Winterscheid zu seiner Cousine, dann wandte er sich an Julia: »Haben Sie eine Minute, Frau Bremora?«

»Ja, natürlich.« Sie lief zu dem Stuhl, auf dem sie gesessen hatte, nahm ihre Tasche und ging mit aufgeregt pochendem Herzen wieder hinaus. Auch nach anderthalb Jahren konnte sie ihren Chef noch immer nicht wirklich einschätzen. Nach ihrem ersten Vorstellungsgespräch hatte sie versucht, mehr über ihn herauszufinden, aber in den sozialen Medien existierte er schlichtweg nicht und im Internet war nur sein beruflicher Werdegang zu finden. Im Verlag wusste niemand mit Sicherheit, ob er liiert oder vielleicht sogar verheiratet war. Von frühmorgens bis spät in die Nacht saß er in seinem Büro im obersten Stock des Verlagshauses, zu seinen Mitarbeitern wahrte er höfliche Distanz. Und wie immer, wenn sich über einen Menschen nichts herausfinden ließ, sprossen die Gerüchte wie Unkraut. Er sei schwul, vermuteten manche. Andere behaupteten, seine Frau lebe in den USA, und wiederum andere spekulierten, er sei früh verwitwet und deshalb so unnahbar. Fest stand nur, dass Carl Winterscheid trotz seiner jungen Jahre bereits ein äußerst erfolgreicher Manager beim amerikanischen Medienkonzern Pegasus gewesen war und die Möglichkeit, CEO der Pegasus Europe Holding zu werden, ausgeschlagen hatte, um stattdessen die weitaus weniger lukrative Leitung des von seinem Großvater mitgegründeten und fast bankrotten Winterscheid-Verlags zu übernehmen.

Vor ein paar Wochen war Julia ihrem Chef zufällig am Samstagmorgen in der Kleinmarkthalle begegnet. Er hatte sie zu ihrer Überraschung auf einen Kaffee eingeladen, danach noch zu einem Prosecco, und sie hatten, statt ihre Einkäufe zu erledigen, den Vormittag verplaudert und festgestellt, dass sie beide außerhalb des Verlages kaum jemanden in der Stadt kannten. Julia stammte aus dem Saarland, hatte in Erlangen, München und Paris studiert, ein Volontariat bei Piper in München gemacht und dann in Berlin bei Ullstein gearbeitet, erst als Elternzeit-Vertretung, später in Festanstellung als Junior-Lektorin. Sie wäre gerne dortgeblieben, aber ihre private Situation war vor zwei Jahren so schwierig geworden, dass sie die Gelegenheit, sich bei Winterscheid in Frankfurt für das neu geschaffene Unterhaltungs-Lektorat zu bewerben, ergriffen hatte.

Carl war zwar in der Main-Metropole geboren und nach dem Tod seiner Eltern in der Verleger-Villa am Grüneburgpark bei seinem Onkel Henri und seiner Tante Margarethe aufgewachsen, aber er war auf Internate und nicht in Frankfurt zur Schule gegangen und hatte deshalb keinen alten Freundeskreis. Im Laufe des Gesprächs hatten sie einige Gemeinsamkeiten festgestellt: Sie arbeiteten beide gerne und viel, gingen lieber joggen statt ins Fitness-Studio; sie mochten die asiatische Küche, Kreuzworträtsel, südafrikanischen Rotwein und die Netflix-Serie *House of Cards*. Trotz dieses seltsamen Vormittags, der sich nie wiederholt hatte, waren sie weiterhin per ›Sie‹, und daran wollte Julia vorerst auch nichts ändern. Schon einmal hatte sie einem Mann, der auf geradezu unheimliche Weise perfekt zu ihr zu passen schien, zu früh ihr Vertrauen geschenkt. Um ein Haar hätte sie diesen Fehler mit dem Leben bezahlt.

»Das war eben echt ein Ding«, sagte Carl Winterscheid schmunzelnd, als die Schritte seiner Cousine auf der Treppe verklungen waren. »Der Ausdruck auf Englischs Gesicht, als Sie ihn ›Rumpelstilzchen‹ genannt haben, war einfach unbezahlbar! Es gefällt mir, wie Sie sich für Ihre Autoren einsetzen.«

»Nein, es war respektlos von mir, wie ich Herrn Englisch zurechtgewiesen habe«, erwiderte Julia. »Er ist immerhin …«

»… ein Dinosaurier, der sich nicht benehmen kann«, unterbrach Carl sie, und sie musste lachen. Sie wusste, dass er viele der bedeutendsten deutschen Schriftsteller und Philosophen der Nachkriegszeit und auch viele ausländische Autoren von Rang und Namen seit seiner Kindheit persönlich kannte, denn die meisten von ihnen waren mit seinem Großvater, dem legendären Verleger Carl August Winterscheid, befreundet gewesen.

»So wie vielen seiner Kollegen mit ihren aufgeblähten Egos ist auch Englisch völlig der Sinn für die Realität verloren gegangen. Sie klammern sich an vergangenen Ruhm und können nicht akzeptieren, dass ihre große Zeit vorbei ist. Zweifellos waren sie über Jahrzehnte hinweg die wichtigsten zeitgenössischen Autoren in deutscher Sprache, aber sie sind nun mal nicht Goethe oder Schiller. Der Zeitgeist ändert sich. Der Geschmack der Leser auch. Kaum jemand will heute noch etwas von Alfried Kempermann, Fabian Maria Noll, Marina Bergmann-Ickes oder Volker Böhm lesen.« Ein Schatten flog über Carl Winterscheids Gesicht. »Mein Onkel hat das nie begriffen und mit seiner Nibelungentreue beinahe den Verlag ruiniert.« Er verstummte, und sie sahen sich an. »Ich bin froh, dass Sie Shannon Schwarz davon überzeugen konnten, bei uns zu unterschreiben«, sagte er.

»Ja, ich auch.« Julia lächelte. »Obwohl mir die Wersch den Deal ja beinahe noch kaputt gemacht hat. Aber die Vertreter lieben Shannons Buch. Das wird ganz groß!«

»Ich freue mich darauf, es zu lesen«, erwiderte der Verleger. »Und auch den neuen Krimi von Kirchhoff. Sein Vortrag gestern Abend hat mich neugierig gemacht.«

Julia warf einen Blick auf ihr Smartphone. Zehn vor zwei. Für das Mittagessen war es jetzt zu spät, aber das störte sie nicht. Gerade, als sie ihrem Chef sagen wollte, was sie von Kirchhoff erfahren hatte, klingelte sein Handy.

»Bis nachher«, sagte er nach einem kurzen Blick aufs Display und drückte auf die Ruftaste des Aufzugs. »Ich freue mich schon auf Ihren nächsten Vortrag!«

* * *

»Was ist das denn?« Pia musterte angewidert die Ursache des Verwesungsgeruchs und der Flüssigkeit, die aus dem Kofferraum auf den Garagenboden tropfte, eine etwa fußballgroße Masse, die sich bei der sommerlichen Hitze in einen höllisch stinkenden undefinierbaren Brei voller Maden verwandelt hatte. Kröger, immun gegen alle Scheußlichkeiten des Lebens, berührte das Ding mit der Fingerspitze.

»Ich schätze mal, das war ursprünglich ein *Bio-Huhn, frisch, 1,3 Kilogramm, mit Innereien*«, sagte er. »Die Verpackungsfolie ist aufgeplatzt, aber man kann das Etikett noch lesen.«

»Wahrscheinlich hat sie es im Kofferraum vergessen, nachdem sie einkaufen war«, vermutete Bodenstein. »Kannst du das Haltbarkeitsdatum entziffern?«

»Moment.« Kröger beugte sich tiefer in den Kofferraum. »Gekühlt mindestens haltbar bis 5.9.2018.«

»Dann muss sie es spätestens am Montag gekauft haben, das war der 3.9.«, rechnete Pia. Konnte sie das Huhn der Lösung des Rätsels, was Heike Wersch in den letzten Stunden ihres Lebens getan hatte, näher bringen?

Kröger überließ das Auto zweien seiner Techniker, die es auf Spuren untersuchen würden. Bodenstein und Pia gingen mit ihm hoch zum Haus. Jemand hatte die Rollläden vor den Küchenfenstern heruntergelassen, sodass es in der Küche dunkel war. Das aufgesprühte Luminol-Gemisch ließ den Fußboden zwischen Tisch und Küchenzeile in der Dunkelheit großflächig hellblau fluoreszieren, ebenso leuchteten Blutspritzer und blutige Schleifspuren bis zur Küchentür, aber auch am Unterschrank der Spüle, am Türrahmen und an der Wand neben der Tür. Eine Technikerin der Spurensicherung war gerade dabei, das Spritzmuster auf dem Fußboden sorgfältig zu fotografieren.

»Das sieht nicht so aus, als hätte jemand nur Nasenbluten gehabt«, sagte Bodenstein. Bei einer solch eindeutigen Spurenlage würde er die Anwesenheit von einem Dutzend Kriminaltechniker und dem gesamten K11 vor Kriminaldirektorin Dr. Nicola Engel gut rechtfertigen können.

»So, wie es hier aussieht, müssen wir wohl davon ausgehen, dass Frau Wersch Opfer eines Gewaltverbrechens geworden ist«, meinte Pia.

»Sie könnte sich verletzt haben. Vielleicht nimmt sie Blutverdünner und hat deshalb heftig geblutet«, widersprach Kröger, der sich grundsätzlich nur an den vorliegenden Fakten orientierte. »Außerdem steht es noch gar nicht fest, ob das Blut überhaupt von der Hausbewohnerin stammt.«

»Hier, Boss, horsche ma.« Einer von Krögers Mitarbeitern tauchte in der offenen Küchentür auf. »In dere Mülltonn drin habbe mer aach menschliches Blut gefunne. Un im Audo am

Bremspedal un inne am Türgriff is aach was, des wie Blut aussehe tut.«

»Und was sagst du jetzt?«, fragte Pia spitz. »Hat sie sich vielleicht über die Mülltonne gebeugt, weil sie so starkes Nasenbluten hatte?«

Kröger überhörte ihren Einwand.

»Okay. Alle Spuren sichern und so schnell wie möglich ins Labor bringen, zusammen mit den anderen Proben«, sagte er zu seinem Mitarbeiter. »Nehmt aus dem Badezimmer und aus dem Schlafzimmer Vergleichsproben für den DNA-Abgleich mit. Ich brauche das Ergebnis so schnell wie möglich. Am besten heute noch.«

»Alles klar. Isch mach dene im Labor Druck.« Der Techniker verschwand, und einen Moment lang war es still.

»Ich denke, wir sollten die Möglichkeit in Betracht ziehen, dass Frau Werschs Leiche mit dem Restmüll entsorgt worden ist«, fasste Pia in Worte, was allen Anwesenden durch den Kopf ging. »Auch wenn wir noch nicht sicher sagen können, ob das Blut tatsächlich von ihr stammt, so halte ich es für ausgeschlossen, dass sie ihren alten Vater einfach alleine im Haus zurücklässt und auf Reisen geht oder Selbstmord verübt.«

»Der Meinung bin ich auch.« Bodenstein nickte zustimmend.

»Wo kommt der Restmüll aus Bad Soden eigentlich hin?«, fragte Pia.

»Ins Müllheizkraftwerk nach Eschborn. Dort wird er verbrannt«, sagte Kröger.

»Dann brauchen wir einen Durchsuchungsbeschluss für das Haus und am besten auch gleich einen für das Müllheizkraftwerk« erwiderte Bodenstein.

»Das ist ja wohl ein Scherz! Weißt du, was so was kostet?«, fuhr Kröger auf. »Die Engel reißt mir den Kopf ab, wenn ich ohne stichhaltige Beweise ein Müllheizkraftwerk stilllegen und tonnenweise Müll durchwühlen lasse! Das Budget meiner Abteilung ist für dieses Jahr sowieso schon komplett verbraucht, und ich muss für so eine Aktion erst zig Anträge …«

»Ich regle das«, beruhigte Bodenstein ihn. »Wenn der DNA-

Abgleich ergibt, dass das Blut in der Mülltonne von Frau Wersch stammt, ist das stichhaltig genug.«

»Das gibt Ärger«, unkte Kröger. »Das weiß ich jetzt schon.«

»Und wenn schon«, sagte Bodenstein leichthin. »Davon geht die Welt nicht unter.«

»Was ist denn mit dir los?«, fragte Kröger, eher erstaunt als verärgert. »Du kennst doch die Regeln so gut wie ich!«

Die kannte Bodenstein allerdings. In der RKI Hofheim war er dafür berüchtigt, sich streng an jede Vorschrift zu halten. Aber was bedeuteten schon Dienstanweisungen, wenn die Welt um einen herum in Stücke brach? Er wünschte wahrhaftig niemandem den Tod, doch momentan war eine komplizierte Ermittlung das Einzige, was ihn vom Grübeln über Cosima und seine gescheiterte zweite Ehe abhalten konnte.

Er klopfte Kröger auf die Schulter, dann warf er einen kurzen Blick auf sein Handy. Karoline hatte es aufgegeben, ihn zu erreichen, wenigstens vorübergehend.

Tariq Omari kam eilig den Weg hochgetrabt.

»Die Mülltonnen hier in der Straße sind am Dienstagvormittag geleert worden«, meldete er ein wenig atemlos. »Ich habe bei den Nachbarn gefragt. Die hatten sich gewundert, weshalb Frau Wersch ihre Tonne noch nicht wieder reingestellt hatte.«

»Ich hoffe, es haben nicht noch andere Idioten an der Mülltonne herumgefingert«, murrte Kröger und warf Pia einen bösen Blick zu. »Es reicht schon, dass wir *deine* Fingerabdrücke ausschließen müssen.«

»Und ich hoffe, dass du mich nicht als ›Idiot‹ bezeichnest«, erwiderte Pia scharf. »Ich habe die Mülltonne nur mit dem Fuß zur Seite geschoben und am Griff angefasst.«

»Für die Restmüllentsorgung in Bad Soden ist eine Firma aus Liederbach zuständig«, sagte Tariq. »Kai setzt sich gerade mit denen in Verbindung, um herausfinden, wer am Dienstag die entsprechende Tour gefahren ist.«

Auch Cem und Kathrin kehrten von der Nachbarschaftsbefragung zurück.

»Die Nachbarin von gegenüber hat erzählt, dass Frau Wersch

am Montagnachmittag gegen halb fünf Besuch von einem älteren Mann mit grauem Lockenkopf hatte.« Kathrin konsultierte ihre Notizen. »Er stand ein paar Minuten vor dem Tor herum, bevor er hineinging. Sie hat leider nicht gesehen, wann er wieder gegangen ist.«

»Ein anderer Nachbar hat sie in der Nacht von Montag auf Dienstag gesehen«, sagte Cem. »Es war spät, schon nach Mitternacht, und er war nur ganz kurz mit seinem Hund draußen, weil es nach dem Gewitter stark geregnet hat. Frau Wersch fuhr gerade mit ihrem Auto aus der Garage. Er hat uns erzählt, dass sie öfter mal spätabends wegfährt und kurz darauf wiederkommt. Vielleicht holt sie Zigaretten oder Alkohol.«

»Frau Wersch lebt auf jeden Fall ziemlich zurückgezogen und hat zu niemandem engeren Kontakt«, sagte Kathrin. »Kein Nachbar hat etwas Schlechtes über sie gesagt, aber wirklich gut kennt sie niemand. Einige wissen, dass sie ihren Vater pflegt, und manche kennen sie von dieser Literatursendung im Fernsehen.«

»Der Bauherr des Rohbaus da drüben hasst sie allerdings«, ergänzte Cem. »Sie hindert ihn seit anderthalb Jahren mit immer neuen Anzeigen und Prozessen an der Fertigstellung seines Hauses. Zwischen ihm und Frau Wersch kam es am Wochenende auf der Straße zu einer lautstarken Auseinandersetzung, in deren Verlauf die Frau des Bauherrn gegen das Auto von Frau Wersch getreten und gespuckt hat.«

»Wir werden mit ihm reden«, sagte Bodenstein.

»Ach, ich habe übrigens vorhin kurz mit Josef Moosbrugger telefoniert, dem Agenten, mit dem Frau Wersch angeblich befreundet ist«, meldete sich Pia zu Wort. »Maria Hauschild hatte mir seinen Namen genannt. Stell dir vor, Chef, der Typ ist zufälligerweise der Agent vom einbeinigen Kranich.«

»Na, so was!«, machte Bodenstein überrascht.

»Von wem?«, fragten Cem Altunay, Kathrin Fachinger und Tariq Omari wie aus einem Mund.

Pia klärte ihre Kollegen über Severin Velten und den Plagiatsskandal auf, den Frau Wersch losgetreten hatte.

»Herr Moosbrugger hat früher einmal beim Winterscheid-Verlag gearbeitet, daher kennen er und Frau Wersch sich«, sagte sie dann. »Sie veranstalten ein- oder zweimal im Jahr gemeinsam mit bekannten Autoren in seinem Haus in der Toskana Schreibseminare für Möchtegern-Schriftsteller, die davon träumen, berühmt zu werden, und bereit sind, dafür einen Haufen Kohle auf den Tisch zu legen. Im Augenblick ist Herr Moosbrugger allerdings aus einbeinigen Kranich-Gründen nicht sonderlich gut auf Frau Wersch zu sprechen.«

»Pia und ich bleiben hier, bis Christians Leute mit der Küche und dem Auto fertig sind, danach fahren wir zum Müllheizkraftwerk«, übernahm Bodenstein das Kommando. »Tariq, du klapperst alle Tankstellen in der Umgebung ab und stellst fest, ob Frau Wersch in der Nacht von Montag auf Dienstag irgendwo Zigaretten kaufen war. Cem, du fährst nach Liederbach zu dem Müllentsorger und sprichst mit der Besatzung des Müllwagens. Danach befragt ihr die Nachbarn, die ihr bisher nicht angetroffen habt. Haben wir ein Foto der Vermissten?«

»Ja, ich habe es schon in unseren Chat geschickt«, sagte Pia.

»Kathrin, du fährst ins Büro und recherchierst alles, was es über Frau Wersch zu wissen gibt. Bisher wissen wir nicht mit Bestimmtheit, ob sie wirklich tot ist, deshalb soll Ostermann checken, ob sie vielleicht doch irgendwohin geflogen ist oder eine Zugverbindung gebucht hat. Außerdem will ich einen Einzelverbindungsnachweis ihres Handys und eine Handyortung.«

»Haben wir dafür eine Genehmigung?«, fragte Kathrin Fachinger.

»Die kriegen wir«, erwiderte Pia anstelle ihres Chefs. »Der Sachverhalt reicht aus.« War es heute Morgen nur um eine vermisste Person gegangen, so gab es jetzt eindeutige Hinweise auf eine Gewalttat, was automatisch die Einleitung eines Ermittlungsverfahrens gegen Unbekannt nach sich zog und sie nach § 163 StPO dazu legitimierte, Auskünfte von Behörden, Banken oder Mobilfunkprovidern zu verlangen.

»Okay, Leute, an die Arbeit«, sagte Bodenstein. »Wir treffen uns um sechs auf dem Kommissariat.«

»Kathrin, kannst du bitte Beck's mitnehmen?«, bat Pia ihre Kollegin. »Es ist zu warm, um ihn im Auto zu lassen.«

»Klar.« Kathrin übernahm die Leine und den Leckerli-Beutel.

»Äh, wir haben nur ein Auto«, stellte Cem fest.

»Fahr mit Kathrin ins Kommissariat und setz sie dort ab«, löste Bodenstein das Problem.

»Und du kannst mein Auto nehmen.« Pia reichte Tariq ihren Autoschlüssel. »Ich hab ja den Chef als Chauffeur. Aber Vorsicht vor Blitzern! Der Mini ist ganz schön schnell.«

Die drei zogen mitsamt Hund los. Pia gab den Namen von Maria Hauschild bei der Suchmaschine ein und landete auf der Webseite der Literarischen Agentur gleichen Namens.

»*Die Agentur wurde 1989 von Erik Hauschild als eine der ersten Literaturagenturen in Deutschland gegründet, die sowohl deutschsprachige Autorinnen und Autoren wie auch ausländische Klienten und Verlage in den Bereichen Belletristik und Sachbuch weltweit vertritt*«, las sie Bodenstein vor. »*Zu unseren Autoren gehören Daniel Klee, George Dragon, André Grenda, Kristina Jagow, Petra Maria Mayer-Büchele, Mathis Haas und Henning Kirchhoff.*«

»Oha! Das sind alles bekannte Namen!« Bodenstein stieß einen anerkennenden Pfiff aus. »Ich habe keine Ahnung, was Literaturagenten verdienen, aber ich nehme mal an, dass sie prozentual an den Einkünften ihrer Autoren beteiligt sind.«

Um kein zweites Mal an diesem Tag von ihrem Chef als Unwissende enttarnt zu werden, googelte Pia rasch die Namen der Autoren, die sie noch nie gehört hatte, überflog deren Wikipedia-Einträge und war beeindruckt. Kröger kam aus dem Haus. Er streifte die Kapuze des Overalls zurück und zog die Handschuhe aus.

»Mit der Küche sind wir fertig«, verkündete er. »Wenn ihr wollt, könnt ihr jetzt rein. Wir machen jetzt mit der Garage und dem Auto weiter, dann suchen wir das Grundstück ab.«

»George Dragon hat allein in Deutschland über *dreißig Millionen* Bücher verkauft«, sagte Pia gerade. »Das ist eine Menge! Wow!«

»Da muss sich dein Ex aber anstrengen, wenn er das schaffen will«, bemerkte Kröger spöttisch.

»Hast du eigentlich seinen neuen Krimi schon lesen dürfen?«, wollte Bodenstein wissen.

»Allerdings! Der Herr Professor war so gütig, mir die Druckfahnen zuschicken zu lassen. Vielleicht hatte er aber auch einfach nur Angst, ich könnte ihn sonst später verklagen«, entgegnete Kröger. »Ich kann Kirchhoff nicht leiden und er mich auch nicht, das ist kein Geheimnis, aber wir sind beide Profis in unseren Jobs und respektieren uns. Genauso stellt er die Figur dar, deren Vorlage ganz offensichtlich ich bin, und das gefällt mir. Kris Krüger, der schrullige, pedantische Chef der Spurensicherung, ist nämlich der heimliche Held in seinen Krimis.« Er deutete feixend eine Verbeugung an. »Nicht etwa *Baron von Buchwaldt* oder *Kommissarin Grevenkamp*!«

Bodenstein grinste kopfschüttelnd. Anfänglich hatte er Henning Kirchhoffs Ausflug in die Welt der Unterhaltungsliteratur ein wenig belächelt, aber er musste zugeben, dass Pias Ex-Mann zweifellos Talent hatte. Es war amüsant, wie er sein Alter Ego, den misanthropischen und zynischen Rechtsmediziner Dr. Gunnar Grevenkamp, augenzwinkernd überzeichnete. Der Dekan des Fachbereichs Medizin und das Präsidium der Universität hatten Kirchhoffs Nebenjob zunächst kritisch bis ablehnend betrachtet, doch als er quasi über Nacht zum Bestsellerautor avanciert und zu einem beliebten Talkshow-Gast geworden war, hatten sie seine Werbewirksamkeit für die Universität erkannt und waren plötzlich hellauf begeistert gewesen. Die meisten Kollegen der RKI Hofheim waren auf jeden Fall stolz darauf, ihre Dienststelle in einem Krimi verewigt zu sehen, und sogar Nicola Engel besaß Humor genug, um Kirchhoff zu genehmigen, ihre Person, die bei ihm ›Dr. Nathalie Teufel‹ hieß, für seine Krimiplots zu benutzen.

Pias Handy klingelte.

»Wenn man vom Teufel spricht«, murmelte sie und ging dran. »Hallo, Henning. Denkst du an das, was du mir versprochen hast?«

»Längst erledigt«, erwiderte Henning. »Ich habe gleich heute Morgen meine Lektorin angerufen. Sie kümmert sich darum.«

»Was soll das heißen?«

»Dass sie sich darum kümmert.«

»Ich kriege echt Ärger mit Christoph, wenn sie das nicht mehr rausnehmen kann.« Pia wandte sich ab, damit Bodenstein und Kröger nicht mitbekamen, was sie sagte. »Er ist sowieso schon sauer, weil du ihn lächerlich machst.«

»So ein Quatsch!«, erwiderte Henning. »Wo, bitte, mache ich ihn lächerlich?«

»In deinem Buch kotzt der Zoodirektor beim Anblick der verstümmelten Leiche«, erinnerte Pia ihn.

»Ja, und? Wenn ich mich recht erinnere, war's doch auch so.« Henning klang belustigt.

»Und es ist auch nicht besonders nett, wenn Tristan von Buchwaldt darüber nachdenkt, was seine Kollegin wohl an dem *untersetzten, mürrischen Choleriker* fasziniert«, zitierte Pia aus dem Manuskript. »Ich hatte dich gebeten, das zu ändern.«

»Schon mal was von ›schriftstellerischer Freiheit‹ gehört?«, neckte Henning sie, doch dann wechselte er das Thema und wurde ernst. »Habt ihr herausgefunden, was mit Marias Freundin los ist?«

»Nein«, erwiderte Pia einsilbig.

»Wisst ihr noch nichts oder sagst du es mir nicht?«

»Beides.«

»Du schließt mich also aus.«

Kurz stellte Pia sich vor, wie Henning und Maria Hauschild die Leiche von Heike Wersch im strömenden Regen und bei Blitz und Donner in ihre eigene Mülltonne stopften, bevor sie gemeinsam die Küche schrubbten. Allerdings verwarf sie diese Vorstellung gleich wieder, denn Henning würde niemals der Fehler unterlaufen, solch auffällige Spuren zu hinterlassen, außerdem kannte er die Chemikalien, mit denen man Blutspuren restlos entfernen konnte. Ein vager Argwohn blieb jedoch zurück.

»Was läuft da eigentlich zwischen dir und Maria Hauschild?«, fragte sie deshalb.

»Was soll denn da laufen? Gar nichts!«, entgegnete Henning unschuldig. »Maria ist meine Agentin. Das ist alles. Unsere Beziehung ist rein geschäftlicher Natur.«

»Wenn du das sagst, dann will ich dir das mal glauben«, erwiderte Pia. »Wie gut kennst du sie?«

»Was genau meinst du damit?«

»Sie wusste nicht, dass Frau Wersch ihren alten Vater zu Hause pflegt, dabei ist sie angeblich seit Jahrzehnten eng mit ihr befreundet. Außerdem hat sie die Küchentür eingeschlagen, um ins Haus zu kommen, als ich danebenstand!«

»Sie hat sich Sorgen gemacht«, antwortete Henning. »Es gibt eben Leute, die Freunde haben, um die sie sich sorgen.«

»Was soll denn das heißen?«, fuhr Pia auf. »Ich habe Freunde!«

»Ich nicht«, sagte Henning. »Würde mir etwas zustoßen, würden das höchstens meine Mitarbeiter und Studenten bemerken, wenn ich nicht zur Arbeit erscheine.«

Das Thema erfüllte Pia mit Unbehagen. Hätte sie Christoph nicht, erginge es ihr wohl genauso wie Henning. »Falls Frau Hauschild dich fragt, kannst du ihr sagen, dass es bisher noch keine Neuigkeiten gibt.«

Sie beendete das Gespräch und folgte Bodenstein ins Haus.

* * *

Carl Winterscheid beendete das Telefonat und betrachtete nachdenklich das Porträt seines lang verstorbenen Großvaters, des legendären Verlegers Carl August Winterscheid, das er an der gegenüberliegenden Wand zwischen zwei deckenhohen Bücherregalen hatte aufhängen lassen. Der alte Patriarch, nach dem seine Eltern ihn benannt hatten, war eine außergewöhnliche Persönlichkeit gewesen, ein Menschenfischer, charismatisch und geschäftstüchtig, ein kluger Mann mit einem außerordentlichen Gespür für Literatur, aber gleichzeitig auch ein Visionär und guter Kaufmann.

Abraham Liebman, der eigentliche Gründer und Mitinhaber des Verlages, war ein Mann mit Weitblick gewesen und hatte frühzeitig erkannt, was auf Deutschland zukommen würde. Als er mit seiner Familie 1931 das Land verlassen hatte und in die USA emigriert war, hatte Carl August Winterscheid die Leitung des Verlages übernehmen und dem Verlagshaus 1934 unter Druck des Naziregimes seinen Namen geben müssen. Er war mutig genug gewesen, bisweilen unpopuläre Entscheidungen zu treffen, dabei hatte er das Wohl seiner Autoren und Mitarbeiter nie aus den Augen verloren, ganz anders als Henri, sein ältester Sohn, der den Verlag beinahe ruiniert hatte, weil er weder etwas von Literatur noch von Betriebswirtschaft verstand.

Carl unterhielt sich oft in Gedanken mit dem Mann, der das Verlagshaus fünfzig Jahre lang durch stürmische Zeiten geführt und zu einem der bedeutendsten deutschsprachigen Literaturverlage der Nachkriegszeit gemacht hatte. In den letzten Monaten hatte er sich häufig gefragt, wie sein Großvater wohl an seiner Stelle gehandelt hätte, und trotz der heftigen Kritik an den Veränderungen, die er zur Rettung des Verlages vorgenommen hatte, und der Vorwürfe, er sei der Totengräber einer über hundertjährigen Tradition, glaubte er, dass der alte Carl August gutgeheißen hätte, was er tat.

Ein Klopfen an der Tür riss ihn aus seinen Gedanken.

»Ja?«, rief Carl, und seine Cousine Dorothea betrat das Büro.

»Störe ich?«, fragte sie.

»Nein, komm rein.« Er richtete sich auf. »Bist du zufrieden?«

»Womit?« Sie schloss die Tür hinter sich.

»Mit der Vertreterkonferenz.«

»Ach so. Ja, sehr zufrieden. Das Frühjahrsprogramm wird großartig. Die Vertreter waren begeistert. In der Belletristik und im Sachbuch sind wir exzellent aufgestellt. Ist es okay, wenn ich mir was zu trinken nehme?«

»Selbstverständlich.« Carl erhob sich und kam um den Schreibtisch herum. »Ich kann auch …«

»Nicht nötig. Danke.« Sie steuerte zielsicher auf die hinter einer Schranktür verborgene Bar zu, einem Relikt aus der Zeit, als ihr Vater Henri Winterscheid, Carls Onkel, in diesem Büro gerne ausufernde Trinkgelage veranstaltet hatte. »Willst du auch etwas?«

»Ja, gerne. Einen Scotch.«

Dorothea hantierte mit Flaschen und Gläsern und öffnete den Kühlschrank.

»Was ist los, Doro?«, erkundigte Carl sich und betrachtete die Frau, die er kannte, seitdem er denken konnte. Als er nach dem Tod seiner Mutter mit sechs Jahren als Vollwaise in die Villa seines Onkels gekommen war, war Dorothea Anfang zwanzig gewesen und hatte sich oft Zeit für ihn genommen. Und auch später, als er in Amerika bei seinem Patenonkel gelebt hatte, hatten sie und ihr Mann ihn regelmäßig besucht. Sie hatte lange als Buchhändlerin bei einer der größten Buchhandelsketten Deutschlands gearbeitet, war danach bei S. Fischer im Vertrieb tätig gewesen, erst als Außendienstlerin, dann als Key Account Managerin und zuletzt als stellvertretende Vertriebsleiterin, bevor sie vor fünf Jahren von ihrem Vater zu Winterscheid geholt worden war. Carl hatte ihr die Vertriebsleitung übertragen und einen Platz in der Geschäftsführung gegeben. Diese Entscheidung hatte er keine Sekunde lang bereut. Dorothea, die von Anfang an seine Vision von einem breit aufgestellten Verlagsprogramm geteilt hatte, war seine stärkste Verbündete. Sie kannte den Sortimentsbuchhandel und die Buchbranche in- und auswendig, sie war klug, tüchtig und durch nichts aus der Ruhe zu bringen. So empört und aufgebracht wie jetzt hatte er sie noch nie erlebt.

»Ich bin so was von stinksauer!«, antwortete sie. »Ich könnte gerade platzen!«

Carl hörte das Klirren von Eiswürfeln und das Knistern wie von Styropor, als der Scotch über das Eis lief. Dorothea warf die Schranktür zu und reichte ihm eines der beiden Gläser.

»Ich habe eben mit meinem Vater telefoniert und ihm gesagt, wie beschämend und respektlos ich seinen und Hellmuths Auftritt heute Morgen fand.« Sie nahm einen Schluck Scotch. »Außerdem habe ich ihn gefragt, warum er auf einmal seine Verlagsanteile verkaufen will und weshalb ich das zufällig erfahren muss. Vor zehn Jahren, als der Verlag schon einmal knapp an der Insolvenz vorbeigeschrammt ist, hat er die Offerten von Franz Bärlauch immer wieder ausgeschlagen. Nicht einmal zehn Prozent wollte er ihm damals verkaufen. Er hat eine Weile herumgedruckst, dann hat er gesagt, seine Beweggründe gingen mich nichts an, aber ich habe nicht lockergelassen, bis er endlich zugegeben hat, dass er den Erlös aus dem Verkauf seiner Verlagsanteile in Heikes neuen Verlag investieren will! Der übrigens *Winterscheid & Wersch* heißen soll.«

»Wie bitte?« Carl traute seinen Ohren nicht. »Wie kann er so etwas tun wollen?«

»Angeblich kann er sich mit unserem neuen Verlagsprofil nicht identifizieren!« Dorotheas Tonfall wurde sarkastisch. »Ich glaube eher, er neidet dir den Erfolg. Wir sind heute mit dem neuen Kirchhoff in Druck gegangen. Und wir drucken gleich eine zweite Auflage.« Sie blickte Carl an. »Soweit ich mich erinnern kann, hat es in diesem Verlag *noch nie* einen Titel mit einer so hohen Startauflage gegeben! Das macht meinen Vater ganz krank.«

»Erst mal muss er seine Anteile überhaupt verkaufen können.« Carl wusste für einen Moment nicht, ob er fassungslos und enttäuscht sein, oder darüber lachen sollte. Sein Onkel und seine Tante hatten ihn schon als Kind und Jugendlichen immer vom Verlag ferngehalten. Mit elf Jahren hatten sie ihn in ein Internat abgeschoben und waren erleichtert gewesen, als er mit vierzehn Jahren den Wunsch geäußert hatte, zu seinem Patenonkel nach Amerika zu ziehen. Sie hatten alles getan, um ihn aus dem Familienunternehmen herauszuhalten, obwohl er von seinem verstorbenen Vater vierzig Prozent der Geschäftsanteile geerbt hatte. »Hat er dir gesagt, wem er sie angeboten hat?«

»Nein.« Dorothea schüttelte den Kopf. »Franz Bärlauch ist letztes Jahr gestorben, der fällt schon mal weg. Aber wer auch immer die Anteile kaufen will, braucht auch meine Zustimmung. Meine mickrigen zwölf Prozent sind die Sperrminorität.«

»Du solltest auf keinen Fall zustimmen«, sagte Carl. »Wie du schon gesagt hast: Die Anteile deines Vaters sind dein Erbe. Du bist eine Winterscheid und seine einzige Tochter.«

»Als ob das jemals eine Rolle für ihn gespielt hätte«, entgegnete Dorothea düster.

»Ich frage mich, ob Henri sich über die Folgen eines Verkaufs im Klaren ist«, sagte Carl nachdenklich. »Es stünde ihm und deiner Mutter nicht mehr zu, in der Villa zu wohnen, denn die gehört zum Betriebsvermögen des Verlags. Und auch auf die Dienste von Waldemar Bär müssten sie in Zukunft verzichten. Oder dafür bezahlen, wenn sie von ihm chauffiert werden wollen.«

»So weit hat er sicher nicht gedacht.« Dorothea lachte geringschätzig. »Er will den neuen Verlag nämlich in der Villa aufziehen.« Ganz plötzlich verschwand ihr Lächeln.

»Verdammt! Ich *hasse* Heike!«, stieß sie hervor. »Für das, was sie mit Velten gemacht hat und für ihre Hinterhältigkeit.« Mit einem Knall stellte sie ihr Glas auf den Besprechungstisch. »Wir haben genau *zwei* literarische Titel für das nächste Frühjahr! *Zwei!* Ich bin mir sicher, diese falsche Schlange hat alles zurückgehalten, um es für ihr eigenes erstes Programm zu haben! Und Alex hat einfach nicht dasselbe Händchen für literarische Stoffe wie Heike. Wir müssen dringend eine gute Nachfolgelösung finden, wenn wir nicht alle wichtigen Autoren an die Konkurrenz verlieren wollen! Und was mich am meisten ärgert: Wir müssen ihr noch Geld hinterherwerfen!«

»Müssen wir nicht.« Carl trank seinen Scotch aus. »Heike ist heute Morgen nicht zum Gütetermin beim Arbeitsgericht erschienen. Ihr Anwalt hat sich die Finger wund gewählt, aber sie ist nicht mal ans Telefon gegangen. Der Richter war *not amused*.« Carl grinste bei der Erinnerung. »Wir müssen zwar die fristlose Kündigung zurücknehmen und ihr stattdessen ordentlich kündigen, aber wir müssen ihr keine Abfindung zahlen.«

»Na, wenn das keine guten Nachrichten sind!« Dorotheas düstere Miene hellte sich etwas auf. Sie ließ sich in einen der bequemen Besuchersessel vor Carls Schreibtisch sinken und streifte die Pumps von den Füßen.

»Was ist das denn?« Sie beugte sich vor und betrachtete das hellblaue Matchbox-Auto, das neben Carls Computertastatur stand. Ein überraschtes Lächeln flog über ihr Gesicht. »Dass du *das* noch hast! Ich habe es dir geschenkt, weil du beim Haareschneiden so brav warst. Du warst damals höchstens fünf Jahre alt.«

»Tatsächlich?« Carl nahm wieder hinter dem Schreibtisch Platz. »Daran kann ich mich gar nicht mehr erinnern.«

»Du mochtest es so gerne wegen des kleinen weißen Hundes auf der Rückbank.« Dorothea nahm das kleine Auto in die Hand und betrachtete es versonnen. »Gott, ist das lange her!«

»Allerdings«, erwiderte Carl. »Und weißt du, was seltsam ist? Das Auto war letzte Woche in einem wattierten Umschlag in der Post. Ohne Absender. Ich dachte schon, du hättest es mir geschickt.«

»Wieso hätte ich das tun sollen?« Dorothea hob erstaunt die Augenbrauen. Ihr Handy klingelte. Sie zog es aus ihrer Tasche und stellte das kleine Auto wieder zurück. »Entschuldige bitte, da muss ich rangehen.«

Carl nickte.

»Ich bin noch im Verlag«, hörte er seine Cousine sagen. »Ja … Wir hatten doch Vertreterkonferenz … Nein, ich habe noch einiges aufzuarbeiten. Ja … okay … aber vor acht komme ich hier nicht raus.«

Carl legte den Zeigefinger auf das Dach des zerschrammten Miniatur-Fiat und schob ihn sachte den schmalen Pfad zwischen einem Stapel Papiere und der Tastatur hin und her. Wo war das kleine Auto wohl all die Jahre gewesen? Wer hatte es ihm geschickt? Und warum ausgerechnet jetzt?

* * *

»Ich habe mit der Besatzung des Müllautos gesprochen, die am Dienstag die Bad-Soden-Tour gefahren sind«, sagte Cem.

Zur abendlichen Besprechung hatte sich das ganze Team des K11 im Besprechungsraum im ersten Stock der Regionalen Kriminalinspektion in Hofheim eingefunden. Sogar Kriminaldirektorin Dr. Nicola Engel, die noch immer vermutete, ihre Untergebenen hätten einen harmlosen Vermisstenfall absichtlich aufgebauscht, um den ungeliebten Fortbildungen zu entkommen, war anwesend.

»Der eine Müllarbeiter, der die Tonnen geleert hat, konnte sich nicht erinnern, ob die Mülltonne von Frau Wersch schwerer als sonst war. Sie ist meistens randvoll, weil sie wohl oft Bücher in den Restmüll schmeißt. Blutspuren hat er auf jeden Fall nicht bemerkt.«

»Wir waren vorhin bei den Main-Taunus-Müllentsorgungswerken und haben mit dem Betriebsleiter gesprochen«, meldete sich Pia zu Wort. »Im Müllheizkraftwerk in Eschborn wird der Restmüll aus dem gesamten Umland und zum Teil auch aus Frankfurt verbrannt, bevor die Schlacke auf die Mülldeponie nach Wicker gebracht wird. Man kann anhand der Wiegescheine nachvollziehen, in welchen Schacht die Ladung des Müllautos am Dienstag gekippt wurde und ausrechnen, in welcher Tiefe sie sich ungefähr befindet.«

»Wie sicher ist es denn überhaupt, dass die Leiche wirklich in der Mülltonne war?« Dr. Nicola Engel sah Pia fragend an. Beck's erhob sich von seinem Lieblingsplatz unter dem Besprechungstisch, tappte zu Nicola Engel und legte seinen Kopf auf ihr Knie, um sich eine Streicheleinheit abzuholen.

»Nicht hundertprozentig sicher«, räumte Pia ein. »Die Schnellanalyse hat zwar ergeben, dass das Blut in der Küche, am Rand des Kofferraums und in der Mülltonne von ein und derselben weiblichen Person stammt, aber wir müssen noch auf das Ergebnis des DNA-Abgleichs warten.«

»Wir sind davon überzeugt, dass Frau Wersch weder verreist ist noch Selbstmord begangen hat, denn sie hätte niemals ihren dementen Vater allein im Haus zurückgelassen«, ergänzte Tariq Omari. »Selbst, wenn sie nur für einen oder zwei Tage verreisen musste, hat sie ihn in die Kurzzeitpflege gebracht, das haben uns mehrere Nachbarn, der Hausarzt und die Leiterin des Pflegeheims St. Elisabeth in Bad Soden bestätigt.«

»Bei Tötungsdelikten gibt es keine Kosten-Nutzen-Rechnung, aber es wäre schon ein erheblicher Aufwand, den Betrieb des Müllheizkraftwerks zu stoppen und eine äußerst personalintensive Angelegenheit, Tonnen von Restmüll zu durchwühlen. Ich brauche Beweise, bevor ich eine solche Aktion genehmige«, sagte Nicola Engel ungewöhnlich mild und strich dem Hund beiläufig über den Kopf. Beck's Anwesenheit im Büro wirkte sich nicht nur positiv auf ihre Stimmung aus; seitdem er da war, verzichtete die

Kriminaldirektorin auf strenge Business-Kostüme und Stiletto-Absätze und trug stattdessen häufig Jeans. »Wir warten also das Ergebnis der DNA-Analyse ab.«

»Der Schacht, in den der Müll vom Dienstag geleert wurde, ist auf jeden Fall vorübergehend gesperrt«, sagte Bodenstein und wandte sich an Kai Ostermann. »Was hast du herausgefunden?«

»Die Fahndung nach Heike Wersch läuft«, erwiderte Kai. »In den Datenbanken von BKA und LKA und auch bei Vermi/Utot bin ich auf keine unbekannte weibliche Leiche gestoßen, die kürzlich gefunden wurde. Ich habe auch keine Flug- oder Zugbuchung auf ihren Namen gefunden. Das Bewegungsprofil ihres Handys habe ich angefordert, ebenso wie die Verbindungsnachweise der letzten Wochen. Mit etwas Glück haben wir morgen beides vorliegen.«

Abwechselnd berichteten Cem, Tariq und Kathrin von ihren Gesprächen mit den Nachbarn.

»Frau Wersch hatte also am späten Montagnachmittag und am frühen Abend Besuch von zwei verschiedenen Männern, deren Identität bisher nicht bekannt ist«, fasste Pia zusammen. »Sie wurde dann in der Nacht dabei gesehen, wie sie ihr Auto aus der Garage fuhr, aber sie war an keiner Tankstelle in der Umgebung, um Zigaretten oder anderes zu kaufen.«

»Korrekt.« Tariq nickte. »Und ein Nachbar hat beobachtet, wie sie ungefähr gegen 1:30 Uhr die Mülltonne an den Straßenrand gestellt hat.«

»Das könnte allerdings gegen die Theorie sprechen, dass ihre Leiche in der Mülltonne entsorgt wurde«, bemerkte Nicola Engel. »Genau wie die Blutspuren am Kofferraum und im Innenraum des Autos. Was, wenn sie zu Fuß unterwegs war und einen Unfall hatte?«

»Ich habe sämtliche Krankenhäuser in der Region abgefragt«, antwortete Kai Ostermann. »Nirgendwo ist eine Frau namens Heike Wersch oder eine unbekannte weibliche Person, auf die ihre Beschreibung zutrifft, eingeliefert worden.«

»Es kann ja sein, dass sie nur noch nicht gefunden wurde«, entgegnete Kathrin.

»Sie könnte auch irgendwo gefangen gehalten werden«, warf Tariq ein.

»Genau! Vielleicht hat der einbeinige Kranich sie entführt und in seinem Keller eingesperrt«, erwärmte Pia sich für seine Idee. »Er hat immerhin berechtigten Grund, sauer auf sie zu sein.«

»Der einbeinige Kranich? Von wem sprichst du?«, fragte Nicola Engel.

»Sie spricht von Severin Velten, dem Autor des Buches *Der einbeinige Kranich*«, half Bodenstein und klärte seine Chefin über die Zusammenhänge auf.

»Ach! Die verschwundene Frau ist die Lektorin von Severin Velten?« Nicola Engel bekam große Augen. »Ich bin eine begeisterte Leserin seiner Romane!«

»Er schreibt doch bloß von anderen Schriftstellern ab«, sagte Cem verächtlich. »Das ist kriminell.«

»Das ist doch gar nicht zweifelsfrei bewiesen«, behauptete die Kriminaldirektorin. »Und wenn es doch stimmen sollte – von Filmen gibt es schließlich auch dauernd Remakes.«

»Der Vergleich hinkt aber, Chefin.« Cem schüttelte den Kopf. »Ein Filmproduzent muss die Filmrechte käuflich erwerben, wenn er ein Remake produzieren will.«

Bevor der Disput in eine leidenschaftliche Diskussion über Recht und Moral in Bezug auf Urheberrechte ausarten konnte, bat Bodenstein Kathrin Fachinger vorzutragen, was sie über die verschwundene Frau in Erfahrung gebracht hatte.

»Heike Wersch, 56, gebürtig in Frankfurt. Lektorin, Literaturkritikerin, Fernsehmoderatorin, Übersetzerin«, referierte sie. »Der Journalist Takis Würger hat sie vor ein paar Jahren für den *Spiegel* porträtiert und sie als eine der einflussreichsten Persönlichkeiten der deutschen Literaturszene beschrieben. Sie sei als ›Königsmacherin‹ gleichermaßen respektiert wie gefürchtet, denn sie könne Autoren groß machen oder aber vernichten.«

»Natürlich! Ich kenne die Frau!«, unterbrach Nicola Engel ihre Kollegin. »Ich habe sonntags oft diese Literatur-Sendung geschaut!«

»Ich auch!« Kathrin warf Cem und Tariq einen spöttischen Blick zu.

»Ich nicht«, sagte Kai Ostermann trocken. »Aber ich habe mir heute Nachmittag ein paar Aufzeichnungen von *Paula liest* bei YouTube reingezogen, und ich muss sagen: Heike Wersch liefert pro Sendung Mordmotive *en masse*.« Er konsultierte seine Notizen. »Sie nimmt kein Blatt vor den Mund und wird gnadenlos persönlich. Den Krimiautor Sven Klizeck hat sie zum Beispiel als ›dumm‹ und ›talentfrei‹ bezeichnet, andere Bücher als ›klischeeverhafteten unsäglichen Schrott‹, ›dämlich‹, ›erbärmlich‹, ›widerlich‹, ›eine Qual‹, ›eine Beleidigung für jeden Leser‹. Einmal sagte sie, wenn sie die Wahl hätte, entweder den neuen Roman von José Cueño zu lesen oder eine Fischvergiftung zu kriegen, dann würde sie sich für den verdorbenen Fisch entscheiden.«

»Bringt man deswegen jemanden um?«, überlegte Pia.

»Also, ich glaube, ich wäre äußerst gekränkt, wenn ich hören müsste, wie jemand vor Publikum und laufender Kamera mein Buch, an dem ich monate- oder sogar jahrelang geschrieben habe, mit solchen Adjektiven niedermacht und anschließend in eine Mülltonne wirft«, erwiderte Kai.

»Ich habe die Bücher, die die Wersch in die Tonne geworfen hat, übrigens immer lieber gelesen als die, die sie empfohlen hat«, sagte Kathrin.

»Moment mal, was war das mit einer Mülltonne?« Bodenstein, der auf seinem Smartphone herumgetippt hatte, blickte auf.

»Es gehörte zum Konzept der Sendung, dass Heike Wersch die Bücher, die ihr nicht gefallen haben, nach der Besprechung in den Müll wirft«, erklärte Nicola Engel ihm.

»Das wäre doch mal was!« Cem grinste. »Ein gekränkter Schriftsteller macht mit der Kritikerin dasselbe wie sie mit seinem Buch!«

»Eine interessante Theorie«, fand Bodenstein.

»Wir haben es vielleicht mit einem Buchmord zu tun«, witzelte Tariq.

»Ein Mord, wie er im Buche steht«, scherzte Cem.

»*In der Tonne*«, warf Kai grinsend ein. »Der neue Thriller von ...«

»Es reicht, meine Herren!«, bremste Nicola Engel die drei. »Frau Fachinger, fahren Sie bitte fort.«

»Frau Wersch wurde vor ein paar Wochen fristlos entlassen, nachdem sie über dreißig Jahre lang für den Winterscheid-Verlag gearbeitet hatte«, sagte Kathrin. »Daraufhin hat sie ein paar Interviews gegeben, in denen sie sich ausgesprochen negativ über den Verleger Carl Winterscheid geäußert hat. Alle Zeitungen haben groß darüber berichtet. Auch das Internet ist voll davon.« Sie suchte in ihren Unterlagen, bis sie einen Ausdruck fand, und las vor: »*Der renommierte Literaturverlag Winterscheid aus Frankfurt kommt nicht zur Ruhe, seitdem Carl Winterscheid (34), Enkel der Verlegerlegende Carl August Winterscheid († 1989) im Januar 2017 die Leitung des finanziell angeschlagenen Verlages übernommen hat. Jetzt kracht es wieder heftig im Gebälk. Altgediente Mitarbeiter lehnen sich gegen den neuen Kurs des Verlagschefs auf.* »*Er hat keine blasse Ahnung von Literatur*«, *klagt die langjährige Programmleiterin Heike Wersch (56), die seit drei Jahrzehnten hochkarätige Autoren wie Literaturnobelpreisträger Alfried Kempermann, Hellmuth Englisch oder Franziska Mannsfeldt betreut.* »*Carl Winterscheid ist ein profitgieriger Banause, hat kein Niveau und erst recht keine Ahnung, was ein gutes Buch ausmacht. Er wird den besten Literaturverlag Deutschlands zu einem x-beliebigen Buchmassen-Produzenten zurechtstutzen. Kein Wunder, schließlich stammt er nur aus dem kleinkarierten Erbsenzählerzweig der Familie.*« Sie blickte auf. »Das war vor drei Wochen. Ein paar Tage später hat sie dann öffentlich gemacht, dass Severin Velten seinen aktuellen Roman komplett von einem chilenischen Autor abgeschrieben hat. Die Medien haben das als Racheakt bezeichnet.«

»Hm.« Nicola Engel schürzte die Lippen und kraulte Beck's mit der linken Hand abwesend hinter den Ohren. »Wenn sich bestätigen sollte, dass Heike Wersch einem Gewaltverbrechen zum Opfer gefallen ist, dann wird sich die Presse darauf stürzen.«

Im Gegensatz zu ihrem Vorgänger, der große Pressekonferenzen und Blitzlichtgewitter geliebt hatte, schätzte Nicola Engel mediale Aufmerksamkeit nicht sonderlich. Eine prominente Literaturkritikerin, die womöglich von einem weltberühmten Schriftsteller ermordet und in eine Mülltonne gestopft worden war, würde für die Presse zweifellos eine willkommene Abwechslung zur ewigen Berichterstattung über Donald Trump, den Brexit und den viel zu trockenen Sommer sein. Pia warf ihrem Chef einen raschen Blick zu. Hoffentlich verfiel ihre Chefin in ihrer Begeisterung für Severin Velten nicht auf die Idee, sich in die Ermittlungen einzumischen!

»Ich werde den Innenminister und den Polizeipräsidenten über den Fall in Kenntnis setzen müssen.« Die Kriminaldirektorin stand auf und klopfte Hundehaare von ihrer Jeans. »Ich wünsche äußerste Diskretion und Fingerspitzengefühl. Bodenstein, Sie informieren mich engmaschig.«

»Selbstverständlich.« Bodenstein nickte.

»Und keine Mülltonnen-Witze mehr, Kollegen«, sagte Nicola Engel und bedachte Cem, Tariq und Kai mit einem strengen Blick. Bevor sie den Raum verließ, drehte sie sich im Türrahmen noch einmal um.

»Pia, wie groß ist Frau Wersch eigentlich?«, wollte sie wissen.

»Äh, keine Ahnung.« Pia war von der Frage überrumpelt. »Wieso ist das wichtig?«

»Weil eine große Person wohl kaum in eine Mülltonne passt.«

»In diese schon«, kam Tariq Pia zu Hilfe. »Frau Wersch und ihr Vater haben eine 240-Liter-Tonne.«

Tag 2

Freitag, 7. September 2018

»Papa, hier bist du ja!«

Bodenstein schreckte aus dem Tiefschlaf hoch, als sich jemand auf ihn warf, und war einen Moment lang desorientiert, bis ihm einfiel, dass er sich im Gästezimmer im Souterrain von Karolines Haus befand.

»Warum schläfst du hier unten?« Sophia war völlig aufgelöst. Sie presste sich an ihn und umklammerte seinen Hals, bis er kaum noch Luft bekam. »Ich habe dich überall gesucht, Papa! Greta hat gesagt, Karoline hätte dich rausgeschmissen!« Vor Aufregung bekam sie einen Schluckauf, wie früher als kleines Mädchen.

»Ach, Unsinn, mein Schätzchen. Ich würde doch nicht einfach weggehen«, murmelte Bodenstein und schloss seine Tochter in die Arme. »Ohne dich schon gar nicht.«

Mit einem Aufschluchzen schmiegte Sophia sich an ihn. Er konnte ihre Verlustängste gut verstehen. Ihr ganzes Leben war von Unsicherheit geprägt gewesen; sie hatte nie ein festes Zuhause gehabt: Mal hatte sie bei Cosima gewohnt, mal bei ihm, auch an den Wochenenden ging es hin und her, zwischendurch war Cosima wochenlang unterwegs auf Filmexpeditionen, und oft war Sophia zu Lorenz, Rosalie, seinen Eltern oder irgendwelchen Freundinnen abgeschoben worden, wenn Bodenstein arbeiten musste. Längst packte die Zwölfjährige ihre Tasche so routiniert wie eine Flugbegleiterin, und sie schien sich überall schnell zurechtzufinden. Aber das täuschte, in ihrem Innern sah es völlig anders aus. Und seit Cosimas Erkrankung war sie noch anhänglicher geworden.

»Wie viel Uhr ist es?« Bodenstein angelte nach seinem Handy, als Sophia sich ein wenig beruhigt hatte, und warf einen Blick auf das schwarze Display.

»Zwanzig nach sieben«, sagte Sophia.

»Gut, dass du mich geweckt hast.« Er drückte seiner Tochter einen Kuss auf die Stirn. »Der Akku von meinem Handy ist leer, deshalb hat mein Wecker nicht geklingelt.«

»Wieso hast du eigentlich im Gästezimmer geschlafen?«, wollte Sophia wissen, als er sich gähnend aufrichtete. Sollte er ihr sagen, dass Karoline sich gestern Abend im Schlafzimmer eingeschlossen hatte, weinend wie ein trotziger Teenager, weil er auf all ihre Nachrichten nicht reagiert hatte? Eigentlich verdiente Sophia die Wahrheit, denn sie war mit zwölf Jahren alt genug dafür und erfuhr sie früher oder später sowieso.

»Kann ich wohl deine Zahnbürste benutzen?«, fragte Sophia, während Bodenstein noch darüber nachdachte, wie er ihr sagen konnte, was los war, ohne dass sie sich am Ende die Schuld für das schwierige Verhältnis zwischen ihrem Vater und ihrer Stiefmutter gab.

»Wieso nimmst du nicht deine?«, wollte er erstaunt wissen.

»Greta hat sich in unserem Badezimmer eingeschlossen und liegt in der Badewanne.«

»Um diese Uhrzeit? Sie hat doch den ganzen Tag Zeit dafür.«

»Das macht sie nur, um mich zu ärgern. Meistens bin ich morgens schneller, aber heute hat sie mich im Flur überholt.« Sophia verzog das Gesicht. »Sobald ich weg bin, legt sie sich eh wieder ins Bett und guckt Netflix. Und Karoline hat zu mir gesagt, das wäre Gretas Bad und ich nur Gast hier und ich sollte eben früher aufstehen.«

Bodenstein verspürte bei ihren Worten einen Adrenalinschub, der jegliche Müdigkeit aus seinem Kopf und seinen Gliedern vertrieb. Er zog seine Hose an, schlüpfte in Socken und Schuhe und öffnete die Zimmertür.

»Wo gehst du hin, Papa?«, fragte Sophia besorgt. »Was hast du vor?«

»Wir holen jetzt deine Zahnbürste aus dem Bad«, erwiderte er grimmig. Bodenstein war im Allgemeinen ein friedfertiger

Mensch und durchaus stolz darauf, auch in Krisen und stressigen Situationen nur höchst selten die Beherrschung zu verlieren, aber jetzt bebte er vor Wut. Er sah sich schon mit einem gezielten Tritt die Badezimmertür eintreten und dieses widerwärtige, niederträchtige Mädchen, das ihn seit sechs Jahren terrorisierte und seine Ehe zerstört hatte, aus der Badewanne zerren und die Treppe hinunterstoßen.

»Nicht, Papa, bitte! Ich muss mir nicht unbedingt die Zähne putzen!«, bettelte Sophia ihn an, aber Bodenstein war taub vor Zorn. Er marschierte die Treppe hoch in den ersten Stock und klopfte mit der Faust gegen die geschlossene Badezimmertür.

»Greta, bitte lass Sophia schnell die Zähne putzen und die Haare bürsten«, sagte er mit mühsam beherrschter Stimme. »Sie kommt sonst zu spät zur Schule.«

»Pech. Ich lieg grad in der Badewanne«, behauptete Greta.

»Du kannst ja auch gleich weiter baden.« Bodenstein ballte die Hände zu Fäusten. »Bitte mach die Tür auf!«

»Papa, lass doch, bitte!«, rief Sophia, ihre Stimme zitterte. In ihren großen Augen schwammen die Tränen, und dieser Anblick machte Bodenstein noch wütender. Es ging längst nicht mehr um eine Zahnbürste, sondern ums Prinzip. Greta tyrannisierte nicht nur ihn, sondern auch seine Tochter, und er hatte Sophia nicht vor ihr beschützt.

»Mach jetzt die verdammte Tür auf, sonst trete ich sie ein!«, brüllte er. Da erschien Karoline am Ende des Flurs, das Haar noch nass von der Dusche, aber bereits fertig angezogen.

»Was soll denn dieses Geschrei am frühen Morgen?«, fuhr sie Bodenstein verärgert an.

»Deine Tochter blockiert das Bad, obwohl sie den lieben langen Tag in der Wanne liegen kann«, knirschte er. »Ich habe sie gebeten, Sophia reinzulassen, damit sie sich die Zähne putzen kann.«

»Na und? Das ist Gretas Bad«, entgegnete Karoline. »Sie kann es benutzen, wann und wie lange sie will.«

Plötzlich wurde Bodenstein ganz ruhig.

»Ist das dein Ernst?« Er wandte sich seiner Ehefrau zu und

blickte sie an. Und was er sah, berührte rein gar nichts mehr in seinem Herzen. Vor ihm stand eine Fremde. »Sophia und ich sind nur *Gäste* in deinem Haus?«

Hinter der Badezimmertür rauschte und platschte es, dann drehte sich der Schlüssel im Schloss und die Tür ging auf. Greta stand splitterfasernackt da, das Wasser tropfte von ihrem Körper. Sie grinste provozierend und warf ihm eine Zahnbürste gegen die Brust.

»Hier ist die Scheiß-Zahnbürste, du blöder Wichser! Bist du jetzt glücklich?« Damit knallte sie ihm wieder die Tür vor der Nase zu.

»Alles klar«, sagte er mit flacher Stimme. Er bückte sich, hob die Zahnbürste auf und drückte sie der weinenden Sophia in die Hand.

»Was soll das heißen: Alles klar?«, wollte Karoline wissen.

»Warte bitte unten auf mich, Schätzchen«, sagte Bodenstein zu seiner Tochter. »Ich ziehe mich an, dann fahren wir los.«

Er ging zum Schlafzimmer. Karoline lief ihm nach.

»Warum redest du nicht mit mir?«, fragte sie. »Oliver! Weshalb antwortest du nicht auf meine Nachrichten?«

Er drehte sich so schnell um, dass sie beinahe gegen ihn prallte.

»Weil du mich aus dem Schlafzimmer aussperrst und weil du zulässt, dass deine Tochter mich als *blöden Wichser* bezeichnet«, entgegnete er kalt. »Weil *du* seit Monaten alles ignorierst, worum ich dich bitte. Weil ihr keinerlei Rücksicht auf Sophia nehmt, obwohl ihr es mir hoch und heilig versprochen habt. Sind das genug Gründe für dich?«

»Es ist sehr schwierig für Greta …«, begann Karoline, aber auf dieses Thema wollte Bodenstein sich nicht wieder einlassen.

»Stopp!«, sagte er deshalb.

Auf einmal füllten sich Karolines Augen mit Tränen. Ihre Stimmungen wechselten schneller als das Wetter im April. Früher hatte es Phasen relativer Normalität gegeben, aber seitdem Cosima im Krankenhaus lag und Sophia bei ihnen wohnte, war das Zusammenleben mit Karoline zu einer permanenten Achterbahnfahrt aus Eifersuchtsanfällen und Reuebeteuerungen geworden, und Bodenstein war völlig überfordert. Er hatte alles getan, was Psychologen ihm geraten hatten: Er hatte versucht, seiner Frau Sicherheit und Geborgenheit zu geben, er war zuverlässig, rücksichtsvoll und tolerant, trotzdem wurde es immer schlimmer. Manchmal rief Karoline ihn dreißig Mal am Tag an, wollte wissen, wo er war und wer bei ihm war. Sie verdächtigte ihn der Untreue, bekam Weinkrämpfe, schwor ihm ewige Liebe, um ihn nur dreißig Sekunden später zu beschimpfen.

Bodenstein nahm frische Kleidung aus dem Schrank und zog sich an. »Lass uns über alles reden«, bat Karoline ihn. »Ich verspreche dir, ich werde ...«

Das Festnetztelefon auf ihrem Nachttisch begann zu klingeln. Sie nahm das Mobilteil aus dem Ladegerät.

»Albrecht?«, meldete sie sich und lauschte einen Moment. »Nein, er ist gerade nicht zu sprechen. Versuchen Sie es später auf seinem Handy.«

Damit legte sie auf.

»Wieso bin ich gerade nicht zu sprechen?«, fragte Bodenstein verärgert. »Wer war das?«

»Das war Frau Sander.« Karolines Tonfall wurde sarkastisch. »Deine Pia. Die ist dir ja immer wichtiger als ich. Genau wie Cosima oder Nicola, oder wie sie alle heißen, deine Weiber! Du kannst sie später zurückrufen. Wir müssen reden, Oliver. Jetzt!«

»Wir hätten gestern Abend reden können, aber da hast du dich ja im Schlafzimmer eingeschlossen«, erwiderte Bodenstein und streckte die Hand aus. »*Jetzt* muss ich meine Kollegin zurückrufen. Gib mir bitte das Telefon.«

In diesem Augenblick klingelte es erneut. Bodenstein blickte seine Frau stumm an, bis sie schließlich nachgab und ihm das Telefon widerwillig reichte. Dann ging sie an ihm vorbei ins Bad.

»Chef, ich versuche, dich seit gestern Abend zu erreichen!«, tönte Pias Stimme an Bodensteins Ohr. »Was ist mit dir? Bist du schon ausgezogen?«

»Nein.« Bodenstein warf einen raschen Blick Richtung Badezimmer, aber Karoline konnte Pias Frage nicht gehört haben. »Ich habe vergessen, mein Handy ans Ladekabel zu hängen.«

»Okay, hör zu: Tariq und ich waren gestern Abend noch bei ein paar Nachbarn in Bad Soden, die wir tagsüber nicht angetroffen hatten. Einer von ihnen hat am Montagabend gegen sieben Uhr einen Mann auf der Straße vor Heike Werschs Haus beobachtet. Das deckt sich übrigens mit der Beobachtung eines anderen Nachbarn. Der Mann hat erst eine Weile gewartet und das Haus angestarrt und ist dann über den Zaun geklettert. Der Nachbar konnte den Mann ziemlich gut beschreiben und Tariq ist auf die Idee gekommen, ihm ein Foto vom einbeinigen Kranich zu zeigen.«

»Von Severin Velten?« Bodenstein zog ein Jackett vom Kleiderbügel und schloss die Schranktür. »Wo hatte er denn das Foto her?«

»Im Internet gibt's Hunderte Fotos von ihm, schließlich ist er ziemlich berühmt«, erwiderte Pia. »Auf jeden Fall ist der Nachbar todsicher, dass er der Kerl war, der über den Zaun geklettert ist. Allerdings will ein anderer Nachbar Frau Wersch ja später noch gesehen haben, also kann der Kranich …«

»Severin Velten.«

»Ja, klar. Ich kann mir den Namen einfach nicht merken. Er kann sie auf jeden Fall nicht umgebracht haben.«

»Okay«, sagte Bodenstein. »Ich fahre Sophia zur Schule und bin in einer halben Stunde im Büro. Kai soll herausfinden, wo Velten wohnt. Wir müssen mit ihm sprechen. Also, bis gleich!«

»Mit allen willst du sprechen!«, klagte Karoline mit dumpfer Stimme. »Nur mit mir nicht! Was mache ich bloß falsch?«

»Ich muss los.« Bodenstein verließ das Schlafzimmer, ohne ihr einen Abschiedskuss zu geben. Er suchte lieber nach einer Leiche, als ein weiteres fruchtloses Gespräch mit seiner Frau führen zu müssen.

* * *

Kai Ostermann hatte einen Zeitstrahl an das große Whiteboard gezeichnet, auf dem er sämtliche Beobachtungen notiert hatte, die Heike Werschs Nachbarn am Montag gemacht hatten. Die Zeitangaben und Personenbeschreibungen waren vage, ziemlich subjektiv und nicht genau übereinstimmend, aber es zeichnete sich ein erstes Gesamtbild ab, wenn auch mit Lücken. Eine Ermittlung glich immer einem kniffligen Rätsel, das es zu lösen galt, und jede noch so kleine und scheinbar unwichtige Information konnte der Schlüssel sein, der die Tür zur Wahrheit öffnete. Bis auf Bodenstein war das komplette Team des K11 bereits versammelt, inklusive Nicola Engel.

Pia stand neben ihrer Chefin vor der Wandtafel und versuchte nachzuvollziehen, was sich am vergangenen Montag am Haus von Heike Wersch abgespielt haben könnte. Gegen 17:30 Uhr hatte ein Mann mit grauem Kraushaar und Brille Heike Werschs Grundstück betreten. Tariq hatte mit der EC-Karte von Frau Wersch an einem Kontoauszugsdrucker der Taunussparkasse aktuelle Kontoauszüge ausgedruckt, und so hatten sie erfahren, dass sie am 3. September um 19:04 Uhr in einem Supermarkt in Bad Soden für 186,88 Euro eingekauft und mit EC-Karte bezahlt hatte. Unklar war, ob sie deshalb ihren Vater festgebunden hatte und wo die restlichen Einkäufe, abgesehen von dem Bio-Huhn, abgeblieben waren. Am frühen Abend, zwischen 19:00 und 19:30 Uhr war ein anderer, jüngerer Mann, in dem ein Nachbar den Schriftsteller Severin Velten erkannt haben wollte, über den Zaun geklettert. Weder hatte jemand gesehen, woher der Künstlertyp oder Severin Velten gekommen, noch, wie sie wieder gegangen waren. Um 1:30 Uhr hatte ein Nachbar Heike Wersch dabei beobachtet, wie sie ihre Mülltonne an den Straßenrand gestellt hatte. Und wiederum ein anderer Nachbar hatte beim nächtlichen Hundespaziergang gesehen, wie sie ihr Auto aus der Garage gesetzt hatte und davongefahren war.

»Das ergibt alles irgendwie keinen Sinn«, sagte Pia zu ihren Kollegen. »Was ist mit den ganzen Einkäufen passiert? Das muss ja ein bisschen was gewesen sein.«

»Wissen wir, wann die Mülltonne geleert worden ist?«, fragte Nicola Engel.

»Am Dienstagvormittag gegen 11 Uhr«, erwiderte Tariq.

»Wer kann der kraushaarige Künstlertyp sein?«, überlegte Pia.

»Ich würde auf Alexander Roth tippen«, ließ sich Kai aus dem

Hintergrund vernehmen. Er saß am Besprechungstisch hinter seinem Laptop, das er jetzt zu Pia drehte. »Er ist der Programmleiter Literatur beim Winterscheid-Verlag und damit wohl der Nachfolger von Heike Wersch. Ich habe sein Foto auf der Verlagswebseite gefunden.«

»Aha.« Nicola Engel, Pia, Cem, Kathrin und Tariq betrachteten das Foto des Mannes, der mit einem leutseligen Lächeln in die Kamera blickte.

»Maria Hauschild, Hennings Agentin, hat ihn als einen Freund von Heike Wersch bezeichnet«, erinnerte sich Pia. »Sie kannten sich schon seit Schulzeiten.«

»Ihr solltet ihn heute befragen«, sagte Nicola Engel. »Genau wie den Verleger selbst.«

»Viel dringender möchte ich mit Severin Velten sprechen«, entgegnete Pia. »Kai und ich haben gestern Nacht noch im Internet recherchiert. Er ist einer der angesehensten Schriftsteller in Deutschland. Seine Romane haben zig Preise gewonnen. Nach den Plagiatsvorwürfen ist ein wahrer Shitstorm über ihn hereingebrochen. Er hat eine Gastprofessur an der Universität in Berlin verloren. Die Schriftstellerverbände distanzieren sich von ihm. Sein Ruf ist hin, seine Karriere zerstört. Wegen der vielen Hasskommentare sind seine Webseite und sein Facebook-Profil vorübergehend abgeschaltet worden. Wenn also jemand einen triftigen Grund hatte, Heike Wersch zur Hölle zu wünschen, dann wohl er.«

Nicola Engel schürzte die Lippen und dachte nach.

»Du hast recht«, räumte sie nach kurzem Abwägen ein. »Auch, wenn ich mir nicht vorstellen kann, dass er so etwas getan haben soll.«

Bei fast jeder Ermittlung bekam Pia es mit Leuten zu tun, die nicht glauben wollten, dass jemand, den sie kannten, ein Mörder sein könnte. Aber dass ihre Chefin da keine Ausnahme machte, verblüffte sie nun doch.

Nicola Engel blickte sich um. »Wo ist eigentlich Bodenstein?«

»Auf dem Weg«, antwortete Pia.

»Weißt du, was mit ihm in letzter Zeit los ist?« Die Kriminaldirektorin nahm sie beiseite. »Ich fange langsam an, mir Sorgen um ihn zu machen.«

»Du willst ja wohl nicht, dass ich über meinen Vorgesetzten tratsche«, sagte Pia.

»Also weißt du etwas?«, bohrte Nicola Engel und musterte Pia aus schmalen Augen. »Hat er dir etwas erzählt?«

»Und du willst ganz sicher auch nicht, dass ich meine Chefin anlüge«, zog Pia sich geschickt aus der Affäre. »Ach, übrigens: Der Hausarzt von Heike Wersch hat mir mitgeteilt, dass ihr Vater einen Platz im Pflegeheim in Bad Soden bekommt, wenn er aus dem Krankenhaus darf. Hältst du es für sinnvoll, wenn wir mit ihm sprechen? Vielleicht hat er ja etwas mitbekommen.«

»Er hat Alzheimer, nicht wahr?« Nicola Engel akzeptierte den Themenwechsel.

»Ja. Er ist hochgradig dement.«

»Ihr könnt es versuchen«, stimmte die Kriminaldirektorin zu. »Manchmal haben Alzheimer-Patienten lichte Momente.«

»Was, wenn Heike Wersch gar nicht selbst die Mülltonne rausgestellt hat und mit ihrem Auto weggefahren ist, weil sie zu dem Zeitpunkt schon längst tot war?«, spekulierte Tariq in diesem Moment.

»Ihre Nachbarn haben sie doch erkannt.« Cem war skeptisch.

»Na ja, denkt doch mal an unseren Muttertags-Killer«, entgegnete Tariq. »Wie der seine Opfer und auch uns getäuscht hat!«

»Außerdem war es dunkel und es hat geregnet«, ergänzte Kathrin. »Vielleicht haben die Nachbarn ja nur *gedacht*, sie hätten Heike Wersch gesehen.«

Gerade zu Beginn einer Ermittlung war jede Vermutung, und schien sie auch noch so abwegig, erlaubt. Selten reichte bei der Polizeiarbeit eine einzige gute Idee aus, es waren die Gedankenspiele, das Erwägen und Verwerfen von Möglichkeiten, die letztendlich auf die richtige Spur führen konnten.

»Leute, hört mal her!« Christian Kröger betrat den Besprechungsraum, und Beck's sprang prompt von seinem Platz unter dem Besprechungstisch auf, um ihn zu begrüßen. »Es gibt Nachrichten aus dem Labor: Das Blut aus der Küche, von der Kofferraumklappe, dem Innenraum des Autos und der Mülltonne stimmt eindeutig mit der DNA von den Vergleichsproben aus Zahn- und Haarbürste, die wir aus dem Badezimmer mitgenommen haben, überein.« Er bückte sich und zauste dem Hund das Nackenfell. »Es ist das Blut von Heike Wersch.«

Keiner von ihnen hatte sich gewünscht, die Leiche von Heike Wersch im Kofferraum ihres Autos zu finden. Aber noch weniger gefiel ihnen die Vorstellung, dass jemand die Frau umgebracht und ihren Körper wie Abfall entsorgt hatte.

»Ich hatte gehofft, es bliebe uns erspart, Tonnen von Müll zu durchsuchen«, sagte Nicola Engel und seufzte. »Wenn Herr von Bodenstein in Bälde geruht, uns mit seiner Anwesenheit zu beehren, soll er sich bei mir melden. Was ist mit dem Bewegungsprofil des Handys?«

»Ich hoffe, ich kriege es heute«, erwiderte Kai Ostermann. »Ich habe es eilig gemacht.«

»Lassen Sie mich den Einsatz im Müllheizkraftwerk koordinieren«, mischte sich Kröger ein. »Ich habe das schon ein paar Mal machen müssen und weiß, was ich brauche. Wenn ich ein paar Leute vom K11 kriege, dann benötigen wir niemanden zusätzlich von der Bereitschaft. Das reduziert die Kosten erheblich.«

»Gutes Argument, Kröger, legen Sie los. Sie halten mich auf dem Laufenden, Frau Sander.« Die Kriminaldirektorin benutzte vor anderen Leuten nach wie vor die förmliche Anrede. »Ich habe einen Termin in Wiesbaden, bin aber erreichbar.«

Sie verließ den Besprechungsraum.

»Kai, hast du herausgefunden, wo Severin Velten wohnt?« Pia hatte mit der Frage absichtlich gewartet, denn es war Nicola Engel zuzutrauen, dass sie sämtliche Termine absagen würde, um bei der Befragung ihres Lieblingsautors dabei sein zu können.

»Klar.« Ostermann, der Pia durchschaut hatte, grinste. »Er ist in Frankfurt gemeldet, im Bachforellenweg am Westhafen.«

* * *

Julia hatte in der Nacht wenig Schlaf bekommen und saß gähnend an ihrem Schreibtisch. Gegen zwei Uhr morgens war sie über der Übersetzung des französischen Romans, für dessen deutsche Lizenzrechte sie im vergangenen Herbst nach einem heißen Bieterduell mit einem anderen Verlag den Zuschlag bekommen hatte, eingeschlafen. Heute musste sie auf jeden Fall mit dem Text fertig werden, weil das Manuskript dringend in den Satz musste. Nachdem das Originalmanuskript viel später zur Verfügung gestanden hatte als geplant, hatten sie einen neuen Übersetzer finden müssen, und weil das Buch Spitzentitel werden und zur Buchmesse in vier Wochen erscheinen sollte, drängte die Zeit. Manchmal war ein solcher »Schnellschuss« spannend, aber es war immer eine heikle Sache, denn in der Eile geschahen schnell Fehler, die es unbedingt zu vermeiden galt. Normalerweise gelang es ihr gut, sich auf ihre Arbeit zu konzentrieren, aber jetzt schweiften ihre Gedanken ständig ab. Zu gerne würde sie Henning Kirchhoff fragen, ob er von seiner Ex-Frau etwas Neues über den Verbleib von Heike Wersch erfahren hatte. Was, wenn ihr wirklich etwas zugestoßen war? Durfte seine Ex-Frau Kirchhoff überhaupt etwas mitteilen? In Julias Bekannten- und Verwandtenkreis hatte sich noch nie ein Verbrechen ereignet, mal abgesehen von einem Einbruch bei einem Onkel, und ihre eigene Erfahrung mit der Polizei beschränkte sich auf eine Fahrzeugkontrolle, kurz nachdem sie den Führerschein gemacht hatte.

Ihr Telefon klingelte, und sie zuckte erschrocken zusammen. Leider war es nicht Kirchhoff, sondern nur Anja Dellamura, die Artdirektorin. Sie verabredeten sich zu einem schnellen Lunch bei *MoschMosch* am Goetheplatz, um dabei die letzten Details für das morgige Fotoshooting im Park der Verlegervilla zu besprechen. Der Vertrieb wollte unbedingt neue Autorenfotos von Millie Fischer, der Autorin, deren Romane bisher bei Droemer erschienen waren, und die Marketing-Abteilung hatte dafür extra eine bekannte Fotografin samt Visagistin und Stylist gebucht. Julia hatte die Idee gehabt, Millie nach dem Shooting, das drei bis vier Stunden dauern würde, zum Mittagessen in ein schönes Restaurant einzuladen und ihr danach das geschichtsträchtige Verlagsgebäude zu zeigen. Sie hatte Frau Winterscheid-Fink gebeten, die Führung durch den Verlag zu übernehmen, und die Vertriebs-chefin hatte zugesagt, obwohl Millies Besuch auf einen Samstag fiel. Mit einem Seufzer wendete sie sich wieder dem übersetzten Manuskript zu. Ihr würde schon irgendein Vorwand einfallen, unter dem sie Kirchhoff später anrufen konnte.

* * *

Bodenstein war unrasiert und wirkte noch etwas niedergeschla-gener als am Tag zuvor, als er das Büro betrat, das sich Pia mit Kai Ostermann teilte. Beck's sprang von seinem Kissen neben Kais Schreibtisch auf und begrüßte ihn schwanzwedelnd.

»Guten Morgen!« Pia sah von ihren Notizen hoch. Sie war da-bei, ihren Bericht über die gestrigen Ereignisse am und im Haus von Heike Wersch in die virtuelle Fallakte des ComVor-Systems einzugeben. »Du sollst zur Chefin kommen.«

»Schon erledigt«, erwiderte Bodenstein. »Ich habe sie im Flur getroffen. Wo sind die anderen?«

»Auf dem Weg zum Müllheizkraftwerk«, erwiderte Pia und tippte weiter. »Christian hat die Organisation an sich gerissen. Cem, Tariq und Kathrin sind mitgefahren, und ich bin hier auch gleich fertig.«

»Du siehst so aus, als ob du einen Kaffee brauchen würdest, Chef.« Kai lugte hinter seinem Wall an Monitoren hervor. »Ich hab vorhin frischen gemacht. Bedien dich nur.«

»Danke, ich nehme mir gleich draußen einen. Deiner ist mir zu stark«, lehnte Bodenstein ab.

»Pffft!«, machte Kai und winkte ab.

Sein Kaffee, ein Gebräu mit teerartiger Konsistenz, das er mit-hilfe einer uralten, nie entkalkten Kaffeemaschine produzierte, war in der ganzen RKI berüchtigt, und außer Cem, der es aus Es-presso-Tässchen trank, machte niemand, der es einmal gekostet hatte, ein zweites Mal den Fehler.

»Mach mal bitte die Tür zu«, bat Pia ihren Chef.

»Warum denn das?«, fragte er, kam ihrer Bitte aber nach.

»Seitdem die Chefin ihre Stilettos eingemottet hat, hört man nicht mehr, wenn sie im Anmarsch ist«, verriet Kai und kicherte.

»Und Pia hat Angst, dass sie dabei sein will, wenn ihr mit ihrem angebeteten Autor redet.«

»Kai hat uns nämlich die Adresse vom einbeinigen Kranich rausgesucht«, ergänzte Pia. »Er wohnt in Frankfurt. Im Bachforellenweg, am Westhafen. Er war am Montagabend bei Heike Wersch, und er hat ein Motiv. Die Engel hat genehmigt, dass wir mit ihm sprechen.«

»Wäre ja noch schöner, wenn sie etwas dagegen hätte, nur weil sie für den Kerl schwärmt«, brummte Bodenstein. »Wir reden mit ihm, bevor wir zur Müllverbrennungsanlage fahren. Kai, lass bitte eine Streife zu Veltens Adresse schicken. Wenn wir ihn festnehmen, können die Kollegen ihn hierherbringen.«

Wenig später fuhren sie in einem zivilen Dienstfahrzeug auf die A66 in Richtung Frankfurt. Nachdem Pia ihm berichtet hatte, was die morgendliche Teambesprechung ergeben hatte, begann Bodenstein, auf seinem Smartphone herumzutippen. Die Fahrt, ein kurzes Stück vom Westkreuz bis zur Ausfahrt Frankfurt-Westhafen und die Gutleutstraße entlang, verlief in einträchtigem Schweigen. Sie kannten sich so gut und so lange, dass sie beide nicht das zwanghafte Bedürfnis verspürten, permanent miteinander reden zu müssen. Fünfundzwanzig Minuten später bog Pia in die Zanderstraße ein und fand einen Parkplatz ganz in der Nähe des Hauses, in dem Severin Velten eine Wohnung besaß, einem von zwölf siebenstöckigen Apartmenthäusern mit Blick auf die Marina und die Yachten, die im Wasser dümpelten. Ein Streifenwagen parkte bereits vor dem Hauseingang. Die Sonne schien auf den Main und der Fluss glitzerte mit der rautenartig strukturierten Fassade des Westhafen-Towers, die an ein Apfelweinglas erinnern sollte, um die Wette. Früher einmal war der Westhafen ein wichtiger Güterumschlagplatz gewesen, doch gegen Ende der 80er-Jahre hatte er seine wirtschaftliche Bedeutung verloren und ein paar Jahrzehnte lang ein trauriges Dasein gefristet, bis irgendein cleverer Mensch im Rathaus auf die Idee gekommen war, das triste Industriegelände zu gentrifizieren. Aus dem einstigen Schandfleck war eine begehrte Wohngegend mit maritimem Flair geworden: Wohnen am Wasser, und das mitten in Frankfurt.

»Wir waren einmal in einem der Häuser dort auf der anderen Seite, um jemanden festzunehmen«, sagte Pia zu ihrem Chef. »Der Schneewittchen-Fall. Erinnerst du dich?«

»Nein. Ich war hier noch nie«, erwiderte Bodenstein, und da fiel Pia ein, dass sie damals alleine hier gewesen und die Schauspielerin Nadja von Bredow festgenommen hatte, weil ihr Chef auf dem Weg nach Frankfurt einen Unfall gebaut hatte. Sie erinnerte sich noch gut daran, wie Bodenstein auf der Leitplanke in Höhe der Autobahnabfahrt Messe gekauert hatte, ein Bild des Jammers, während die schrottreifen Überreste seines Autos auf einen Abschleppwagen geladen wurden. Das war zehn Jahre her, und damals hatte er ganz ähnlich ausgesehen wie jetzt, denn zu dem Zeitpunkt war gerade seine Ehe mit Cosima den Bach hinuntergegangen.

Sie stiegen aus, begrüßten die uniformierten Kollegen und gingen zum Hauseingang. Doch auf ihr wiederholtes Klingeln öffnete niemand. Pia betätigte eine andere Klingel. Und noch eine. Keine Reaktion.

»Kein Wunder, dass keiner da ist. Wer sich hier 'ne Wohnung leisten will, der ist freitagvormittags nicht zu Hause, sondern irgendwo da drüben«, bemerkte einer der beiden Kollegen von der Streife und machte eine unbestimmte Handbewegung in Richtung der Wolkenkratzer des nahen Bankenviertels. Beim allerletzten Klingelknopf meldete sich jedoch die Stimme einer Frau. Wie fast jeder unbescholtene Bürger ließ die Bewohnerin sie beim Stichwort ›Kriminalpolizei‹ und nachdem Pia ihren Ausweis vor die Kamera gehalten hatte, ins Haus. Severin Velten, so erfuhren sie, hatte bei den Bewohnern des Bachforellenwegs erheblich an Beliebtheit eingebüßt, was weniger mit seinem Betrug zu tun hatte als mit der Tatsache, dass das Haus tagelang von enttäuschten Fans und Presseleuten, ja, sogar Fernsehteams belagert worden war. Keinen Schritt habe man aus der Haustür machen können, ohne dass irgendwer einem ein Mikrofon vor den Mund gehalten habe, empörte sich die Frau, die in der Wohnung direkt über der des Schriftstellers wohnte. Sie selbst hatte Velten zuletzt am vergangenen Montag gesehen, dem ersten Tag, an dem die Belagerung nachgelassen und stundenweise niemand vor dem Haus herumgelungert hatte. Er war mit gesenktem Kopf an ihr vorbei in den Aufzug gehuscht, beladen mit ein paar Taschen und einem kleinen Rollkoffer, und hatte nur einen kurzen Gruß gemurmelt. Nicht mal entschuldigt habe er sich für den Ärger, den er verursacht hatte.

»Der einbeinige Kranich ist davongeflattert«, sagte Pia, als sie zurück zum Auto gingen.

»Fragen wir seinen Agenten, wo er sein könnte«, schlug Bodenstein vor.

»Der wird ihn sofort anrufen und dann ist er gewarnt«, widersprach Pia. »Nein, wir müssen ihn überraschen.«

Sie bedankten sich bei den Kollegen von der Streife und stiegen in den Dienstwagen, um nach Eschborn zum Müllheizkraftwerk zu fahren. Diesmal hatte Bodenstein das Fahren übernommen, und während sie die Gutleutstraße entlang Richtung A5 fuhren, bat Pia Kai Ostermann, der im K11 die Stellung hielt, herauszufinden, wo Severin Velten sich verkrochen haben konnte.

»Mach ich«, versprach Kai. »Und ich checke auch gleich, ob er ein Auto hat. Das kann ich in die Fahndung geben.«

»Ja, prima. Danke. Ich melde mich später«, erwiderte Pia und beendete das Gespräch. Ihr brannte es auf der Zunge, Bodenstein zu fragen, was nun mit Karoline und ihm los war, aber als sie gerade zu einer Frage ansetzte, klingelte die Freisprechanlage. Da Bodensteins Handy über Bluetooth mit dem Bordcomputer verbunden war, erschien auf dem Display des Navis *ES Kelkheim ruft an.*

»Sophias Schule«, sagte Bodenstein beunruhigt. »Sorry, da muss ich drangehen.«

»Ei, Herr von Bodenstein, hier is die Frau Melzer aus dem Sekretariat von der Eichendorff-Schule.« Eine freundliche Frauenstimme drang aus den unsichtbaren Lautsprechern. »Ihre Tochter, die Sophia, die is hier bei mir. Sie hat ganz doll Bauchschmerze, des arme Mädsche. Könne Sie se wohl abhole?«

Bodenstein warf Pia einen fragenden Blick zu und sie gab ihm mit einem Nicken zu verstehen, dass es in Ordnung für sie sei, wenn er seinen Vaterpflichten nachkam.

»Ja, natürlich«, sagte er also zur Schulsekretärin. »Ich bin in einer halben Stunde da.«

* * *

Das Main-Taunus-Müllheizkraftwerk lag am Rande Eschborns in einem Dreieck zwischen den Autobahnen 66 und 5; weithin sichtbar überragte der hundert Meter hohe gemauerte Kamin die umliegenden Gewerbegebiete. Nachdem Pia ihm versichert hatte, Kröger und sie kämen auch einstweilen ohne ihn zurecht, hatte Bodenstein sie vor dem Tor des Betriebsgeländes abgesetzt und war nach Kelkheim gefahren, um seine Tochter von der Schule abzuholen und zu seinen Eltern zu bringen. Pia hatte oft bedauert, kinderlos zu sein, aber in Situationen wie dieser war sie ganz froh, keine Kinder zu haben, um die sie sich Gedanken machen musste. Sie fand Kröger, Cem, Tariq und Kathrin im Gespräch mit dem Betriebsleiter und einigen Mitarbeitern des MHKW, die sich, obwohl sie alles andere als begeistert davon waren, mehrere Tausend Kubikmeter Müll zu durchsuchen, ausgesprochen kooperativ zeigten. Es war nicht das erste Mal, dass die Polizei im Restmüll nach einer Leiche suchte, deshalb hatte man schon gewisse Erfahrungen, wie eine solche Aktion bewerkstelligt werden konnte, ohne dass gleich das komplette Kraftwerk außer Betrieb gesetzt werden musste.

»Wir konnten anhand der Wiegescheine rekonstruieren, in welchen Schacht der Müllwagen am Dienstag seine Fracht entleert hat, und haben ihn gleich gesperrt«, erläuterte der Betriebsleiter. »Trotzdem müssen wir wohl mindestens zwei Tage, also ungefähr sechs Meter, tief gehen.«

»Und wie funktioniert das?«, wollte Pia wissen. »Müssen unsere Leute in den Schacht klettern?«

»Um Gottes willen, nein!« Der Betriebsleiter schüttelte den Kopf. »Kommen Sie, ich zeige Ihnen, wie wir vorgehen werden.«

Nachdem jeder von ihnen einen Schutzhelm bekommen hatte, folgten sie ihm in eine gewaltige Halle. Müllfahrzeuge standen in einer Schlange und fuhren, wenn sie an der Reihe waren, piepsend rückwärts an einen der insgesamt zehn Schächte, um sich dort ihres Inhalts zu entledigen, ohne dass die Fahrer aussteigen mussten. Der höllische Gestank und der Lärm, den die Müllwagen verursachten, waren fast unerträglich.

»Das ist unser Müll- und Schlackebunker«, erklärte der Betriebsleiter mit erhobener Stimme. »Fünfundsechzig Meter lang, dreizehn Meter breit und vierundzwanzig Meter tief, eingeteilt in zehn Schächte. Wir kriegen ungefähr hundertdreißig Fuhren pro Tag angeliefert, fünf Tage in der Woche. Der Bunker fasst ungefähr zwanzigtausend Kubikmeter Haus- und Gewerbemüll, das sind etwa zehntausend Tonnen. Die auf einer Schiene laufenden Greifschaufeln greifen bis zu fünf Tonnen Müll auf einmal, das ist etwa das Volumen eines Mittelklassewagens, und leeren es direkt in die Verbrennungsöfen. Im ersten Ofen herrschen ungefähr 1200 Grad, im letzten immer noch 85 Grad. Was übrig bleibt ist wie Lava.«

Sie traten an den Rand des Schachts Nummer neun, und Pia, die noch nie in einer Müllverbrennungsanlage gewesen war, war tief beeindruckt von den Dimensionen dieser Riesenmaschinerie. Sie schauderte, als sie in den stinkenden Höllenschlund blickte. Lag da unten irgendwo die Leiche von Heike Wersch? Allein der Gedanke daran verursachte ihr ein komisches Gefühl. Häufig konnte Pia zwar nicht verstehen, aber nachvollziehen, weshalb jemand einen Totschlag im Affekt oder sogar einen Mord beging, was ihr aber vollkommen unbegreiflich war, war ein Nachtatverhalten wie dieses. Was für ein Mensch musste man sein, um so etwas fertigzubringen? Dieser völlige Mangel an Respekt und Menschlichkeit war beinahe schockierender als die Tat selbst.

»Wir werden den Müll aus Schacht 9 mit einem Kran hochholen und auf einer Sonderablagefläche abladen«, sagte der Betriebsleiter gerade. »Die Chancen, dass der Müll von Dienstag noch nicht im Verbrennungsofen gelandet ist, stehen gut.«

Kröger ließ sich die Fläche zeigen, und sie diskutierten, wie man die Durchsuchung dieses gewaltigen Müllbergs am effizientesten gestalten konnte. Pia beneidete die Kollegen nicht, die sich rings um die Sonderablagefläche postieren und mit Ferngläsern stunden-, wenn nicht tagelang auf den Müll starren mussten, um zwischen dem Unrat nach den sterblichen Überresten eines Menschen Ausschau zu halten. Der Betriebsleiter schlug vor, wie die Frankfurter Kollegen damals eine Hochgeschwindigkeitskamera zu installieren, um das Entleeren des Greifers detailliert und bei Bedarf öfter betrachten zu können.

Da Kröger hier alles im Griff hatte und es ohnehin noch eine Weile dauern würde, bis es losging, war Pias Anwesenheit nicht zwingend erforderlich, deshalb beschloss sie, mehr über Heike Wersch in Erfahrung zu bringen, indem sie mit ihrem ehemaligen Chef und ihren engsten Mitarbeitern sprach. Cem, der Ästhet, war offenbar froh, die deprimierende Arbeit anderen überlassen zu können, er war sofort bereit, Pia zu begleiten. Tariq und Kathrin wollten lieber bleiben; sie fanden es spannender, im Müll zu graben, statt in der Vergangenheit des potenziellen Opfers. Auf dem Weg von der Halle zum Auto war Cem in sich gekehrt und schweigsam.

»Das ist einfach grässlich da drin, oder?«, brach Pia schließlich das Schweigen. »Dieser Gestank und dieser Krach, das würde ich nicht einen Tag lang aushalten.«

»Ich auch nicht.« Cem setzte sich hinters Steuer. »Und ich schäme mich deswegen.«

»Wieso das?«, fragte Pia erstaunt.

»Mein Vater hat sein ganzes Berufsleben bei der Müllabfuhr gearbeitet, seit er 1961 mit einundzwanzig Jahren aus Gaziantep nach Deutschland gekommen ist«, erwiderte Cem. »Um meinen Schwestern und mir eine gute Ausbildung finanzieren zu können, hat er geschuftet wie ein Verrückter und war nie einen Tag krank, bis er mit 51 Jahren einfach tot umgefallen ist. Dass ich aufs Gymnasium gehen konnte und als Erster aus meiner Familie Abitur machen und später studieren konnte, verdanke ich nur ihm. Mein Vater war wahnsinnig stolz auf mich, aber mir war es immer peinlich zuzugeben, dass er nur ein Müllarbeiter war.«

»Aber heute siehst du das anders und bist stolz auf ihn«, versuchte Pia, ihren Kollegen aufzumuntern. »Mir war mein Vater auch immer schrecklich peinlich, als ich jung war. Die Väter meiner Schulkameradinnen waren Ärzte, Vorstandschefs, Investmentbanker, Architekten und Unternehmer, und mein Vater nur ein kleines Licht bei der Hoechst AG.«

»Meine Söhne schämen sich heute auch vor ihren Freunden für mich, weil ich nur ein Bulle bin. Kein Pilot oder Fußballtrainer oder sonst etwas Cooles.« Cem grinste schief. »Man kann wohl nicht erwarten, dass Kinder auf ihre Eltern stolz sind.«

»Nein«, stimmte Pia ihm zu. »Das kann man nicht. Meistens sind sie es erst viel später.«

* * *

Auf der Fahrt nach Kelkheim hatte Bodenstein, dem die Ursache von Sophias Bauchschmerzen völlig klar war, in schneller Folge drei Telefonate geführt, und als er seine blasse, unglückliche Tochter im Schulsekretariat der Eichendorff-Schule abholte, hatte er einen Plan.

»Kann ich mit zu dir ins Büro?«, fragte Sophia. »Ich störe dich auch nicht beim Arbeiten.«

»Das geht leider nicht.« Bodenstein hielt ihr die Beifahrertür auf. »Ich bringe dich jetzt zu Opa und Oma.«

»Wirklich?« Sophias Gesicht hellte sich auf.

»Vorher fahren wir aber bei Karoline vorbei und du holst deine Sachen. Ich habe alles organisiert und auch mit Mama besprochen. Du wirst erst mal bei Quentin und Marie-Louise wohnen, die haben ja genug Platz und freuen sich auf dich.«

»Echt?«, vergewisserte Sophia sich ungläubig. »Ich muss Greta nie mehr sehen?«

»Nein, musst du nicht«, versicherte Bodenstein ihr. Da brach seine Tochter in Tränen der Erleichterung aus, schlang ihre Arme um seine Mitte und presste ihr Gesicht an seine Brust.

»Danke, Papa! Danke«, schluchzte sie. »Ich halt's da echt nicht mehr aus.«

»Das weiß ich.« Bodenstein seufzte bekümmert und streichelte ihr übers Haar. Er hatte nur das Beste für seine Tochter tun und ihr Geborgenheit und das Gefühl von Familie geben wollen, aber manchmal war das Beste eben nicht gut genug.

Auf der kurzen Fahrt von der Schule bis zu Karolines Haus waren die Bauchschmerzen vergessen. Sophia liebte Gut Bodenstein und all seine Bewohner: ihre Großeltern, ihren Onkel und ihre Tante und vor allen Dingen ihre große Schwester Rosalie, die im Januar zum ersten Mal Mutter geworden war und mit ihrem Mann Jean-Yves St. Clair das Schlossrestaurant übernommen hatte.

»Dann kann ich jeden Morgen vor der Schule in den Stall gehen und den Pferden Hallo sagen und natürlich auch den Hunden und Katzen«, plapperte Sophia vor sich hin. »Und ich treffe meine besten Freundinnen schon morgens im Schulbus!«

Natürlich war es wieder einmal nur eine provisorische Lösung, Sophia bei seinem Bruder und seiner Schwägerin unterzubringen, bis es Gewissheit gab, wie es mit Cosima weitergehen würde. In der vergangenen Nacht hatte er wieder einmal wach gelegen und darüber nachgedacht, was wäre, wenn seine Leberspende Cosima nicht half. Er hatte die Möglichkeit, dass sie das alles nicht überleben würde, nie wirklich in Betracht gezogen, denn eine Welt ohne Cosima lag außerhalb seines Vorstellungsvermögens. Doch allmählich musste er der Realität ins Auge schauen, auch wenn er sie am liebsten weiterhin ignorieren würde. Es war seltsam und irgendwie widersprüchlich, aber seitdem er Cosima nicht mehr liebte und begehrte, mochte er sie lieber als je zuvor, und ihr erging es genauso. Zwischen ihnen herrschte eine zwanglose Vertrautheit, wie sie nur aus echter Freundschaft mit allen Höhen und Tiefen entstehen kann – insofern war Karolines Eifersucht tatsächlich nicht unbegründet, denn der erste Platz in seinem Herzen gehörte, nachdem sich Verliebtheit und Leidenschaft an den rauen Kieseln des alltäglichen Lebens abgeschliffen hatten, nicht ihr, sondern Cosima.

Fünf Minuten später hielt er vor dem Würfel aus Glas und Beton, in dem er nie richtig heimisch geworden war, und ließ das Garagentor hochfahren. Es war ihm bisher nie aufgefallen, doch allein der Anblick des Hauses beschleunigte schon seinen Puls, und die Tatsache, dass er lieber weitergefahren wäre, zeigte deutlich, wie es um seine Ehe bestellt war. Bodenstein fuhr den

Porsche in die Tiefgarage, und Sophia rannte schnurstracks nach oben in ihr Zimmer, um zu packen. Im Wohnzimmer waren die Rollläden heruntergelassen, der Fernseher lief. Greta lag auf der Couch. Ohne sie zu beachten, ging Bodenstein in sein Arbeitszimmer, setzte sich an den Schreibtisch und räumte alle persönlichen Dokumente in den geräumigen Pilotenkoffer, den Karoline ihm einmal geschenkt und den er bisher noch nie benutzt hatte. Sogar sein Laptop, alle Ladekabel und der komplette Inhalt seiner Schreibtischschubladen fanden in dem klobigen Koffer Platz.

»Was machst'n du hier um die Zeit?« Greta erschien in der Wohnzimmertür, als er den Koffer in den Windfang trug. Bodenstein antwortete ihr nicht. Sein Widerwillen gegen die junge Frau verursachte ihm Magenschmerzen. Er warf einen Blick in die Küche, die wie ein Schlachtfeld aussah.

»Na los, mecker mich an!«, sagte Greta frech und verschränkte die Arme vor der Brust, aber er machte von ihrem Angebot keinen Gebrauch. In diesem Moment kam Sophia die Treppe herunter, bepackt mit einem prallgefüllten Rucksack und einer Tasche.

»Fertig!«, verkündete sie atemlos.

»Hä?« Gretas Grinsen verschwand. Sie stemmte die Hände in die Seiten. »Was geht'n hier ab? Sag bloß, ihr haut ab?«

Sophia würdigte sie keines Blickes, und auch Bodenstein verließ das Haus, ohne Karolines Tochter eine Antwort zu geben.

* * *

Der Winterscheid-Verlag residierte in der Schillerstraße unweit der Frankfurter Börse. Auf der Fahrt dorthin hatte Pia im Internet nach Informationen über den Verleger Carl Winterscheid gesucht. Sie scrollte über die Links zu den zahlreichen Presseartikeln, die sie schon kannte, hinweg und stieß auf sein LinkedIn-Profil, das sie erst aufrufen konnte, als Cem ihr seine Zugangsdaten verriet.

»Carl August Winterscheid, geboren am 17. März 1984 in Frankfurt am Main«, las sie ihrem Kollegen vor. »Studium der Betriebswirtschaft und Literaturwissenschaften an den Universitäten Stanford und Yale.«

»Wow!« Cem pfiff anerkennend. »Die gehören zu den Top-Ten-Unis in Amerika.«

»Er hat auch einen Top-Lebenslauf für so einen jungen Mann«, erwiderte Pia. »Bei der Pegasus Media Group hat er eine steile Karriere gemacht, bis zum Junior Vice President bei der Pegasus Media Europe. Aber dann ist er nach Deutschland zurückgekommen, um einen mittelständischen Buchverlag zu leiten. Ziemlich ungewöhnlich für einen Manager.«

»Ist wahrscheinlich eine emotionale Sache.« Cem bog von der Junghofstraße in die Neue Mainzer ein. »Der Verlag ist im Besitz der Familie und wurde von seinem Großvater mitgegründet.«

Pia ließ sich von der Suchmaschine die aktuellen Treffer anzeigen.

»Na, das ist ja ein Ding!«, sagte sie überrascht. »Carl Winterscheid war am Dienstagabend zu Gast im Literaturtalk *Paula liest*. Maria Hauschild, die Agentin, hat mir gestern erzählt, dass Heike Wersch auch in dieser Sendung eingeladen war, aber nicht dort aufgetaucht ist.«

»Und?«, fragte Cem.

»Carl Winterscheid hat Heike Wersch fristlos entlassen«, erwiderte Pia. »Sie hat ihn daraufhin öffentlich verunglimpft und einen der bekanntesten Autoren seines Verlages massiv beschuldigt. Ihre alte Freundin Maria Hauschild hat Heike Wersch als ›impulsiv‹ und ›streitlustig‹ charakterisiert. Glaubst du, sie hätte friedlich neben Carl Winterscheid gesessen und Small Talk gemacht?«

»Worauf willst du hinaus?«

»Heike Wersch hat diese Sendung jahrelang moderiert. Wir können davon ausgehen, dass sie die Produzenten sehr gut kennt und genau wusste, wer sonst noch eingeladen war. Wahrscheinlich hatte sie vor, ihre Fehde live im Fernsehen auszutragen. Ich frage mich, ob Carl Winterscheid vorher wusste, dass er seine ehemalige Angestellte treffen würde, oder ob es eine böse Überraschung für ihn werden sollte.«

»Du meinst, er wäre gar nicht in die Sendung gekommen, wenn er es gewusst hätte?« Cem setzte den Blinker, bog in die

Börsenstraße und wenige Meter später in die Einfahrt des Parkhaus Börse ein.

»Genau«, bestätigte Pia. »Aber er war dort. Entweder, weil er wirklich keine Ahnung hatte, oder weil er schon wusste, dass sie nicht auftauchen würde.«

»Weil er sie nämlich umgebracht und ihre Leiche in die Mülltonne gesteckt hatte«, ergänzte Cem. Er ließ das Fenster herunter, fischte die rote Plastikmünze aus dem Automaten, woraufhin sich die Schranke hob.

»Der Typ ist kein vergeistigter Bücherwurm, sondern ein knallharter Manager.« Pia betrachtete Fotos von Carl Winterscheid, die ihr die Suchmaschine anzeigte. »Er hat eine vielversprechende Karriere bei einem amerikanischen Medienkonzern sausen lassen, um einen kleinen deutschen Buchverlag zu übernehmen und wieder rentabel zu machen. So jemand geht über Leichen, um seine Ziele zu erreichen.«

»Aber doch nur im sprichwörtlichen Sinn«, widersprach Cem. »Ich kann mir nicht vorstellen, dass ein cleverer Geschäftsmann, der er ja offenbar ist, eine frühere Angestellte umbringt und hofft, damit durchzukommen.«

»Na ja, wir werden sehen«, antwortete Pia. »In meinen Augen haben er und der einbeinige Kranich auf jeden Fall starke Motive.«

Sie fanden im vierten Stock des Parkhauses einen freien Parkplatz, fuhren mit dem Aufzug nach unten und überquerten die Börsenstraße. Bei dem schönen Spätsommerwetter war die Stadt voller Menschen, die durch die Einkaufsstraßen flanierten. In den Außenbereichen der Restaurants waren jetzt, um die Mittagszeit, alle Tische besetzt, und auf den Stufen des Gebäudes der Frankfurter Börse saßen junge Leute, Börsenmitarbeiter und Banker in Anzug und Krawatte nebeneinander in der Sonne, aßen oder starrten auf ihre Smartphones oder taten beides gleichzeitig. Ein paar Kinder kletterten, bewacht von ihren Müttern, auf den bronzenen Skulpturen von Bulle und Bär herum, und eine Gruppe japanischer Touristen fotografierte die Figuren, die das Auf und Ab im Geld- und Wertpapierhandel symbolisierten.

Anders als vorhin im Müllheizkraftwerk oder im Büro, wo die Kollegen mehr oder weniger lässig gekleidet zur Arbeit erschienen, fiel Cem mit seinem schneeweißen Hemd und dem perfekt geschnittenen hellgrauen Anzug zwischen all den Geschäftsleuten überhaupt nicht auf.

Ein paar Gehminuten später hatten sie das fünfstöckige Verlagsgebäude erreicht und betraten das Foyer, das allein durch seine Größe beeindruckte. Pia stach als Erstes die Bronzebüste eines Mannes ins Auge, die prominent zwischen einem gläsernen Aufzug und der breiten Treppe auf einem Sockel thronte. An die Wand darüber war ein Spruch gemalt. *Man ist ein Mann seines Faches um den Preis, auch das Opfer seines Faches zu sein.*

»Guten Tag. Kann ich Ihnen helfen?« Hinter einem schlichten Empfangstresen aus dunklem Holz auf der rechten Seite des Foyers saß eine junge Frau, die ihr pechschwarz gefärbtes Haar zu einem Dutt auf dem Kopf aufgezwirbelt trug. Cem pflegte diese Frisur spöttisch als ›Wutpalme‹ zu bezeichnen, weil ihm ihre Trägerinnen schon häufig als latent aggressiv aufgefallen waren.

»Guten Tag«, erwiderte Pia. »Das Zitat da drüben an der Wand, von wem ist das?«

»Das weiß ich nicht«, entgegnete die Frau. »Ich weiß nur, dass ich mich jeden Tag darüber ärgere.«

»Tatsächlich? Wieso denn?«, fragte Cem arglos.

»Man ist ein *Mann* seines Faches«, erwiderte die Wutpalme angriffslustig. »Das ist absolut diskriminierend und frauenfeindlich, gerade wenn neunzig Prozent der Belegschaft weiblich sind.«

»Das Zitat stammt von Nietzsche«, wusste Cem. »Er hat es damals sicher nicht diskriminierend gemeint.«

»Ein solcher Spruch ist heutzutage nicht mehr zeitgemäß. Das geht gar nicht!« Erst jetzt schien die junge Frau zu bemerken, wie gut ihr Gesprächspartner aussah und errötete leicht, ein Effekt, den Cem oft auf Frauen hatte. »Sind Sie … äh … ich meine … sollte ich Sie kennen?«

»Nein, ich denke, Sie verwechseln mich.« Cem schenkte der jungen Frau sein charmantestes Hollywood-Lächeln und präsentierte ihr gleichzeitig seinen Kripoausweis. »Mein Name ist

Cemal Altunay. Das ist meine Kollegin Pia Sander. Wir möchten mit Herrn Winterscheid sprechen.«

Die Rezeptionistin bekam große Augen, griff aber kommentarlos zum Telefonhörer und sprach mit jemandem.

»Sie werden in fünf Minuten abgeholt«, teilte sie Pia und Cem mit und widmete sich wieder ihrer Arbeit. Ein paar junge Frauen betraten lachend und schwatzend das Foyer, grüßten die junge Frau am Empfang im Vorbeigehen und verschwanden im Aufzug. Während Cem sich zu dem hohen Bücherregal begab, das gegenüber dem Rezeptionstresen mit den Verlagsnovitäten aufwartete, betrachtete Pia die Büste genauer. *Abraham Liebman, Verlagsgründer. 1872–1954* stand auf einer Plakette, die am Sockel angebracht war. Hatte sie nicht eben noch im Internet gelesen, dass der Verlag vom Großvater des aktuellen Verlegers gegründet worden war?

»Pia, schau mal!« Cem hatte ein Buch aus einem der Regalfächer genommen und hielt es hoch. »Hennings neuer Krimi ist schon da!«

»Echt?« Pia ging zu ihm hin. »Wie kann das sein? Er hat mir gestern hoch und heilig geschworen, dass er die Widmung noch ändern lassen will!«

Sie nahm Cem das Buch aus der Hand, betrachtete den Schutzumschlag, auf dem eine verfallene Hütte abgebildet war, und überflog den Rückseitentext. Wieder ging die Eingangstür auf, und ein weiterer Schwung Frauen kehrte von der Mittagspause zurück. Neugierig schlug Pia das Buch auf und war verwirrt, als sie *Eine unbeliebte Frau* las.

»Da ist wohl ein Fehler passiert.« Sie blätterte weiter und stellte enttäuscht fest, dass es sich offenbar um Hennings ersten Roman handelte. »Und der Umschlag ist ganz schön billig gemacht.«

»Das ist ja auch nur ein sogenannter ›Dummy‹«, sagte eine angenehme Baritonstimme hinter ihr. »Man klebt das neue Cover einfach über ein anderes Buch, damit man sich besser vorstellen kann, wie es später aussehen wird.«

»Aha.« Pia erkannte Carl Winterscheid sofort. Er war in natura attraktiver, als er auf den Fotos im Internet wirkte. Hoch-

gewachsen und schlank mit kantigen Gesichtszügen, Dreitagebart, widerspenstigem dunkelblondem Haar, einem breiten
Mund mit schmalen Lippen und diesen Zartbitterschokoladen-
augen, für die Pia eine Schwäche hatte. Er trug die Ärmel seines
weißen Hemdes, das am Hals offen stand, hochgekrempelt, dazu
eine Jeans und am Handgelenk eine schlichte Uhr.

»Ich bin Carl Winterscheid«, sagte der Verleger nun. »Man
sagte mir, Sie wollten mich sprechen.«

»Ja, das stimmt.« Pia, die nicht damit gerechnet hatte, dass sie
der Chef persönlich abholen würde, stellte Cem und sich vor. »Es
geht um Ihre ehemalige Mitarbeiterin Heike Wersch.«

»Okay.« Es klang wie eine Frage, Winterscheid wirkte eher
neugierig als besorgt. »Gehen wir in mein Büro.«

Er machte eine einladende Geste, und sie folgten ihm in Richtung Aufzug.

»Ich dachte, Ihr Großvater wäre der Verlagsgründer gewesen.«
Pia deutete auf die Bronzebüste, während sie darauf warteten,
dass sich die Türen des Aufzugs öffneten.

»Nein, das Verlagshaus wurde 1919 von Abraham Liebman
und meinem Großvater gemeinsam gegründet«, erklärte der Verleger. »Liebman war damals bereits einer der bedeutendsten Verleger seiner Zeit, mein Großvater lernte alles von ihm. Liebman
erkannte schon früh, was auf Deutschland zukam, und emigrier-
te mit seiner Familie 1931 in die USA. Die Nazis verlangten, dass
der Verlag in ›Winterscheid‹ umbenannt wurde, gestatteten meinem Großvater allerdings, das Verlagsgeschäft weiterzuführen.
Liebman kehrte nie nach Deutschland zurück, aber seine Korrespondenz mit den großen Literaten existiert noch. Mein Großvater und er blieben bis zu Liebmans Tod Freunde. Leider ist dieser Teil der Verlagsgeschichte in den letzten Jahrzehnten etwas in
Vergessenheit geraten, deshalb habe ich Liebmans Büste aus dem
Keller holen, abstauben und hier aufstellen lassen.«

»Haben Sie auch das Nietzsche-Zitat an der Wand in Auftrag
gegeben?«

Der Aufzug kam. Carl Winterscheid ließ Pia und Cem den Vortritt.

»Ja.« Ein jungenhaftes Lächeln flog über sein Gesicht. »Mein Großvater war ein großer Verehrer von Nietzsche und dies war sein Lieblingszitat. Es stößt bei meinen Mitarbeiterinnen aber auf Kritik, deshalb werde ich es ändern lassen. *Man ist eine Frau seines Faches um den Preis, auch das Opfer seines Faches zu sein*, frei nach Nietzsche. Das klingt doch genauso gut, finden Sie nicht?«

»Ehrlich gesagt ist es mir völlig egal, dass da ›Mann seines Faches‹ steht«, erwiderte Pia ohne zu lächeln. »Dieser ganze Gender-Quatsch, das sind doch alles nur Befindlichkeiten. Für so etwas habe ich in meinem Job keine Zeit.«

»Interessant«, sagte der Verleger, und seine Augen richteten sich prüfend auf Pia. »Ich dachte, gerade bei der Polizei haben es Frauen schwer.«

»Das ist in der Tat so«, entgegnete Pia. »Aber glauben Sie ernsthaft, man kann die Einstellung eines Menschen ändern, indem man die Sprache verändert? Ich bin früher oft gemobbt worden, aber heute bin ich Kriminalhauptkommissarin, und viele der Kerle, die damals gemeint haben, ich hätte als Frau nichts bei der Polizei zu suchen, haben es nie aus der Uniform raus geschafft.«

Der gläserne Aufzug glitt lautlos nach oben. Durch die Scheiben konnte man das Treppenhaus sehen, an dessen Wänden Schwarz-Weiß-Fotografien von Autoren hingen. Pia versuchte, Hennings Konterfei zu entdecken, aber vielleicht war ihm diese Ehre noch gar nicht zuteilgeworden.

»Danke, dass Sie sich Zeit für uns nehmen«, sagte Cem, dem es mit seiner ausgleichenden Art oft gelang, Pias Ruppigkeit wettzumachen, als sie am Besprechungstisch im Büro des Verlegers Platz genommen hatten. Er und Pia hatten das Angebot, einen Kaffee oder etwas anderes zu trinken, höflich abgelehnt. »Ihre frühere Mitarbeiterin, Frau Heike Wersch, ist seit einigen Tagen spurlos verschwunden. Alles deutet darauf hin, dass sie einem Gewaltverbrechen zum Opfer gefallen ist.«

»Ach du Scheiße«, rutschte es Carl Winterscheid heraus, und diese Reaktion, so unvermittelt und echt, ließ ihn für Pia sofort von der Spitze der Liste möglicher Tatverdächtiger auf einen der hinteren Plätze fallen. »Das ... das ist ja wirklich furchtbar! Aber sicher sind Sie sich nicht?«

Der Verleger war sichtlich bestürzt, hatte sich aber rasch wieder im Griff.

»Frau Wersch wurde am Montagabend zuletzt gesehen«, erwiderte Cem. »Seitdem fehlt von ihr jede Spur.«

»Was wird dann aus ihrem Vater?«, erkundigte sich Winterscheid. »Sie pflegt ihn ja zu Hause.«

»Der Hausarzt kümmert sich darum, dass er in ein Pflegeheim kommt.« Pia war erstaunt, dass der Verleger mehr über Frau Werschs private Situation zu wissen schien als deren Freundin Maria Hauschild. Sie versuchte, den Mann, der ihr gegenübersaß, einzuschätzen. In einem Interview hatte Heike Wersch ihn als eiskalt und empathielos bezeichnet, als profitgierigen, ahnungslosen Kleingeist, der den Verlag zerstören würde. Diesen Eindruck machte Carl Winterscheid jedoch überhaupt nicht auf sie. Allerdings glaubten die Leute auch, dass Verbrecher immer wie Verbrecher aussehen und sprechen müssten, aber fast nie entsprach die Wirklichkeit dem Klischee. Die meisten Mörder, mit denen Pia zu tun gehabt hatte, hatten absolut durchschnittlich und normal ausgesehen. Der äußere Eindruck eines Menschen konnte also durchaus trügerisch sein.

»Wie kann ich Ihnen denn helfen?«, wollte der Verleger wissen.

»Wir versuchen, uns ein Bild von Frau Wersch zu machen«, sagte Pia und kramte ihr Notizbuch hervor. »Deshalb sprechen wir mit Bekannten, Nachbarn und ehemaligen Arbeitskollegen. Was können Sie uns über Frau Wersch sagen?«

»Sie haben wahrscheinlich schon von den Querelen gehört, die zu Frau Werschs fristloser Entlassung geführt haben«, antwortete er. »Sie war eine hervorragende Programmleiterin mit einem außergewöhnlichen Gespür für literarische Stimmen, und ich hätte gerne weiter mit ihr zusammengearbeitet, aber leider war sie nicht gewillt, die Chancen und Vorteile der Neuausrichtung und Ausweitung des Verlagsprogramms anzuerkennen.«

»Warum nicht?«, fragte Cem.

»Winterscheid war über 90 Jahre lang ein rein literarischer

Verlag mit einem hohen intellektuellen Anspruch«, erwiderte Carl Winterscheid. »Aber das Konzept, das all die Jahre erfolgreich war, funktionierte nicht mehr. Meinem Onkel, der vor mir den Verlag geleitet hat, ist der Schritt ins 21. Jahrhundert nicht gelungen. Er wollte nicht begreifen, dass sich das Leseverhalten der Menschen, der Zeitgeist und der Geschmack der Leser verändert haben. Zuletzt hatten sich die meisten Titel weniger als tausend Mal im Jahr verkauft. Der Verlag stand kurz vor der Insolvenz, als ich die Geschäftsführung übernommen und das Verlagsprogramm um die Sparten Unterhaltung und Sachbuch erweitert habe. Für Frau Wersch war das ein Sakrileg. Mein Onkel war – und das soll jetzt nicht despektierlich klingen – eher das Aushängeschild des Verlages. Er ist eine charismatische Persönlichkeit, aber kein großer Literaturkenner. Für das Verlagsprogramm war Frau Wersch zuständig. Sie hatte weitreichende Entscheidungsbefugnisse, und mein Onkel ließ ihr alle Freiheiten, wenn es darum ging, Verträge mit Agenten und Autoren auszuhandeln. Das hat sich geändert, seitdem ich Geschäftsführer bin, und sie hat die Beschneidung ihrer Kompetenzen als Schikane und tiefe Kränkung empfunden.«

»Frau Wersch hat nach ihrer fristlosen Entlassung schwere Vorwürfe gegen den Verlag, aber vor allen Dingen gegen Sie persönlich erhoben«, sagte Pia. »Das muss Sie doch ziemlich geärgert und verletzt haben.«

»Sie überlegen, ob ich wohl ein Motiv gehabt hätte, ihr etwas anzutun.« Winterscheids Miene blieb ernst, aber in seinen Augen erschien ein spöttischer Funke.

»Wenn Sie es so formulieren wollen.« Pia lächelte. Nichts war erfrischender, als die Klingen mit einem ebenbürtigen Gegner zu kreuzen.

»Natürlich ist es nicht schön, öffentlich derart diffamiert und beschimpft zu werden«, räumte Carl Winterscheid ein. »Aber ich hatte mit so etwas gerechnet. Frau Wersch hat eine aufbrausende und impulsive Art. Anderthalb Jahre lang hat sie für Unruhe in der Belegschaft gesorgt, offen das neue Konzept kritisiert und immer wieder meine Autorität infrage gestellt. Meine Entscheidung, die Programmverantwortung für die Literatursparte in die Hände eines anderen Mitarbeiters zu legen, war für sie eine schlimme Demütigung. Deshalb war es für mich keine Überraschung, wie sie reagiert hat. Mein Anwalt und meine Vorstandskollegen haben mir geraten, juristische Schritte gegen Frau Wersch einzuleiten, aber das wollte ich nicht tun. Es hätte der Sache nur unnötig Beachtung verschafft.«

Sprach aus seinen Worten Überheblichkeit oder eher Klugheit? Pia hatte in der Vergangenheit gelegentlich mit Firmenchefs oder Topmanagern zu tun gehabt, Männern mit Macht und Ehrgeiz, mit Fridtjof Reifenrath zum Beispiel, dem leiblichen Vater ihrer Nichte Fiona, oder Carsten Bock, der über einen Korruptionsskandal gestolpert war, Siegbert Kaltensee, Friedhelm Döring oder Claudius Terlinden. Sie alle hatten eines gemeinsam gehabt: Hinter ihrer kultivierten, höflichen Fassade waren sie amoralische, rücksichtslose Egoisten gewesen, denen es nur um ihren eigenen Vorteil ging und die jede Niederlage als persönliche Kränkung empfunden hatten. War Carl Winterscheid hinter seinem liebenswürdigen Gebaren auch so jemand?

»Vor dem Arbeitsgericht haben Sie eine Niederlage erlitten«, bemerkte Pia, die ihm seine gelassene Abgeklärtheit nicht ganz abnahm. Andererseits durfte man in einer leitenden Position nicht zu sensibel sein und musste Kritik aushalten können.

»Keine wirkliche Niederlage«, erwiderte Carl Winterscheid. »Wir haben einen Kompromiss gefunden, mit dem beide Seiten leben können.«

»Die Angriffe gegen Ihre Person haben Ihnen also nicht so viel ausgemacht«, fuhr Pia fort. »Aber Frau Wersch hat einem Ihrer erfolgreichsten Autoren sehr geschadet und damit auch dem Verlag, oder nicht?«

»Die Sache mit Severin Velten war eindeutig eine Racheaktion von Frau Wersch«, sagte Carl Winterscheid. »Allerdings hat sie damit sich selbst und ihren Zukunftsplänen erheblich mehr geschadet als uns.«

»Inwiefern?«

»Das Verhältnis zwischen Autor und Lektor ist etwas ganz

Besonderes. Es bedarf einer Menge Vertrauen vonseiten des Autors und Feingefühl vonseiten des Lektors, der die Erwartungen seines Autors und des Verlages gleichermaßen zu erfüllen hat.« Carl Winterscheid räusperte sich. »Frau Wersch ist eine außerordentlich erfahrene Lektorin. Zu den Autorinnen und Autoren, die sie teilweise seit Jahrzehnten betreut, gehören einige der wichtigsten zeitgenössischen Schriftsteller. Kaum ein Autor kann jedoch auf Knopfdruck Bücher schreiben. Manchmal dauert es länger, und hin und wieder muss man als Verlag akzeptieren, dass ein Autor eine Pause braucht. Das war bei Severin Velten der Fall. Er hat sieben äußerst erfolgreiche Romane verfasst, allesamt preisgekrönt. Aber Frau Wersch hat ihn massiv bedrängt, denn sie wollte unbedingt einen neuen Roman von ihm als Spitzentitel in unserem Frühjahrsprogramm haben. Sie ist so weit gegangen, dass sie ihm eine Novelle eines verstorbenen chilenischen Autors gegeben und ihm vorgeschlagen hat, sich davon inspirieren zu lassen. Velten hat kurzerhand die Handlung nach Deutschland verlegt und Plot, Charaktere, ja, sogar Dialoge einfach übernommen. Vielleicht wäre es niemals jemandem aufgefallen, aber dann hat Frau Wersch es selbst öffentlich gemacht, und der Skandal war perfekt. Denn *Der einbeinige Kranich* war die literarische Sensation des Frühjahrs, es hatte gute Aussichten, den Deutschen Buchpreis und andere Auszeichnungen zu gewinnen. Dem Verlag, den Frau Wersch eigentlich hatte schädigen wollen, hat sie allerdings nicht geschadet: Der Skandal hat nämlich erstaunlicherweise dafür gesorgt, dass das Buch reißenden Absatz gefunden und sich erheblich besser verkauft hat als die meisten von Veltens Vorgängerromanen. Wir haben versucht, die Bücher aus den Buchhandlungen zurückzuholen, aber der Buchhandel verkauft es begeistert weiter. Inzwischen konnten wir uns auch mit den Erben des chilenischen Autors einigen.«

»Und was sagt ... äh ... Herr Velten zu der ganzen Sache?«, wollte Pia wissen.

»Er ist seitdem untergetaucht, um dem Trubel um seine Person zu entgehen«, erwiderte Carl Winterscheid. »Für ihn ist es furchtbar, denn natürlich steht nun sein ganzes Werk unter Generalverdacht. Aber ich bin davon überzeugt, dass seine Leser ihm verzeihen werden.«

Pia musste an Nicola Engel denken und nickte.

»Velten hat einen schlimmen Fehler gemacht, dafür wird er sich zu gegebener Zeit öffentlich entschuldigen. Aber Frau Wersch hat ihren eigenen Ruf erheblich und nachhaltig beschädigt und mit dieser Aktion ihre Integrität und Loyalität ihren Autoren gegenüber infrage gestellt. Deshalb haben sich die meisten Autorinnen und Autoren, die sie von Winterscheid abwerben und mit zu ihrem eigenen Verlag nehmen wollte, dafür entschieden, bei uns zu bleiben.«

Alles, was er sagte, klang plausibel. Carl Winterscheid erinnerte Pia in seiner besonnenen, höflichen Art an ihren Chef, und sie fragte sich, ob ihn irgendetwas aus der Fassung zu bringen vermochte. Gerade Menschen, die sich gut beherrschen konnten, neigten dazu, wenn ihre Schmerzgrenze einmal überschritten war, die Kontrolle zu verlieren und Dinge zu tun, die sie unter normalen Umständen niemals tun würden. Konnte Heike Wersch Carl Winterscheid so wütend gemacht haben, dass er sie umgebracht und ihre Leiche in eine Mülltonne gesteckt hatte? Aber was hätte er davon gehabt?

»Sie waren am Dienstagabend zu Gast in der Sendung *Paula liest*«, sagte sie. »Haben Sie gewusst, dass Heike Wersch auch eingeladen war?«

»Nein«, erwiderte der Verleger überrascht. »Das wusste ich nicht.«

»Wären Sie in die Sendung gegangen, wenn Sie es gewusst hätten?«

Carl Winterscheid zögerte einen winzigen Moment, dann schüttelte er den Kopf.

»Nein, ich glaube, dann wäre ich nicht hingegangen«, gab er zu.

»Wie haben Sie eigentlich von Frau Werschs Plänen mit dem eigenen Verlag erfahren?«, meldete sich Cem zu Wort.

»Von jemandem, der es zufällig mitbekommen hatte.«

»Hat dieser jemand auch einen Namen?«, fragte Pia.

»Natürlich«, entgegnete Carl Winterscheid. »Aber den werde ich nicht nennen.«

»Nur für's Protokoll.« Pia klappte ihr Notizbuch zu. »Wo waren Sie am Montagabend?«

»Hier.«

»Gibt es dafür Zeugen?«

»Nein, ich glaube nicht. Ich war bis kurz vor Mitternacht hier. Ich bin oft bis spät in die Nacht im Büro.«

»Eine Frage noch«, sagte Cem. »Sie haben an Elite-Universitäten in den USA studiert. Und obwohl Sie noch ziemlich jung sind, haben Sie schon eine beachtliche Karriere gemacht. Was hat Sie daran gereizt, nach Deutschland zurückzukehren und einen fast bankrotten Verlag zu übernehmen?«

Zum ersten Mal erschien ein richtiges Lächeln auf Winterscheids Gesicht.

»Das hatte mehrere Gründe«, erwiderte er. »In erster Linie sentimentaler Art. Winterscheid ist ein Familienunternehmen, und ich habe von meinem Großvater Firmenanteile geerbt. Außerdem liebe ich Herausforderungen. In einem Medienkonzern wie Pegasus hat man als CEO nichts mehr mit der Herstellung von Büchern und ihren Urhebern zu tun. Man ist nur noch Manager. Aber ich will nahe an den Büchern sein. An guten Büchern, die gelesen werden. Und ich möchte diesen Verlag, das Erbe meines Vaters und Großvaters, wieder in die Erfolgsspur bringen.«

Da war sie, die Leidenschaft, die Pia bisher vermisst hatte. Carl Winterscheid war Idealist und Realist zugleich, er sah das große Ganze und hatte keine Angst davor, Entscheidungen zu treffen und Probleme zu lösen. Heike Wersch war ein Problem gewesen, das er mit kluger Strategie und legalen Mitteln gelöst hatte. Dafür hatte er sie nicht umbringen müssen.

***

Carl Winterscheid persönlich begleitete sie zu Programmleiter Alexander Roth, dessen erheblich kleineres Büro im vierten Stock lag. Pia, die zum ersten Mal in einem Verlagshaus war, schaute sich neugierig um. Bücher, Bücher und noch mal Bücher!

In jedem Büro erstreckten sich Bücherregale bis unter die hohen Decken. An den Wänden hingen gerahmte Plakate von Buchcovern, Bestsellerlisten oder längst vergangenen Autorenlesungen. In der Luft hing der Geruch von staubigem Papier, ähnlich wie in der Stadtbücherei, die Pia und ihre Geschwister in ihrer Kindheit mindestens einmal pro Woche aufgesucht hatten. Beim Anblick des untersetzten Mittfünfzigers mit dem wirren grauen Lockenkopf und einer altmodischen, runden Hornbrille, wusste sie sofort, dass Kai richtig getippt hatte. Alexander Roth, das Gesicht mit dem Fünftagebart rot und aufgedunsen vom Alkohol oder von zu hohem Blutdruck, war ganz sicher der Mann, den die Nachbarn am Montagspätnachmittag am Haus von Heike Wersch gesehen hatten. Er machte auch keinen Versuch zu leugnen, bei ihr gewesen zu sein.

»Warum waren Sie dort?«, fragte Cem.

»Ich ... ich habe mir Sorgen gemacht. Sie hat sich nicht mehr gemeldet, und ich wollte nur wissen, wie es ihr geht.« Der Programmleiter schwitzte, obwohl es in seinem Büro angenehm kühl war. »Heike – also, Frau Wersch – und ich sind gute Freunde und wir waren dreißig Jahre lang Kollegen.«

Pia betrachtete den Mann, der das genaue Gegenteil von seinem smarten Chef war. Nervös und beinahe schuldbewusst knetete er seine Finger und versuchte, ihrem Blick standzuhalten. Trotz der Hitze trug er ein langärmeliges Hemd und Jeans in existenzialistischem Schwarz.

»Und was wollten Sie wirklich bei Ihrer alten Freundin und Kollegin?«, fragte Pia freundlich.

»Wie ... wie meinen Sie das?« Sein Adamsapfel hüpfte auf und ab. Alexander Roth konnte nicht still sitzen, hielt den Drehstuhl ständig in Bewegung, ließ seine Fingergelenke knacken und wippte mit dem Fuß. Er nahm seine Brille ab und rieb seine Augen, die stark gerötet waren.

»Wir haben erfahren, dass Frau Wersch fristlos entlassen wurde, weil sie einen eigenen Verlag gründen will. Wussten Sie über ihre Pläne Bescheid? Hat sie Sie womöglich um Unterstützung gebeten oder wollte sie Sie abwerben?«

Alexander Roth räusperte sich und setzte seine Brille wieder auf.

»Hm ja«, antwortete er. »Heike will, dass Henri, also Henri Winterscheid, der ehemalige Verleger, und ich gemeinsam mit ihr den Verlag leiten. Sie ist ziemlich … nun ja … verärgert, weil ich das abgelehnt habe.«

»Wieso sollten Sie das auch tun?« Cem setzte ein harmloses Lächeln auf. »Sie sind Programmleiter geworden. Ein sicherer Job bei einem angesehenen Verlag.«

»Ja, auch das nimmt sie mir übel«, gab Roth zu und fuhr sich mit einem Seufzer durch die Locken. »Dabei kann ich nichts dafür, dass die neue Geschäftsleitung mir die Position gegeben hat.«

»Sie hätten ablehnen können«, warf Cem ein. »Als loyaler alter Freund und Wegbegleiter.«

»Ich bin sechsundfünfzig. Ich mag meine Arbeit hier. Mir gefällt das neue Verlagskonzept. Und ich bin kein Typ für Veränderungen«, rechtfertigte sich Herr Roth unnötigerweise und wurde noch röter. Er machte den Eindruck, als ob er jeden Moment ohnmächtig von seinem Stuhl sacken würde. Das Licht spiegelte sich in seinen Brillengläsern, sodass seine Augen dahinter nicht mehr zu erkennen waren.

»Was haben Sie am Montag mit Frau Wersch besprochen?«, fragte Pia.

»Meine Frau – Paula Domski – hatte Heike in ihre Sendung am Dienstagabend eingeladen. Ich wollte sie bitten, nicht dorthin zu gehen.«

»Wieso?«

»Weil …« Er brach ab, sein Blick wanderte aus dem Fenster und kehrte nur widerstrebend zu Pia und Cem zurück. »Meine Frau hatte auch Carl Winterscheid eingeladen. Ich … ich kenne Heike. Ich weiß, wie impulsiv sie ist und wie … wie verletzend sie werden kann. Außerdem … außerdem fand ich es unfair, dass Carl nicht darüber Bescheid wusste, dass Heike ebenfalls eingeladen war. Sie wollten ihn ins offene Messer laufen lassen.«

Galt seine Loyalität wirklich seinem Chef oder ging es ihm eher um seinen Job und damit in erster Linie um sich selbst?

»Sie sind per Du mit Ihrem Chef?«, erkundigte sich Cem.

»Ja, das hat er mir selbst angeboten«, antwortete Roth. »Ich kenne ihn, seitdem er auf der Welt ist. Seine Mutter war eine Freundin, ich war bei seiner Taufe.« Ein Lächeln umspielte seine Mundwinkel. »Ich habe ihn lange nicht gesehen, und als er vor zwei Jahren plötzlich wieder vor mir stand, habe ich ihn zuerst gar nicht erkannt. Tja, und jetzt ist der kleine Junge von damals mein Chef.«

Das war eine Erklärung für sein Bedürfnis, den Mann, der sicherlich keinen Schutz nötig hatte, beschützen zu wollen.

»Wie hat Frau Wersch am Montag auf Ihre Bitte reagiert?«

Alexander Roth gab ein Geräusch von sich, eine Mischung aus Lachen und Schnauben.

»Sie hat mich ausgelacht.« Er hörte auf zu zappeln und faltete die Hände vor seinem Bauch. »Ich wollte mit ihr auch über die Sache mit Severin reden. Sie hat sich mit dieser Aktion keinen Gefallen getan.«

»Aber es ist doch eine gute Sache, wenn die Öffentlichkeit erfährt, dass ein Autor geistiges Eigentum von einem anderen klaut«, sagte Cem.

»Ja, natürlich. Plagiarismus, vor allen Dingen in einem solchen Ausmaß, ist kein Kavaliersdelikt.« Roths Verhalten veränderte sich. »Das Pikante an der Sache ist aber, dass Heike Severin offenbar selbst dazu gedrängt hat, und seitdem das bekannt wurde, ist sie in der Branche so gut wie erledigt. Verstehen Sie mich bitte richtig: Nur, weil ich mich zu alt für ein Abenteuer fühle und nicht mit zu ihrem neuen Verlag gehen möchte, bedeutet das nicht, dass mir nichts an ihr liegt. Wir haben über dreißig Jahre sehr erfolgreich und gut zusammengearbeitet, und wir sind Freunde.«

»Wie ging es dann am Montagabend weiter?«, lotste Pia ihn zurück zum Wesentlichen.

»Das weiß ich leider nicht mehr«, antwortete Roth zu ihrem Erstaunen. Er fing wieder an, seine Finger zu kneten. »Ich bin danach in eine Kneipe gegangen. Ich ... ich bin Alkoholiker. Über fünfzehn Jahre war ich trocken. Aber die ganze Situation belastet

mich. Meine Frau hat mich am Dienstagmorgen bei der Polizeistation Eschborn abgeholt.«

»Sie wissen schon, warum wir Ihnen diese Fragen stellen?«

»Nein. Nicht genau.«

»Frau Wersch wird seit Dienstagmorgen vermisst.«

Pia sah, wie Roths Blick für einen winzigen Moment leer wurde, dann fing er sich jedoch wieder.

»Vermisst? Wieso das?«, fragte er verblüfft. »Ich dachte, sie
wäre verreist.«

»Wie kommen Sie darauf?«

»Na ja, sie ist … sie war nicht in der Sendung am Dienstagabend.« Der Programmleiter geriet ins Stottern. »Und sie … sie
hatte zu mir gesagt, sie bräuchte mal eine Auszeit nach der ganzen Aufregung.«

Pia machte sich eine Notiz, was Herrn Roth wieder zappelig
werden ließ.

»Eine alte Freundin von Frau Wersch hat uns gestern informiert. Sie hatte sich auch Sorgen gemacht.«

»Eine alte Freundin?«

»Maria Hauschild, die Agentin. Kennen Sie sie?«

»Maria. Ja, natürlich. Wir kennen uns schon lange.«

»Kennen Sie auch den Vater von Frau Wersch?«, fragte Cem.

»Den Vater von Frau Wersch?«, wiederholte Roth, als ob er
Zeit zum Nachdenken gewinnen wollte. »Nein … ich meine, ja.
Ich kannte ihn. Aber er lebt doch schon seit Jahren in einem Pfle-
geheim. Oder ist er gestorben?«

»Nein, ist er nicht. Er ist dement und wohnt bei seiner Tochter im Haus. Frau Wersch pflegt ihn seit vielen Jahren.« Pia
stellte mit Genugtuung fest, dass Alexander Roth genauso wenig
über das Privatleben seiner guten alten Freundin Heike Wersch
wusste wie Maria Hauschild. »Sie würde wohl kaum ein paar
Tage wegfahren und ihn allein zu Hause lassen, oder was denken Sie?«

»Ich … ich denke … nein. Nein, das … das würde sie nicht
tun«, stammelte Alexander Roth und wurde erst rot und dann
totenbleich.

»Haben Sie etwas gegen einen Abstrich aus Ihrer Mundschleimhaut für einen DNA-Test einzuwenden?«, fragte Pia. »Und wir würden Ihnen auch gerne die Fingerabdrücke abnehmen. Keine Sorge, das machen wir nur, damit die Spurensicherung Sie ausschließen kann.«

»Nein«, flüsterte Roth schwitzend. »Ich ... ich habe nichts dagegen.«

* * *

Bodenstein hatte Sophia bei seinen Eltern abgesetzt, und sie war sofort verschwunden, um seinen Bruder Quentin zu suchen. Anders als seine älteren Kinder, die sich nie sonderlich für den Gutshof, die Land- und Forstwirtschaft und die Tiere interessiert hatten, liebte Sophia die Arbeit auf dem Gut und alles, was damit zusammenhing. Auch Quentins und Marie-Louises mittlerweile erwachsene Kinder hatten für den Hof, auf dem sie aufgewachsen waren, nichts übrig, deshalb hielt Bodenstein es für durchaus möglich, dass seine jüngste Tochter eines Tages die Nachfolge seines Bruders antreten würde. Eigentlich hatte er sofort wieder aufbrechen wollen, aber seine Mutter hatte ihn dazu genötigt, etwas zu essen, nachdem ihm herausgerutscht war, dass er seit drei Tagen nicht zum Essen gekommen sei. In der Familie Bodenstein neigte man gemeinhin nicht zu Emotionalität. Statt in Worten manifestierte sich Mitgefühl eher in Taten und einer unverbrüchlichen Solidarität, und so hatte Bodenstein unter den wachsamen Augen seiner Mutter im Stehen eine Scheibe kalte Ochsenbrust mit selbstgemachter Grüner Soße heruntergeschlungen. Seine engste Familie wusste, dass Cosima krank war, aber auf ihren Wunsch hin hatte er allen außer Lorenz und Rosalie verschwiegen, wie schlecht es wirklich um sie stand.

»Ich mache mir Sorgen um dich«, sagte seine Mutter plötzlich und brach damit ein familieninternes Tabu. »Du siehst schlecht aus, Oliver. Was ist los? Kann ich dir irgendwie helfen?«

»Ihr tut alle schon genug, wenn Sophia bei euch wohnen darf«, erwiderte er und stellte den Teller auf die Spüle. »Es ist gerade alles etwas schwierig.«

»Ach, mein Junge«, sagte sie bekümmert, streckte die Hand aus und strich ihm über die Wange. Diese seltene Geste der Herzlichkeit berührte ihn zutiefst, und für einen Moment verspürte er das verzweifelte Bedürfnis, wie ein kleiner Junge den Kopf in ihren Schoß zu legen und aus ihrem Mund zu hören, dass alles wieder gut werden würde, aber er wollte seine achtzigjährige Mutter nicht mit seinen Problemen belasten. Wie hätte sie ihm auch helfen können? Sein Leben war ein schwarzes Loch geworden, das seine sämtliche Energie und Zuversicht absorbierte. Auch früher hatte es immer wieder schwierige Phasen gegeben, aber da war er noch jünger gewesen und optimistischer. Nur bei der Arbeit fühlte er sich noch einigermaßen wohl, aber er wusste, dass er bald mit Nicola und mit Pia über die bevorstehende Operation und seine private Situation reden musste, und dann würde das schwarze Loch ihm zur Arbeit folgen wie ein düsterer Schatten.

»Danke, Mama«, sagte er mit belegter Stimme und versuchte ein Lächeln. »Das wird schon wieder.«

»Pass gut auf dich auf«, antwortete sie. »Und du weißt ja: Wenn irgendetwas ist, unsere Tür steht immer für dich offen.«

Bodenstein nickte nur stumm. Dankbar nahm er seine Mutter in die Arme und gab ihr einen Kuss auf die Wange. Als er wieder im Auto saß und auf sein lautlos gestelltes Smartphone schaute, sah er, dass Kai Ostermann versucht hatte, ihn anzurufen. Er rief zurück.

»Chef«, meldete sich Ostermann nur Sekunden später. »Ich habe gerade das Bewegungsprofil von Heike Werschs Mobiltelefon bekommen. Es war in der Nacht auf Dienstag bis 00:05 Uhr in ein und derselben Funkzelle in Bad Soden eingewählt. Danach hat es sich bewegt und befand sich bis Donnerstagmorgen um 11:22 Uhr laut Funkzellenangaben des Providers in einer Funkzelle etwa zwei Kilometer entfernt.«

»Und danach?«

»Nichts mehr. Dann war wohl der Akku leer.«

»Das heißt, es müsste sich jetzt noch dort befinden«, folgerte Bodenstein und bog nach links Richtung Schneidhain ab.

»Exakt«, antwortete Ostermann. »Es ist auf jeden Fall nicht in der Müllverbrennungsanlage in Eschborn. Und irgendwie habe ich die Vermutung, dass ihre Leiche auch nicht dort ist.«

»Wo genau befindet sich die Funkzelle, in der es zuletzt geortet wurde?«, fragte Bodenstein.

»Irgendwo zwischen Königstein, Mammolshain und Neuenhain.«

Im Wald also. Jemand hätte, um Spuren zu verwischen, das Handy ins Unterholz geworfen haben können. Aber natürlich konnte auch Heike Werschs Leiche dort im Wald liegen. Bodenstein überschlug im Kopf rasch, was der Einsatz einer Hundertschaft der Bereitschaftspolizei und eines Leichenspürhunds verglichen mit der Durchsuchung der Müllverbrennungsanlage kostete, und fällte eine Entscheidung.

»Ruf Christian an. Er soll den Einsatz abbrechen. Wir suchen erst mal den Wald ab«, sagte er, insgeheim froh darüber, dass ihn etwas von seiner privaten Misere ablenkte. »Und schreib bitte eine Nachricht in unsere Chatgruppe. Wir treffen uns in einer Stunde auf dem Kommissariat zur Besprechung. Christian soll auch dazukommen.«

* * *

Alexander Roth stand am Fenster seines Büros und blickte hinunter auf die Schillerstraße. Er sah, wie die beiden Polizisten das Gebäude verließen und Richtung Börse verschwanden. Sein Hemd war völlig durchgeschwitzt, und er sehnte sich mit jeder Faser seines Körpers nach einem beruhigenden Schluck Wodka, damit das Zittern aufhörte. Garantiert hatten ihn die Bullen, dieser scheinheilige George-Clooney-Typ und die Blondine, die dauernd in ihr Notizbuch gekritzelt hatte, durchschaut. Warum sonst hätten sie wohl eine Speichelprobe und seine Fingerabdrücke nehmen sollen? Hatte er in Heikes Haus irgendetwas angefasst, irgendeine verräterische Spur hinterlassen? Er war ein schlechter Schauspieler, und ihm war klar, dass sie ihm die Geschichte, er sei aus Sorge um eine gute Freundin und langjährige Arbeitskollegin nach Bad Soden gefahren, nicht abgenommen hatten. Alexander Roth wusste selbst nicht, weshalb er gelogen hatte, aber das Lügen war längst zu einem Reflex geworden. Würde die Polizei herausfinden, wo er am Montagabend gewesen war? Das Schlimmste war, dass er sich tatsächlich nicht mehr daran erinnern konnte, was er getan hatte. Sie hatten heftig gestritten, Heike und er, das wusste er noch. Er war so enttäuscht und wütend gewesen, und als sie ihm gedroht hatte, dass sie verraten würde, was …

Es klopfte an der Tür. Dorothea steckte den Kopf zur Tür herein.

»Hey, Alex«, sagte sie. »Du wolltest doch zur Cover-Runde dazukommen. Wir sind jetzt allerdings schon …« Sie brach ab und musterte erst ihn, dann fiel ihr Blick auf das Telefon, dessen Hörer auf der Tischplatte lag. »Was ist denn mit dir los? Ist etwas passiert? Du bist ja leichenblass!«

Alexander Roth atmete tief durch. Er setzte sich wieder hinter seinen Schreibtisch und platzierte den Telefonhörer, den er auf den Tisch gelegt hatte, um ungestört zu sein, wieder auf der Gabel.

»Die Kripo war gerade hier«, sagte er. »Wegen Heike.«

»Die *Kripo*?«, fragte Dorothea neugierig. Sie schloss die Tür hinter sich und setzte sich auf den Besucherstuhl, auf dem eben noch die blonde Polizistin gesessen hatte. »Was ist denn mit Heike?«

»Sie ist angeblich verschwunden.«

»Definiere ›verschwunden‹.«

»Niemand scheint zu wissen, wo sie ist.« Alexander Roth fuhr sich mit der Hand über das Gesicht und wünschte, Dorothea würde wieder gehen, damit er der Gier nach einem Schluck Wodka nachgeben konnte. »Hast du gewusst, dass Heike ihren dementen Vater zu Hause pflegt?«

»Was?« Dorothea riss die Augen auf. »Nein, das hat sie mir nie erzählt. Aber ich war mit ihr ja auch nie so dicke wie du. Was sagt die Polizei sonst noch? Erzähl schon!«

»Was soll ich erzählen?« Roth zuckte die Schultern. »Maria ist gestern zu Heike hingefahren, weil sie sie nicht erreichen konnte. Und sie hat wohl auch die Polizei alarmiert.«

»Und was wollte die Kripo von dir?« In Dorotheas Augen hinter der pinkfarbenen Brille glitzerte die Sensationslust. Für sie schien das alles ein aufregender Spaß zu sein. »Was hast du damit zu tun? Mal abgesehen davon, dass Heike dich hasst, weil du ihren Posten bekommen hast.«

»Ich ... ich war am Montag bei ihr«, gab Alexander Roth zu.

Dorothea hörte auf zu schmunzeln und starrte ihn fassungslos an.

»Oh, mein Gott, Alex!«, flüsterte sie bestürzt. »Sag bloß, du hast sie umgebracht!«

»Unsinn! Was redest du denn da?« Er lachte unbehaglich auf. »Ich wollte nur mit ihr reden und sie davon abhalten, am Dienstagabend in Paulas Sendung zu gehen.«

Das Telefon auf seinem Schreibtisch begann zu klingeln.

»Na, das hast du auf jeden Fall hingekriegt«, sagte die Vertriebschefin trocken. »Wie auch immer du das angestellt hast.«

›Verschwinde endlich‹, dachte Alexander Roth und legte die Hand auf den Telefonhörer. Dorothea begriff, dass sie entlassen war. Sie legte ihm die Mappe, die sie mitgebracht hatte, auf den Schreibtisch und erhob sich von dem Besucherstuhl.

»Hier sind die Cover-Entwürfe für den neuen Ismini Papadimakopoulo. Frau Dellamura mailt dir die Dateien. Schick sie bitte an seinen Agenten und gib mir zeitnah Rückmeldung. Uns gefallen Nummer 3 und 7 am besten.«

»Alles klar. Machst du bitte die Tür hinter dir zu?«

Als die Tür ins Schloss gefallen war, sprang er auf und ging zu dem Tisch in der Ecke seines Büros, unter dem sich ein kleiner Kühlschrank versteckte. Er nahm eine Flasche heraus, öffnete den Schraubverschluss, setzte sie an die Lippen und nahm ein paar tiefe Schlucke des eiskalten Wodkas, die ersten seit gestern Abend. Mit geschlossenen Augen genoss er das scharfe Brennen in seiner Kehle und die Wirkung des Alkohols, der sein Zentralnervensystem auf wundersame Weise beruhigte. Das Telefon ließ er einfach klingeln.

* * *

»Das Handy von Frau Wersch war von Freitag, dem 31. August bis Dienstag, den 4. September um 00:05 Uhr konstant in derselben Funkzelle in Bad Soden eingewählt«, trug Kai vor und markierte auf dem Ausdruck einer Karte den Radius der betreffenden Funkzelle. »Das bedeutet, Frau Wersch – oder besser gesagt ihr Handy – hat sich höchstens hundertfünfzig bis zweihundert Meter vom Grundstück entfernt, sonst hätte es sich in die nächste Funkzelle eingewählt.«

»So richtig zuverlässig ist das aber nicht«, gab Christian Kröger zu bedenken. »Wenn eine Funkzelle überlastet ist, kann sich ein Handy auch in eine andere einwählen.«

»Du hast recht.« Kai nickte. »Aber um Mitternacht sind Funkzellen nur selten überlastet.«

Das komplette Team des K11 hatte sich im Besprechungsraum versammelt. Christian Kröger, Kathrin und Tariq hatten in der Nähe des geöffneten Fensters Platz genommen, denn der Gestank nach Müll, der ihren Haaren und Kleidern entströmte, war unerträglich.

»Glücklicherweise handelt es sich um ein Mobiltelefon mit GPS-Funktion.« Kai heftete eine andere Landkarte an das Whiteboard. »Und deshalb kennen wir die exakten Koordinaten der Stelle, an der es zuletzt geortet wurde, bevor es ausging.«

»Mitten im Wald«, stellte Kröger fest.

»Ich kenne die Gegend«, sagte Pia. »Da gehe ich mindestens dreimal pro Woche mit Beck's spazieren.«

»Wir werden morgen früh um acht die Suche starten«, verkündete Bodenstein. »Treffpunkt ist der Parkplatz gegenüber der *Waldgaststätte Hubertus* an der Sophienruhe in Neuenhain.«

»Wieso suchen wir nicht jetzt gleich, wenn wir so genaue Daten haben?«, wollte Kathrin Fachinger wissen.

»Weil der Leichenspürhund erst morgen zur Verfügung steht«, erwiderte Bodenstein.

»Ich habe darum gebeten, dass der Müllschacht Nummer 9 vorübergehend gesperrt bleibt«, sagte Christian Kröger. »Wenn wir im Wald nicht fündig werden, geht es dort wie geplant weiter.«

»Gut.« Bodenstein nickte, und Kröger verließ den Besprechungsraum.

»Was kam bei eurem Besuch im Winterscheid-Verlag heraus?«

»Carl Winterscheid ist ein Geschäftsmann«, antwortete Pia. »Eloquent, höflich, nüchtern und schwer zu durchschauen. Als ich ihm gesagt habe, dass Heike Wersch womöglich ermordet wurde, reagierte er ganz spontan erschrocken. Er hat uns geschildert, warum er Heike Wersch entlassen musste und auch nicht verschwiegen, dass er ihretwegen ordentlich Ärger am Hals hat. Aber ich sehe bei ihm kein echtes Tatmotiv. Er ist den Störfaktor auf ganz legalem Weg mit Kündigung und Arbeitsgericht losgeworden.«

»Der Skandal um Severin Veltens *Kranich*-Buch scheint für den Verlag auch kein Problem zu sein«, ergänzte Cem. »Angeblich verkauft es sich seitdem erheblich besser als alle seine anderen Romane.«

»Also hat Severin Velten auch kein Motiv, Frau Wersch etwas anzutun?«, hakte Kathrin nach.

»Ein Autor wird das etwas anders sehen als der Verleger«, warf Bodenstein ein. »Habt ihr gefragt, wo er sich jetzt aufhalten könnte?«

»Winterscheid hat gesagt, er sei seitdem untergetaucht, was auch immer das heißen soll«, sagte Pia.

»Ich weiß vielleicht, wo er sein könnte«, meldete sich Kai Ostermann. »Ich habe mir ein paar Berichte über ihn auf YouTube angeschaut. Da war unter anderem einer von 2016 dabei, wo Velten mit so einem schwäbelnden Literaturkritiker einen Wiesenweg entlangspaziert und dabei über sein neues Buch quatscht. Das Format heißt ›Hausbesuch‹, und sie reden unter anderem darüber, dass Velten sich gerne in seine Schreibklause in einem kleinen Dorf im Taunus zurückzieht.«

Er setzte sich an seinen Laptop, seine Finger flogen über die Tastatur, und wenig später drehte er den Bildschirm um, damit alle die Stelle sehen konnten, die Kai ihnen zeigen wollte.

»Das ist in Oberems«, sagten Bodenstein und Pia wie aus einem Mund. »Da hinten, das ist dieses Tagungszentrum von der Commerzbank«, wusste Pia. »Und bei dem Kameraschwenk sieht man die B8 Richtung Bad Camberg und dahinter Oberrod und Niederrod.«

»Sehr gut, Kai«, lobte Bodenstein seinen Hauptsachbearbeiter. »Wenn Velten dort noch seine Schreibklause hat, finden wir ihn.«

»Ich kann beim Katasteramt des Hochtaunuskreises anfragen. Und auch bei der Stadt ... wozu gehört das Kaff?«

»Glashütten«, erwiderte Pia.

»Wir sollten noch über Alexander Roth sprechen«, sagte Cem. »Er ist der Nachfolger von Heike Wersch als Programmleiter Literatur im Winterscheid-Verlag und nach eigener Aussage nicht nur ein langjähriger Arbeitskollege von Heike Wersch, sondern auch ein guter Freund seit der Schulzeit.«

»Allerdings wusste auch er nichts davon, dass Frau Wersch ihren Vater pflegt, genauso wenig wie Maria Hauschild.« Pia blätterte in ihrem Notizbuch. »Carl Winterscheid, der Verleger, wusste es jedoch. Seine erste Frage, nachdem wir ihm gesagt hatten, dass Frau Wersch möglicherweise einem Gewaltverbrechen zum Opfer gefallen ist, galt ihm, und ich hatte den Eindruck, sein Interesse war echt.«

»Pia ist ein Fan von Carl Winterscheid«, neckte Cem sie.

»Ich bin grundsätzlich ein Fan von Leuten, die uns nicht von vorne bis hinten belügen, wie dieser Alexander Roth«, entgegnete Pia. »Er hat zwar sofort zugegeben, dass er am Montag bei Frau Wersch war, allerdings hat er uns eine abenteuerliche Geschichte aufgetischt.«

»Angeblich wollte er sie davon abhalten, am Dienstagabend in dieser Literatursendung seiner Ehefrau zu erscheinen, weil auch sein Chef dort eingeladen war, der aber keine Ahnung davon hatte, dass er dort auf seine streitbare Ex-Mitarbeiterin treffen würde.«

»Wie edel von ihm«, spottete Kathrin. »Glaubt ihr das?«

»Teilweise«, antwortete Pia. »Aber es war sicher nicht der wahre Grund für seinen Besuch bei Heike Wersch.«

»Der Typ war völlig neben der Spur«, sagte Cem. »Er war nervös und zappelig und hat nach fünfzehn Jahren Abstinenz wieder mit dem Trinken angefangen. Das war auch seine Entschuldigung dafür, dass er sich nicht mehr daran erinnern konnte, was am Montagabend noch passiert ist. Er hatte einen Filmriss, weil er nach dem Besuch bei Frau Wersch in eine Kneipe gegangen sein will. Seine Frau hat ihn am Dienstagmorgen auf der Polizeistation Niederhöchstadt aus der Ausnüchterungszelle holen müssen.«

»Das kann man ja leicht überprüfen«, sagte Bodenstein. »Wir müssen auch mit der Moderatorin der Fernsehsendung sprechen.«

»Paula Domski«, half Kai Ostermann weiter, der in Windeseile das Internet um Informationen bemüht hatte. »Kulturjournalistin und Buchkritikerin. Sie hat eine eigene Webseite.«

»Leute, ganz ehrlich: Das, was wir hier machen, führt zu nichts«, sagte Pia genervt. »Solange wir die Leiche von Heike Wersch nicht gefunden haben, fischen wir im Trüben. Es gibt eine Menge Leute, die aus den verschiedensten Gründen wütend auf sie sind, aber wir wissen ja bisher nicht mal, wie sie gestorben ist.«

»Es gibt ja auch noch die Möglichkeit, dass sie irgendwo gefangen gehalten wird«, brachte Tariq seine Idee wieder aufs Tapet.

»Vielleicht war Alexander Roth ja so nervös, weil er sie am Montagabend überwältigt und irgendwo eingesperrt hat«, spann Cem Tariqs Faden weiter.

»Ich glaube, sie ist tot«, widersprach Pia. »Reines Bauchgefühl. Ich schlage vor, wir warten ab, ob der Leichenspürhund morgen im Wald fündig wird, bevor wir weiter mit Leuten reden und womöglich den Täter damit warnen.«

Bodenstein räusperte sich.

»Pia hat recht«, entschied er, schob seinen Stuhl mit einem Ruck zurück und stand auf. »Wir machen für heute Schluss. Morgen früh treffen wir uns im Wald wie besprochen. Das Wochenende ist für uns alle bis auf Weiteres gestrichen. Schönen Abend allerseits.«

»Ich wollte noch …«, setzte Kai an, aber da war sein Chef schon verschwunden.

* * *

Bodenstein war erschöpft. Sein Kopf dröhnte und ein paar Mal hatte er heute Beklemmungen in der Brust verspürt, die ihm Angst eingejagt hatten. Den ganzen Tag lang war sein Gehirn zweigleisig gelaufen, und er wusste, es würde weiterhin so sein und ihn zermürben, wenn er die Entscheidung, die er gestern getroffen hatte, nicht endlich umsetzte. Vor anderthalb Stunden hatte sich der Chefarzt der Onkologie bei ihm gemeldet: Seine Untersuchungsergebnisse waren da und in Ordnung. Was ihn betraf, stand der Leberspende aus medizinischer Sicht nichts mehr im Wege. Deshalb durfte ihm nichts zustoßen, bis sich Cosimas Zustand nach der Chemo-Embolisation so weit stabilisiert hatte, dass sie kräftig genug für die Operation war. Seit er Sophia in Sicherheit wusste, hatte er zwar eine Sorge weniger, aber jetzt musste er mit Karoline sprechen, seine Sachen packen und aus ihrem Haus ausziehen. Mit seiner Schwägerin hatte er bereits geklärt, dass er im Schlosshotel wohnen konnte, bis er eine andere Unterkunft gefunden hatte.

Am liebsten hätte er alleine und in Ruhe gepackt, bevor Karoline nach Hause gekommen wäre, aber als er mit dem Dienstwagen in die Tiefgarage ihres Hauses fuhr, stand ihr Auto bereits neben seinem Porsche, als ob sie etwas geahnt hätte. Lange konnte sie noch nicht da sein, der Motor ihres SUV knackte und tickte noch vor sich hin. Bodenstein atmete tief durch, öffnete die Kellertür und betrat das Haus. Er fand Karoline im Wohnzimmer, wo sie gerade das Chaos aufräumte, das Greta hinterlassen hatte. Mit abgehackten Bewegungen sammelte sie leere Chipstüten und Flaschen zusammen.

»Hallo«, sagte er.

»Greta hat mir erzählt, Sophia hätte heute Mittag ihre ganzen Sachen mitgenommen und ihr hättet beide kein Wort mit ihr gewechselt«, sagte Karoline, ohne seinen Gruß zu erwidern, und warf ihm einen kurzen Blick zu. Ihre Augen waren gerötet. »Sie war außer sich. Sie konnte kaum sprechen, so sehr hat sie geweint. Ich verstehe dich einfach nicht, Oliver! Wie kannst du so grausam sein?«

»Sophia hatte Bauchschmerzen. Ich musste sie von der Schule

abholen«, antwortete er, ohne auf ihre Vorwürfe einzugehen. »Sie wollte nicht mehr hierher. Deshalb habe ich sie erst mal zu meinen Eltern gebracht.«

»Aha.« Karoline ging an ihm vorbei in die Küche, in der es aussah, als hätte eine ganze Schar von Teenagern eine Party gefeiert. Benutzte Töpfe und Pfannen standen herum, der Küchenmixer war von den Resten eines grünen Smoothies verklebt. Obstschalen türmten sich neben schmutzigem Geschirr, auf der Kochinsel waren ein leerer Eierkarton mit den Eierschalen und sämtliche Zutaten für den Smoothie einfach stehen gelassen worden. Schranktüren und Apothekerschrank standen offen, und die Herdplatte war voller Fettspritzer. »Na ja. Ist vielleicht besser so. Dann beruhigt sich Greta sicherlich auch wieder.«

Karoline schloss die Schränke und warf mit zusammengepressten Lippen die Abfälle in den Mülleimer. Bodenstein sah ihr dabei zu, und er fragte sich mit einer Mischung aus Wehmut und Ratlosigkeit, wo die kluge, mitfühlende Frau geblieben war, in die er sich vor sechs Jahren verliebt hatte. Nach einem schwierigen Anfang voller Missverständnisse und unabsichtlicher Verletzungen hatten sie zueinandergefunden, und Karoline hatte ihm die Chance gegeben, endlich Frieden mit seiner Vergangenheit zu schließen. Sie war die erste Frau gewesen, der er sich geöffnet hatte, weil sie ihm das Gefühl gegeben hatte, dass sie ehrliches Interesse an ihm als Mensch hatte. Nach ihrer Hochzeit war ihre Beziehung für eine Weile großartig gewesen, und er hatte wirklich geglaubt, das würde für immer so bleiben. Doch dann hatte Greta erfolgreich einen Keil zwischen sie getrieben, und Karoline hatte es geschehen lassen. Sie hatte sich immer mehr von ihm zurückgezogen und gleichzeitig eine geradezu paranoide Eifersucht auf jeden Menschen in seinem Umfeld entwickelt, ganz besonders auf Cosima und Sophia. Und wenn sie stritten, was immer häufiger passierte, verwendete sie das, was er ihr im Vertrauen erzählt hatte, gegen ihn, in der vollen Absicht, ihn zu verletzen. Mit jeder ätzenden kleinen Bemerkung, jeder winzigen Stichelei und jeder ungerechtfertigten Unterstellung waren sein Vertrauen und seine Liebe zu ihr Stück um Stück zerbröckelt, bis nur noch ein Haufen Schutt übrig geblieben war. Und selbst wenn sie später weinend vor ihm gestanden und sich tausend Mal entschuldigt hatte, so hatten sich ihre Worte, einmal ausgesprochen, nicht mehr zurückholen lassen und waren wie Stachel in seinem Herzen stecken geblieben.

»Sophia hat mir Dinge erzählt, die mich tief erschüttert haben«, sagte er nun und gab in Kurzfassung die Gehässigkeiten wieder, die Greta seiner Tochter Tag für Tag an den Kopf geworfen hatte.

»Das glaubst du ihr doch wohl nicht!« Karoline lachte verächtlich auf.

»Doch, das tue ich. Sophia denkt sich solche Sachen nicht aus.«

»Unsinn! So etwas würde Greta niemals sagen!«

»Ich will mit dir nicht mehr über deine Tochter diskutieren«, sagte Bodenstein müde. »Ich werde ins Hotel ziehen.«

»Wieso denn das?« Karoline hielt inne. Die echte Verblüffung in ihrem Blick überraschte ihn. Hatte sie tatsächlich nicht gemerkt, dass ihre Ehe am Ende war?

»Ich fühle mich hier nicht mehr willkommen«, sagte er.

»Ach! Du meinst wegen heute Morgen!« Sie lachte und fuhr fort, den Herd zu schrubben. »Das hat Greta doch nicht so gemeint.«

Bodenstein erkannte, dass es keinen Sinn hatte, mit Karoline zu reden. Sie wollte das Problem nicht sehen. Er ließ sie weiter das Schlachtfeld beseitigen und ging nach oben. Aus dem Wandschrank im Flur holte er seinen Koffer und seine Reisetaschen und trug sie ins Schlafzimmer. Als er vor vier Jahren aus seinem Haus in Ruppertshain hierhergezogen war, hatte er seine Möbel und Umzugskisten zunächst in die geräumige Tiefgarage gestellt. Dort waren sie stehen geblieben, bis er die Möbel im letzten Jahr seiner Tochter Rosalie gegeben hatte, die nach sechs Jahren und verschiedenen Auslandsaufenthalten nach Deutschland zurückgekehrt war und gemeinsam mit ihrem Mann ein kleines Haus in Kelkheim gekauft hatte. Die meisten Kisten waren nach und nach auf den Dachboden seiner Eltern gewandert, weil es in Karolines Flachdach-Haus keinen Speicher gab. Deshalb hatte er nicht viel zu packen. Er klappte den Koffer auf, öffnete den Kleiderschrank, in dem sich seine Anzüge und Hosen befanden und wollte nach dem ersten Kleiderbügel greifen, doch da war nichts. Alle Kleiderbügel waren leer, dafür häuften sich auf dem Boden des Schrankes seine sämtlichen Anzüge, Sakkos und Hosen.

»Dieses kleine Aas!«, murmelte er, denn ihm war sofort klar, dass Greta dahinterstecken musste. Er hob die Kleider auf und glaubte zuerst, sein überreiztes Gehirn würde ihm einen Streich spielen, doch dann sah er, dass alle Kleidungsstücke akribisch in schmale Streifen geschnitten worden waren. Sein Puls begann in seinen Ohren zu pochen. Er riss die Schubladen der Kommode auf und musste fassungslos feststellen, dass seine Unterwäsche dasselbe Schicksal ereilt hatte. Nichts war verschont geblieben: Strümpfe, Unterwäsche, T-Shirts, Hemden, sogar seine alte Jogginghose, seine Jacken und Mäntel waren der Schere zum Opfer gefallen. Ihm war nichts geblieben außer den Kleidern, die er auf dem Leib trug. Er fotografierte das Ergebnis des Gemetzels mit seinem Handy, stopfte die Reisetaschen in den Koffer und ließ die Schlösser zuschnappen, dann betrat er das Bad. Ihm schwante Übles, als er den Schriftzug las, der mit Lippenstift auf den Spiegel geschrieben worden war. Greta hatte seine Zahnpasta und seine Gesichtscreme in seinen ledernen Kulturbeutel geschmiert, alle Rasierwasser- und Eau-de-Toilette-Flaschen ausgeleert. Ihre Zerstörungswut hatte vor nichts haltgemacht. Sie hatte sogar das Ladekabel seines Rasierapparats klein geschnitten.

»Was machst du da?« Karoline erschien in der Tür des Badezimmers.

»Jemand hat alle meine Kleidungsstücke zerschnitten.« Seine Stimme war heiser von nur mühsam unterdrücktem Zorn. »Behaupte bloß nicht, ich sei in deinem Haus noch willkommen.« Er präsentierte ihr den verschmierten Kulturbeutel und deutete auf die Lippenstift-Botschaft auf dem Spiegel. *Verpiss dich, Wichser.*

»Du bist selbst schuld, Oliver«, sagte Karoline, und Bodenstein traute seinen Ohren nicht. »Warum lässt du Greta nicht einfach in Ruhe? Du weißt doch, wie sensibel sie ist!«

»Sie ist nicht sensibel, sondern psychisch krank«, erwiderte er. »Sie braucht dringend professionelle Hilfe. Mach endlich die Augen auf!«

Er schnappte den leeren Koffer und rief auf dem Weg nach unten das Kelkheimer Polizeirevier an, damit eine Streife vorbeikam, um den Dienstwagen mitzunehmen. Es verwunderte ihn nicht, dass alle seine Bücher und CDs verschwunden waren, aber er würde sich nicht erniedrigen und die Mülltonnen durchwühlen. Wenigstens hatte er heute Vormittag alle wichtigen Unterlagen in Sicherheit gebracht.

Vielleicht war es gut, dass es auf diese Weise zu Ende ging. Wie nach einem Hausbrand würde er einen ganz neuen Anfang machen können. Karoline folgte ihm in die Tiefgarage, wo die nächste böse Überraschung auf ihn wartete. Greta hatte ihren Hass auf ihn auch an seinem Porsche ausgelassen. In die Fahrertür seines geliebten Sportwagens, den Cosimas Mutter ihm zu seiner Hochzeit mit Karoline geschenkt hatte, war das Wort WICHSER geritzt worden, in die Kofferraumhaube ein stilisierter Penis. Der Anblick schnitt Bodenstein ins Herz, aber kein Wort des Zorns kam über seine Lippen. Er ließ das Garagentor hochfahren und fotografierte mit seinem Handy den Schaden. Stumm sah Karoline ihm dabei zu.

»Ich lasse das Auto lackieren, kaufe mir neue Klamotten und schicke dir die Rechnungen«, sagte er zu seiner Ehefrau. »Wenn du sie bezahlst, verzichte ich auf eine Strafanzeige.«

Ein Streifenwagen hielt vor der Garage. Bodenstein gab der uniformierten Kollegin den Schlüssel des Dienstwagens und bat sie, das Auto nach Hofheim zur RKI zu fahren und dort abzugeben. Nachdem er seinen Koffer auf den Beifahrersitz gestellt hatte, stieg er in seinen Porsche, ließ den Motor an und öffnete das Dach.

»War's das jetzt?«, fragte Karoline mit dünner Stimme.

»Ja. Das war's«, erwiderte Bodenstein. »Mach's gut.«

Als er aus der Garage auf die Straße fuhr, fiel eine zentnerschwere Last von ihm ab, und er empfand kein Bedauern, sondern nur Erleichterung.

* * *

Alexander Roth starrte aus dem Fenster seines Büros auf die hell erleuchteten Bankentürme, die vor seinen Augen immer wieder verschwammen. Seine vom Alkohol benebelten Gedanken wanderten in die Vergangenheit. Früher waren sie häufig bis spät in die Nacht hier gewesen – Henri, Heike und er. Sie hatten leidenschaftlich über Manuskripte und Autoren diskutiert, Strategien ersonnen und Pläne geschmiedet, sie hatten getrunken, geraucht und gelacht. Nicht selten waren sie danach noch zusammen essen gegangen oder hatten irgendwo einen Absacker getrunken. Ihnen waren die Gesprächsthemen nie ausgegangen. Ja, sie waren ein gutes Team gewesen, fast dreißig Jahre lang. Doch jetzt war alles anders. Es schmerzte ihn, dass viele Mitarbeiter ihnen die Schuld dafür gaben, dass der Verlag in wirtschaftliche Schieflage geraten war. Gerade die jüngeren Kolleginnen, die vom Alter her seine Töchter sein könnten, betrachteten ihn als einen Dinosaurier, der zufällig die Kreidezeit überlebt hatte, und behandelten ihn mit höflicher Nachsicht, aber nicht mit Respekt oder gar Achtung. Jeder im Verlag, darunter er selbst, hielt es für eine rein strategische Entscheidung der Geschäftsleitung, ihn auf den Posten des Programmleiters der Literatursparte zu hieven. Zwar hieß es offiziell, er verkörpere Kontinuität und genieße das Vertrauen der Autoren, aber er wusste es besser. Carl war ein schlauer Fuchs, genau wie es sein Vater früher gewesen war. Als er Wind von Heikes Verlagsplänen bekommen hatte, hatte er ihm, der immer nur der zweite Mann gewesen war, ihren Posten angeboten, wohl wissend, dass seine Eitelkeit es ihm verbieten würde, dieses Angebot abzulehnen. Aber genau betrachtet war dieser Job so ähnlich wie ein Oscar für das Lebenswerk, ein blamabler Trostpreis dafür, dass man es nie bis ganz an die Spitze geschafft hatte. Und jeder in der Branche wusste das. Erst Monate später hatte er begriffen, dass Carl ihm eine geschickte Falle gestellt hatte, in die er nur zu bereitwillig hineingetappt war. Damit hatte das Unheil seinen Lauf genommen. Heike hatte ihm nicht verziehen, dass er ihr abgesagt hatte. Sie habe sich fest auf seine Unterstützung verlassen und nun lasse er sie schnöde im Stich, hatte sie ihm vorgeworfen, ihn erbost als rückgratlosen Feigling und Zauderer beschimpft und ihm unterstellt, er wolle sie scheitern sehen, als Rache dafür, weil sie immer besser gewesen sei als er.

»Du hast doch nur Angst davor, zu versagen, weil du in Wahrheit gar nichts draufhast und ohne den großen Namen Winterscheid, hinter dem du dich seit dreißig Jahren versteckst, ein jämmerliches Nichts bist!«, hatte sie ihm verächtlich ins Gesicht gesagt. Obwohl ihn ihre Vorwürfe tief getroffen hatten, hatte er dazu geschwiegen, denn er hatte sie nicht noch mehr gegen sich aufbringen wollen. Heike hatte gehofft, Carl Winterscheid eins auswischen zu können, indem sie einen eigenen Verlag gründete und die besten Autoren mitnahm, aber ihre Pläne waren unausgegoren gewesen, wohl deshalb hatten ihr alle bis auf Henri abgesagt: Stefan, Maria, Josi und zum Schluss auch noch er. Das war mehr Demütigung, als Heikes vom Erfolg verwöhntes Ego hatte verkraften können, nachdem sie bereits von allen Verlagen, bei denen sie angeklopft hatte, Abfuhren hatte hinnehmen müssen. Und dann hatte sie in ihrem blinden Zorn den unverzeihlichsten Fehler begangen, den eine Lektorin begehen konnte: Sie hatte ihren erfolgreichsten Autor verraten, nur, weil der vorerst lieber bei Winterscheid hatte bleiben wollen.

Alexander trank sein Glas aus und stellte fest, dass er die Flasche seit heute Nachmittag, seitdem die Bullen da gewesen waren, fast zur Hälfte geleert hatte. Nach fünfzehn trockenen Jahren spürte er die Wirkung des Alkohols viel schneller als früher. Ihm war schwindelig, und eine leichte Übelkeit stieg in ihm auf, was daran liegen mochte, dass er heute kaum etwas gegessen hatte. Dazu schmerzte sein Kopf so heftig, wie er es noch nie erlebt hatte, nicht einmal, wenn er einen schlimmen Kater hatte. Er hasste sich dafür, dass er rückfällig geworden war, aber nur mithilfe des Alkohols gelang es ihm, seine Angst im Zaum zu halten, die sich mit kleinen scharfen Zähnchen durch seine Gehirnwindungen nagte, sobald er an Heikes Drohung dachte. Und an diesen seltsamen Brief, der vor zehn Tagen in der Post gewesen war, in einem harmlosen braunen Umschlag ohne Absender. Seitdem konnte er kaum noch einen klaren Gedanken fassen und nachts nicht mehr schlafen.

Als die Kripo heute plötzlich vor ihm gestanden hatte, wäre er beinahe zusammengebrochen und hätte alles gestanden, nur um diesen schrecklichen Druck, der auf seiner Seele lastete, endlich loszuwerden. Aber dann war er doch zu feige gewesen, weil er genau wusste, dass er damit nicht nur sein eigenes Leben zerstören würde, sondern auch die seiner Frau und seiner erwachsenen Töchter, die gar nichts dafür konnten. Der Gedanke, bis an sein Lebensende im Gefängnis zu sitzen, jagte ihm noch mehr Angst ein. Er verachtete sich dafür, aber irgendwie hoffte er noch immer, ungeschoren davonzukommen.

Er hob seine Schreibtischunterlage an, zog zwei Blätter darunter hervor und las sie langsam, Zeile für Zeile, obwohl er den Inhalt des Briefes längst auswendig konnte. Jemand wusste Bescheid über alles. Jemand, der ihm offensichtlich nicht wohlgesinnt war. Es hatte Zeiten gegeben, in denen er nicht daran gedacht, es beinahe vergessen hatte. Er hatte keine Ahnung, wer ihm diesen Brief geschickt haben könnte. Aber eins war sonnenklar: Alles würde ans Licht kommen, früher oder später. Und die Menschen, die ihm vertraut hatten und denen er alles verdankte, was er hatte und war, würden erfahren, dass er sie all die Jahre belogen hatte.

Alexander stand auf. Er musste sich am Schreibtisch festhalten und warten, bis der Schwindel abgeklungen war. Dann ging er zum Reißwolf und ließ die zwei Blätter durch den Schredder laufen. Sollte er diese blonde Kriminalpolizistin anrufen, sich stellen, alles gestehen?

Nein. Nein, das brachte er nicht fertig. Oder doch? *Zauderer! Feigling!*, hallte Heikes Stimme in seinem Kopf wider. Kurzentschlossen ergriff er sein Handy, wählte eine Nummer und wartete, bis das Gespräch entgegengenommen wurde.

»Ich bin's«, sagte er mit gepresster Stimme. »Wir müssen reden.«

* * *

»Das ist nicht wahr, oder?« Cosima klickte sich schmunzelnd durch die Fotos auf Bodensteins Handy. »So ein kleines Biest!«

»Sie hat sich wirklich große Mühe gegeben, nichts zu übersehen«, sagte Bodenstein. »Schau mal hier: Sogar die Borsten von meiner Haarbürste hat sie abgesäbelt.«

Sein Zorn auf Greta war in dem Augenblick verraucht, als Karolines Haus im Rückspiegel seines Autos verschwunden war, und mittlerweile konnte er darüber lachen. Er fühlte sich befreit. Endlich musste er sich nicht mehr für alles, was er tat, rechtfertigen und erklären oder endlose Diskussionen ertragen. Sechs Jahre lang war es ständig um dieses Mädchen gegangen, alles hatte sich um Greta gedreht und nach ihr gerichtet. Das war vorbei.

»Das Einzige, worum es mir leidtut, ist der schöne Kulturbeutel, den du mir mal aus New York mitgebracht hattest«, sagte er und nahm sein Handy wieder an sich.

»Den habe ich in einem kleinen Laden in Sag Harbor gekauft«, erinnerte Cosima sich. »Wie geht es dir jetzt? Hast du dir schon Gedanken gemacht, wo du wohnen willst?«

»Nein.« Bodenstein schüttelte den Kopf. »Oberste Priorität hat jetzt deine OP. Sophia ist gut aufgehoben.«

»Hast du schon mit Nicola und Pia gesprochen?«

»Nein, noch nicht.«

»Das solltest du bald tun.«

»Ja, das werde ich«, versprach er. »Wir haben gerade einen neuen Fall. Die Lektorin von Severin Velten, dem Schriftsteller, wird vermisst.«

Schon früher hatte er mit Cosima oft über seine Arbeit gesprochen. Sie interessierte sich dafür und hatte ihm das ein oder andere Mal, wenn er vor lauter Bäumen den Wald nicht mehr sah, hilfreiche Ratschläge geben können.

»Heike Wersch?«, fragte Cosima nun erstaunt.

»Du kennst sie?« Bodenstein war nicht sonderlich überrascht. Cosima kannte Gott und die Welt.

»Kennen ist zu viel gesagt. Sie hat eine ganze Weile lang zusammen mit meiner alten Freundin Paula diesen Literaturtalk im Ersten moderiert«, erwiderte Cosima. »Ich habe sie ein paar Mal getroffen.«

»Paula Domski ist eine alte Freundin von dir?«, hakte Bodenstein nach. »Den Namen habe ich noch nie von dir gehört!«

»Das war ja auch vor deiner Zeit.« Cosima lächelte. »Paula und ich gehörten beide zum ersten Jahrgang an der Henri-Nannen-Journalistenschule in Hamburg. Wobei, vielleicht kennst du sie doch: Sie hat damals ein paar Monate in meiner WG gewohnt, bevor sie etwas Eigenes gefunden hat.«

Bodenstein hatte kein Bild mehr vor Augen. Besonderen Eindruck konnte Paula Domski nicht auf ihn gemacht haben, aber seine Zeit in Hamburg lag ja auch mittlerweile gut achtunddreißig Jahre zurück.

»Hast du noch Kontakt zu ihr?«, wollte er wissen.

»Nein. Wir sind uns vor Jahren mal auf dem Dokumentarfilm-Festival in Mannheim über den Weg gelaufen und haben ein Glas Wein zusammen getrunken. Ich erinnere mich, dass sie mir ihr Leid geklagt hat, denn sie und ihr Mann waren damals gerade von Frankfurt in ein Reihenhaus nach Liederbach gezogen, der Kinder wegen. Und sie fand es grässlich, von der coolen Großstädterin mit der Altbauwohnung in Bornheim zu einer Vorstadt-Mutter geworden zu sein.«

Bodenstein merkte ihr an, wie sehr sie das Sprechen erschöpfte und wechselte deshalb das Thema. Cosima wollte wissen, wie sein und Sophias Auszug gelaufen waren, und sie zeigte Bodenstein die Videobotschaft, die sie von Sophia erhalten hatte.

»Unsere kleine Bäuerin«, lächelte sie liebevoll. »Sie ist glücklich, wenn sie Pferdemist schaufeln und Traktor fahren darf.«

»Mein Vater hegt die Hoffnung, dass sein jüngstes Enkelkind vielleicht doch seine Gutsherren-Gene geerbt hat«, scherzte Bodenstein.

»Auf jeden Fall wird sie es sich leisten können«, entgegnete Cosima. »Ich habe meine Mutter gebeten, ihr Testament zugunsten von dir und den Kindern zu ändern.«

»Aber Cosi, du wirst leben!«, wandte Bodenstein ein. »Und du musst es auch wollen!«

»Natürlich will ich leben. Aber ich habe Augen im Kopf«, erwiderte seine geschiedene Frau. »Wenn ich in den Spiegel schaue, grinst mir der Tod über die Schulter. Und selbst wenn ich das hier überleben sollte, dann muss es nicht sein, dass doppelt Erbschaftssteuer gezahlt wird. Es geht immerhin um sehr viel Geld.«

Sie streckte ihre Hand nach ihm aus und er ergriff sie.

»Ich bin eine lausige Mutter gewesen«, flüsterte sie. »Nein, widersprich mir nicht! Du warst es, der unsere Kinder erzogen hat, nicht ich. Du warst es auch, der ihnen Familiensinn und ein gutes Wertesystem beigebracht hat. Das, was sie heute sind, verdanken sie nur dir. Mir hat das Mütterliche immer gefehlt.«

»Wird das jetzt hier etwa eine Abschiedsrede?« Bodenstein überspielte seinen Kummer und seine Sorge, indem er seinen Tonfall bewusst leicht hielt, aber natürlich durchschaute Cosima ihn. Sie sah schlechter aus als noch vor zwei Tagen, und es brach Bodenstein das Herz, sie so leiden zu sehen.

»Die Ärztin hat mir eben gesagt, dass sich deine Blutwerte gebessert haben und der Tumor kleiner geworden ist«, sagte er und drückte vorsichtig ihre zerbrechlich wirkende Hand. »Du wirst das schaffen, Cosi! Wir schaffen das zusammen!«

»Danke, mein Lieber. Danke, dass du hier bist.« Sie ließ erschöpft ihren Kopf auf das Kissen sinken und legte ihre andere Hand um seine. »Ich war schon überall auf der Welt, in den entlegensten Gegenden, die man sich nur vorstellen kann. Aber ich habe es noch nie nach Irland geschafft. Seitdem ich ein kleines Mädchen war, habe ich davon geträumt, mit einem Zigeunerwagen und einem gescheckten Pferd davor über die grüne Insel zu fahren. Connemara. Galway. Cork. Da sollen sogar Palmen wachsen, wegen des Golfstroms. Fährst du mit mir dorthin?«

Bodenstein brach es das Herz. Mit anzusehen, wie diese verdammte Krankheit das Leben aus dem Körper dieser starken Frau saugte, war furchtbar. War dies hier ihr Abschied? Spürte sie, dass sie den Kampf verlieren würde?

»Ja«, flüsterte er und legte seine Wange an ihre Hand, damit sie nicht sah, dass er weinte. »Ja, Cosi, das mache ich. Das verspreche ich dir.«

* * *

Vor den Fenstern war es fast dunkel. Die meisten Kolleginnen und Kollegen waren nach der anstrengenden Woche mit der Vertreterkonferenz am frühen Abend ins Wochenende entschwunden, und auch die Putzkolonne war schon durch. Julia streckte gähnend den Rücken durch und rieb sich die Augen. Sie arbeitete gerne spät. Wenn es still wurde im Verlagshaus und das Telefon nicht klingelte, konnte sie sich normalerweise am besten konzentrieren, aber seit ein paar Tagen war nichts mehr normal. Die Nachricht, dass die Kriminalpolizei am Mittag im Verlag gewesen und mit Carl Winterscheid und Alexander Roth gesprochen hatte, hatte sich wie ein Lauffeuer in den Fluren und Büros verbreitet, und die Spekulationen überschlugen sich. Julia hatte es am Nachmittag in der Teeküche von einer Kollegin aus dem Lektorat erfahren, die es von jemandem aus dem Vertrieb wusste, dem es wiederum die Rezeptionistin erzählt hatte. Niemand wusste etwas Genaues, aber sicher hing der Besuch der Kripo mit dem Verschwinden von Heike Wersch zusammen. Julia hatte daraufhin Henning Kirchhoff angerufen, angeblich, um ihm mitzuteilen, dass die gewünschte Änderung der Widmung vor Drucklegung des Buches noch erfolgt war. Ganz beiläufig hatte sie sich nach Frau Wersch erkundigt. Zu ihrer Enttäuschung hatte er nichts Neues gewusst, aber vielleicht hatte er ihr auch nur nichts erzählt. Sicher galt auch für Rechtsmediziner die ärztliche Schweigepflicht. Ein Blick auf die Uhr zeigte Julia, dass es schon halb zehn war. Zeit, nach Hause zu gehen, denn morgen musste sie früh raus wegen des Fotoshootings mit Millie Fischer. Sie fuhr den Computer herunter, packte ihre Sachen und ertappte sich zum wiederholten Mal an diesem Tag bei dem Gedanken, ob Carl Winterscheid wohl etwas mit Heike Werschs Verschwinden zu tun hatte. Seit ihrer zufälligen Begegnung in der Kleinmarkthalle und dem netten Vormittag, den sie gemeinsam verbracht hatten, dachte Julia oft über ihren Chef nach. Sie hatte im Internet nach Informationen über ihn gesucht und sich ein bisschen dafür geschämt, weil es sich so anfühlte, als würde sie ihn stalken, aber das, was sie über ihn herausgefunden hatte, hatte das Rätsel um ihn noch größer gemacht. Bei LinkedIn und XING und in den Branchenmagazinen *Buchreport* und dem *Börsenblatt* hatte sie alles über seinen beruflichen Werdegang erfahren, doch Carl Winterscheid sprach nie über sein Privatleben. In einem ganzseitigen und sehr ausführlichen Porträt, das vor anderthalb Jahren, als er den Verlag übernommen hatte, in der *FAZ* erschienen war, hatte er zwar über seine Familie gesprochen, aber kein Wort über eine Beziehung verloren. Es gab im Internet keine Fotos, die ihn mit einer Frau – oder einem Mann – zeigten, und sein Wikipedia-Eintrag beschränkte sich auf ein paar magere Sätze. Warum lebte ein gut aussehender, erfolgreicher, intelligenter Mann wie er allein? Welches Geheimnis verbarg sich hinter seinem attraktiven Äußeren? An jenem Vormittag vor der Kleinmarkthalle hatte er zwar einiges von sich preisgegeben, er hatte über Vorlieben und Abneigungen gesprochen, doch eigentlich hatte er nur immer auf das, was sie gesagt hatte, reagiert und nichts von sich aus gesagt.

Julia löschte die Schreibtischlampe und verließ ihr Büro. So spät abends vermied sie es, den Aufzug zu nehmen, denn sie wollte nicht riskieren, dort womöglich stecken zu bleiben. Ihre Schritte hallten im Treppenhaus, das von der Notbeleuchtung in dämmeriges Licht getaucht war, wider. Manchmal erinnerte Carl Winterscheid sie an ihren Ex-Freund, mit dem alles im Sommer vor zwei Jahren geradezu unfassbar perfekt angefangen hatte. Lennart, der aussah wie der junge Leonardo DiCaprio, hatte ihr regelrecht den Hof gemacht, sie umworben, und sie war ein paar Monate lang unglaublich glücklich gewesen, denn noch nie hatte sie sich so sehr geliebt und einem anderen Menschen so eng verbunden gefühlt. Bis Lennart ihr plötzlich sein wahres Gesicht gezeigt und sie schockiert erkannt hatte, dass so gut wie nichts von dem, was er ihr erzählt hatte, wirklich stimmte.

Sie hatte kaum gemerkt, dass sie sich zunehmend von ihrer Familie und ihren Freunden entfremdet hatte, weil Lennart jedes Mal eingeschnappt war, wenn sie sich mit jemandem getroffen hatte. Er hatte ihr dann die kalte Schulter gezeigt oder sie mit cholerischen Wutausbrüchen erschreckt, und sie hatte sich tausend Mal bei ihm entschuldigt und versucht, es wiedergutzumachen. Auf diese perfide Weise hatte er es geschafft, der einzige

Mensch in ihrem Leben zu werden, und zunächst hatte sie nicht wahrhaben wollen, was da passierte. Sie war einunddreißig Jahre alt gewesen, eine erwachsene Frau mit abgeschlossenem Studium und einem verantwortungsvollen Job, aber Lennart bekam immer öfter heftige Wutanfälle, die Julia verstummen ließen. Als er angefangen hatte, ihr Handy zu kontrollieren, sie zigmal am Tag anzurufen und zu beschimpfen, war ihr klar geworden, was alle anderen in ihrem Umfeld längst begriffen hatten: Sie musste diese Beziehung beenden. Lennart loszuwerden hatte sich jedoch als schwierig erwiesen, denn er hatte die Trennung nicht akzeptieren wollen, hatte sie verfolgt, belästigt und terrorisiert. Um endlich Ruhe vor ihm zu haben, hatte sie eine Gewaltschutzverfügung gegen ihn erwirken und die Stadt verlassen müssen. Noch immer kämpfte sie mit den Nachwirkungen dieser destruktiven Beziehung, und manchmal fragte sie sich, ob es ihr jemals wieder gelingen würde, einem Mann zu vertrauen. Auf ihre Menschenkenntnis gab sie jedenfalls nicht mehr viel.

War es Carl Winterscheid ähnlich wie ihr ergangen? Woher kam das Dunkle, das gelegentlich in seinen Augen aufblitzte? Er faszinierte sie, aber gleichzeitig war er ihr unheimlich, weil sie ihn nicht einschätzen konnte. Mochte er sie? Oder hatte sie in das Gespräch vor ein paar Wochen zu viel hineininterpretiert? Wahrscheinlich war er einfach nur freundlich zu einer Mitarbeiterin gewesen, deren Arbeit er als Chef schätzte, mehr nicht. Und während sie sich auf den Weg nach Hause machte, saß er vielleicht gerade mit einer Frau beim Abendessen und verschwendete keinen Gedanken an sie. Armselig, so zu denken. Aber das machte die Einsamkeit mit einem. Und einsam war sie wirklich, inmitten dieser großen fremden Stadt.

Sie hatte gerade das Erdgeschoss erreicht und wollte zum Hinterausgang gehen, weil der Haupteingang freitags ab 20:00 Uhr abgeschlossen und alarmgesichert war, als sich über ihr der Aufzug in Bewegung setzte. Erschrocken hielt sie inne. Wer war außer ihr noch im Gebäude? Mit klopfendem Herzen zog sie sich in den Flur zurück, der zur Poststelle führte, und beobachtete von dort aus, wie Alexander Roth den Aufzug verließ. Er ging ganz dicht an ihr vorbei, und sie hörte, wie er die Hintertür, die in den Wirtschaftshof führte, öffnete. Doch er ging nicht, sondern ließ jemanden herein.

»Danke, dass du herkommen konntest«, hörte Julia ihn sagen. Die schwere Tür fiel mit einem Krachen ins Schloss, deshalb konnte sie die Antwort seines Besuchers nicht verstehen. Wer mochte das sein, der ihm so spät am Abend noch einen Besuch abstattete? Julia drückte sich an die Wand, um nicht gesehen zu werden. Ihr Herz pochte heftig, und sie schalt sich selbst eine alberne Kuh. Warum versteckte sie sich eigentlich?

»Lass uns hoch in mein Büro gehen«, sagte Herr Roth in diesem Moment. Jetzt war es zu spät, um aufzutauchen. Julia wartete, bis der Aufzug nach oben gerauscht war, dann verließ sie das Gebäude und schloss die schwere Sicherheitstür so leise wie möglich hinter sich.

Tag 3

Samstag, 8. September 2018

Pia verließ das Gebäude des Gesundheitscampus am Bad Homburger Krankenhaus, nestelte ihr Parkticket aus einer der Seitentaschen ihres Rucksacks und schob es in den Parkscheinautomaten. Seit gut einem Jahr fuhr sie alle zwei Wochen frühmorgens nach Bad Homburg, um an speziell dafür konzipierten Maschinen ihre autochthone Wirbelsäulenmuskulatur zu trainieren. Der Aufwand lohnte sich, sie war seit acht Monaten völlig schmerzfrei, und das ohne Operation, Tabletten und Spritzen. Jahrelang hatte sie unter quälenden Rückenschmerzen gelitten und war fast so weit gewesen, sich unters Messer zu legen, doch dann hatte sie den Tipp bekommen, es vorher mit dieser Trainingsmethode zu versuchen. Ihre Wirbelsäule war kaputt, daran war nichts mehr zu ändern, aber mithilfe dieses Trainings konnte sie den Alltag und vor allen Dingen ihren Job wieder ohne Probleme bewältigen. Der Automat verlangte kein Geld, und Pia ging zu ihrem Auto, das einsam auf dem noch ziemlich leeren Parkplatz stand. Auch ein Vorteil, wenn man früh auf den Beinen war. Sie öffnete ihr Auto per Fernbedienung, und Beck's, der sich im Fußraum vor dem Beifahrersitz zusammengerollt hatte, hob den Kopf, spitzte die Ohren und schnaubte erfreut. Pia setzte sich hinters Steuer und öffnete das Dach. Sie war gut in der Zeit und würde mit Beck's noch eine Runde drehen können, bevor die Suchaktion im Wald begann. Gerade als sie losfahren wollte, piepte ihr Handy. Kai hatte eine Nachricht in den K11-Chat geschrieben. *Forstarbeiter haben gerade im Wald zwischen Königstein und Mammolshain eine Leiche gefunden. Wer kann checken, ob es sich um HW handelt?*

Kann in 15 Minuten dort sein, schrieb Pia zurück.

Sie fuhr los und bog kurz vor Oberursel auf die B455 ab, die an Kronberg vorbei nach Königstein führte. Als sie am Opel-Zoo vorbeifuhr und den Geländewagen ihres Mannes auf dem Mitarbeiterparkplatz stehen sah, musste sie lächeln. Nachdem sie beide drei Tage lang stolz und stur geschwiegen hatten, hatten Christoph und sie sich gestern Abend fast zeitgleich ein Herz-Emoji geschickt und anschließend telefoniert. Der Haussegen hing wieder gerade, und Pia freute sich darauf, dass Christoph heute Abend wieder zu Hause sein würde.

Um die frühe Uhrzeit herrschte nur wenig Verkehr in Königstein. Pia umrundete den Kreisel, nahm die vierte Ausfahrt und passierte mit exakt 48 Stundenkilometern den festinstallierten Blitzer. Hinter dem Gebäude der Eisenbahnerklinik am Ortsausgang bog sie links ab in Richtung Bad Soden. Hohe Laubbäume reckten ihre Äste über die Straße und bildeten einen schattigen grünen Tunnel. Schon von Weitem erblickte Pia den Streifenwagen auf der linken Straßenseite. Sie verlangsamte das Tempo, setzte den Blinker und hielt neben der uniformierten Kollegin an, die mit verschränkten Armen vor der geöffneten Schranke stand.

»Guten Morgen!«, grüßte sie und nahm die Sonnenbrille ab.

»Guten Mor … huch!« Polizeimeisterin Silvia Wittich prallte erschrocken zurück, als sich Beck's aus dem Fußraum erhob und beim Gähnen sein beeindruckendes Gebiss zeigte.

»Das entspricht aber nicht den Vorschriften«, tadelte sie Pia aus gebührender Entfernung. »Ein Hund gehört in einen Transportkäfig oder auf andere Weise gesichert, nicht auf den Vordersitz.«

»Wau!«, machte Beck's, setzte sich auf den Beifahrersitz und wedelte mit dem Schwanz.

»Ich weiß.« Pia lächelte zerknirscht. »Mein Mann hat das Auto mit der Hundebox. Und ich konnte den Hund nicht zu Hause lassen, weil ich ja nicht weiß, wie lange ich hier brauche.«

»Dieselbe Geschichte haben Sie mir vor ein paar Wochen schon mal erzählt.« Die Polizeimeisterin lächelte säuerlich. »Ich hatte Sie damals nur verwarnt. Aber ich kann es nicht leiden, wenn man mich für blöd verkaufen will, Frau Kollegin!«

»Es tut mir leid …«, begann Pia, aber die Polizeimeisterin wollte keine weiteren Ausflüchte oder Entschuldigungen hören.

»Sie kennen ja wohl die Straßenverkehrsordnung«, schnitt sie ihr das Wort ab. »Das macht dreißig Euro. Im Fall einer Gefährdung werden es sechzig und dazu ein Punkt in Flensburg. Wollen Sie gleich bezahlen oder möchten Sie lieber Post bekommen?«

»Ich zahle gleich.« Pia schob den Hund zurück in den Fußraum, zog ihr Portemonnaie aus dem Rucksack und hielt Polizeimeisterin Wittich ihre EC-Karte hin. »Hab's leider nicht bar.«

»Gar kein Problem, Frau Kollegin.« Silvia Wittichs Lächeln wurde breiter. Sie ging zu ihrem Streifenwagen, und Pia trommelte ungeduldig mit den Fingern aufs Lenkrad, bis die Polizeimeisterin endlich mit dem mobilen Kartenlesegerät zurückkehrte. Sie ärgerte sich über sich selbst, denn zu Hause in der Garage stand ein Auto mit einer vorschriftsmäßigen Hundebox, nämlich Hennings alter Volvo-SUV, den sie ihm letztes Jahr abgekauft hatte. Eigentlich hatte sie nur schnell mit dem Cabrio zum Rückentraining fahren und dann die Autos tauschen wollen. Ihr Pech.

Polizeimeisterin Wittich reichte ihr die Quittung und ihre EC-Karte.

»Vielen Dank«, sagte sie, und es war ihr anzusehen, dass ihr diese Episode den Tag versüßt hatte. »Immer den Forstweg lang. Liegt allerdings ziemlich viel Holz herum. Passen Sie auf, dass Sie sich nicht Ihr hübsches, kleines Auto ohne Hundebox ruinieren.«

»Danke für den Hinweis!«, knirschte Pia. »Kriege ich wieder ein Knöllchen von Ihnen, wenn ich gleich zurückkomme?«

»Sollte sich der Hund bis dahin ordnungsgemäß gesichert in Ihrem Fahrzeug befinden, selbstverständlich nicht.«

»Alles klar.« Pia zwang sich zu einem Lächeln und überlegte, ob es noch einen anderen Weg gab, der aus dem Wald hinausführte. »Schönen Tag noch, Frau Kollegin!«

Im Schritttempo holperte sie den geschotterten Waldweg entlang, vorbei an frisch gefällten Baumstämmen, die zu gewaltigen Stapeln aufgetürmt worden waren und einen harzigen Duft verströmten. Beck's thronte neben ihr auf dem Beifahrersitz, eine Pfote elegant auf dem Armaturenbrett abgestützt und blickte sich interessiert um. Das vom Laub gefilterte Sonnenlicht sprenkelte den Weg, der dort, wo die schweren Forstmaschinen breite Schneisen in den Wald geschlagen hatten, von abgerissenen Ästen und Zweigen übersät war. Pia versuchte, den Hindernissen auszuweichen, aber nach ein paar Hundert Metern gab sie auf. Ihr Mini hatte nur knapp fünfzehn Zentimeter Bodenfreiheit, und das Risiko, an einer Bodenwelle oder einem Ast hängen zu bleiben, war ihr zu groß.

»Komm, Beck's.« Sie schloss das Dach, klippte die Leine in Beck's' Halsband und ließ den Hund aus dem Auto springen. Dann schulterte sie ihren Rucksack und lief zu Fuß weiter. Unter den Sohlen ihrer Sneakers knirschte der Schotter, die Luft war erfüllt von Vogelgezwitscher und dem Summen der Insekten, und wäre sie nicht auf dem Weg zu einer Leiche gewesen, so hätte sie den Spaziergang genossen. Dank Beck's kannte sie sich im Wald zwischen Bad Soden, Mammolshain und Königstein mittlerweile ziemlich gut aus. Nach einem fünfminütigen Fußmarsch sah Pia eine knallgelbe monsterhafte Forstmaschine, einen sogenannten Harvester, die gefährlich nah an einem Abhang parkte, daneben lungerten ein paar Männer herum. Auf der rechten Seite des Weges verengte sich das steil abfallende Gelände zu einer felsigen Schlucht, die ein paar Kilometer weiter abwärts ins Süße Gründchen mündete. Allerdings musste es auf der einen Seite des Steilhangs erst kürzlich einen Erdrutsch gegeben haben. Mehrere Dutzende vertrocknete Fichten waren abgebrochen und umgestürzt, die Stämme lagen kreuz und quer in der Schlucht und über dem schmalen Fußweg, der hinab ins Tal führte. Es sah aus, als hätte ein Riese Mikado gespielt.

»Guten Morgen!«, begrüßte Pia die Männer, die respektvoll vor Beck's zurückwichen. »Ich bin Kriminalhauptkommissarin Pia Sander vom K11 in Hofheim.«

»Wurde ja auch mal Zeit«, murrte einer der Waldarbeiter.

»Seit 'ner Stunde stehen wir hier blöd rum und drehen Däumchen«, beschwerte sich ein anderer.

Pia überhörte das Gemecker.

»Wer hat hier das Sagen?«, erkundigte sie sich.

»Ich«, ertönte eine Stimme von oben. Pia und Beck's drehten sich um. Zwischen den Bäumen oberhalb des Weges stand – D'Artagnan. Mit den schulterlangen dunklen Locken, Schnurr- und Kinnbart sah der Mann ganz so aus, als käme er direkt vom Casting für einen Historienfilm, allerdings trug er statt Wams, Rüschenhemd und Federhut ganz prosaisch Jeans und Arbeitsschuhe. Leichtfüßig sprang er die Böschung hinunter und blieb vor ihnen stehen. Er war höchstens Mitte dreißig, drahtig, mit wachem Blick und einem charmanten Lächeln.

»Wotan Velázquez von HessenForst«, stellte er sich vor. »Ich bin der zuständige Revierförster.«

»Äh ... wie bitte?« Pia glaubte, sich verhört zu haben, aber der Mann schien an die Reaktion, die sein Name hervorrief, gewöhnt zu sein.

»Meiner Mutter verdanke ich den Wotan, denn sie liebt die nordische Mythologie«, klärte er sie mit einem Achselzucken auf, und Pia fragte sich nicht zum ersten Mal, was Menschen sich wohl dabei dachten, wenn sie ihrem Kind die Bürde eines solchen Vornamens mitgaben. »Mein Vater ist Spanier. Und ich arbeite für HessenForst.«

Pia stellte sich dem Förster vor, dann erkundigte sie sich nach der Leiche.

»Sie liegt da unten in der Schlucht«, erwiderte Wotan Velázquez. »Wir haben sie heute Morgen nur durch Zufall entdeckt, weil wir nach den Gewittern am Wochenende mit schwerem Gerät in den Wald mussten, um die Sturmschäden zu beseitigen. Kommen Sie mit, ich führe Sie hin.«

Als Pia dem Förster einen schmalen Pfad bergab folgte, Beck's dicht neben sich, setzte sie ihn davon in Kenntnis, dass sie eine vermisste Frau suchten, deren Handy zuletzt in dieser Gegend geortet worden war. Sie musste aufpassen, um nicht über Wurzeln zu stolpern oder auf Felsen, die sich tückisch unter altem Laub versteckten, auszurutschen. Velázquez schlug ein flottes Tempo an.

Der Wald sah wirklich erbarmungswürdig aus. Noch im Frühsommer war er dicht und schattig gewesen, jetzt hatte sich rings um die Schlucht eine Lichtung gebildet, und von den hohen tiefgrünen Fichten waren nur noch rötlich graue Holzgerippe übrig.

»Sind all diese Bäume etwa bei dem Gewitter am Wochenende umgefallen?«, fragte Pia. »Letzte Woche sah es hier doch noch nicht so schlimm aus.«

»Ja, leider.« Im Tonfall des Revierförsters schwang Resignation mit. »Die Hitze und Dürre der letzten Monate haben besonders die Fichten so sehr geschwächt, dass sie dem Borkenkäfer nichts entgegenzusetzen haben.« Er machte eine weit ausholende Bewegung mit der Hand. »Wir sind seit April quasi pausenlos im Einsatz, um die toten Bäume aus den Wäldern zu holen, damit die Borkenkäfer sich nicht weiterverbreiten. Ein milder Herbst und ein trockener, warmer Frühling begünstigen die massenhafte Vermehrung. Und solche Wetterphasen werden wir in den nächsten Jahren wohl immer häufiger erleben. Dem Klimawandel sei Dank.«

Die kahle Spitze einer mächtigen Fichte versperrte ihnen den Weg. Velázquez blieb stehen und wies den Steilhang hinunter.

»Da unten liegt sie. Wahrscheinlich hätte man sie nie entdeckt, wenn dieser Baum nicht genau über den Weg gefallen wäre.«

»Ist sie von jemandem angefasst oder bewegt worden?«, erkundigte Pia sich.

»Nein.« Velázquez schüttelte den Kopf. »Meine Leute haben sofort die Arbeit eingestellt, als sie sie entdeckt haben. Wir finden öfter mal Leichen oder Leichenteile. Manchmal auch nur Knochen. Vor ein paar Jahren hat man am Altkönig sogar das komplette Skelett eines Mountainbikers samt Fahrrad gefunden.«

Pia, die diese Mountainbiker-Geschichte für eine moderne Sage hielt, so ähnlich wie die Spinne in der Yucca-Palme, kniff die Augen zusammen, aber sie konnte von hier oben nichts erkennen. Doch! Da blitzte etwas im Unterholz auf. Ein Sonnenstrahl traf auf Metall. Was konnte das sein? Eine Gürtelschnalle?

»Wahrscheinlich ist die Person ausgerutscht oder gestolpert«, mutmaßte der Förster und setzte sich wieder in Bewegung. »Passiert immer wieder, wenn die Leute mit falschem Schuhwerk unterwegs sind.«

Bis zum Grund der Schlucht waren es vierzig oder fünfzig Meter. Wie lange mochte die Leiche schon dort liegen? Pia, die nur zu gut wusste, wie ein menschlicher Leichnam aussah, wenn er bei hohen Temperaturen mehrere Tage im Freien gelegen hatte, wappnete sich innerlich und begann, das letzte Drittel des Steilhangs hinunterzuklettern. Velázquez bewegte sich trittsicher wie eine Gämse und bahnte ihr einen Weg durch Farne, Brombeergestrüpp und Brennnesseln. Pia brach der Schweiß aus. Brombeerranken zerrten an ihren Jeans, und einmal wäre sie fast gestürzt, weil ihr Fuß irgendwo hängen blieb. Ein süßlicher Verwesungsgeruch drang ihr in die Nase und wurde intensiver, je näher sie dem Grund der Schlucht kamen. Velázquez führte sie den ausgetrockneten Bachlauf entlang. Sie mussten noch über einige Felsbrocken und Baumstämme klettern, dann hatten sie ihr Ziel erreicht.

»Da vorne unter dem Baumstamm liegt sie«, sagte Velázquez.

Pia schlang Beck's Leine um den Ast eines umgestürzten Baumes und zog Latexhandschuhe an. Die warme Luft war erfüllt vom Summen der Fliegen, die den verwesenden Körper umschwärmten, und der Leichengeruch war so intensiv, dass Pia kurz gegen einen Brechreiz ankämpfen musste. Sie zwang sich, für ein paar Atemzüge nur durch den Mund zu atmen. Nach einer Weile gewöhnte man sich an den Verwesungsgeruch, und an der frischen Luft war er ohnehin besser zu ertragen als in einer geschlossenen Wohnung. Pia ging neben der Leiche, die auf dem Bauch lag, in die Hocke. Der Bekleidung nach zu urteilen, handelte es sich eher um eine Frau als um einen Mann: olivgrünes T-Shirt, darüber eine dünne beigefarbene Weste und eine Caprihose in derselben Farbe, an den Füßen helle Turnschuhe. Die Handgelenke steckten in den Schlaufen von Nordic-Walking-Stöcken. Einer dieser Stöcke war es wohl auch, der vorhin das Sonnenlicht reflektiert hatte. Die Haut im Genick unter dem kurzen eisgrauen Haarschopf war bereits grünlich verfärbt. Pias gespannte Erwartung verwandelte sich in Enttäuschung. Das konnte nicht Heike Wersch mit ihrer roten Lockenmähne sein! Aber wie wahrscheinlich war es, dass *zwei* Leichen in diesem Wald lagen? Sie zückte ihr Smartphone und machte Fotos aus verschiedenen Perspektiven, um die Auffindesituation der Leiche zu dokumentieren.

»Ich muss die Leiche umdrehen. Könnten Sie mir vielleicht helfen?«, bat Pia anschließend den Förster.

»Klar.« Bereitwillig kam Wotan Velázquez näher.

»Das wird ein schlimmer Anblick sein«, warnte Pia ihn. Sie zerrte ein weiteres Paar Latexhandschuhe aus ihrem Rucksack und reichte sie dem Förster. »Wenn Sie sich übergeben müssen, bitte nicht auf die Leiche.«

»Keine Sorge, das muss ich nicht«, beruhigte Velázquez sie. »Tod und Verwesung gehören zum Kreislauf der Natur.«

»Okay, dann los.«

Kröger und Henning würden sie zwar beschimpfen, wenn sie die Leiche anfasste und deren Lage veränderte, aber bevor sich eine Hundertschaft der Bereitschaftspolizei plus Hundeführer mit Spürhund umsonst auf den Weg in den Taunus machten, musste Pia sich Gewissheit verschaffen. Sie diktierte Velázquez genau, wo er die Leiche anfassen und wohin er sie bewegen sollte, und der Förster folgte ihren Anweisungen präzise und ohne zu zögern. Er störte sich nicht an den umhersurrenden Fliegen und schaffte es mühelos, die Tote auf den Rücken zu drehen. Ihr Gesicht war stark aufgedunsen und grünlich verfärbt, die Gesichtszüge waren kaum noch zu erkennen. Fliegenmaden quollen aus Nasenlöchern und Mund, außerdem fehlten Teile der linken Gesichtshälfte. Schäden durch Tierfraß gab es leider häufig, wenn eine Leiche eine Weile im Wald lag. Pia ging in die Hocke und inspizierte Kopf und Gesicht der toten Frau.

»Sehen Sie das?«, fragte sie den Förster, der sich neben sie auf den Waldboden kniete, und wies auf den Kopf der Toten.

»Eine Kopfverletzung«, antwortete Velázquez. »Könnte sie sich die beim Sturz zugezogen haben?«

»Das glaube ich nicht.« Pia hatte in ihrer Ehe mit Henning gefühlt mehr Zeit in den Sektionsräumen im Keller des Instituts für Rechtsmedizin verbracht als zu Hause, und ihr Ex-Mann war ein exzellenter Lehrer gewesen. Im Laufe von sechzehn Jahren hatte sie Wasser-, Brand- und Wohnungsfaulleichen in allen Stadien der Verwesung gesehen, Opfer von Verkehrsunfällen, Schießereien oder Gewalttaten, aber auch Tote, bei denen die Todesursache nicht auf den ersten Blick erkennbar war. Manchmal gab es nur noch Knochen, denen Henning als Spezialist für Forensische Anthropologie ihre Geheimnisse zu entlocken versuchte, oft mit Erfolg.

»Beachten Sie die Symmetrie der Bruchkanten«, sagte sie zu Velázquez. »Sie sind eckig. Für mich sieht das aus wie eine Impressionsfraktur, verursacht von einem viereckigen Gegenstand. Genau wird man das erst bei der Obduktion sehen können, wenn die Kopfschwarte entfernt worden ist.«

Sie griff vorsichtig in die linke Hosentasche der Toten und förderte ein Smartphone zutage. In der anderen Hosentasche fand sie einen Schlüsselbund. Pia rief das Foto von Heike Wersch auf ihrem eigenen Handy auf und verglich es mit dem Gesicht der Leiche vor ihr. Sie durfte sich nicht von den fehlenden roten Locken irritieren lassen; wahrscheinlich handelte es sich um eine Perücke.

»Und?«, fragte der Förster, den ihre rechtsmedizinischen Ausführungen nicht erschüttert hatten, neugierig. »Könnte es sich um die Frau handeln, die Sie suchen?«

»Was meinen Sie?« Pia hielt ihm ihr Smartphone hin, und Velázquez betrachtete eingehend das Foto, dann beugte er sich wieder prüfend über die Leiche.

»Ja, das ist dieselbe Person«, sagte er voller Überzeugung. »Es wäre schon ein großer Zufall, wenn es eine zweite Frau mit einem so auffälligen Muttermal neben der linken Augenbraue geben würde.«

»Der Meinung bin ich auch. Danke für Ihre Hilfe, Herr Velázquez.« Pia erhob sich und tippte eine Nachricht in die Chatgruppe.

HW gefunden. Suchaktion kann abgeblasen werden.

* * *

Carl Winterscheid verließ um kurz nach acht das Hotel am Eschenheimer Tor, in dem er seit fast zwei Jahren logierte, überquerte die Bleichstraße und bog nach fünfzig Metern in die Schillerstraße ein. Als er nach Frankfurt gekommen war, hatten ihm sein Onkel und seine Tante zwar halbherzig angeboten, eine der leer stehenden Wohnungen in der Villa am Grüneburgpark, die ja schließlich Verlagseigentum sei, zu nutzen, aber er hatte keine Lust gehabt, mit Henri und Margarethe unter einem Dach zu wohnen und Familie zu spielen. Das Wohnen im Hotel war unverbindlich und hatte für einen Junggesellen wie ihn nur Vorteile. Weder musste er sich Möbel, Bilder und andere Einrichtungsgegenstände kaufen noch nach einer Putzfrau suchen. Jeden Abend fand er ein sauberes Zimmer und frisch gewaschene Wäsche vor, konnte Sauna, Dampfbad und Fitnessstudio benutzen und sich morgens am opulenten Frühstücksbuffet bedienen. Langzeitgäste in Hotels waren keine Seltenheit. Udo Lindenberg lebte seit dreißig Jahren im Hamburger Nobelhotel *Atlantic*, und die Modeschöpferin Coco Chanel hatte fast ihr ganzes Leben im Pariser Hotel *Ritz* verbracht.

Carl ging durch den Hinterhof, in dem sein Auto parkte, gab an der Tür den Code zum Abschalten der Alarmanlage ein und betrat das Verlagshaus. Er nahm die Treppe bis in den fünften Stock, schaltete in der Teeküche den Kaffeeautomaten an und gab einen Löffel Kopi-Luwak-Bohnen in das Mahlwerk. Die morgendliche Tasse dieses besonderen Kaffees, den er vor einigen Jahren bei einer Geschäftsreise nach Indonesien auf der Insel Sumatra kennengelernt hatte, war die einzige Extravaganz, die er sich gestattete.

An seinem Schreibtisch fuhr er seinen Rechner hoch und nippte am Kaffee. Als er nach der Post, die seine Assistentin ihm hingelegt hatte, greifen wollte, blieb seine Hand einen Moment lang in der Luft hängen, denn zuoberst auf dem Stapel lag ein wattierter cremefarbener Umschlag. Die Adresse war wie beim letzten Mal mit einem schwarzen Filzstift in akkurater Druckschrift geschrieben und mit dem Vermerk *persönlich!!!!* in Fettschrift versehen. Carl ergriff den Umschlag und drehte ihn um. Kein Absender.

Er war vorgestern im Briefzentrum 60 abgestempelt worden. Hin- und hergerissen zwischen Neugier und der Verärgerung über die fehlende Absenderadresse, wog Carl den Umschlag in der Hand. Dieser hier war erheblich schwerer als der erste, der das Matchbox-Auto enthalten hatte. Die Neugier siegte schließlich. Er öffnete den Umschlag so vorsichtig, als ob er Milzbranderreger oder irgendein Nervengift enthalten könnte, aber kein verdächtiges Pulver rieselte auf die Schreibtischplatte, sondern ein Packen Papier kam zum Vorschein, zusammengehalten von einem Gummiband. Carl warf einen Blick in den Umschlag, aber genau wie beim letzten Mal enthielt er sonst nichts. Als er das Gummi abgestreift hatte, rutschte ein Foto aus dem Papierstapel. Carl betrachtete es. Es zeigte sechs sommerlich gekleidete junge Leute, drei Männer und drei Frauen, auf einer Treppe. Im Hintergrund, zwischen Büschen und hohen Bäumen, war ein Stück eines weiß getünchten Hauses zu erkennen. Jemand hatte mit Kugelschreiber das Wort NOIRMOUTIER auf die Rückseite des Fotos geschrieben. Der Datumstempel war so verblichen, dass er kaum noch lesbar war, aber Carl glaubte 08-1983 entziffern zu können. Er legte das Foto beiseite und stellte überrascht fest, dass es sich bei dem Papierstapel um ein mit Schreibmaschine geschriebenes Manuskript zu handeln schien. Auf die erste Seite war in Großbuchstaben der Titel getippt worden. IN EWIGER FREUNDSCHAFT. Und darunter ... Für ein paar Sekunden setzte sein Herzschlag aus. Unter dem Titel stand KATHARINA WINTERSCHEID. Das war der Name seiner Mutter!

Was hatte das zu bedeuten? Wollte sich jemand einen üblen Scherz mit ihm erlauben? Carls Hände zitterten, und in einem ersten Impuls wollte er das Manuskript in den Papierkorb werfen. Seine Mutter, die unverzeihlicherweise drei Tage vor seinem ersten Schultag Selbstmord begangen und ihn damit zur Vollwaise gemacht hatte, interessierte ihn nicht. Bei ihrem Tod war er zu klein gewesen, als dass er sich wirklich gut an sie erinnern konnte, da gab es nur das ein oder andere undeutliche Bild in seinem Kopf. Und Henri und Margarethe, bei denen er aufgewachsen war, hatten nur selten über sie und seinen Vater gesprochen. Im

Laufe der Jahre war die Frau, die ihn geboren hatte, zu einem vagen Schatten verblasst, genauso wie der Groll, den er in seiner Jugend und seiner einsamen Internatszeit gegen sie gehegt hatte. Es war pure Verschwendung von Zeit und Emotionen, auf einen Menschen, den man gar nicht kannte und dem man offensichtlich nichts bedeutet hatte, zornig zu sein.

Carl betrachtete das Manuskript. Katharina Winterscheid hatte, abgesehen von ein paar Fotos, einem Haufen Bücher und alten Klamotten, auf dieser Welt so gut wie nichts zurückgelassen. Es war, als hätte sie nie existiert. Von seiner Tante wusste er, dass seine Großmutter auch früh gestorben und seine Mutter ein uneheliches Kind gewesen war, das seinen Vater nie gekannt hatte. Es hatte nichts gegeben, was sein Interesse an ihr hätte wecken können. Aber jetzt lag da plötzlich dieses auf einer Schreibmaschine getippte Manuskript vor ihm, und Carl merkte, dass er neugierig wurde. Die Vorstellung, dass seine Mutter diese Blätter in ihren Händen gehalten hatte, berührte ihn auf eine eigenartige Weise. Zögernd blätterte er um. In der Mitte der zweiten Seite stand nur ein einziger Satz, eine Widmung.

Wie immer, für immer – für Carl, meinen größten Schatz.

Dieser Satz traf ihn mit Urgewalt mitten ins Herz. Er trieb ihm die Tränen in die Augen und erfüllte ihn gleichzeitig mit einem heißen Zorn, der ihn in seiner Heftigkeit erschreckte. Wie hatte sie so etwas schreiben und sich kurz darauf umbringen und ihn alleinlassen können? Nein, er würde das nicht lesen! Und schon gar nicht jetzt! Er brauchte im Augenblick einen klaren Kopf und durfte sich von so etwas nicht ablenken lassen. Entschlossen schob er die Blätter zurück in den Umschlag und steckte das Foto dazu. Später würde er es mal lesen. Irgendwann. Vielleicht.

* * *

Kurz hintereinander kamen vier Fahrzeuge den Waldweg entlanggerumpelt und stoppten hinter dem gelben Harvester der Forstarbeiter: ein blauer VW-Bus der Spurensicherung, gefolgt von Henning Kirchhoffs schwarzem SUV und dem Transporter des Bestattungsunternehmens, das die sterblichen Überreste von Heike Wersch in die Rechtsmedizin überführen würde. Das Schlusslicht bildete ein ziviler Dienstwagen, dem Pias Chef, Cem und Tariq entstiegen. Pia fiel sofort auf, dass Bodenstein dieselbe Kleidung trug wie am Vortag, was sehr untypisch für ihn war. Er legte großen Wert auf ein tadelloses Äußeres und hatte sich erst vor ein paar Jahren abgewöhnt, jeden Tag eine andere Krawatte zu tragen. Beck's begrüßte die Neuankömmlinge freudig.

»Bevor ihr mir Vorwürfe macht: Der Förster und ich haben die Leiche umgedreht«, sagte Pia zu ihrem Ex-Mann und zu Christian Kröger. »Ich musste wissen, ob es sich tatsächlich um Heike Wersch handelt, bevor ich eine Hundertschaft in Bewegung setze. Ich habe aber Fotos gemacht.«

»Schon okay«, erwiderte Kröger.

»Gut gemacht«, nickte Henning. »Bist du dir denn sicher, dass es sich um Marias Freundin handelt?«

»Ja, das bin ich.« Pia nickte. »Es tut mir leid.«

Beide Männer luden ihr Equipment aus und schlüpften in Overalls. Keiner der beiden bestand darauf, zuerst eingetroffen zu sein. Ihr kindischer Wettstreit, wer von ihnen als Erster bei einer Leiche war, schien der Vergangenheit anzugehören. In erstaunlicher Eintracht folgten die beiden, begleitet von zwei Technikern der Spurensicherung, dem Förster hinunter in die Schlucht, ohne Sticheleien und Beleidigungen.

»Was ist denn mit denen los?« Pia blickte ihnen kopfschüttelnd nach.

»Ich glaube, Christian ging es immer nur darum, von Henning Wertschätzung für seine Arbeit zu bekommen«, entgegnete Bodenstein. Sie machten sich auch auf den Weg.

»Und jetzt kriegt er sie auf einmal?«, fragte Pia. »Wäre mir nicht aufgefallen.«

»Weil Henning das geschickt gemacht hat.« Bodenstein schmunzelte. »Nämlich indem er den Rechtsmediziner in seinem Krimi gut über die Kröger-Figur denken und sprechen lässt. Du hast ja gehört, wie stolz Christian darauf ist.«

Pias Handy klingelte. Kai hatte die Adresse von Severin Veltens Haus in Oberems herausgefunden.

»Soll ich eine Streife hinschicken?«, wollte er wissen.

»Nein, der Chef und ich fahren selbst zu Velten«, erwiderte Pia mit einem Seitenblick auf Bodenstein, der zustimmend nickte.

Auch Kröger und Kirchhoff waren nach kurzer Begutachtung der Meinung, dass es sich bei der toten Frau um Heike Wersch handelte. Während Henning die Leiche untersuchte, fotografierten Krögers Leute den Fundort.

»Der zeitliche Ablauf am Montagabend ist mir nicht klar«, überlegte Pia laut. »Frau Wersch hatte ihren Vater festgekettet, weil sie einkaufen gehen wollte. Als sie zurückkam, war Severin Velten da, deshalb konnte sie ihren Vater nicht befreien. Nach Mitternacht wollen Nachbarn sie noch gesehen haben. Aber jetzt liegt sie tot im Wald, mit Nordic-Walking-Stöcken an den Handgelenken, Handy und Schlüsselbund in den Hosentaschen. Wann ist ihr Blut in die Küche und die Mülltonne gelangt?«

»Sie hat doch sicher um Mitternacht nicht mehr gelebt«, sagte Tariq. »Ihr Handy hat Montag auf Dienstagnacht um 00:05 Uhr die Funkzelle verlassen und sich in eine andere Funkzelle zwei Kilometer entfernt eingewählt. Dort war es dann, bis am Donnerstag der Akku seinen Geist aufgegeben hat.«

»Geht jemand wirklich um Mitternacht alleine im Wald walken?«, fragte Cem in die Runde.

»Und das, nachdem er so viel Blut verloren hat?«, ergänzte Pia. »Und was ist eigentlich aus den Einkäufen geworden?«

»Bis wir eindeutig das Gegenteil beweisen können, müssen wir davon ausgehen, dass sie nach Mitternacht noch gelebt hat«, sagte Bodenstein. »Aber Tariq könnte recht haben mit seiner Vermutung. Vielleicht hat der Täter einfach Frau Werschs Perücke aufgesetzt. Im Dunkeln, bei Regen und aus der Entfernung würden sich selbst Nachbarn, die sie gut kannten, davon täuschen lassen.«

»Danke, Chef!« Tariq grinste stolz.

»Darf ich mal kurz stören?«, meldete sich Henning, und alle wandten sich zu ihm um. »An der Leiche gibt es einen Hinweis darauf, dass die Frau nicht wirklich walken gehen wollte. Wer darauf kommt, kriegt eine VIP-Karte für meine Buchpremiere.«

»Ich muss nicht miträtseln«, sagte Pia. »Ich hab schon eine Karte.«

»Also, wenn schon, dann will ich zwei haben, damit ich meine Frau mitnehmen kann«, sagte Tariq.

»Dann mal los, O'Malley.« Hennings Augen funkelten. »Wenn Sie es herausfinden, sind Ihnen zwei Karten in der ersten Reihe sicher.«

»Omari«, verbesserte Tariq.

Alle beugten sich über die sterblichen Überreste von Severin Veltens Lektorin, und Henning, ganz Universitätsprofessor, musterte die Polizisten mit verschränkten Armen wie Erstsemester-Studenten im Hörsaal.

»Die Stöcke sind zu kurz«, ließ sich der Förster, der sich im Hintergrund gehalten hatte, vernehmen. »Das ist mir vorhin schon aufgefallen. So kann man eigentlich nicht damit laufen.«

»Sehr gut! Exzellente Beobachtungsgabe.« Henning lächelte zufrieden. »Guter Mann. Wer sind Sie noch mal?«

»Wotan Velázquez. Der Revierförster.«

»Spielverderber!«, meckerte Tariq. »Darauf wäre ich auch gekommen.«

Pia bückte sich und versuchte, einen der Stöcke zu verlängern. Um den Teleskop-Stab aufzudrehen, bedurfte es einiger Kraft.

»Tatsächlich«, bestätigte sie. »Jemand hat sie zusammengeschoben und fixiert. Das ist nicht beim Sturz passiert.«

»Sondern in der Garage«, sagte Bodenstein. »Ich vermute mal, dieser Jemand hat die tote Heike Wersch in den Kofferraum ihres Autos geladen und hierhergefahren, um ihren Tod wie einen Unfall aussehen zu lassen. In der Hektik hat er allerdings vergessen, die Stöcke wieder zu verlängern. Sonst hat er an beinahe jedes Detail gedacht: das Handy und der Schlüsselbund in den Hosentaschen, die passenden Schuhe …«

»Allerdings trug sie keine Socken in den Turnschuhen«, warf Henning ein.

»Hast du schon eine Idee, woran sie gestorben sein könnte?«, wollte Bodenstein wissen.

»Ich schätze mal, an einer der Kopfverletzungen«, erwiderte

der Rechtsmediziner. »Einige von ihnen sind gravierend. Welche von ihnen *ante* oder *post mortem* entstanden sind und ob sie letztlich todesursächlich waren, kann ich erst bei der Obduktion herausfinden. Auf jeden Fall bin ich mir ziemlich sicher, dass sie nicht hier gestorben ist.«

»Danke, Henning«, sagte Pia. »Wann wirst du sie obduzieren?«

»Noch heute Nachmittag.« Kirchhoff stieß einen Seufzer aus. »Arme Maria! Das wird ein Schock für sie sein.«

Eine solche Gefühlsäußerung war für ihren Ex-Mann ähnlich untypisch wie für Bodenstein, in den Klamotten vom Vortag aufzutauchen. Was war bloß los?

»Komm, Pia, lass uns zu Velten fahren«, sagte Bodenstein. »Cem, Tariq, ihr unterstützt Kröger bei der Spurensuche. Wir müssen genau wissen, wo die Leiche aus dem Auto geladen und den Abhang hinuntergeworfen worden ist. Und im Labor sollen sie die Autoreifen genau unter die Lupe nehmen und Vergleichsproben mit ...«

»He, Oliver, du mischst dich ja wohl nicht in meinen Job ein«, rief Kröger, der Bodensteins Anweisungen gehört hatte.

»Das würde mir niemals einfallen«, entgegnete Bodenstein trocken.

Pia überließ Tariq Beck's, den Leckerli-Beutel und ihren Autoschlüssel mit dem Hinweis, eine andere Strecke aus dem Wald zu nehmen, wenn er nicht von dem uniformierten Zerberus vorne an der Straße um dreißig Euro erleichtert werden wollte. Dann machte sie sich mit ihrem Chef an den Aufstieg.

»Ich glaube, dass da was läuft zwischen Henning und dieser Maria Hauschild«, sagte Pia, als sie zu Bodensteins Dienstwagen liefen. »Ich habe ihn gefragt, aber er hat es abgestritten und behauptet, ihr Verhältnis sei rein geschäftlich.«

»Wieso sollte es das nicht sein?« Bodenstein tauchte aus den Tiefen seiner Gedanken auf.

»Ich weiß nicht«, erwiderte Pia. »Es ist nur so ein Gefühl.«

»Mir hat er erst kürzlich erzählt, wie froh er darüber ist, endlich tun und lassen zu können, was er will, ohne jemandem Rechenschaft darüber ablegen zu müssen«, sagte Bodenstein. »Und ich habe den Eindruck, dass er in der Hausmeisterwohnung im Institut noch immer ganz glücklich ist.«

»Er muss sie ja nicht gleich heiraten wollen.« Pia zuckte die Schultern. »Vielleicht schläft er nur mit ihr.«

»Das wäre aber höchst unprofessionell von der Agentin«, fand Bodenstein. »Übrigens habe ich die Druckfahnen seines neuen Romans auch gelesen. Vor allen Dingen die Widmung.«

»Die hat er noch ändern lassen.« Pia spürte, wie ihr das Blut ins Gesicht stieg.

»Die einzige Frau, die deinem Ex-Mann etwas bedeutet, bist du, Pia«, sprach Bodenstein aus, was ihr selbst schon durch den Kopf gegangen war, als sie Hennings ersten Roman gelesen hatte. In *Mordsfreunde* war das, was zwischen den Zeilen stand, zu ihrem Unbehagen noch eindeutiger. Das Buch war eine mehr oder weniger versteckte Liebeserklärung an sie, und das hatte Christoph auch bemerkt.

»So ein Unsinn!«, widersprach sie heftig. »Ich bin glücklich verheiratet. Henning und ich sind nur so was wie ... wie alte Freunde, die früher mal was miteinander hatten.«

»So wie Cosima und ich«, sagte Bodenstein trocken. »Wir kennen uns seit fünfunddreißig Jahren, haben drei Kinder zusammen und eine Menge miteinander erlebt. Das alles verbindet uns miteinander, aber das wollte Karoline einfach nicht verstehen. Sie war immer wahnsinnig eifersüchtig auf alles, was mit Cosima zu tun hatte.«

»Dann ist es aber ziemlich ungünstig, dass sie für Cosimas Mutter arbeitet«, warf Pia ein.

»Das stimmt.« Bodenstein seufzte und schwieg ein paar Sekunden. »Ich werde Cosima ein Stück meiner Leber spenden.«

Pia verschlug es die Sprache. Sie blieb stehen.

»Oh, mein Gott«, sagte sie schockiert. »Ich wusste nicht ... ich meine ... du hast nicht gesagt, dass es ihr so schlecht geht!«

»Doch, leider. Sie hat Leberkrebs als Folge einer Hepatitis-Infektion vor vielen Jahren. Ein Spenderorgan ist ihre letzte Chance, aber die Uhr tickt. Wenn der Krebs erst metastasiert, ist es zu spät. Die Kinder kommen als Spender nicht infrage, Cosimas Schwestern haben aus verschiedenen Gründen abgelehnt, ihre Mutter ist zu alt. Und bei mir passen zufälligerweise alle Parameter.«

»Und wann … wann wirst du … werdet ihr operiert?« Pia erholte sich nur mühsam von der Neuigkeit. »Ist das nicht gefährlich für dich?«

Ihr Wissen über Lebendleberspenden beschränkte sich auf das, was sie in der amerikanischen Krankenhaus-Serie *Grey's Anatomy* gesehen hatte, dennoch war ihr klar, dass eine solche Operation auch für den Spender kein Spaziergang war.

»Natürlich gibt es Risiken«, räumte Bodenstein ein. »Wie bei jeder OP kann es auch bei der Entnahme eines Leberteilstücks zu Komplikationen kommen. Aber die verbleibende Leber wächst relativ schnell wieder bis fast zur Ausgangsgröße nach, genauso wie das verpflanzte Leberteilstück. Ich habe in den letzten Wochen alle notwendigen Untersuchungen machen lassen. Mit 58 bin ich altersmäßig gerade noch im Rahmen des Erlaubten. Seit sechs Wochen habe ich keinen Alkohol mehr getrunken und auch nicht mehr geraucht.«

»Oh, mein Gott«, wiederholte Pia. »Ich bin total geschockt. Wahnsinn, dass du das für Cosima tust. Was sagt Karoline denn dazu?«

»Sie weiß es nicht«, gab Bodenstein zu. »Niemand weiß es, außer meiner und Cosimas Familie. Und jetzt du.«

Sie hatten den Dienstwagen erreicht und stiegen ein.

»Aber es spielt auch keine Rolle mehr, was Karoline dazu sagt.« Bodenstein schnallte sich an. »Ich bin gestern ausgezogen.«

»Echt? Und hast alle Klamotten bei ihr gelassen?« Pia startete den Motor, legte den Rückwärtsgang ein und wendete das Auto auf dem breiten Waldweg.

»Ja, in der Tat.« Bodenstein schmunzelte leicht. »Wie kommst du darauf?«

»Weil du gestern schon dasselbe Hemd und dieselbe Hose anhattest.«

»Tja, und wenn ich es heute nicht mehr schaffe, einkaufen zu gehen, dann werde ich diese Sachen auch weiterhin tragen müssen«, sagte Bodenstein. »Greta hat nämlich nicht nur mein Auto zerkratzt, sondern auch alle meine Kleider in Spaghetti verwandelt.«

»Wie bitte?« Pia ging vom Gas und starrte ihren Chef ungläubig an.

Bodenstein, dem seine neu gewonnene Freiheit erheblich mehr bedeutete als der Inhalt seines Kleiderschranks, schilderte Pia, was sich am Vorabend in Karolines Haus abgespielt hatte und musste dabei immer wieder lachen.

»Das ist eigentlich gar nicht komisch.« Pia nickte Polizeioberkommissarin Wittich freundlich zu, bevor sie auf die Landstraße abbog. »Das Mädchen gehört zu einem Psychologen.«

»Da bin ich ganz deiner Meinung. Genau wie ihre Mutter. Aber jetzt ist das nicht mehr mein Problem. Ich habe wirklich alles versucht, um sie davon zu überzeugen, aber ich bin gescheitert«, erwiderte Bodenstein. »Deshalb ist jetzt Schluss. Ein Ende mit Schrecken ist besser als ein Schrecken ohne Ende.«

* * *

Am frühen Vormittag war die B8 noch nicht von Wochenendausflüglern verstopft, und sie kamen zügig voran. Bodenstein telefonierte mit seiner älteren Tochter Rosalie, die sich offenbar gerade im Main-Taunus-Zentrum in der Unterwäsche-Abteilung eines Kaufhauses aufhielt, und diktierte ihr explizit, was sie für ihn besorgen sollte. Pia interessierte sich nicht sonderlich für die Konfektionsgröße ihres Chefs, hatte aber Verständnis für die Dringlichkeit der Sache. Was er ihr über den Gesundheitszustand seiner Ex-Frau erzählt hatte, hatte sie schockiert. Sie erinnerte sich noch genau an ihre erste Begegnung mit Cosima von Bodenstein im August vor dreizehn Jahren am Rande eines Weinbergs in Hochheim, wo die Leiche eines Oberstaatsanwalts aufgefunden worden war. Damals hatte sie gerade den Birkenhof gekauft und bei der Kripo in Hofheim angefangen, und es war ihre allererste Zusammenarbeit mit Bodenstein gewesen. Im Laufe der Jahre war Pia Cosima häufig begegnet; sie hatte miterlebt, wie die Ehe der Bodensteins in die Brüche gegangen war, aber auch, wie sich ihr Chef und seine Ex durch ihre drei gemeinsamen Kinder allmählich wieder nähergekommen waren. Kaum vorstellbar, dass diese energiegeladene, starke Frau, die nur ein paar Jahre älter war als sie selbst, sterben würde, wenn sie nicht sehr bald eine Lebertransplantation erhielt.

Kurz hinter dem Ortsausgang von Glashütten hatte Bodenstein seine Bestellung fertig durchgegeben.

»So, dann hoffen wir mal, dass unser Kranich zu Hause ist«, sagte er und rieb sich die Hände. »Ich hätte einem Schriftsteller nicht zugetraut, eine Leiche in der Mülltonne zu entsorgen, aber ich halte es für durchaus möglich, dass er sie im Wald abgelegt hat, um seine Tat zu vertuschen.«

»Das ist ja übles Klischee-Denken«, erwiderte Pia. »Was ist denn wohl an einem Schriftsteller anders als an einem x-beliebigen Typen? Ich habe gestern Nacht mal im Internet recherchiert. Es gibt erstaunlich viele Schreiberlinge, die zu Mördern wurden. Ein holländischer Krimiautor hat sogar die Leiche seiner Frau durch einen Fleischwolf gedreht und das Hackfleisch an seine Tauben verfüttert.«

»Tatsächlich?« Bodenstein verzog angewidert das Gesicht. »Und wie wurde er überführt?«

»Er war so dumm, ihren Schädel unter der Gartenhütte zu vergraben und ein paar Jahre später das Haus zu verkaufen.« Pia drosselte das Tempo, als sie am Ortsschild vorbeifuhr. Das Navi führte sie durch das ganze Dorf und schließlich nach rechts in eine Straße, die sich am Waldrand entlangzog und in einer Sackgasse endete.

»Das ist es. Nummer 48«, sagte Pia und stellte den Motor aus. »Sieht irgendwie unbewohnt aus.«

Sie stiegen aus und gingen auf den Bungalow zu. Sämtliche Rollläden waren heruntergelassen, was das von großen Fichten umstandene Haus selbst an diesem sonnigen Spätsommertag düster und abweisend wirken ließ. Das Dach war von einer dicken Schicht aus Moos und Fichtennadeln bedeckt, und der Jägerzaun, der das Grundstück umgab, war morsch und an manchen Stellen zerbrochen.

»Velten hat in diesem Interview auf YouTube erzählt, dass das Haus lange Zeit leer gestanden hat, weil sich der vorherige Besitzer in der Garage erhängt hatte und erst Wochen später gefunden wurde«, wusste Bodenstein.

»Aha.« Pias Blick wanderte unwillkürlich zur Garage hinüber. »Ein kuscheliges Kranich-Nest.«

Sie betätigte die Klingel neben einem verrosteten Briefkasten, auf dem kein Name stand. Als sich nichts rührte, öffnete sie kurzerhand das klapprige Törchen und betrat das Grundstück.

»Hier ist kürzlich ein Auto entlanggefahren.« Bodenstein folgte ihr und wies auf die Fahrspuren im Unkraut, das die Zufahrt zur Garage überwucherte. Er durchquerte das, was irgendwann mal ein Vorgarten gewesen sein musste, und schob das altmodische Garagentor ein Stück hoch. »Und hier drin steht ein Auto mit Frankfurter Kennzeichen.«

»Auf jeden Fall scheint er keine Angst vor dem Geist des erhängten Vorbesitzers zu haben.« Pia hämmerte entschlossen mit der Faust gegen die Haustür. »Herr Velten! Hier ist die Kriminalpolizei! Bitte öffnen Sie die Tür!«

Eine Weile tat sich nichts. Gerade als Pia sich anschickte, um das Haus herumzulaufen, ging die Tür einen Spaltbreit auf. Eine Wolke Zigarettenqualm wehte ihr entgegen. Aus dem Halbdunkel spähte ein bleicher, unrasierter Mann von zarter Statur, barfuß und hohläugig, bekleidet mit einem fleckigen weißen T-Shirt und einer grauen Jogginghose.

»Severin Velten?«, vergewisserte sich Bodenstein. Auf den Fotos, die er kannte, sah der Schriftsteller völlig anders aus. Spießig und selbstzufrieden, mit Doppelkinn und akkuratem Seitenscheitel, Hemd und Pullunder. Diese abgerissene Gestalt, die da vor ihm stand, ähnelte ihm kaum. Alle Saturiertheit war aus Veltens Gesichtszügen verschwunden, er wirkte drahtiger und jünger.

»Wer will das wissen?« Velten musterte ihn und Pia argwöhnisch.

»Die Kriminalpolizei.« Bodenstein hielt ihm seinen Ausweis hin.

Veltens Augen leuchteten auf.

»Die Kriminalpolizei!«, wiederholte er. »Gut, gut. Ich dachte schon, diese aufdringlichen Aasgeier von der Presse hätten mich gefunden.« Auf einmal wirkte er geradezu erleichtert. »Kommen Sie herein. Ich habe schon mit Ihnen gerechnet.«

* * *

Die Sonne lachte von einem hellblauen, bis auf ein paar Kondensstreifen wolkenlosen Septemberhimmel. Pünktlich um zwanzig nach neun war Millie Fischer am Hauptbahnhof angekommen, gut gelaunt und fröhlich, obwohl sie zu nachtschlafender Zeit aufgestanden sein musste. Julia hatte sie wie verabredet abgeholt, und nach einer kurzen Fahrt mit dem Taxi waren sie um zwanzig vor zehn an der Villa Winterscheid im Westend eingetroffen, wo Anja Dellamura, die Fotografin und ihr Team sie bereits erwartet hatten. Anja, die oft Fotoshootings mit Autoren organisierte, hatte den klassizistisch anmutenden Pavillon im vorderen Teil des weitläufigen Parks als Location ausgewählt. Jahrzehnte harter Winterfröste hatten den Marmor rissig werden lassen, und Efeu wucherte bis über das kuppelförmige Dach, was dem Bauwerk einen morbiden Charme verlieh. Waldemar Bär, in Personalunion Hausmeister des Verlagshauses, Gärtner und Chauffeur, hatte alles vorbereitet und sogar für einen kleinen Imbiss, Kaffee und gekühlte Getränke gesorgt, sodass für Julia vorerst nichts zu tun war. Auf einem Biertisch hatte die Visagistin ihr Equipment ausgebreitet, Dutzende von Tiegeln, Töpfchen, Pinseln und Stiften. Millie Fischer war glücklicherweise eine sehr unkomplizierte Autorin. Sie scherzte und lachte mit Anja und der Visagistin und ließ sich geduldig schminken und frisieren, während die Fotografin mit ihrem Team die Lichtverhältnisse prüfte und Probeaufnahmen machte. Ein Stück weiter hinten im Park, am Ende einer langen Auffahrt, lag die Villa Winterscheid, ein prachtvolles, mit gelbem Kalksandstein verblendetes Gründerzeitgebäude, in dem der frühere Verleger und seine Frau lebten und das berühmte Liebman-Archiv untergebracht war.

Julia goss sich einen Kaffee ein, wählte aus dem Sortiment an Leckereien ein Schokocroissant und setzte sich ein Stück entfernt auf eine weiße Bank unter einen großen Ginkgo Biloba. Obwohl sie seit anderthalb Jahren für den Verlag arbeitete, war sie heute zum ersten Mal hier. Als Unterhaltungs-Lektorin gehörte sie nicht zu dem erlauchten Kreis derer, die von Margarethe und Henri Winterscheid zu geselligen Zusammenkünften in die Villa eingeladen wurden; dieses Privileg war nur den alten Kollegen vorbehalten. Wie mochte es wohl sein, hier zu wohnen? In den großen alten Bäumen ringsum zwitscherten die Vögel, und alles wirkte so idyllisch, als ob man irgendwo auf dem Land wäre und nicht inmitten einer Großstadt. Ob es wohl erlaubt war, ein paar Fotos von der Villa und dem schönen Park zu machen? Julia stellte die Kaffeetasse ab und kramte ihr Smartphone aus ihrer Umhängetasche. Erstaunt stellte sie fest, dass sie um 9:56 Uhr eine Nachricht von Carl Winterscheid bekommen hatte. *Hallo Frau Bremora*, hatte er geschrieben, *bitte entschuldigen Sie die Störung am Samstagvormittag, aber ich würde Sie gerne heute noch treffen. Könnten Sie vielleicht später kurz im Verlag vorbeischauen? Natürlich nur, wenn Sie Zeit haben. LG CW.* Julia las die Nachricht ein zweites Mal, und gegen ihren Willen begannen in ihrem Bauch Schmetterlinge zu flattern. Was sollte sie davon halten, wie darauf reagieren? Warum wollte ihr Chef sie an einem Samstag im Verlag treffen? Was gab es, das so wichtig war, dass es nicht bis Montag warten konnte? Es war irgendwie prickelnd, aber auch befremdlich. Es sei denn, es war gar nichts Geschäftliches, sondern etwas ...

»Guten Morgen, Frau Bremora. Ist alles zu Ihrer Zufriedenheit arrangiert?«, sagte jemand hinter ihr, und sie fuhr erschrocken herum.

»Oh, Herr Bär, hallo! Ich ... ich habe Sie gar nicht kommen hören«, stotterte sie und ließ ihr Smartphone in die Tasche gleiten. »Ja, danke, es ist alles wunderbar. Vielen Dank!«

»Sehr gerne.« Waldemar Bär lächelte. Julia mochte ihn mit seiner unaufdringlich höflichen Art. Egal, wie hektisch es im Verlag oder bei Veranstaltungen auch manchmal zuging, er verlor nie seinen Gleichmut und fand zuverlässig für jedes Problem eine Lösung. Beim Pavillon hatte mittlerweile das Fotoshooting begonnen. Millie Fischer posierte auf den Stufen, mal im Sitzen, mal im Stehen, und lächelte in die Kamera, als gäbe es nichts Schöneres auf dieser Welt. Hin und wieder huschte die Visagistin zu ihr und puderte ihr Gesicht, zupfte an Haaren und Kleidung herum.

»Puh! So etwas wäre gar nichts für mich«, sagte Julia. »Da bleibe ich wirklich lieber im Hintergrund.«

»Da haben wir etwas gemeinsam«, pflichtete der Hausmeister ihr schmunzelnd bei.

Das große schmiedeeiserne Tor schwang auf. Ein dunkelgrüner Jaguar rollte durch das Tor und die geschotterte Auffahrt entlang zur Villa.

»Ah, da ist sie ja.« Julia erhob sich von der Bank, als Dorothea Winterscheid-Fink und ein Mann ausstiegen. Die Vertriebschefin hatte ihr Kommen zugesagt, schließlich war Millie Fischer eine wichtige Neu-Akquise und sollte merken, wie sehr man sich im Verlag um sie bemühte. Frau Wi-Fi überquerte den Rasen, das Shooting wurde kurz unterbrochen, damit sie ein paar Worte mit der Autorin und der Fotografin wechseln konnte. Ihr Lächeln wirkte jedoch bemüht. Dann wandte sie sich Anja und Julia zu.

»Ich kann leider nicht wie geplant mit zum Lunch gehen«, sagte sie mit gesenkter Stimme. »Alexander Roth hatte gestern einen Unfall. Mein Mann und ich holen jetzt meine Mutter ab und fahren zusammen ins Krankenhaus.«

»Herr Roth hatte einen Unfall?«, fragte Julia betroffen nach. Sie schauderte, und in ihrem Magen machte sich ein flaues Gefühl breit. Gestern Abend hatte sie ihn noch gesehen, als er jemanden am Hintereingang des Verlagsgebäudes abgeholt hatte.

»Ja. Ich weiß allerdings nichts Genaues«, erwiderte die Vertriebschefin. »Falls etwas sein sollte, bin ich auf meinem Handy jederzeit erreichbar.«

Anja versicherte ihr, dass sie alles im Griff habe.

»Ich wette, er hat wieder mal zu tief ins Glas geschaut«, sagte sie spöttisch, als Frau Wi-Fi außer Hörweite war. »*Don't drink and drive.*«

Julia wollte gerade etwas darauf erwidern, als ihr einfiel, dass ihre Kollegin ja gar nichts von Heike Werschs Verschwinden wusste. War es ein Zufall, dass gleich zwei Menschen, die sie gut kannte, etwas zugestoßen war? Frau Wi-Fi verschwand in der Villa, ihr Mann, den Julia bisher noch nie gesehen hatte, lehnte rauchend am Kotflügel seines Autos und redete mit Waldemar Bär.

»Warum fährt denn Frau Winterscheid senior mit ins Krankenhaus?«, erkundigte sich Julia bei ihrer Kollegin.

»Ich schätze mal, weil der gute alte Alex irgendwie zur Familie gehört«, erwiderte Anja. »Er war wohl der beste Freund von Götz, dem verstorbenen Bruder von Dorothea, und er ist ja auch der Vorsitzende der Stiftung, die die Winterscheids gegründet haben.«

»Aha.«

Julia beobachtete, wie Frau Winterscheid-Fink mit ihrer Mutter aus der Haustür trat. Sie gingen die Freitreppe hinunter. Herr Bär hielt Margarethe Winterscheid den Schlag des Jaguar auf und schloss sanft die Autotür, als sie eingestiegen war.

»Wissen Sie, wie es Herrn Roth geht?«, fragte Anja den Hausmeister eher neugierig als besorgt, als er zu ihnen zurückkehrte.

»Offenbar nicht gut«, erwiderte Herr Bär ernst. »Er ist wohl mit dem Fahrrad verunglückt und liegt im Koma.«

»Oh Gott, das ist ja schrecklich!« Im Gegensatz zur Artdirektorin war Julia ehrlich betroffen. Sie hatte zwar nicht viel mit dem Programmleiter zu tun, aber sie begegnete ihm jeden Tag im Verlag und mochte ihn. Unversehens war ein Schatten über den schönen Tag gefallen, und Millies fröhliches Gelächter, das vom Pavillon herüberschallte, wirkte unpassend.

»Ja, das ist es.« Waldemar Bär nickte. »Bitte entschuldigen Sie mich. Sollten Sie irgendetwas brauchen, klingeln Sie einfach am Seiteneingang.«

»Geht klar. Danke, Herr Bär«, sagte Anja.

Julia blickte ihm nach, wie er mit gesenktem Kopf zum Haus ging. Wenn die Nachricht von Alexander Roths Unfall sie schon so sehr mitnahm, wie musste es da erst Waldemar Bär ergehen, der den Programmleiter seit dreißig Jahren kannte?

»So, ich muss denen jetzt mal etwas Druck machen. Ich habe

für halb eins einen Tisch im *Ojo de Agua* reserviert.« Die Art-direktorin verschwendete offenbar keinen weiteren Gedanken an ihren verunglückten Arbeitskollegen. »Millie macht das echt super, findest du nicht?«

»Ja, finde ich auch«, pflichtete Julia ihr bei. Ihr Telefon klingelte. Sie wartete, bis Anja wieder bei Millie und der Fotografin war, dann zog sie ihr Handy hervor. Ihr Herz machte einen Satz. Es war Carl Winterscheid!

»Hallo, Frau Bremora.« Sein Tonfall war geschäftsmäßig. »Ich muss leider dringend weg, aber ich möchte etwas mit Ihnen … ähm … besprechen. Sind Sie noch beim Fotoshooting?«

»Äh … ja …«, erwiderte Julia zögernd.

»Gut«, sagte Carl Winterscheid. »Ich … dann bin ich in zehn Minuten da.«

Bevor sie noch etwas sagen konnte, hatte er bereits aufgelegt.

* * *

Das Innere des Hauses von Severin Velten war nur sparsam möbliert, doch als er sie vom Windfang ins Wohnzimmer führte, wäre Pia beinahe ein Ausruf der Bewunderung entschlüpft. Bodentiefe Panoramafenster boten einen atemberaubenden Ausblick über das weite Tal bis nach Ober- und Niederrod. Außer einem Tisch und einem Stuhl gab es keine Möbelstücke in dem großen Raum mit dem zerkratzten Parkettfußboden. Auf der Tischplatte standen ein aufgeklappter Laptop und eine Schreibtischlampe, daneben ein Aschenbecher, der dringend hätte geleert werden müssen, und mehrere Flaschen Wasser. Auf dem Boden rings um den Tisch lagen Dutzende leerer Wasserflaschen und zerknüllte Zigarettenschachteln. Zigarettenqualm waberte durch den Raum und brannte Pia in den Augen und in der Kehle.

»Wieso haben Sie schon mit uns gerechnet?«, fragte sie Velten.

»Na ja, weil ich Heike umgebracht habe. Die Polizei findet so was doch immer heraus«, erwiderte dieser zu ihrer Überraschung. »Ich wollte mich freiwillig stellen, sobald ich mein neues Buch fertiggeschrieben habe. Ich kann nämlich endlich wieder schreiben! Fünf Jahre lang hatte ich eine Schreibblockade, mein

Kopf war völlig leer. Keine Idee. Keine Inspiration. Und plötzlich fließen mir die Worte nur so aus den Fingern! Ich schreibe Tag und Nacht, seitdem. Es ist einfach ... unglaublich!«

Er lachte auf, und Pia wechselte einen befremdeten Blick mit ihrem Chef. Was war das denn?

»Seitdem?«, hakte Bodenstein nach. »Was meinen Sie damit?«

Velten antwortete nicht. Er streckte seine Hände aus, öffnete und schloss sie ein paar Mal und betrachtete sie mit einem Ausdruck der Verwunderung, als sähe er sie zum ersten Mal.

»Bisher habe ich mit diesen Händen nur Bücher geschrieben«, murmelte er. »Aber jetzt ... jetzt habe ich mit ihnen einen Menschen getötet.«

»Herr Velten«, versuchte Bodenstein es noch einmal. »Waren Sie am vergangenen Montag bei Heike Wersch in Bad Soden?«

»Ja, das war ich.« Velten ließ seine Hände sinken und blickte auf. »Ich war da und wollte mit ihr reden. Ich war völlig verzweifelt. Sie hat meine Karriere zerstört, mein ganzes Leben, und das aus heiterem Himmel. Eines Morgens klingelt mein Telefon. Mein Agent ist dran und fragt mich, ob das wahr sei. Ich frage ihn: Was meinst du? Was soll wahr sein? Da hatte ich schon ein schlechtes Gefühl. Ich habe das nicht gerne getan, wissen Sie. Ich habe Heike gesagt, ich kann nicht mehr schreiben, ich brauche eine Pause, versteh das doch bitte. Da ist nichts mehr in mir drin. Aber sie wollte unbedingt ein Buch von mir für das Frühjahrsprogramm, sie hat mich geradezu angebettelt. Es ging aber nicht. Wissen Sie, wie das ist, wie es sich anfühlt, wenn man wochenlang auf einen leeren Bildschirm starrt, weil da einfach nichts ist, was aus einem raus will?«

Die Frage war rhetorisch, der Schriftsteller erwartete darauf keine Antwort, und Bodenstein und Pia hüteten sich davor, seinen Redefluss zu unterbrechen. Velten fuhr sich mit beiden Händen durch sein wirres Haar, dann griff er geistesabwesend nach einem Päckchen Zigaretten und einem Feuerzeug.

»Eines Tages kam Heike mit diesem Büchlein an. *El hombre que robó las plumas del cóndor*, eine Novelle eines chilenischen Autors aus dem Jahr 1951. 112 Seiten.« Velten schnaubte. »Sie sagte: Lies das mal. Lass dich inspirieren. Und das habe ich getan. Ja, ich habe die Geschichte geklaut, aber ich habe etwas völlig anderes daraus gemacht, verstehen Sie, etwas Neues! Ich habe es Heike zuliebe getan, damit sie ein Buch von mir hat und im Verlag gut dasteht. Wie konnte ich ahnen, dass sie mich derart in die Pfanne hauen würde?«

»Noch mal zurück zu vergangenem Montag«, sagte Bodenstein.

»Ach ja, ich schweife ab. Bitte entschuldigen Sie.« Velten legte Zigaretten und Feuerzeug wieder beiseite und kratzte sich nachdenklich am Hinterkopf. Bei jeder Bewegung verströmte er säuerlichen Schweißgeruch. »Also, Josef, mein Agent, hat mich angerufen. Er war ganz aufgeregt und hat mir erzählt, dass Heike in einem Interview mit der *FAZ* mein Buch als Plagiat geoutet hätte. Und dann fing mein Handy an zu klingeln und hörte nicht mehr auf. Tagelang. Ich bin fast verrückt geworden. Unten, vor dem Haus lauerten mir die Pressefritzen auf, mit Kameras und Mikrofonen, sie wollten ein Statement von mir ...« Er verstummte und ließ sich auf den Stuhl sinken. Seine Miene verdüsterte sich. »Da wusste ich, ich bin erledigt. Von einem solchen Vorwurf erholt man sich nicht mehr. Ich hatte ja schon die ganze Zeit ein schlechtes Gefühl, seitdem das Buch erschienen war und so viel Erfolg hatte. Bei jedem Interview, bei jeder Buchkritik, jeder Rezension hatte ich die Sorge, jemand würde die Parallelen zu *El hombre que robó las plumas del cóndor* erkennen, was zwar unwahrscheinlich, aber nicht ausgeschlossen war. Ich hätte niemals damit gerechnet, dass ausgerechnet Heike mich verraten würde.«

»Und warum hat sie das getan?«, wollte Pia wissen.

Severin Velten hob den Kopf und blickte sie aus rotgeränderten Augen an.

»Sie wollte einen eigenen Verlag gründen. Zusammen mit Henri Winterscheid und ein paar anderen, und sie wollte, dass ich mitkomme. Aber das will ich nicht. Ich mag keine Veränderungen. Und ich bin zufrieden bei Winterscheid. Deshalb hat sie mich verraten. Weil sie wütend und gekränkt war. Weil ich als ihr wichtigster Autor nicht zu ihrem neuen Verlag wechseln wollte. Außerdem wollte sie sich an Carl rächen. Weil er sie rausgeschmissen hat. Verbrannte Erde. Das hat sie immer gesagt. Wenn ich hier mal gehe, dann hinterlasse ich verbrannte Erde.«

Velten kaute an seiner Unterlippe.

»Tagelang haben die Presseleute und Fans das Haus belagert, ich konnte keinen Fuß vor die Tür setzen. Ich habe versucht, Heike anzurufen. Ich habe ihr geschrieben. Sie hat nicht reagiert. Am Montag waren die Geier endlich verschwunden, und ich konnte mich aus dem Haus schleichen. Ich bin zu ihr hingefahren, aber Heike hat nicht mit mir reden wollen. Sie hat mich angeschrien, einen Verräter genannt. Dabei wollte ich nur, dass sie die Wahrheit sagt, nämlich dass sie mich gezwungen hat, dieses Buch abzuschreiben!« Velten starrte einen Moment ins Leere.

»Was passierte, als Sie bei Frau Wersch waren?«, fragte Bodenstein.

»Sie wollte mir einfach nicht zuhören. Ich habe ihren Laptop auf den Boden geworfen, und da ist sie auf mich losgegangen wie eine Furie. Aber ich habe mich gewehrt.« Velten lächelte nicht ohne Stolz.

»Aha. Und wie haben Sie sich gewehrt?«

Velten versank wieder in der Betrachtung seiner Hände.

»Ich bin ein friedfertiger Mensch. Ein Feigling eigentlich«, sagte er, mehr zu sich selbst als zu Bodenstein. »Immer bin ich Auseinandersetzungen aus dem Weg gegangen. Ich mag Menschen nicht besonders, und ich hasse Konflikte. Eigentlich habe ich das Leben immer nur aus der Ferne betrachtet, wie ein unbeteiligter Zuschauer. Aber seitdem, seit ich mich getraut habe, zu Heike hinzufahren und mich mit ihr zu streiten, ist etwas mit mir passiert.«

Er stand von dem Stuhl auf. Seine Augen glänzten unnatürlich, sein blasses Gesicht rötete sich.

»Seitdem *fühle* ich ganz anders! Gewalt und physische Konfrontation, Leidenschaft, Wut und die Befriedigung derselben – das ist auf einmal nicht mehr nur etwas Theoretisches, etwas, das ich mir vorstelle und aus zweiter Hand beschreibe, nein, jetzt ist es echt! Selbst erlebt und empfunden! Das ist ein Gefühl, als ob ich bisher unter Wasser gelebt hätte und plötzlich aufgetaucht wäre und die Welt, die ich nur verschwommen wahrgenommen habe, auf einmal ganz klar sehen könnte!« Velten wirkte so euphorisiert, als hätte er Drogen genommen. »Ich hatte nicht vor, Heike etwas anzutun. Ich wollte nur wissen, warum sie das getan hat, und dass sie die ganze Sache in der Öffentlichkeit richtigstellt Aber sie fing an, mich zu beschimpfen. Und schimpfen, das konnte sie! Mein Gott, ich wünschte, ich hätte einen Block dabeigehabt, um mir ihre Flüche und Verwünschungen aufzuschreiben!« Er kicherte und schüttelte den Kopf. »Ich habe ihren Laptop aufgehoben, und als sie nicht aufgehört hat, mich niederzumachen, habe ich ihn ihr auf den Kopf geschlagen. Damit sie endlich ruhig ist und mir zuhören muss. Sie ist ... einfach umgefallen, und plötzlich war alles voller Blut und ich ...«

»Herr Velten«, unterbrach Pia ihn. »Wir müssen Sie darauf hinweisen, dass alles, was Sie jetzt sagen, gegen Sie verwendet werden kann. Sie haben das Recht, zu schweigen, wenn Sie sich ansonsten selbst belasten. Und Sie haben das Recht, sich mit einem Anwalt zu besprechen.«

Velten starrte sie kurz an. Seine Augen flackerten wie die eines Wahnsinnigen, aber Pia hatte den Eindruck, dass ihn die Ereignisse und die ganze Situation nicht richtig berührten.

»Ich weiß, dass ich dafür ins Gefängnis komme«, sagte er. »Ich habe einen Menschen getötet. Mit meinen eigenen Händen! Aber wissen Sie was? In dem Moment, als ich ihr den Laptop auf den Kopf gehauen und das Knacken gehört habe, mit dem ihre Schädeldecke brach, in diesem Moment, als ich das ganze Blut gesehen habe, da ist in meinem Innern ein Knoten geplatzt! Plötzlich wusste ich haargenau, was ich schreiben will! Ich habe mir an der Tankstelle ein paar Stangen Zigaretten gekauft, bin zu meinem Agenten nach Frankfurt gefahren und habe einfach angefangen! Normalerweise ist das Schreiben ein mühseliger Prozess, bei dem ich mit jedem Satz kämpfen muss, aber seit Montag schreibe ich ohne Unterbrechung. Ich habe nicht mehr geschlafen und nichts gegessen. Es ist wie ... wie ein Rausch! Wahnsinn! So etwas habe ich noch nie erlebt! Können Sie das verstehen?«

»An welcher Tankstelle haben Sie die Zigaretten gekauft?«, fragte Pia.

»Ist das wichtig?« Velten sah sie irritiert an.

»Ja, ich denke schon.«

»Es war eine Tankstelle in einem Nachbarort von Bad Soden. Ich bin zufällig daran vorbeigekommen.«

»In Sulzbach?«

»Ja. Ja, möglich.«

Pia zückte ihr Smartphone und entfernte sich ein Stück. Sie googelte die Öffnungszeiten der Tankstelle in Sulzbach, und es war, wie sie vermutet hatte. Die Anspannung fiel von ihr ab. Wenn das, was Severin Velten ihnen erzählte, der Wahrheit entsprach, konnte er Heike Wersch vielleicht getötet, aber kaum die Küche geputzt und die Leiche in den Wald geworfen haben, denn die Tankstelle schloss um 22 Uhr.

»Ja, ich glaube, ich kann Sie verstehen«, sagte Bodenstein gerade zu Velten. »Trotzdem muss ich Sie bitten, uns jetzt zu begleiten.«

»Sie verhaften mich?«, wollte der Schriftsteller neugierig wissen. »So richtig mit Handschellen?«

»Nicht unbedingt. Es sei denn, Sie widersetzen sich«, erwiderte Bodenstein. »Und wir nehmen Sie auch nicht fest, wir möchten Sie nur befragen.«

»Okay, das verstehe ich.« Velten rieb sich die Nase und blickte sich um. »Okay, okay. Lassen Sie mich nachdenken. Hm. Kann ich bei Ihnen vorbeikommen, wenn ich mit dem Manuskript fertig bin? Ich setze mich nicht ins Ausland ab, und ich sage Ihnen alles, was Sie wissen wollen, das schwöre ich Ihnen, aber ich bin gerade im *flow*, den darf ich jetzt nicht unterbrechen.«

»Leider muss ich darauf bestehen, dass Sie jetzt mitkommen.« Bodenstein blieb unnachgiebig. »Aber von mir aus dürfen Sie gerne Ihren Laptop mitnehmen.«

* * *

Gerade als sie mit dem frisch geduschten und sauber gekleideten Severin Velten auf dem Kommissariat eintrafen, rief Henning an, um Pia mitzuteilen, dass er in einer Stunde mit der Obduktion von Heike Wersch beginnen würde.

»Wir schicken dir Omari und Altunay rüber«, sagte Pia und ließ Bodenstein mit dem Schriftsteller vorausgehen. »Ich habe hier jetzt noch eine wichtige Befragung. Hast du schon Röntgenaufnahmen?«

»Ja. Böhme hat sie gerade angefertigt. Warum?«

»Könnte Frau Wersch mit einem Laptop erschlagen worden sein?« Pia blieb vor der Treppe stehen. »Es wäre gut, wenn ich das wüsste, denn wir haben hier einen Verdächtigen, der behauptet, er hätte das getan.«

»Und du hast Zweifel daran?«

»Ja. Ich meine, heute Morgen am Hinterkopf der Toten einen rechteckigen Lochbruch gesehen zu haben. Ich habe noch mit dem Förster darüber gesprochen«, erwiderte Pia. »Ich hätte auf eine Art Hammer als Schlagwerkzeug getippt, aber nicht auf einen Laptop.«

»Warte mal kurz.«

Pia hörte das Klappern einer Tastatur. Die Zeiten, in denen man Röntgenbilder an Leuchtkästen klemmte, gehörten auch im Rechtsmedizinischen Institut zur Vergangenheit. Mittlerweile wurden die Bilder direkt vom Röntgengerät auf den Computer übertragen.

»Also«, sagte Henning nach einer Weile. »Ich kann auf den Bildern unterschiedliche Bruchmuster am Hinterkopf oberhalb der Hutkrempenlinie sehen. Das, was ich dir jetzt sage, ist ohne jede Gewähr, solange ich das Schädelinnere nicht gesehen habe, aber du hast recht: Es sieht nach mindestens drei Impressionsfrakturen aus. Ich kann mir nicht vorstellen, dass die von einem Laptop stammen.«

»Der Verdächtige hat angeblich die Schädeldecke brechen hören«, sagte Pia. »Danach hat das Opfer stark geblutet.«

»Die Tote hat eine Platzwunde am Haaransatz«, antwortete Henning. »Es kommt natürlich darauf an, mit wie viel Wucht der Schlag mit dem Laptop ausgeführt wurde. Prinzipiell kann jede Art von stumpfer Gewalt gegen den Schädel schwerwiegende

Verletzungen nach sich ziehen. Aber es ist auch möglich, dass er gehört hat, wie der Laptop kaputtgegangen ist.«

»Danke, das genügt mir erst mal. Bitte ruf mich an, wenn du fertig bist.« Henning versprach es ihr, und Pia beendete das Gespräch. Im Gehen tippte sie eine Nachricht in die Chatgruppe und betrat dann das Gebäude der RKI.

Bodenstein befreite Velten im Flur vor der Wache gerade von den Handschellen und überließ ihn einem Kollegen für die erkennungsdienstliche Behandlung.

»Komischer Vogel, der einbeinige Kranich«, sagte Pia auf dem Weg nach oben. »Wieso hat er so vehement darauf bestanden, dass du ihm Handschellen anlegst?«

»Er ist aus seinem Elfenbeinturm ins wahre Leben gestolpert«, vermutete Bodenstein. »Und jetzt will er am eigenen Leib Erfahrungen sammeln.«

»Hoffentlich will er nicht auch noch, dass wir ihm bei der Vernehmung mit einer Lampe ins Gesicht leuchten.« Pia hielt ihrem Chef die Feuerschutztür auf, die ins Treppenhaus führte. »Wir müssen mit seinem Agenten sprechen. Wenn Velten wirklich vor 22 Uhr Zigaretten an der Tankstelle in Sulzbach geholt hat und danach nach Frankfurt gefahren ist, kann er Heike Werschs Leiche nicht in den Wald transportiert haben.«

Im Besprechungsraum teilte Bodenstein die Kollegen ein. Cem und Tariq würden in die Rechtsmedizin zur Obduktion der Leiche von Heike Wersch fahren, Kathrin sollte sich um Veltens Unterbringung in einer der Arrestzellen kümmern.

»Herr von Bodenstein«, ertönte plötzlich die Stimme von Nicola Engel. »Ich habe gehört, Sie haben Severin Velten festgenommen. Warum?«

Alle fuhren herum. Niemand hatte gewusst, dass die oberste Chefin im Büro war.

»Herr Velten hat die Tötung von Heike Wersch gestanden«, antwortete Bodenstein. »Er behauptet, er habe sie am Montagabend nach einem Streit im Affekt mit ihrem Laptop erschlagen.«

Nicola Engel verzog keine Miene.

»War es nötig, ihm Handschellen anzulegen?«

»Er hat darauf bestanden.« Bodenstein zuckte die Schultern. »Ich habe ihm übrigens genehmigt, seinen Laptop mitzunehmen und zu arbeiten.«

»Hat er einen Anwalt verlangt?«, wollte die Kriminaldirektorin wissen.

»Nein«, sagte Pia. »Ihn interessiert nur das Buch, an dem er gerade schreibt. Er wollte sich freiwillig stellen, sobald er fertig ist.«

Dr. Engel schloss die Tür des Besprechungsraumes hinter sich. Zwischen ihren Augenbrauen erschien eine steile Falte, während sie angestrengt darüber nachdachte, welche Probleme aus dem Fall erwachsen konnten.

»Hören Sie mir jetzt mal alle genau zu«, sagte sie dann. »Severin Velten ist ein A-Promi. Er ist einer der berühmtesten Schriftsteller unseres Landes, und sein Name geht seit Wochen durch die Presse. Wir dürfen uns keinen Fehler erlauben, außerdem erwarte ich absolute Diskretion.«

»Selbstverständlich«, antwortete Bodenstein mit unbewegter Miene.

»Ich kümmere mich selbst um Velten«, beschloss Nicola Engel, wie Pia es schon befürchtet hatte. »Werden Sie ihn jetzt befragen?«

»Nein, wir wollen zuerst mit seinem Agenten sprechen«, erwiderte Pia. »Ich glaube, Velten ist glücklich, wenn er einen Stromanschluss für seinen Laptop und einen Aschenbecher hat.«

»Gut. Er kriegt alles, was er will.« Die Kriminaldirektorin nickte, öffnete die Tür und verschwand auf leisen Sneaker-Sohlen.

»Na toll«, murrte Kathrin Fachinger verärgert. »Jetzt hat sie mir auch noch den interessantesten Kunden, den wir je hier hatten, weggeschnappt. Was mache ich jetzt?«

»Du kannst dafür sorgen, dass sie in der Zelle, in die Velten kommt, den Rauchmelder demontieren, und mir dann helfen, die Telefonnummern der Mobiltelefone zuzuordnen, die am Montagabend in den betreffenden Funkzellen in Bad Soden eingewählt waren«, bot Kai ihr an. »Es sind Hunderte.«

»Was versprichst du dir davon?«, fragte Pia ihren Kollegen.

»Vielleicht war unser Täter so nett und hat sein Handy mitgenommen, als er Heike Wersch umgebracht und im Wald entsorgt hat«, erwiderte Kai. »Ich suche nach einer Nummer, die bis Mitternacht in der Funkzelle 48701E-332 eingewählt war, und dann in die Funkzelle Nummer 48701W-334 gewechselt ist.«

»Das ist so was von illegal«, rügte Kathrin ihren Kollegen. »Das weißt du schon, oder?«

»Das ist mir so was von egal«, entgegnete Kai grinsend. »Hilfst du mir oder schmollst du lieber noch ein bisschen?«

* * *

Julia wartete angespannt auf das Eintreffen ihres Chefs. Das unablässige Geschnatter von Anja, der Visagistin und Millie Fischer fiel ihr auf die Nerven, und sie überlegte, wie sie um den gemeinsamen Lunch herumkommen könnte, ohne die Autorin zu brüskieren. Allein der Gedanke, anderthalb Stunden Small Talk über sich ergehen zu lassen und dabei interessiert zu tun, ermüdete sie. Es war zwanzig nach elf, als der silberne Audi des Verlegers durch das Tor fuhr.

»Sag bloß, das ist der Boss!« Anja war überrascht. »Ich wusste ja gar nicht, dass er vorbeikommen wollte.« Erstaunt beobachtete Julia, wie sie kokett an ihren Haaren zupfte, ihren Rock glatt strich und rasch ihr Aussehen in dem Spiegel, den die Visagistin für Millie aufgestellt hatte, überprüfte. Dann strahlte sie Carl Winterscheid mit ihren gebleichten Zähnen entgegen und war enttäuscht, als er ihr nur zunickte und sie fragte, ob alles gut laufe, bevor er die Autorin begrüßte und kurz mit ihr sprach. Er wirkte so aufmerksam und zuvorkommend wie immer, nur seine Augen verrieten seinen inneren Aufruhr. Sicherlich wusste er auch schon über Alexander Roths Unfall Bescheid.

»Frau Bremora, haben Sie einen Moment?«, fragte er.

»Ich? Äh, ja. Ja, natürlich.« Julia hoffte, dass sie ihre Überraschung gut genug gespielt hatte, denn sie spürte Anja Dellamuras scharfen Blick im Rücken, als sie mit ihrem Chef zu seinem

Auto ging. Sollte die neugierige Artdirektorin, die als Klatschbase bekannt war, mitbekommen, dass sie sich mit Carl Winterscheid Nachrichten über WhatsApp schrieb, würde das bald im ganzen Verlag die Runde machen.

»Ich habe neulich ein Matchbox-Auto in einem wattierten Umschlag ohne Absender zugeschickt bekommen«, begann der Verleger. »Ein kleiner hellblauer Fiat mit einem weißen Plastik-hündchen auf der Rücksitzbank. Das war mein Lieblingsauto, als ich ein kleiner Junge war. Ich habe es dreißig Jahre lang nicht gesehen und auch nicht vermisst.«

»Aha.« Julia, die mit allem Möglichen gerechnet hatte, aber nicht mit einer Geschichte über Spielzeugautos, war irritiert.

»Gestern war wieder ein anonymer Umschlag in der Post«, fuhr Carl Winterscheid fort. »Diesmal enthielt er ein Foto und ein mit Schreibmaschine geschriebenes Manuskript.«

»Ein Manuskript?«, fragte Julia erstaunt.

Es gab unwahrscheinlich viele Menschen, die sich zu Schrift-stellern berufen fühlten, von Ruhm und Geld träumten und sich und ihr Können ohne jede Selbstkritik mit berühmten Autoren verglichen. Jeden Tag trafen in Verlagen und Agenturen Dutzende unaufgefordert eingesandte Manuskripte ein, die von Praktikan-tinnen vorsortiert, geprüft und meistens abgelehnt wurden, denn 99 Prozent davon waren schlecht und ihre Verfasser schlichtweg talentlos. Wurde Julia zu einer Feier oder Party eingeladen, ver-riet sie nie ihren Beruf, weil es meistens nicht lange dauerte, bis ihr irgendjemand seine wahnsinnig tolle Idee (oder die seiner Tante, seines Nachbarn, seines Arbeitskollegen) zu einem neu-en Bestseller aufnötigte. Es war schon vorgekommen, dass Julia von wildfremden Menschen Manuskripte in die Hand gedrückt bekam. Sogar auf der Buchmesse verteilten Leute ihre zu Papier gebrachten geistigen Ergüsse. Und ganz Dreiste schickten ihre Manuskripte auch mal direkt an den Verleger.

»Ja. Das, was ich Ihnen jetzt erzähle, klingt ein bisschen eigen-artig, ich weiß.« Carl Winterscheid senkte die Stimme. »Auf dem Manuskript steht als Autorin meine Mutter. Und sie hat es ... mir gewidmet.«

Das klang in der Tat nach einer ziemlich eigenartigen Geschichte. Gleichzeitig wurde Julia neugierig.

»Hat Ihre Mutter ... ich meine, haben Sie gewusst, dass Ihre Mutter geschrieben hat?«, wollte sie wissen.

»Nein. Ich weiß so gut wie gar nichts über meine Mutter. Sie ist gestorben, als ich sechs Jahre alt war.« Carl Winterscheid presste kurz die Lippen zusammen und suchte nach einer passenden Formulierung, bevor er weitersprach. »Ich weiß, es ist eine persönliche Angelegenheit, und es wäre völlig in Ordnung, wenn Sie ablehnen. Aber Sie sind ... ich vertraue Ihnen.« Der Anflug eines Lächelns huschte über sein ernstes Gesicht, ein Lächeln, das Julia noch nie an ihm gesehen hatte. »Mir fehlt im Moment die Zeit dazu, mich mit dem Manuskript zu beschäftigen. Würden Sie es vielleicht einmal lesen und mir sagen, was Sie davon halten? Natürlich nur, wenn Sie es zeitlich einrichten können.«

Mit einer solchen Bitte hatte Julia nicht gerechnet, und ihr erster Impuls war, sie abzulehnen. Warum las er das Manuskript nicht selbst? Was bezweckte er mit diesem Ansinnen? Wollte er sie manipulieren, indem er ihr schmeichelte und so tat, als sei sie die Einzige, die ihm helfen konnte? War er etwa auch so jemand wie Lennart – erst charmant, dann zerstörerisch, oder nutzte er gar schamlos seine Position als Vorgesetzter aus? Die eindringlichen Warnungen ihrer Therapeutin, nicht noch einmal auf einen Narzissten hereinzufallen, zuckten ihr durch den Kopf. Verdammt, ihr Misstrauen wurde allmählich pathologisch! Wäre ein Freund mit dieser höflichen Bitte an sie herangetreten, so hätte sie das als Vertrauensbeweis und nicht gleich als Manipulationsversuch empfunden. Carl vertraute ihr offenbar. Sie musste endlich auch wieder anfangen, anderen Menschen zu vertrauen.

»Ja«, sagte sie also, wenngleich sie nicht ganz davon überzeugt war, das Richtige zu tun. »Ja, das kann ich machen.«

»Danke«, erwiderte Carl. »Ich weiß das sehr zu schätzen. Es hat auch keine Eile. Ich weiß ja, dass Sie vor der Buchmesse sehr viel zu tun haben.«

»Was glauben Sie, wer hat Ihnen das Auto und das Manuskript geschickt?«, fragte Julia.

»Ich habe keine Ahnung.« Der Verleger zuckte ratlos die Schultern. »Mir kommt es so vor, als wäre es eine Art Botschaft. Aber falls es eine ist, verstehe ich sie leider nicht.«

Er öffnete die Beifahrertür seines Autos, nahm einen wattierten Umschlag vom Sitz und zog ein Foto heraus. Er betrachtete es einen Moment, bevor er es Julia reichte. Sechs junge Leute, alle etwa Anfang zwanzig, im typischen Look der Achtziger, die auf einer Treppe vor einem weiß verputzten Gebäude für die Kamera posierten.

»Ich wusste, dass sie sich alle von früher kannten«, sagte Carl, und seine Stimme klang merkwürdig. »Aber mir war nicht klar, dass sie offensichtlich mal richtig enge Freunde waren.«

»Wen meinen Sie?« Julia sah sich das Foto genauer an. Sie war wie elektrisiert, als sie in dem dunklen Lockenkopf mit Brille den jungen Alexander Roth zu erkennen glaubte. Und die Frau, die ihr feuerrotes Haar zu einem dicken Zopf geflochten hatte, könnte Heike Wersch sein. Neben ihr auf der Treppe saß ein dünnes, braun gebranntes Mädchen in Shorts und Bikini-Oberteil mit original Achtzigerjahre-Dauerwelle und einer Zigarette zwischen den Fingern.

»Ist das Maria Hauschild?«, fragte Julia.

»Ich glaube ja«, bestätigte Carl. »Und das dürften Stefan Fink, der Mann meiner Cousine Dorothea, und Josefin Lintner sein.«

»Die Buchhändlerin aus dem Main-Taunus-Zentrum?«

»Genau die.«

»Und wer ist der andere Junge?«

»Das ist Götz, mein Cousin. Ein paar Tage nachdem das Foto gemacht worden ist, war er tot.«

Tot. Das Wort weckte ein seltsames Gefühl in Julias Innern. Für einen winzigen Moment wünschte sie, sie hätte Nein gesagt, doch ihre Faszination für spannende Geschichten und Geheimnisse war stärker als alle Bedenken.

»Wie ist er gestorben?«, wollte sie wissen.

»Er ist im Meer ertrunken. Seine Leiche wurde an den Strand gespült«, erwiderte Carl. »Ein Unfall, bei dem wohl Alkohol im Spiel war. Er war erst einundzwanzig.«

»Das ist ja schrecklich«, sagte Julia betroffen. »Wer mag das Foto wohl gemacht haben? Und was bedeutet NOIRMOUTIER?«

»Noirmoutier ist eine französische Atlantikinsel. Meine Familie besaß dort früher ein Haus. Mein Onkel hat es nach Götz' Tod allerdings verkauft.« Carl warf einen raschen Blick auf seine Armbanduhr. »Ich muss leider los.«

»Fahren Sie auch zu Herrn Roth ins Krankenhaus?«, erkundigte Julia sich, erst dann fiel ihr ein, dass sie das eigentlich gar nichts anging. Aber ihr Chef schien das anders zu sehen.

»Ja«, sagte er und stieß einen Seufzer aus. »Ich weiß nicht, ob es einen Zusammenhang gibt, aber Herr Roth ist …«

Er hielt mitten im Satz inne. Julia folgte seinem Blick. Auf dem Belvedere über der Eingangstür der Villa standen zwei alte Männer und schauten zu ihnen herab wie die beiden Opas bei der Muppet Show. Sie erkannte Carls Onkel Henri Winterscheid und Hellmuth Englisch.

»Hochmut kommt vor dem Fall!«, krächzte Englisch und schüttelte die Faust. »Du wirst noch an meine Worte denken, Carl Winterscheid!«

Carl beachtete die Alten nicht.

»Vielen Dank schon mal im Voraus.« Er reichte Julia den Umschlag, den sie sofort in ihrer Umhängetasche verstaute. »Ich rufe Sie später noch mal an, okay?«

»Ja, okay.« Julia schulterte die Tasche und ging zum Pavillon hinüber. Nicht nur die Alten auf dem Balkon hatten Carl und sie beobachtet, auch Anja Dellamura hatte aufmerksam jede ihrer Bewegungen verfolgt. Es dauerte keine Minute, bis sie von Julia wissen wollte, was Carl von ihr gewollt hatte.

»Nichts Bestimmtes«, erwiderte Julia ausweichend.

»Und was ist in dem Umschlag, den er dir gegeben hat?«, bohrte die Artdirektorin. Julia blickte sich um.

»Ein Manuskript, das man ihm zugeschickt hat«, flüsterte sie. »Aber das darfst du wirklich absolut niemandem verraten.«

»Phhh!«, machte Anja Dellamura verärgert. »Du bist manchmal echt bescheuert.«

Julia zuckte nur lächelnd die Schultern. Die Wahrheit war oft unglaublicher als jede Lüge.

* * *

Die Literaturagentur Moosbrugger befand sich in einem schönen alten Gebäude mit grünen Fensterläden in einer ruhigen, baumbestandenen Straße in Alt-Heddernheim. Leider verunzierten ein paar Graffiti die schneeweiße Hausmauer. Direkt gegenüber befand sich ein kleiner Park mit einem Spielplatz, auf dem Mütter und sogar einige Väter ihre Sprösslinge beaufsichtigten. Nebenan auf einer Wiese kickten ein paar kleine Jungen mit viel Geschrei einen Fußball hin und her. Eine Gruppe älterer Jugendlicher lungerte um eine Parkbank herum. Manche rauchten, andere nippten an Energydrinks, alle hielten Smartphones in den Händen. Pia fand einen Parkplatz direkt vor der Agentur. Von Severin Velten hatten sie erfahren, dass Josef Moosbrugger und seine Frau über den Geschäftsräumen wohnten, und tatsächlich fanden sie den Agenten, als auf ihr Klingeln niemand öffnete, im Innenhof. Er lag gemütlich in einem Liegestuhl und las in einem dicken Buch. Auf einem der Stühle döste eine rote Katze.

»Literaturagent müsste man sein«, murmelte Bodenstein neidisch.

»Tja. Da sage ich nur: Augen auf bei der Berufswahl«, entgegnete Pia trocken. »Herr Moosbrugger?«

»Ja?« Der Mann legte das Buch zur Seite, schob die Lesebrille in die Stirn und erhob sich aus dem Liegestuhl. Pia stellte Bodenstein und sich vor und entschuldigte sich für die Störung am Samstagmittag.

»Das macht nichts. Ich bin momentan Strohwitwer und würde ansonsten wohl den ganzen Tag nur arbeiten.« Josef Moosbrugger, ein drahtiger Mann in den frühen Sechzigern mit wachem Blick, einem verschmitzten Lächeln und einem leichten bayrischen Zungenschlag, machte eine ausholende Armbewegung. »Im Sommer ist das hier mein Außenbüro. Es erinnert mich an Süditalien, besonders wenn die Nachbarin ihre Wäsche zum Trocknen auf den Balkon raushängt.«

»Hier lässt es sich wirklich aushalten«, erwiderte Bodenstein anerkennend. In einer Ecke des kopfsteingepflasterten Hofes stand ein Holzkohlegrill. Eine Lounge-Garnitur unter einer mit wildem Wein bewachsenen Pergola. Zwischen blühendem Oleander in großen Terrakottatöpfen lockte ein kleiner Aufstellpool mit Abkühlung bei heißen Temperaturen.

»Kann ich Ihnen etwas zu trinken anbieten? Wasser? Cola? Oder einen schönen kalten Limoncello?«

»Vielen Dank, sehr freundlich«, lehnte Pia ab. »Wir sind wegen Ihres Autors Severin Velten hier.«

»Ach, der Severin! Was hat er denn jetzt schon wieder angestellt?« Moosbrugger seufzte. »Eigentlich wäre ich jetzt noch bei meiner Frau in der Toskana, aber die Sache mit dem Plagiat hat mich gezwungen, früher zurückzukommen als geplant.«

Er hob sanft die Katze vom Stuhl und bot Bodenstein und Pia einen Platz an. Sie setzten sich, und Moosbrugger zündete sich eine Zigarette an. Die Buchbranche schien wahrhaftig eines der letzten Reviere für Raucher zu sein.

Bodenstein schickte voraus, dass Velten ihnen erzählt habe, er habe am frühen Abend des vergangenen Montags seine Lektorin Heike Wersch zu Hause aufgesucht und sei mit ihr in Streit geraten.

»Ja, ich weiß.« Moosbrugger nickte. »Er tauchte am Montagabend gegen halb neun überraschend hier auf, nachdem er vierzehn Tage lang seine Wohnung nicht verlassen hatte und nicht ans Handy gegangen war. Ich kann es ihm nicht verdenken, bei dem Shitstorm, der über ihn hereingebrochen ist.«

»Was hat er Ihnen erzählt, als er hierherkam?«, fragte Pia. »Wie hat er sich verhalten?«

»Er war sehr aufgeregt und sagte, er sei bei der Heike gewesen, um sie zur Rede zu stellen«, erinnerte Moosbrugger sich. »Viel mehr habe ich nicht aus ihm herausbekommen, denn er hat sich sofort mit seinem Laptop in mein Büro gesetzt und hat angefangen zu schreiben. Es muss wohl zu einer Auseinandersetzung mit Handgreiflichkeiten zwischen der Heike und ihm gekommen sein. Das hat mich gewundert, denn eine solche Aktion ist sehr ungewöhnlich für den Severin. Er ist eher konfliktscheu und schickt normalerweise mich vor, wenn ihm etwas unangenehm ist, also eigentlich immer. Die Heike ist oft aufbrausend und kann sehr verletzend werden. Sie hat es dem Severin übel genommen, dass er nicht mit zu ihrem neuen Verlag wechseln will. Und auf mich ist sie auch wütend, weil sie der Meinung ist, ich hätte ihn und auch meine anderen Autoren davon überzeugen müssen.«

»Wieso?«, wollte Bodenstein wissen.

»Ach, die Heike und ich, wir kennen uns schon seit ewigen Zeiten«, erläuterte der Agent. »Wir waren vor vielen Jahren, bevor ich meine Agentur gegründet habe, Kollegen bei Winterscheid, und als Agent vertrete ich einige von Heikes Autoren. Weil deren Werke oft eher Kritikererfolge sind und leider keine breite Leserschaft finden, haben die Heike und ich mit einigen von ihnen in der Vergangenheit Schreibseminare in meinem Haus in der Toskana veranstaltet. Es gibt jede Menge ambitionierte Hobby-Autoren, die gerne von einem Büchner-Preisträger Schreibtipps bekommen. Außerdem hege ich als Agent natürlich immer die Hoffnung, dabei zufällig ein neues großes Talent zu entdecken.« Er lachte und schüttelte den Kopf. »Hin und wieder hat es schon funktioniert.«

»Wie lange war Herr Velten hier?«, fragte Bodenstein.

»Er hat die ganze Nacht hindurch geschrieben. Ich bin irgendwann ins Bett gegangen«, erwiderte Josef Moosbrugger. »Am nächsten Morgen haben wir noch zusammen einen Kaffee getrunken, und ich wollte bei der Gelegenheit mit ihm besprechen, wie er einigermaßen unbeschadet aus der ganzen Sache herauskommen könnte. Allerdings wollte er nichts hören. Er sagte, er habe einen fantastischen Plot im Kopf und müsse unbedingt sofort weiterschreiben.«

»Moment!«, unterbrach Bodenstein ihn. »Was genau hat Velten Ihnen über seinen Streit mit Frau Wersch erzählt?«

»Nur, dass sie ihm nicht hatte zuhören wollen, bis er ihren Laptop auf den Boden geworfen hat. Daraufhin ist sie auf ihn losgegangen, hat mit beiden Fäusten auf ihn eingeprügelt und ihn beschimpft, und er hat den Laptop genommen und ihr gegen den Kopf geworfen.« Moosbrugger drückte seine Zigarette im Aschenbecher aus. »Sie muss geblutet und noch mehr geschimpft haben, auf jeden Fall hat der Severin dann die Flucht ergriffen. Ich habe versucht, sie anzurufen, um zu hören, was da passiert war. Aber sie ging nicht dran, wahrscheinlich, weil sie meine Nummer gesehen hat. Dann habe ich ihr geschrieben. Sie wird sich schon wieder beruhigen. Der Severin hat ja irgendwo recht, wenn er von ihr eine Erklärung und eine Richtigstellung will. Die Heike hat ihn schließlich in diese blöde Lage gebracht. Wenn ein Autor eine kreative Pause braucht, dann muss man das akzeptieren, aber das hat die Heike nicht getan. Sie hat ihn bedrängt und ihm dieses Büchlein gegeben, zur Inspiration. Ein Schriftsteller mit einem fotografischen Gedächtnis wie der Severin läuft dann schnell Gefahr zu plagiieren, selbst wenn er das gar nicht will.«

»Hm. Wie lange war Herr Velten bei Ihnen?«

»Am Dienstagmorgen ist er in sein Häuschen im Taunus gefahren, um in Ruhe arbeiten zu können. Ich habe seitdem nichts mehr von ihm gehört, aber das ist nichts Ungewöhnliches. Wenn der Severin schreibt, versinkt er in seiner eigenen Welt. Dann passiert es schon mal, dass er nichts isst, wochenlang nicht duscht und vergisst, sein Handy aufzuladen.«

»Herr Velten scheint sich ganz sicher zu sein, Frau Wersch mit ihrem Laptop erschlagen zu haben«, wandte Bodenstein ein. »Haben Sie diese Möglichkeit gar nicht in Betracht gezogen?«

»Ach nein.« Moosbrugger schüttelte den Kopf. »Nicht wirklich. Der Severin, der kann doch niemanden umbringen.«

Pia hob die Augenbrauen.

»Haben Sie nach dem Montag noch etwas von Frau Wersch gehört?«, fragte sie.

»Nein.« Moosbrugger legte die Stirn in Falten. »Ich habe noch ein paar Mal versucht, sie zu erreichen. Wir sind ja alte Freunde, da verträgt man sich wieder, wenn man eine Meinungsverschiedenheit hatte. Diesmal scheint sie aber wirklich wütend zu sein, denn sie hat meine Nachrichten noch nicht einmal gelesen.« Moosbrugger nahm sein Handy vom Tisch, setzte seine Lesebrille auf und öffnete WhatsApp. Dann schob er Bodenstein und

Pia sein Smartphone hin. »Sehen Sie hier, sogar nur ein graues Häkchen an der Nachricht, die ich ihr am Mittwoch geschickt habe.«

»Sie wird Ihre Nachrichten auch nicht mehr lesen, Herr Moosbrugger«, sagte Pia. »Wir haben heute Morgen die Leiche von Frau Wersch gefunden.«

»Wie bitte?« Alle Farbe wich aus dem Gesicht des Agenten. Er richtete sich auf. »Die Heike ist *tot*?«

»Ja. Es tut mir leid. Sie ist offenbar einem Gewaltverbrechen zum Opfer gefallen.«

»Oh, mein Gott. Das darf doch nicht wahr sein!« Moosbrugger griff nach seinen Zigaretten. Dann erst schien er sich zu fragen, weshalb er überhaupt an einem Samstagnachmittag Besuch von der Kriminalpolizei bekam. »Und jetzt glauben Sie, dass der Severin etwas damit zu tun haben könnte?«

»Wir glauben gar nichts«, erwiderte Bodenstein. »Herr Velten dürfte aber zumindest einer der Letzten gewesen sein, die Frau Wersch lebend gesehen haben. Er ist gerade bei uns für eine Vernehmung.«

»Er ist ... Sie haben ihn ... *verhaftet*? Was ... was passiert jetzt mit ihm?« Die Nachricht vom Tod seiner alten Freundin nahm Moosbrugger sichtlich mit. Er wirkte verstört. Seine Hände zitterten, und als er sich durchs Haar fahren wollte, stieß er sich aus Versehen die Lesebrille von der Nase. »Braucht ... braucht er einen Anwalt? Kann ich mit ihm sprechen? Wo ist er jetzt? Ich meine ... er hat ... er hat keine Familie. Er ist geschieden. Seine Eltern leben nicht mehr. Er hat ja nur mich.«

Es war irgendwie rührend, wie sich der Agent um seinen Schützling sorgte, und es tat Pia ein bisschen leid, dass sie ihm nicht gleich gesagt hatten, dass Heike Wersch tot war.

»Am besten geben Sie mir Ihre Kontaktdaten, dann rufe ich Sie an, wenn Herr Velten Hilfe braucht«, sagte Pia mitfühlend und schob ihm eine ihrer Visitenkarten zu. »Machen Sie sich keine Sorgen, ihm geht es gut. Er durfte seinen Laptop mitnehmen und schreibt fleißig.«

Diese Nachricht schien Moosbrugger ein wenig zu beruhigen,

aber zu Pias Überraschung blinkten in seinen Augen plötzlich Tränen. Er rang um seine Fassung.

»Wissen Sie«, sagte er mit schwankender Stimme. »Eigentlich hätte ich jetzt als Erstes die Heike angerufen, um ihr das zu erzählen. Aber das … das geht jetzt ja nicht mehr.«

* * *

Julia war heilfroh, als das Mittagessen im *Ojo de Agua*, einem netten argentinischen Steakhaus unweit des Verlages, allmählich dem Ende zuging. Sie hatte den Tischgesprächen kaum folgen können und das köstliche Carpaccio mit frischem Chimichurri und Parmesan gar nicht richtig genossen, weil sie darüber nachdachte, wer Carl wohl das Spielzeugauto und das Manuskript mit dem Foto zugeschickt hatte und aus welchem Grund. Was hatte seine Mutter mit Heike Wersch, Alexander Roth, Maria Hauschild, Josefin Lintner und dem Mann ihrer Vertriebschefin zu tun gehabt? Konnte die anonyme Zusendung etwas mit dem Verschwinden von Heike Wersch zu tun haben? War es ein Hinweis oder gar eine Drohung? Eine hartnäckige leise Stimme in ihrem Kopf flüsterte, dass Carl Winterscheid vielleicht doch nicht so unschuldig war, wie er tat. Er hatte seine frühere Mitarbeiterin und den Besuch der Kripo gestern ihr gegenüber mit keinem Wort erwähnt. Ließ sie sich hier in etwas hineinziehen, von dem sie sich besser fernhalten sollte?

Die Fotografin, ihre beiden Helfer und die Visagistin bedankten sich für die Einladung zum Essen und verschwanden, und Anja guckte zum zwanzigsten Mal auf ihr Handy. Dorothea Winterscheid-Fink hatte Millie Fischer eine Verlagsbesichtigung versprochen, und jetzt meldete sie sich nicht.

»Vielleicht ist sie noch im Krankenhaus«, vermutete Julia, als Millie auf die Toilette verschwunden war.

»Ja, wer weiß, was mit dem guten alten Alex los ist«, sagte Anja. »Ich rufe Doro jetzt an. Ich habe ja keinen Schlüssel für den Verlag. Herr Bär könnte uns zwar aufschließen, aber eine Verlagsbesichtigung ist Sache der Geschäftsführung, finde ich.«

Sie war per Du mit der Vertriebschefin, wie fast alle der alten

Verlagsmitarbeiter, und betonte das bei jeder Gelegenheit. Frau Winterscheid-Fink ging sofort dran. Julia konnte nicht verstehen, was sie sagte, aber Anja Dellamura riss bei ihren Worten sensationslüstern die Augen auf.

»Das ist ja furchtbar!«, heuchelte die Artdirektorin Mitgefühl, während sie dramatisch die Lippen bewegte, um Julia mitzuteilen, was sie gerade erfahren hatte. Julia konnte nur das Wort ›tot‹ erkennen, und ihr wurde ganz kalt. »Oh Gott, wie schrecklich! Ja … ja klar. Nein, schon gut. Das wird sie verstehen, da bin ich mir sicher. Okay, dann … ja … bis spätestens Montag.«

»Was ist passiert?«, erkundigte Julia sich. Ihre Kollegin beugte sich vor.

»Stell dir vor: Die Wersch ist tot!«, flüsterte Anja aufgeregt und mit glitzernden Augen. »Man hat ihre Leiche heute Morgen im Wald gefunden! Oh Mann, ist das krass! Na ja, irgendwie habe ich in letzter Zeit öfter gedacht, dass die mal einer abmurkst.«

»Ich kann das gar nicht glauben. Das ist furchtbar«, sagte Julia betroffen, obwohl diese Nachricht sie nicht überraschte. Sie hatte nicht wirklich damit gerechnet, dass Heike Wersch wieder lebendig auftauchen würde, aber es war ein absolut elendes Gefühl, wenn ein Mensch, dem man insgeheim den Tod gewünscht hatte, tatsächlich starb.

»Hat sie dir auch etwas über Herrn Roth gesagt?«, wollte sie wissen.

»Der liegt auf der Intensivstation im Koma«, antwortete die Artdirektorin, die schon damit beschäftigt war, die *breaking news* per WhatsApp zu verbreiten. Ihre Pietätlosigkeit war ekelhaft. Sie hätte wenigstens so tun können, als wäre sie schockiert. Julia bezahlte beim Kellner mit ihrer Kreditkarte und ließ sich eine Rechnung auf den Verlag ausstellen, damit sie die Ausgaben später zurückerstattet bekam.

Millie Fischer kehrte von der Toilette zurück. Anja klärte sie darüber auf, dass der geplante Besuch im Verlagshaus leider zu einem späteren Zeitpunkt stattfinden müsse, den Grund dafür behielt sie glücklicherweise für sich. Die Autorin ließ es sich nicht anmerken, falls sie deswegen enttäuscht war. Zehn Minuten später stieg sie strahlend und winkend in ein Taxi, nachdem sie Anja und Julia überschwänglich umarmt und geherzt und mehrfach versichert hatte, wie toll der Vormittag gewesen sei, wie großartig die Location für das Fotoshooting gewählt worden war und wie absolut überglücklich sie darüber sei, Autorin bei Winterscheid zu sein. Als das Taxi in der Börsenstraße verschwunden war, fiel Anja das aufgesetzte Lächeln aus dem Gesicht.

»Puh, Autoren sind einfach derart lästig«, murrte sie. »Ich weiß gar nicht, wie ihr Lektoren das aushaltet! Die können echt nur über sich selbst quatschen und wollen dauernd gefeiert und gebauchpinselt werden, einfach grässlich.«

»Ich fahre nach Hause«, sagte Julia, bevor die Artdirektorin zu einer neuerlichen Tirade ansetzen konnte.

»Musst wohl schnell das Manuskript für den Chef lesen, was?«, spottete Anja.

»Genau!«, erwiderte Julia und grinste. »Schönes Wochenende noch.«

Damit ließ sie ihre Kollegin vor dem Restaurant stehen und eilte die Hochstraße hinunter Richtung Opernplatz, um an der Taunusanlage eine S-Bahn zu erwischen.

* * *

»Aufgrund des bereits fortgeschrittenen Verwesungszustands der Leiche ist die Todeszeitbestimmung schwierig gewesen«, tönte Hennings Stimme aus den Lautsprechern des Dienstwagens, als Bodenstein und Pia am Ginnheimer Fernsehturm auf die A66 fuhren. »Ich schätze aber, dass Heike Wersch zum Zeitpunkt des Auffindens seit mindestens fünf Tagen tot war.«

»Dann käme Montagnacht hin.« Pia hatte schnell nachgerechnet. »Das würde mit den Aussagen der Nachbarn und unseren bisherigen Erkenntnissen übereinstimmen.«

»Todesursächlich war auf jeden Fall eine massive Gehirnblutung nach einer stumpfen Gewalteinwirkung auf den Schädel mittels eines vierkantigen Werkzeugs mit einer Angriffsfläche von ungefähr vier mal vier Zentimetern. Ich konnte insgesamt sieben Loch- und Impressionsbrüche mit Austritt von Hirnmasse feststellen, außerdem insgesamt siebzehn weitere Hämatome an den Schultern und im Genickbereich.«

»Gibt es Abwehrverletzungen?«, erkundigte sich Bodenstein.

»Nein.« Henning räusperte sich. »Pia, du hattest mich nach einer möglichen Kopfverletzung durch einen Laptop gefragt. Wir haben eine Platzwunde in Höhe des rechten Stirnbeins festgestellt, die aber höchstens zu einer Gehirnerschütterung geführt hat.«

»Okay. Kann es sein, dass sie stark geblutet hat?« Pia dachte an Severin Veltens Aussage, Heike Wersch sei nach dem Schlag mit dem Laptop umgefallen und plötzlich sei alles voller Blut gewesen.

»Durchaus«, bestätigte Henning. »Vor allen Dingen dann, wenn sie regelmäßig Blutverdünner eingenommen hat, wovon ich ausgehe, denn sie hatte einen mechanischen Aortenklappenersatz.«

»Danke, Henning«, sagte Bodenstein, ohne von seinem Handy aufzublicken. »Das hilft uns schon mal weiter.«

»Kein Problem. Den Bericht mit allen Details kriegt ihr so schnell wie möglich«, erwiderte Pias Ex-Mann. »Eine Frage noch: Maria Hauschild hat mich angerufen. Sie hat wohl gerade von einem Bekannten erfahren, dass ihre Freundin tot ist. Was darf ich ihr sagen?«

»Keine Details zur Todesursache«, sagte Pia. »Aber du kannst bestätigen, dass die Leiche gefunden wurde.«

»Darf sie erfahren, wo?«

»Dagegen spricht nichts«, mischte sich Bodenstein ein.

»Ach ja, noch etwas«, fiel Henning ein. »Maria hat mir erzählt, dass ein ehemaliger Kollege ihrer Freundin im Krankenhaus liegt. Man hat ihn wohl heute Morgen bewusstlos aufgefunden.«

Pia horchte auf.

»Wie heißt der Kollege?«

»Maria nannte ihn Alex«, antwortete Henning.

»Alexander Roth?«, fragte Pia. »Cem und ich haben gestern noch mit ihm gesprochen!«

Henning versprach herauszufinden, in welches Krankenhaus der Mann eingeliefert worden war und legte auf.

»Moosbrugger telefoniert sich gerade wohl die Finger wund«, bemerkte Bodenstein. »Was ja ganz in unserem Sinne ist. Vielleicht setzt das etwas in Gang.«

»Roth hat sich gestern ziemlich merkwürdig verhalten, als Cem und ich mit ihm gesprochen haben«, sagte Pia nachdenklich.

»War das ein Ich-hatte-noch-nie-mit-der-Kripo-zu-tun-merkwürdig oder ein echtes merkwürdig-merkwürdig?«, fragte Bodenstein.

»Ich würde sagen Letzteres. Er wirkte irgendwie ... schuldbewusst.« Pia warf ihrem Chef einen kurzen Blick zu. »Was tippst du da eigentlich die ganze Zeit?«

»Cosimas Blutwerte haben sich gebessert«, erwiderte er. »Das bedeutet, dass die Operation hoffentlich bald stattfinden kann. Ich organisiere gerade ein Familientreffen für heute Abend. Es gibt viel zu besprechen.«

»Oh Mann.« Pia blies die Backen auf und stieß die Luft aus. Gestern Abend hatte sie dem Internet Informationen über die Chancen und Risiken einer Lebendleberspende entlockt, und ihr Respekt vor Bodensteins Selbstlosigkeit war ins Unendliche gewachsen. Zwar war die Leber als einziges Organ des menschlichen Körpers tatsächlich in der Lage, sich nach einem solchen Eingriff komplett zu regenerieren, nichtsdestotrotz war es ein schwerer Eingriff für den Spender, und ihr Chef war nicht mehr der Jüngste.

»Wann wirst du mit Nicola darüber sprechen?«

»So bald wie möglich.« Bodenstein steckte sein Telefon weg und setzte die Lesebrille ab. »Es kann ja passieren, dass die Organentnahme-OP ganz kurzfristig anberaumt wird. Möglicherweise muss ich dir dann die laufenden Ermittlungen aufbürden, wenn wir unseren Täter bis dahin nicht überführt haben.«

»Das kriege ich schon hin«, beruhigte Pia ihn, auch wenn sie am liebsten etwas ganz anderes gesagt hätte.

»Ich sterbe schon nicht«, sagte Bodenstein, als ob er ihre Gedanken gelesen hätte. »Nach zwei Wochen Krankenhaus bin ich wieder auf den Beinen.«

»Dein Wort in Gottes Ohr.« Nach dreizehn Jahren Zusammenarbeit waren Pia und ihr Chef wie ein altes Ehepaar, sie kannten sich gut und wussten genau, wie der andere tickte. In beruflicher Hinsicht ergänzten sie sich perfekt, aber es gab noch immer Grenzen, die sie beide nur in Ausnahmefällen und wenn, dann mit Unbehagen überschritten. Dazu gehörten zum Beispiel die Gesundheit und das Intimleben des anderen.

»Severin Velten hat Heike Wersch nicht umgebracht«, sagte Bodenstein nun, und Pia war erleichtert darüber, dass ihr Gespräch wieder auf die professionelle Ebene zurückkehrte.

»Sehe ich auch so. Und er hat ihre Leiche auch nicht in den Wald geworfen. Wir können ihn wieder gehen lassen.« Sie wandte kurz den Kopf nach rechts, wie immer, wenn sie am Birkenhof, ihrem früheren Zuhause, vorbeifuhr. Aber die Bäume neben der Autobahn waren so dicht geworden, dass sie nur einen kurzen Blick auf das Haus erhaschen konnte. »Veltens Agent scheint keinen Moment geglaubt zu haben, dass dieser Frau Wersch erschlagen haben könnte. Spricht dafür, dass er seinen Schützling besser kennt als der sich selbst.«

»Die Frau ist unter Anwendung erheblicher Brutalität totgeschlagen worden«, überlegte Bodenstein. Man musste kein Profiler sein, um zu wissen, dass ein solcher Gewaltexzess, eine Übertötung, immer ein Anzeichen für Wut und Aggression und ein Hinweis auf eine persönliche Beziehung zwischen Täter und Opfer war. »Wer von allen Leuten, die wir bisher aus dem Umfeld von Frau Wersch kennen, ist wohl dazu fähig, über zwanzig Mal mit einem Gegenstand auf sie einzuschlagen?«

Pia ließ sich seine Frage durch den Kopf gehen. Im Laufe der Jahre hatte sie gelernt, dass es auf der Welt absolut keine Grausamkeit gab, zu der Menschen nicht fähig waren. Häufig waren es gerade die Unauffälligen, die Durchschnittsbürger und freundlichen Nachbarn, die entsetzliche Dinge taten. Anders, als Bücher und Filme suggerierten, handelte es sich bei Mördern oder Totschlägern nur in den allerseltensten Fällen um eiskalte Psychopathen oder wahnsinnige Serienkiller, die einer inneren Stimme folgten oder im Blutrausch töteten. In der Realität waren die Täter häufig im privaten Umfeld eines Opfers zu finden und ihre Motive so gut wie immer erschreckend profan: Rache, Neid, Eifersucht, Habgier oder Angst vor Strafe. Wurden sie gefasst und überführt, so gelang es cleveren Strafverteidigern nicht selten, mildernde Umstände für ihre Mandanten zu erwirken, weil Psychologen ihnen eine schwierige Kindheit oder Ähnliches attestierten. Sie kamen mit relativ kurzen Haftstrafen davon und waren irgendwann wieder auf freiem Fuß, aber ihre Opfer waren für immer tot.

»Die eigentliche Frage ist das *Warum*«, sagte Pia. »Uns ist das Motiv noch nicht wirklich klar. Wir müssen mehr über Heike Wersch herausfinden. Deshalb sollen Cem, Tariq und Kathrin heute damit anfangen, ihr Haus nach Hinweisen zu durchsuchen. Die Frau muss irgendetwas getan haben, um einen solchen Hass auf sich zu ziehen.«

»Und was machen wir beide?«

»Ich würde sagen, wir warten ab, bis Henning sich wieder meldet, und fahren dann in das Krankenhaus, in das Alexander Roth eingeliefert wurde«, schlug Pia vor. »Ich wette, da können wir eine Menge über Frau Wersch erfahren.«

* * *

Julia hatte es sich auf dem kleinen Balkon ihrer Zweizimmerwohnung mit dem Manuskript und einer Karaffe Eistee gemütlich gemacht. In den vergangenen anderthalb Jahren hatte sie schon oft hier draußen gesessen und gelesen: Manuskripte und Übersetzungen, Druckfahnen und englisch- oder französischsprachige Bücher, für deren Lizenzen sie sich interessierte. Meist las sie am Bildschirm und unter Zeitdruck und prüfte beim Lesen die Texte auf Fehler, Logikbrüche und Redundanzen oder sammelte im Hinterkopf Argumente für Vertrieb und Marketing wie Alleinstellungsmerkmale, Zielgruppenkompatibilität und ähnliche Parameter. Reines Genuss-Lesen war eigentlich nur noch im Urlaub möglich. Umso aufregender war es für sie, dieses mit Schreibmaschine getippte Manuskript, das angeblich die Mutter ihres Chefs verfasst hatte, lesen zu dürfen. Zweifellos war das Papier alt. Es war dünner als das heutzutage übliche 80-Gramm-Papier und hatte im Laufe der Zeit eine gelbliche Färbung angenommen. Behutsam blätterte Julia die 134 eng beschriebenen Seiten durch, die am unteren Rand nummeriert waren. Das Schriftbild war nicht so regelmäßig, wie sie es von Ausdrucken gewohnt war, und es kam ihr beinahe ein wenig historisch vor, wie eine überraschende Entdeckung, zu der sie ihr fachliches Urteil abgeben sollte. *In ewiger Freundschaft* lautete der Titel, darunter stand der Name der Autorin: © *Katharina Winterscheid, Frankfurt, 23. Mai 1990.* Julia blätterte weiter und las die Widmung. *Wie immer, für immer – für Carl, meinen größten Schatz.*

»Wie immer, für immer«, murmelte Julia.

Wie immer? Was hatte das zu bedeuten? Es klang fast so, als ob Katharina Winterscheid ihrem kleinen Sohn schon öfter etwas gewidmet hätte. Seltsam.

Julia nahm einen Schluck Eistee und begann zu lesen. Schon nach drei Seiten zog die Geschichte einer jungen Frau, die gerade ihre Mutter zu Grabe getragen hatte und nach Frankfurt gezogen war, sie in ihren Bann. Das war definitiv kein ungelenker Schreibversuch einer gelangweilten Hausfrau, die in die Verlegerfamilie Winterscheid eingeheiratet hatte und sich auch mal als Autorin versuchen wollte, nein, Katharina Winterscheid erwies sich zu Julias Überraschung als eine versierte Erzählerin, die wusste, wie man Figuren zum Leben erweckt. Ihre Sprache war prägnant, leicht und flüssig zu lesen, und sie hatte das Handwerkszeug der Schriftstellerei sehr gut beherrscht: Ihre Rechtschreibung war fehlerfrei, die Interpunktion weitestgehend auch, außerdem hatte sie einen großen Wortschatz besessen. Unversehens fand Julia sich im Frankfurt der späten Achtzigerjahre wieder, das sie aus der Perspektive der Ich-Erzählerin Karla erlebte. Sie las, wie die Protagonistin auf der Suche nach einer bezahlbaren Bleibe am Schwarzen Brett der Universität auf das Angebot von Tina stieß, die für ihre Mädchen-WG noch eine vierte Mitbewohnerin suchte. Tina, Tochter aus gutem Hause, deren Vater in der eigenen Sauna an einem Herzinfarkt gestorben war, während Tina in ihrem Zimmer mit Kopfhörern Musik gehört hatte, hatte neben einem erklecklichen Geldbetrag die Wohnung geerbt, von deren Existenz sie bis zur Testamentseröffnung nichts gewusst hatte.

Nach den ersten fünfundzwanzig Seiten war Julia schon begeistert, obwohl ihr noch nicht klar war, in welches Genre sie das Manuskript einordnen würde, aber die Art und Weise, wie Katharina Winterscheid die drei leicht skurrilen WG-Bewohnerinnen, die, im Gegensatz zu Karla, allesamt dem Bildungsbürgertum entstammten, mit Witz und einer feinen Prise Ironie schilderte, machte einfach Spaß. Las sich das Manuskript zunächst noch wie ein amüsanter Liebesroman, so geschah plötzlich etwas, was Julia stutzen ließ:

Karla durfte ihre drei Mitbewohnerinnen zu einer Feier in eine prachtvolle Gründerzeitvilla im Merton-Viertel begleiten, zu der Lutz, Tinas Freund, sie eingeladen hatte. Und Lutz war – Zufall oder Absicht – ausgerechnet der Sohn des berühmten Frankfurter Verlegers Hardy Vogelsang, der mit Philosophen wie Adorno und Horkheimer befreundet gewesen war. Julia erkannte beim Lesen immer mehr Parallelen zur Realität, und sie war gleichermaßen fasziniert, schockiert und berührt, als sie begriff, dass Katharina Winterscheids Roman stark autobiografisch gefärbt war. Sie verschwendete keinen Gedanken mehr daran, woher dieses Manuskript plötzlich kam und warum es jemand achtundzwanzig Jahre nach seiner Entstehung anonym dem Sohn der Verfasserin geschickt hatte, denn sie wollte einfach nur noch wissen, wie es weiterging und wie die Geschichte enden würde. Eigentlich das größte Lob, das man einem Manuskript aussprechen konnte.

* * *

»Das kann nicht sein! Sie müssen sich irren!« Severin Velten schüttelte den Kopf. Seine Hände zitterten und seine Stimme war brüchig. »Ich habe sie umgebracht! Ganz sicher. Ich habe ganz deutlich ihren Schädelknochen knacken hören, als ich ihr den Laptop auf den Kopf geschlagen habe.«

»Wir glauben eher, dass das Knacken vom Gehäuse des Laptops kam«, sagte Bodenstein zum dritten oder vierten Mal geduldig, aber Velten schüttelte nur heftig den Kopf und murmelte vor sich hin. Mittlerweile saßen Cem, Tariq, Kathrin und Kai im Überwachungsraum nebenan, um die Posse, die sich hier abspielte, via Kamera und Mikrofon mitzuerleben.

»Aber das Blut! Überall war Blut! Sie lag am Boden!« Der Schriftsteller ging aufgebracht in dem kleinen Vernehmungsraum auf und ab, wie ein Raubtier im Käfig, und rang theatralisch die Hände. So, wie er gestern darauf insistiert hatte, Handschellen angelegt zu bekommen, so hatte er jetzt darauf bestanden, in dem fensterlosen Raum ›verhört‹ zu werden. Erst hatte sein kurioses Benehmen Pia amüsiert, aber langsam ging er ihr auf die Nerven.

»Ich verstehe das nicht!«, wiederholte Velten, wie eine Schallplatte, die einen Sprung hatte. »Ein Mensch stirbt doch, wenn er so viel Blut verliert!«

»Frau Wersch hat den Blutverdünner Marcumar eingenommen«, merkte Pia zum wiederholten Mal an. »Deshalb hat sie aus der Platzwunde so stark geblutet.«

Sie lehnte mit verschränkten Armen an der Tür und beobachtete den Mann, der nun seit einer geschlagenen Viertelstunde erbittert und verzweifelt argumentierte, um seine Schuld zu beweisen. Etwas Vergleichbares hatte sie noch nicht erlebt. Velten war beinahe in Tränen ausgebrochen, als sie ihm mitgeteilt hatten, dass die Vorwürfe gegen ihn aus der Welt seien und er gehen dürfe.

»Sie können nicht länger hierbleiben und eine Arrestzelle blockieren, wenn nichts gegen Sie vorliegt«, versuchte Pia es mit Vernunft. Es gab jede Menge Vorschriften dafür, wie man Verdächtige zu behandeln hatte und wie lange jemand festgehalten werden durfte, denn die meisten Menschen konnten es nicht erwarten, endlich wieder auf freiem Fuß zu sein. Aber nirgendwo stand, wie man mit Leuten verfuhr, die sich weigerten, ihre Zelle zu verlassen. Durfte man körperliche Gewalt anwenden, ihn einfach aus dem Gebäude tragen?

»Bitte! Werfen Sie mich nicht raus!«, bettelte Velten.

»Wir werfen Sie nicht raus. Wir bitten Sie zu gehen.«

»Aber wieso darf ich nicht hierbleiben? Ich störe doch niemanden! Und die Zellen sind sowieso leer.«

»Wir dürfen niemanden grundlos festhalten.«

»Aber das tun Sie doch gar nicht! Ich bin freiwillig hier!«

»Das ist Verschwendung von Steuergeldern.«

»Dann bezahle ich dafür!«

Allmählich wurde die Situation grotesk. Der Mann hatte offenbar nicht mehr alle Tassen im Schrank. Pia wechselte einen resignierten Blick mit ihrem Chef, dann signalisierte sie ihm mit einem Augenrollen, ihr zu folgen. Auf dem Flur vor dem Vernehmungsraum griff Pia zum Wandtelefon und wählte die Durchwahl von Dr. Engel.

»Herr Velten will uns nicht verlassen«, sagte sie, als sie endlich die Kriminaldirektorin am Ohr hatte. »Was sollen wir machen?«

»Ich komme«, erwiderte Nicola Engel knapp und legte auf. Aus dem Überwachungsraum kamen die Kollegen, rissen Witze und machten wenig hilfreiche Vorschläge, wie man Velten loswerden konnte. Just in dem Augenblick, als die Kriminaldirektorin den Flur entlangkam, ertönte im Vernehmungsraum wildes Poltern und Schreien, jemand hämmerte mit den Fäusten an die Tür.

»Ich will hier raus! Hilfe! Lassen Sie mich raus!«, schrie Velten.

»Herrgott, was soll denn das Theater?« Nun platzte selbst Bodenstein der Kragen, er riss die Tür, die nicht verschlossen war, auf. »Wir lassen Sie ja raus!«

»Aber ... aber das will ich gar nicht«, stammelte Velten und wich zurück.

»Warum schreien Sie dann hier herum?«

»Weil ... ich ... ich ...«, er suchte hilflos nach den passenden Worten.

»Weil Sie am eigenen Leib spüren wollen, wie es sich anfühlt, richtig?«, half Nicola Engel ihm.

Severin Velten starrte sie an. Plötzlich breitete sich ein dankbares Lächeln auf seinem Gesicht aus, und er nickte heftig.

»Genau«, sagte er erleichtert. »Ja, genau das ist es. Sie verstehen mich.«

»In Ordnung.« Die Kriminaldirektorin schloss wieder die Tür und wandte sich an Bodenstein und sein Team. »Herr Velten wird so lange hierbleiben, wie er möchte. Ich werde mich persönlich um ihn kümmern. Gehen Sie wieder an Ihre Arbeit.«

»Aber …«, setzte Pia an.

»Kein Aber«, schnitt Nicola Engel ihr das Wort ab. »Der Mann ist einer der berühmtesten Schriftsteller unseres Landes, wie ich schon einmal sagte. Es sollte eine Ehre für uns sein, wenn er sein neues Buch, das sicherlich ein Bestseller werden wird, in einer unserer Zellen schreiben möchte.«

Damit verschwand sie im Verhörraum.

»Die ist ja genauso irre wie der Kranich«, brummte Pia verärgert.

»Wie geil ist das denn?«, kicherte Kathrin.

»Sie will doch nur, dass einer der berühmtesten Schriftsteller unseres Landes ihr sein Buch widmet«, spottete Cem.

»*Tod in der Tonne*, von Severin Velten«, grinste Kai. »Für meine große Verehrerin Nico, den Engel.«

»Kommt, Leute«, sagte Bodenstein. »Es gibt jede Menge zu tun. Velten ist nicht unser Täter, wir stehen wieder ganz am Anfang.«

* * *

»Heike Wersch ist nicht beim Nordic Walking im Wald zu Tode gekommen«, referierte Tariq ein paar Minuten später im Besprechungsraum. »Bei der Obduktion wurde festgestellt, dass mindestens sieben Schläge auf den Hinterkopf mit einem vierkantigen Gegenstand Schädelbrüche mit massiven Hirnverletzungen und Austritt von Hirnmasse verursacht haben und höchstwahrscheinlich todesursächlich waren. Außerdem wurden siebzehn weitere Hämatome an Schultern und im Genickbereich dokumentiert.«

Pia starrte auf die Whiteboards. Unter Heike Werschs lächelndem Gesicht waren Fotos von ihrer Leiche und vom Fundort angepinnt. Weitwinkelaufnahmen und schauerlich detaillierte Nahaufnahmen. Kai hatte die Namen aller ihnen bisher bekannten Personen aus dem Umfeld der Getöteten notiert. Pia lauschte Tariqs Bericht nur mit einem Ohr. Es war immer frustrierend und mühsam, wenn man im Laufe von Ermittlungen wieder ganz von vorne anfangen und alles neu bewerten musste, aber solange sie keine Leiche gehabt hatten, war ohnehin alles nur Spekulation gewesen. Jetzt ging es erst richtig los, und das Ergebnis der Obduktion schränkte den Kreis der Verdächtigen erheblich ein. Das Persönlichkeitsprofil eines Täters, der mit einem stumpfen Gegenstand auf Kopf und Oberkörper seines Opfers einprügelte, bis der Schädelknochen brach und Gehirnmasse austrat, war ein völlig anderes als das eines Täters, der jemandem im Affekt einen Laptop auf den Kopf schlug. Im Fall von Heike Wersch hatte jemand mit absolutem Tötungswillen gehandelt, das war jetzt klar, aber das Warum war nach wie vor ein Rätsel. Leider waren die Spuren am Tatort, der Küche im Haus von Frau Wersch, nur wenig hilfreich. Kröger und sein Team hatten zwar allerlei Fingerabdrücke und verschiedene DNA-Spuren in der Küche und im Auto von Frau Wersch sichern können, jedoch gab es zu keiner einen Treffer in den Datenbanken der Polizei.

Pia sann darüber nach, wie Dr. David Harding, der amerikanische Profiler, der sie letztes Jahr im Fall eines Serienmörders beraten hatte, wohl an die Sache herangehen würde. Als Fallanalytiker legte Dr. Harding neben der Bewertung des Täterverhaltens und der Festlegung zeitlicher Abfolgen sein Hauptaugenmerk auf die Viktimologie, also die Persönlichkeit des Opfers. Seiner Meinung nach lohnte sich der Aufwand, Tagebücher, Terminkalender, Briefe, Kurznachrichten und E-Mails zu durchforsten, um auf diese Weise mehr über das Opfer, seine Lebenssituation und sein wahres Wesen zu erfahren, denn eine seiner Grundregeln war, dass sich Täter und Opfer kannten, und sei es noch so oberflächlich und kurz. Ziel der Viktimologie, die sich längst zu einer anerkannten kriminologischen Disziplin entwickelt hatte, war, aus der Perspektive des Opfers zu rekonstruieren, was es beschäftigt hatte und wie daraus eine Beziehung zum Täter entstanden sein konnte.

Die plötzliche Stille im Besprechungsraum ließ Pia aufmerken. »Was ist?« Sie schaute in die fragenden Gesichter ihrer Kollegen. »Entschuldigt, ich war gerade nicht ganz bei der Sache.«

»Wir wollen das Alibi von Alexander Roth überprüfen«, wiederholte Kai. »Und man sollte dem Bauherrn des Neubaus, mit dem Frau Wersch im Clinch lag, einen Besuch abstatten.«

»Ganz ehrlich? Ich glaube nicht, dass er unser Täter ist. Ich kann mir irgendwie nicht vorstellen, dass dieser Typ, der ja offenbar ein Choleriker ist, die Leiche von Heike Wersch nachts und bei strömendem Regen in den Wald fährt und dort einen Abhang hinunterwirft«, erwiderte Pia. »Der Täter musste sie nicht nur zur Garage tragen und in den Kofferraum ihres Autos legen, sondern vorher die Leiche regelrecht präparieren, indem er ihr die Nordic-Walking-Stöcke an die Handgelenke geschnallt und ihr das Telefon und den Schlüsselbund in die Taschen gesteckt hat. Dazu musste er sie anfassen. Das ist so ...« Sie verstummte und suchte nach dem passenden Begriff. »Irgendwie ... intim.«

Alle nickten zustimmend.

»Was würdest du vorschlagen?«, fragte Bodenstein. »Wie sollen wir weiter vorgehen?«

»Ich denke, wir sollten das Haus von Heike Wersch nach Hinweisen durchsuchen. Ich kann mir nicht vorstellen, dass sie nur wegen dieser Verlagsgründungspläne so brutal ermordet worden ist. Es muss mehr dahinterstecken. Wir wissen bisher kaum etwas über sie, abgesehen von den subjektiven Schilderungen ihrer Nachbarn und zwei ehemaliger Arbeitskollegen. Aber wir wissen nicht, was sie für ein Mensch war, was sie bewegte, womit sie sich beschäftigt hat. Hatte sie irgendwelche Geheimnisse? Hat sie womöglich jemanden erpresst? Sie hat dreißig Jahre lang für diesen Verlag gearbeitet. Ich bin mir sicher, sie hat in dieser Zeit eine Menge mitbekommen.«

»Was denn zum Beispiel?«, fragte Kathrin.

»Keine Ahnung.« Pia zuckte die Schultern. Ihr Handy piepste, eine Nachricht von Henning. Alexander Roth lag im Bad Sodener Krankenhaus, und Maria Hauschild war dorthin unterwegs, um Roths Frau beizustehen.

»Ich fahre ins Krankenhaus«, beschloss sie. »Wer kommt mit?«

»Tut mir leid. Ich muss leider weg«, erwiderte Bodenstein nach einem Blick auf die Uhr, die über der Tür hing.

»Ich auch. Mein Sohn hat ein wichtiges Spiel, und ich habe ihm versprochen, dabei zu sein«, entschuldigte Cem sich.

»Äh, meine Frau hat heute Geburtstag«, sagte Tariq bedauernd. »Sie hat für heute Nachmittag einen Haufen Leute eingeladen, und wenn ich nicht irgendwann aufkreuze, kriege ich Ärger.«

»Boah, jetzt komme ich mir voll mies vor.« Kathrin verzog das Gesicht. »Aber ich hab ausnahmsweise auch mal was vor.«

»Ich kann mitkommen«, bot Kai an. »Ich war schon lange nicht mehr auf Außenermittlung.«

»Nein, schon gut.« Pia stand auf und ergriff ihren Rucksack. »Das ist ja kein großes Ding, und ich wohne ja fast neben dem Krankenhaus. Wir sehen uns morgen um neun am Haus von Frau Wersch. Kröger weiß schon Bescheid. Komm, Beck's!«

Der Hund erhob sich von seinem Platz unterm Tisch, schüttelte sich und trabte hinter ihr her. Eigentlich hatte Pia auch gehofft, früher zu Hause zu sein. Christoph kam heute von seiner Tagung aus Amsterdam zurück, und sie hatte noch einkaufen und etwas Leckeres kochen wollen. Aber wenn jemand Verständnis dafür hatte, dass sie länger arbeiten musste, dann war das ihr Ehemann, der selbst nur selten pünktlich Feierabend machen konnte und im Zoo oft Wochenenddienst hatte.

»Pia, warte!«, ertönte Bodensteins Stimme, gerade als sie die Treppe nach unten nehmen wollte. Sie blieb stehen.

»Ich begleite dich«, sagte er. »Es kommt bei mir nicht auf eine Stunde an.«

»Sicher?«

»Ja. Ich wollte nur vor unserem Familientreffen schnell ins MTZ fahren und mir ein paar neue Klamotten besorgen.« Bodenstein ging neben ihr die Treppe hinunter. »Aber wenn es im Krankenhaus nicht so lange dauert, schaffe ich das vorher trotzdem noch.«

»Na, dann.« Pia öffnete die Feuerschutztür, und sie gingen zum Ausgang. Vor der Sicherheitsschleuse kam ihnen Dr. Nicola Engel entgegen, beladen mit zwei Sixpacks Mineralwasser, einer Stange Zigaretten und einer Papiertüte mit dem Logo eines örtlichen Thai-Restaurants, dessen Abhol- und Lieferdienst sich bei den Mitarbeitern der RKI großer Beliebtheit erfreute.

»Schon Feierabend?«, fragte sie mit einem süffisanten Unterton. Beck's schnupperte interessiert an der Papiertüte.

»Nein. Jemand aus dem direkten Umfeld unseres Opfers ist heute ins Krankenhaus eingeliefert worden«, sagte Pia. »Wir fahren jetzt dorthin und sprechen mit den Angehörigen.«

»Seit wann kaufst du Zigaretten?«, stichelte Bodenstein. »Und Essen vom Thai? Das ist doch gar nicht dein Ding.«

»Das ist Kranich-Futter«, kommentierte Pia spöttisch. »So viel zum Rauchverbot in öffentlichen Gebäuden.«

»Besondere Umstände erfordern eben besondere Maßnahmen«, entgegnete Nicola Engel hoheitsvoll und wollte weitergehen.

»Ach, Nicola«, hielt Bodenstein sie zurück. »Sag mal, redet ihr auch miteinander, du und der Kranich?«

»Wir unterhalten uns selbstverständlich auch.« Nicola Engel warf ihm einen misstrauischen Blick zu. »Warum willst du das wissen?«

»Vielleicht könntest du ihn mal fragen, ob Heike Wersch am Montag, als er sich mit ihr gestritten hat, ihre rote Lockenperücke getragen hat.«

»Kann ich machen. Wieso willst du das wissen?«

»Nur so«, erwiderte Bodenstein. »Es interessiert mich.«

»Okay. Ich frage ihn.« Die Kriminaldirektorin hatte es eilig, in den Keller zu ihrem Lieblingsschriftsteller zu kommen. »Sonst noch was?«

»Vorerst nicht.«

»Warum soll sie ihn das fragen?«, wollte Pia wissen, als sie durch die Sicherheitsschleuse nach draußen gingen. Sie nickte dem Kollegen hinter der Panzerglasscheibe zu und trat ins Freie.

»Mir geht durch den Kopf, was Tariq gesagt hat«, antwortete Bodenstein. »Woran haben die Nachbarn nachts und bei Regen erkannt, dass es sich um Heike Wersch gehandelt hat, die die Mülltonne rausgestellt hat und mit dem Auto in die Garage gefahren ist?«

»Weil sie sie halt kennen«, sagte Pia achselzuckend.

»Und weil sie mit niemand anderem rechnen.« Bodenstein blieb auf der untersten Treppenstufe stehen. »Wäre es ein Mann gewesen oder eine blonde Frau, dann hätten sie zwei Mal hingeschaut, aus Neugier oder Misstrauen. Ich möchte gerne wissen, ob Heike Wersch diese Perücke auch zu Hause trug oder vielleicht nur in der Öffentlichkeit. Denn wenn Tariq recht hat und ihr Mörder sich als Heike Wersch getarnt hat, dann muss er gewusst haben, dass ihre roten Haare nur eine Perücke sind.«

»Das wäre ein zusätzlicher Beweis dafür, dass wir den Täter im engeren Bekanntenkreis suchen müssen.« Pia nickte anerkennend, als sie den Gedankengang ihres Chefs nachvollzogen hatte. »Na, dann bin ich mal gespannt, wie gut der Kranich seine Lektorin gekannt hat.«

* * *

Im Bad Sodener Krankenhaus erkundigte sich Bodenstein am Empfang nach Alexander Roth. Während sie auf eine Auskunft warteten, schweifte Pias Blick durch das Foyer, und sie schauderte bei der Erinnerung an eines der schlimmsten Erlebnisse ihrer beruflichen Laufbahn. Vor fast genau zehn Jahren war hier vor ihren Augen ein Mann durch eine Glastür gefallen. Sie hatte vergeblich versucht, ihn zu retten, aber er war binnen Minuten unter ihren Händen verblutet. Jedes Mal, wenn berufliche oder private Gründe sie hierherführten, dachte sie an diesen Mann, der heute noch leben könnte, wenn sie rechtzeitig eingegriffen und verhindert hätte, dass …

»Pia?«

»Ja, entschuldige.« Sie atmete tief durch. »Immer, wenn ich hier bin, muss ich an Hartmut Sartorius denken.«

»Geht mir auch so«, gab Bodenstein zu. »Und daran, wie mich diese Tierarzthelferin vor allen Leuten mit einem Judogriff auf den Boden befördert hat. Komm, wir müssen hoch in den zweiten Stock.«

In dem Moment betrat eine Frau durch die Drehtür das Foyer. Ihr Haar war zu einem silberblonden Bob geschnitten, und sie trug eine große, dunkle Sonnenbrille.

»Frau Hauschild?«, sprach Pia sie an, als die Dame an der Informationstafel stehen blieb, um sich zu orientieren. Hennings

Agentin setzte die Sonnenbrille ab und blickte Pia kurz irritiert an, bis sie sie erkannte.

»Ach, hallo, Frau Sander«, sagte sie dann. Sie war völlig ungeschminkt und ihre Augen waren gerötet und geschwollen. »Henning hat mir gesagt, dass Sie wissen wollten, in welches Krankenhaus Alex eingeliefert wurde.«

»Ja. Vielen Dank für die Auskunft. Das ist übrigens mein Chef, Kriminalhauptkommissar Bodenstein.« Pia nahm sich vor, Henning bei nächster Gelegenheit zu bitten, solche Informationen zukünftig nicht an Außenstehende weiterzugeben. »Wissen Sie, was Herrn Roth zugestoßen ist?«

»Nicht genau. Er ist wohl mit dem Fahrrad gestürzt.« Die Agentin strich sich mit einer fahrigen Geste durch die Haare. Sie wirkte aufgewühlt. »Ich war heute in Köln bei einer Autorin und saß gerade mit ihr beim Lunch, als Doro mich anrief, um mir zu sagen, dass Alex verunglückt ist und im Koma liegt.«

»Wer ist Doro?«, fragte Pia.

»Dorothea Winterscheid-Fink«, erklärte Maria Hauschild. »Die Vertriebschefin des Winterscheid-Verlags und Tochter von Henri und Margarethe Winterscheid. Nachdem sie mich angerufen hatte, bin ich so schnell wie möglich hierhergekommen.«

»Warum?«

»*Warum?*«, wiederholte die Agentin verwirrt. »Weil wir alte Freunde sind. Wir stehen einander bei. Erst recht nach der schrecklichen Sache mit Heike. Ich kann noch immer nicht glauben, dass sie … dass sie nicht mehr lebt. Wir waren seit unserer Jugend enge Freundinnen.«

Bevor Pia etwas sagen konnte, grätschte Bodenstein dazwischen.

»Mein Beileid, Frau Hauschild«, sagte er mitfühlend. »Das muss ein großer Verlust für Sie sein.«

»Danke. Ja, das ist es. Ich kann einfach nicht begreifen, dass sie nicht mehr da ist. Und es macht mir zu schaffen, dass wir im Streit auseinandergegangen sind.« Maria Hauschild fuhr sich erneut durchs Haar, diesmal jedoch eher kokett als zerstreut. Ihr Blick saugte sich regelrecht an Bodensteins Gesicht fest, ein

Phänomen, das Pia schon häufig beobachtet hatte. Frauen jeden Alters fuhren auf ihren Chef ab. Bodenstein war nicht so hollywoodmäßig schön wie Cem, aber er war ein attraktiver Mann, dem das Älterwerden äußerst gut stand. Das dichte dunkle Haar mit den silbernen Schläfen, die Lachfältchen rings um seine braunen Augen in Kombination mit dem adligen Namen und seinen perfekten Umgangsformen – das alles ließ die Leute oft vergessen, wer er war und warum er eigentlich mit ihnen sprach. Pia beneidete ihren Chef manchmal um diese Fähigkeit, denn wenn sie mit Zeugen oder Verdächtigen sprach, hatte sie immer das Gefühl, ihr stünde das Wort KRIMINALPOLIZEI auf die Stirn tätowiert.

Hennings Agentin legte den Kopf schief.

»Sie erinnern mich an irgendjemanden«, sagte sie zu Bodenstein, und Pia rechnete insgeheim schon mit einer rührseligen »Sie erinnern mich an einen guten alten Freund«-Story, aber dann kam etwas Unerwartetes.

»Ah ja, jetzt weiß ich's!« Maria Hauschild lächelte. »Sie sehen ein bisschen aus wie Tim Bergmann, der Schauspieler.«

»Tatsächlich? Sie schmeicheln mir.« Bodenstein, der alte Schleimer, setzte sein charmantestes Lächeln auf, das Pia spöttisch als seinen »Grafen-Blick« zu bezeichnen pflegte, und es fehlte nur noch, dass er sich galant verbeugte und ihr einen Handkuss gab. »Wenn es Ihnen recht ist, würden wir Sie gerne nach oben begleiten.«

»Natürlich, sehr gerne«, erwiderte die Agentin entzückt. »Es sind alle da, unsere ganze alte Clique. Ich stelle Sie sehr gerne vor, Herr von Buchwaldt.«

»Bodenstein«, korrigierte Pia.

»Ach, natürlich, entschuldigen Sie bitte.« Maria Hauschild lachte, die Trauer um ihre ermordete Freundin schien sie kurzfristig zu verdrängen. »Ich habe mit Herrn Professor Kirchhoff so oft und so intensiv über den Plot und seine Figuren gesprochen, dass es mir schwerfällt, zwischen Fiktion und Realität zu unterscheiden, jetzt, wo ich den Vorbildern tatsächlich begegne.«

»Das macht doch nichts. Es ist eine große Ehre für uns, in

einem Roman verewigt zu werden.« Bodenstein zwinkerte Pia zu, die nur belustigt den Kopf schüttelte.

Der Aufzug hielt und die Tür öffnete sich. Bodenstein ließ der Agentin und Pia den Vortritt.

»Als mich Josef angerufen hat, um mir zu sagen, dass man Heike tot aufgefunden hat, konnte ich das erst nicht fassen.« Maria Hauschild blickte wieder betrübt. »Wenn man jemanden so lange kennt, dann kann man sich gar nicht vorstellen, dass dieser Mensch plötzlich nicht mehr da ist. Und dann noch die Nachricht von Alex' Unfall. Es ist einfach schrecklich.«

»Wissen Sie, warum Herr Roth wieder mit dem Trinken angefangen hat, nachdem er so lange abstinent war?«, wollte Pia wissen.

»Genau weiß ich das natürlich nicht«, erwiderte die Agentin. »Aber ich weiß, dass Heike ihn massiv unter Druck gesetzt hat. Sie wollte ihn unbedingt mit zu ihrem neuen Verlag nehmen. Wenn sie sich etwas in den Kopf gesetzt hat, dann will sie das auch erreichen. Ich kann mir gut vorstellen, dass Alex in einen Zwiespalt geraten ist, als Carl ihn zum Programmleiter gemacht hatte. Manche Menschen halten Druck nicht so gut aus wie andere.«

»Wie Sie, zum Beispiel?«, fragte Pia.

Maria Hauschild warf ihr einen nachdenklichen Blick zu.

»Ja, ich kann Druck gut aushalten. Aber das musste ich auch erst lernen«, antwortete sie. »Es ist nicht einfach, sich unbeliebt zu machen, ganz besonders nicht bei Menschen, die man mag. Gerade Sie müssten das doch eigentlich gut verstehen können.«

›Autsch!‹, dachte Pia. Eins zu null für die Agentin.

»In Ihrem Job stehen Sie beide doch sicherlich oft unter großem Druck«, schickte Maria Hauschild rasch nach, um ihre Antwort zu entschärfen, aber Pia hatte genau verstanden, was – und vor allen Dingen wen – sie gemeint hatte.

»In unserem Job haben wir nicht so oft mit Menschen zu tun, die wir mögen«, sagte sie.

»Gelegentlich aber schon. Immerhin haben Sie Ihren Mann bei dem Fall im Opel-Zoo kennengelernt«, konterte Maria Hauschild. »Und obwohl Ihr Chef ihn lange für mordverdächtig hielt, haben Sie sich in ihn verliebt.«

»Ich glaube, ich werde Henning nahelegen, seine Figuren in Zukunft stärker zu verfremden«, sagte Pia trocken. »Er verrät ja alle meine Geheimnisse.«

Der Aufzug hielt im zweiten Stock, sie stiegen aus und gingen den Flur entlang zum Eingang zur Intensivstation. Es war eine schweigsame Gesellschaft, die sich im Warteraum versammelt hatte. Bis auf eine ältere Dame, die mit kerzengeradem Rücken auf einem der mintgrünen Plastikstühle saß, waren alle anderen Anwesenden – zwei Männer und fünf Frauen – intensiv mit ihren Smartphones beschäftigt. Pia war kurz überrascht, Carl Winterscheid hier zu sehen, doch dann fiel ihr ein, dass es um Alexander Roth, seinen Mitarbeiter, ging, nicht um Heike Wersch.

»Maria! Da bist du ja!« Die ältere Dame erhob sich von ihrem Stuhl und breitete mit einem bekümmerten Lächeln die Arme aus. Die Agentin umarmte sie herzlich.

»Margarethe! Ich bin so schnell gekommen, wie ich konnte«, sagte sie. »Wie geht es ihm? Wisst ihr schon etwas?«

»Paula spricht noch immer mit den Ärzten«, entgegnete eine Frau mit schwarz gefärbtem fransigem Kurzhaarschnitt und einer knallblauen Kastenbrille. »Es sieht wohl nicht gut aus.«

»Oh, mein Gott!« Die Agentin ließ sich von einer großen Blondine links und rechts auf die Wangen küssen. »Das ist alles so schrecklich!«

Bodenstein und Pia blieben diskret an der Tür stehen und sahen zu, wie Maria Hauschild von jedem der Anwesenden begrüßt wurde. Alle wirkten betroffen und sprachen im Flüsterton, fast wie bei einer Beerdigung. Die ältere Dame nahm Maria Hauschild völlig in Beschlag, zog sie auf den Stuhl neben sich, hielt die Hand der Agentin fest in ihren Händen und flüsterte ihr irgendetwas ins Ohr. Maria Hauschild warf Pia einen entschuldigenden Blick zu, und es war schließlich Carl Winterscheid, der auf Pia und Bodenstein zutrat. Ihn hatte Maria Hauschild auch umarmt, was Pia ein wenig verwundert hatte.

»Maria ist meine Patentante«, klärte der Verleger sie auf. Dann stellte er ihnen der Reihe nach die Anwesenden vor. Die ältere weißhaarige Dame war Margarethe Winterscheid, Carls Tante und Ehefrau seines Onkels und Vorgängers Henri Winterscheid, der gesundheitlich angeschlagen und deshalb nicht hier war. Bei der resoluten Schwarzhaarigen mit der blauen Brille handelte es sich um seine Cousine Dorothea Winterscheid-Fink, der einzige andere Mann im Raum war ihr Gatte, Stefan Fink. Die sommersprossige Blondine war die Buchhändlerin Josefin Lintner, und die zwei jungen Frauen, die mit verweinten Augen nebeneinander auf einer Bank hockten wie zwei zerrupfte Vögelchen, waren die Töchter des verunglückten Alexander Roth. Die Vorstellungsrunde war kaum beendet, als die doppelflügelige Milchglastür der Intensivstation mit einem leisen Geräusch aufschwang. Eine Frau betrat den Warteraum. Groß und spindeldürr, das braune Haar schulterlang, wirkte sie gleichermaßen elegant und beherrscht in dem taubengrauen Hosenanzug mit einem Seidenschal um den Hals. Bei ihrem Anblick verstummten die flüsternd geführten Gespräche, alle Blicke wandten sich ihr zu, aber die Frau sprach nur zu Carl Winterscheid.

»Alexander liegt noch im Koma und wird künstlich beatmet«, sagte sie leise zu ihm. »Bei dem Sturz hat er sich schwere Gesichtsverletzungen und Knochenbrüche zugezogen. Die Ärzte wagen keine Prognose, wann er wieder zu Bewusstsein kommen wird. Sie sagen, die nächsten vierundzwanzig Stunden sind entscheidend.«

Eine der jungen Frauen begann zu schluchzen, die andere umarmte sie tröstend.

Das war also Paula Domski, die Fernsehjournalistin, mit der Heike Wersch gemeinsam jahrelang diese sonntägliche Literatursendung moderiert hatte, eine alte Freundin von Cosima von Bodenstein, wie der Chef Pia erzählt hatte. Die Namen, die Kai auf das Whiteboard im Besprechungsraum notiert hatte, hatten nun Gesichter, und Pia mit ihrem feinen Gespür für Zwischenmenschliches, registrierte die Spannungen zwischen den Anwesenden. Ihr fiel auf, dass sich Maria Hauschild, Stefan Fink und Josefin Lintner – bewusst oder unbewusst – um Margarethe

Winterscheid geschart hatten, während die Töchter von Alexander Roth und Carl Winterscheid Abstand zu ihnen hielten. Dorothea Winterscheid-Fink schien die Rolle der Vermittlerin innezuhaben.

»Oh Paula, das tut mir so leid!«, brach Dorothea Winterscheid-Fink das Schweigen. »Der arme Alex! Aber er wird doch wieder aufwachen, oder?«

»Das weiß ich nicht«, entgegnete die Angesprochene kühl. »Carl, ich würde mich freuen, wenn du hierbleiben könntest.« Ihr Blick streifte die anderen. »Ich danke euch, dass ihr hergekommen seid. Es wird Alexander freuen, wenn er das hört. Aber im Moment könnt ihr hier nichts weiter tun. Also geht bitte.«

»Alexander ist wie ein Sohn für mich«, ergriff nun Margarethe Winterscheid mit fester Stimme das Wort. »Ich bleibe hier. Das bin ich ihm schuldig.«

»Ich bleibe auch«, sagte Maria Hauschild sofort.

»Wir auch.« Stefan Fink sprach für seine Frau und sich, und Dorothea Winterscheid-Fink bekräftigte seine Entscheidung mit einem Nicken. Die Reaktion der Anwesenden offenbarte deutlich die Machtverhältnisse innerhalb der Gruppe. Margarethe Winterscheids Autorität wurde von niemandem infrage gestellt. Wenn sie blieb, blieben alle.

»Macht doch, was ihr wollt«, entgegnete Paula Domski, und die Verachtung in ihrem Tonfall war unüberhörbar. »Das war ja schon immer so. Aber glaubt bloß nicht, ihr könntet damit irgendetwas wiedergutmachen. Ihr seid daran schuld, dass Alexander wieder rückfällig geworden ist. Das werde ich euch nie verzeihen. Zur Hölle mit euch allen!«

Sie machte ihren Töchtern ein Zeichen, ihr zu folgen, dann drehte sie sich um und ging hinaus. Bis auf Carl Winterscheid, der betroffen wirkte, zeigte niemand eine Reaktion auf den Fluch, den Paula Domski ihnen entgegengeschleudert hatte. Sie nahmen die Frau offensichtlich nicht ernst.

Die beiden jungen Frauen liefen ihrer Mutter nach, und auch Bodenstein und Pia folgten ihr.

Paula Domski war ein paar Meter weiter im Flur stehen geblieben. Die Arme vor der Brust verschränkt, redete sie mit gesenkter Stimme mit ihren Töchtern.

»Entschuldigen Sie bitte«, sprach Bodenstein die Journalistin an.

»Hallo.« Sie blickte irritiert auf, dann erinnerte sie sich wohl daran, die beiden im Wartezimmer gesehen zu haben. »Mein Auftritt gerade tut mir leid. Haben Sie auch einen Angehörigen auf der ITS?«

»Nein, wir sind von der Kriminalpolizei«, erwiderte Bodenstein höflich. »Hätten Sie einen Moment Zeit für uns?«

»Kriminalpolizei?« Paula Domski blickte verwirrt. »Ja ... ja, natürlich habe ich Zeit.«

Bodenstein schlug vor, das Gespräch draußen zu führen, und sie stimmte sofort zu, offensichtlich erleichtert, der unerbetenen Gesellschaft im Warteraum für eine Weile entkommen zu können.

»Ich bin gleich zurück«, sagte sie zu ihren Töchtern. Auf dem Weg nach unten erfuhren Pia und Bodenstein, dass Alexander Roth bei seiner Einlieferung Alkohol im Blut hatte, was möglicherweise auch der Grund für den Fahrradsturz war. Da er wie üblich ohne Helm gefahren war, hatte er sich neben einigen Knochenbrüchen auch schwere Gesichtsverletzungen zugezogen.

»Wäre er früher gefunden worden, hätte man ihm wahrscheinlich noch helfen können. Aber er muss einige Stunden bewusstlos im Straßengraben gelegen haben, bevor ihn ein Busfahrer zufällig bemerkt und den Notarzt verständigt hat.« Sie gab sich erstaunlich gefasst, aber vielleicht war sie auch einfach nur in der Lage, ihre Gefühle strikt unter Kontrolle zu halten. »Die Bilder der Computertomografie zeigen keine Gehirnverletzungen. Trotzdem sagen die Ärzte, die Chancen, dass er wieder aufwacht, sind sehr gering. Es gibt kaum noch messbare Hirnaktivität.«

Bodenstein führte sie durch die Drehtür ins Freie und zu einer Bank unter einer Linde. Paula Domski und Bodenstein setzten sich, Pia blieb stehen.

»Ein Kollege und ich haben gestern Nachmittag im Verlag mit Ihrem Mann gesprochen«, sagte sie zu Frau Domski und war nicht verwundert darüber, dass die Ehefrau von Alexander Roth nichts davon zu wissen schien. »Er hat uns erzählt, dass er am vergangenen Montagnachmittag bei Heike Wersch gewesen ist, angeblich um sie zu bitten, nicht am Dienstagabend in Ihrer Sendung zu erscheinen.«

»Das ist ihm wohl gelungen.« Paula Domski stieß ein kurzes Schnauben ohne jede Heiterkeit aus. »Sie ist nicht aufgetaucht, obwohl die ganze Sache ihre Idee gewesen ist.«

»Welche Sache?«, fragte Pia.

»Heike wollte Carl live und vor Publikum brüskieren«, gab die Journalistin zu. »Sie war ganz wild darauf, sich an ihm für angeblich erlittenes Unrecht zu rächen. Mein Redakteur war Feuer und Flamme für diese Idee. Seitdem Heike bei *Paula liest* ausgestiegen ist, dümpelt die Sendung bei einer Einschaltquote von einem Prozent herum, und wir stehen auf der schwarzen Liste des Senders. Er hatte sich von Heikes Auftritt einen hübschen kleinen Skandal und eine gute Quote erhofft. Aber Heike hat ihn im Stich gelassen. Sie sagte nicht einmal ab. Ich habe zigmal versucht, sie zu erreichen, aber sie ging nicht ans Telefon und antwortete auf keine SMS.«

»Zu dem Zeitpunkt war sie aller Wahrscheinlichkeit nach schon tot«, sagte Pia. »Wir haben heute Morgen ihre Leiche gefunden.«

»Ja, das habe ich vorhin erfahren. Eine schlimme Sache.« Paula Domski nickte ohne große Betroffenheit. Überlagerte die Sorge um den Ehemann ihre Trauer um die ehemalige Kollegin, oder war ihr das Schicksal von Heike Wersch gleichgültig? Vorhin, im Warteraum, hatte sie nur mit Carl Winterscheid gesprochen und ihn sogar als Einzigen gebeten, zu bleiben, aber am vergangenen Dienstag wäre sie um der Einschaltquote willen bereit gewesen, den Mann vor der Kamera ins offene Messer laufen zu lassen.

»Sie haben Frau Wersch gut gekannt, nicht wahr?«, fragte Pia. »Sie haben lange zusammengearbeitet.«

»Ja, das stimmt.« Paula Domski nickte. »Wir waren ein gutes Gespann. Ich würde uns zwar nicht als Freundinnen bezeichnen, aber wir hatten immer ein gutes, kollegiales Verhältnis. Ich wünschte, ich könnte schockiert sein oder um sie trauern, aber das kann ich nicht. Sie hat so viel kaputt gemacht.«

»Von wem haben Sie von Frau Werschs Tod erfahren?«, fragte Bodenstein nach.

»Von den Ewigen.« Die Ehefrau von Alexander Roth wies mit einem Kopfnicken auf das Krankenhausgebäude, ihr Tonfall wurde sarkastisch. »So nenne ich die alten Freunde meines Mannes: ›Die ewigen Freunde‹. Sie kennen sich fast schon ihr ganzes Leben lang. Deshalb.«

»Aha.«

»Ihr Mann hat uns erzählt, dass er Streit mit Frau Wersch hatte«, übernahm Pia. »Er behauptet, sie sei wütend auf ihn gewesen, weil er den Posten als Programmleiter bekommen hatte und deshalb nicht mit zu ihrem neuen Verlag wechseln wollte.«

»Alexander hatte es absolut verdient, Programmleiter zu werden, und Heike war selbst schuld daran, dass man ihr nach der Neustrukturierung des Verlags den Posten nicht mehr gegeben hat«, widersprach Paula Domski mit Bestimmtheit. »Sie hat sich vom ersten Tag an gegen die neue Geschäftsleitung gestellt und die Belegschaft aufgehetzt. So etwas konnte sie gut. Als sie damit nicht durchkam und sie auch bei keinem anderen Verlag unterkam, ist sie auf die Idee verfallen, einen eigenen Verlag zu gründen. Sie war felsenfest davon überzeugt, dass ihre Autoren und Kollegen mitkommen würden, aber dann kam das böse Erwachen und sie musste erkennen, wie unbeliebt sie eigentlich war. Sie glaubte immer, sie wüsste und könnte alles am besten und hielt alle anderen für unfähige Trottel, woraus sie nie einen Hehl gemacht hat. Im Verlag war man heilfroh, als sie weg war. Ich glaube, niemand dort hat ihr eine Träne nachgeweint.«

»Trotzdem scheint Ihr Mann mit seinem Posten nicht glücklich zu sein«, sagte Pia.

»Doch, ich denke, das ist er«, behauptete Paula Domski. »Es sind nur die Umstände, die es ihm schwermachen.« Sie legte eine kurze Pause ein, und als sie weitersprach, klang ihre Stimme gepresst, als hielte sie mühsam etwas zurück. »Mein Mann und ich sind seit fünfundzwanzig Jahren verheiratet. Wir haben zwei großartige Töchter, wir sind beide erfolgreich in unseren Berufen und haben uns gegenseitig immer unterstützt. Eigentlich hatten wir alle Voraussetzungen, um ein zufriedenes Leben zu führen. Aber der Verlag und die Ewigen haben meinem Mann immer mehr bedeutet als wir, seine Familie. Sie haben sie ja gesehen, da oben. Das ist eine geschlossene Gesellschaft. Ich bin immer außen vor geblieben. Die Geschichten von früher, die gemeinsamen Erinnerungen und die kleinen Anspielungen, über die sie lachen, die verstehe ich bis heute nicht.«

»Was haben Sie vorhin gemeint, als Sie sagten, die Freunde Ihres Mannes seien daran schuld, dass er wieder rückfällig geworden ist?«, wollte Pia wissen.

»Sie sind seine Freunde, und sie haben gewusst, dass er trockener Alkoholiker ist. Sie hätten ihn vom Trinken abhalten müssen, statt ihn unter Druck zu setzen, bis er wieder zur Flasche greift«, sagte Paula Domski, und ein bitterer Zug erschien um ihren Mund. »Er war fast siebzehn Jahre lang trocken. Aber vor ein paar Monaten, kurz nachdem Carl ihn zum Programmleiter gemacht hatte, musste ich ihn nachts von einer Polizeiwache in Frankfurt abholen. Man hatte ihn stockbetrunken und orientierungslos im Bahnhofsviertel aufgegriffen. Am nächsten Tag war er reumütig. Er hat mir unter Tränen geschworen, keinen Alkohol mehr anzurühren, aber das hat er wohl offenbar nicht geschafft.« Sie hielt kurz inne. »Früher war er ein Gesellschaftstrinker. Zu der Zeit wurde im Verlag jeden Abend gesoffen und natürlich auch auf all den Veranstaltungen, auf die er ständig gehen musste. Aber diesmal hatte ich das Gefühl, dass hinter seiner Trinkerei etwas anderes steckt. Seit ein paar Wochen ist er völlig verändert. Blockt sofort ab, wenn ich versuche, mit ihm zu reden.«

Paula Domski räusperte sich und straffte die Schultern.

»Vor ein paar Tagen, es muss vorletzte Woche Dienstag oder Mittwoch gewesen sein, kam mein Mann furchtbar betrunken nach Hause. Es war spät, ich lag schon im Bett. Weil er nicht nach oben kam, habe ich nach ihm geschaut und fand ihn in der Garage. Er konnte nicht mehr aufstehen, so voll war er.« Sie kämpfte einen Moment mit sich und es war ihr anzumerken, wie sehr es ihr widerstrebte, über die Schwächen ihres Ehemannes zu sprechen. »Ich hatte mich gewundert, wie er es überhaupt noch geschafft hatte, mit dem Fahrrad von Frankfurt nach Liederbach zu fahren. Ich habe gedroht, ihn rauszuschmeißen, wenn er mit dem Saufen nicht sofort aufhören würde. Da hat er angefangen zu weinen. Er sagte, er hätte schreckliche Angst davor, es würde herauskommen, dass er unwürdig sei und sein ganzes Leben und seine Karriere auf eine Lüge aufgebaut.«

»Was kann er damit gemeint haben?«, wollte Bodenstein wissen.

»Ich weiß es nicht. Mehr hat er nicht gesagt«, erwiderte Paula Domski dumpf. »Jetzt stirbt er vielleicht. Oder sein Gehirn ist für immer geschädigt. Ich werde nie herausfinden, was ihn so sehr gequält hat. Es kommt mir vor, als hätte ich ihn überhaupt nie richtig gekannt.«

* * *

»Das muss wirklich ein mieses Gefühl sein, wenn du feststellst, dass der Mensch, mit dem du dein halbes Leben verbracht hast, Geheimnisse vor dir hat und du ihn eigentlich überhaupt nicht kennst«, sagte Pia, als Paula Domski im Krankenhausgebäude verschwunden war.

»Sie ist verbittert und eifersüchtig auf die alten Freunde ihres Mannes«, entgegnete Bodenstein.

»Kein Wunder.« Pia nickte. »Die ›Ewigen‹. Eine geschlossene Gesellschaft, zu der man ihr nie Zugang gewährte. Das hat sie ziemlich treffend beschrieben.«

»Vielleicht hat sie ja Heike Wersch getötet«, überlegte Bodenstein laut. »Sie kann bei ihr gewesen sein und sie gefragt haben, was ihr Mann mit seiner Äußerung gemeint haben könnte.«

»Und als sie nichts gesagt hat oder zumindest nicht das, was Frau Domski hören wollte, hat sie sie erschlagen?« Pia schüttelte den Kopf.

»Wäre doch möglich«, sagte Bodenstein.

»Also, ich tue mich schwer mit der Vorstellung, wie diese Frau so lange auf Heike Wersch eingeschlagen hat, bis Blut und Hirnmasse durch die Küche spritzten, und sie anschließend in den Wald geschafft und die Küche geputzt hat.«

»Hinter der beherrschten Fassade dieser Frau brodelt ein emotionaler Vulkan«, behauptete Bodenstein. »Wenn Frust und aufgestauter Groll von fünfundzwanzig Jahren explodieren, kann alles passieren. Gerade diejenigen, die sich nach außen so kontrolliert und abgebrüht geben, sind meistens am tiefsten verletzt.«

»Also brauchen wir ihr Alibi für den Montagabend. Und Fingerabdrücke und DNA. Aber vielleicht nicht gerade jetzt und nicht vor den anderen.« Pia beobachtete, wie die blonde Buchhändlerin, Stefan Fink und seine Frau mit dem Doppelnamen durch die Drehtür kamen und zur Raucherecke schlenderten. Das Ehepaar Fink zündete sich Zigaretten an, die Blondine verabschiedete sich mit Küsschen links und rechts und verschwand in Richtung Parkhaus.

»Lass uns mit den beiden da drüben reden. Und danach sollten wir uns noch mal Carl Winterscheid vornehmen«, schlug Pia vor. »Der kennt die ›Ewigen‹ alle und gehört trotzdem nicht dazu. Möglicherweise weiß er etwas und weiß gar nicht, dass er es weiß.«

»Guter Plan. Paula Domski läuft uns nicht weg«, pflichtete Bodenstein ihr bei, dann konsultierte er diskret seine Uhr.

»Ich kann das hier auch alleine, Chef«, versicherte Pia ihm.

»Kauf dir lieber noch ein paar neue Klamotten, bevor die Läden zumachen.«

Bodenstein ging zu seinem Dienstwagen, und Pia gesellte sich zu Stefan Fink und seiner Frau und stellte sich vor. Sie hatte den Mann von Carl Winterscheids Cousine vorhin nur im Sitzen gesehen und war erstaunt, wie groß und breitschultrig er war. Mit einem Gesicht, so kantig, als wäre es aus einem Granitblock gemeißelt, den hellblauen Augen, blonden Wimpern und Augenbrauen ähnelte er einem alternden Wikingerhäuptling. Genau wie seine Frau machte er einen bedrückten Eindruck, was angesichts der Ereignisse in ihrem engsten Freundeskreis nicht verwunderlich war.

»Sie waren gestern im Verlag, nicht wahr?«, fragte Dorothea

Winterscheid-Fink und drückte ihre Zigarette auf dem Rand des Metallaschenbechers aus. Sie war vollkommen ungeschminkt, und neben ihrem hünenhaften Mann wirkte sie mit ihrem fransig geschnittenen schwarzen Haar und der zierlichen Stupsnase geradezu mädchenhaft.

»Ja«, erwiderte Pia. »Mein Kollege und ich haben mit Herrn Winterscheid und Herrn Roth gesprochen. Es ging um Heike Wersch.«

»Es ist wirklich schlimm, was passiert ist.« Stefan Fink strich sich mit der Hand über sein graublondes Haar, das ihm bis auf den Hemdkragen fiel. »Wir sind alle völlig schockiert.«

»Das kann ich gut verstehen.« Pia nickte. »Es muss wirklich schwer für Sie alle sein, gerade, weil Sie sich ja schon sehr lange kennen.«

»Seit der Schulzeit«, bestätigte Stefan Fink. »Heike und ich waren in derselben Jahrgangsstufe, zusammen mit Josefin, Maria, Alexander und Götz, dem älteren Bruder meiner Frau, der leider auch schon verstorben ist.«

Dorothea Winterscheid-Fink war zwei Jahre jünger als ihr Mann, der nach seinem Studium die Leitung der Großdruckerei seiner Eltern übernommen hatte. Auch geschäftlich war das Ehepaar verbandelt, denn der Winterscheid-Verlag war seit mehr als fünfzig Jahren einer der größten Kunden der Druckerei Fink.

»Es ist ungewöhnlich, dass Schulfreundschaften so lange halten«, stellte Pia fest. »Ich habe zu den meisten Leuten aus meiner Schulzeit schon lange keinen Kontakt mehr.«

»Vielleicht liegt es daran, dass wir alle in der Buchbranche gelandet sind«, sagte Stefan Fink. »Die ist nicht so groß, man läuft sich immer wieder über den Weg. Natürlich sind wir nicht mehr so eng befreundet wie früher, aber wir unternehmen oft etwas zusammen. Alex und ich haben jahrelang Tennis gespielt, bis unsere Kniegelenke gestreikt haben und wir die Tennisschläger in die Ecke stellen mussten. Mit Josi und ihrem Mann spielen meine Frau und ich regelmäßig Doppelkopf. Heike und Maria hatten bis vor zwei oder drei Jahren dasselbe Konzertabonnement für die Alte Oper wie wir.«

Er lächelte bekümmert.

»Wir feiern zusammen, wir arbeiten zusammen, und wir stehen uns gegenseitig bei, wenn es einem von uns nicht gutgeht«, bekräftigte Dorothea. »Deshalb sind wir heute auch alle hier.«

»Das ist wirklich eine sehr schöne Geste«, sagte Pia und schickte eine kleine Provokation hinterher. »Frau Domski wird Ihren Beistand zu schätzen wissen.«

»Nein, das tut sie leider nicht«, erwiderte Dorothea Winterscheid-Fink. »Paula war schon immer eifersüchtig darauf, dass wir Alex länger kennen als sie. Wir haben wirklich alles versucht, um sie in unsere Runde aufzunehmen, aber sie legt keinen Wert auf uns. Das hat sie uns immer sehr deutlich gezeigt. Aber wir sind heute nicht wegen ihr hier, sondern wegen Alex, unserem Freund. Was Paula von unserer Anwesenheit hält, ist uns egal. Sie allein ist schuld, dass er wieder trinkt. Er hat ihr nie etwas rechtmachen können, ständig hat sie an ihm herumgenörgelt. So was hält kein Mann aus.«

Das klang allerdings völlig anders als das, was Paula Domski eben von sich gegeben hatte, und wieder einmal dachte Pia, dass man tatsächlich immer erst beide Seiten anhören musste, bevor man ein Urteil fällte.

»Was können Sie mir über Heike Wersch sagen?«, fragte sie. »Sie hat Ihrem Verlag in den vergangenen Monaten große Probleme gemacht. Haben Sie ihr das nicht übel genommen?«

»Oh doch! Das habe ich! Sehr sogar!«, antwortete Dorothea mit Nachdruck. »Carl und wir alle arbeiten seit anderthalb Jahren sehr hart dafür, den Verlag zu retten, nachdem Heike und mein Vater ihn mit ihrer Verbohrtheit um ein Haar ruiniert hätten! Ich habe ihr mehrfach nahegelegt zu kündigen, wenn ihr die Neuausrichtung nicht passt, denn es war irgendwann unerträglich, wie sie das Betriebsklima vergiftet hat. Aber sie war so überheblich zu glauben, ohne sie würde der Verlag seine Identität verlieren.« Ihre Stimme schwankte und ihre Augen schimmerten plötzlich verdächtig. »Ich weiß, das klingt jetzt so, als ob ich sie nicht gemocht hätte. Das stimmt aber nicht. Heike war nur die sturste

Person, die ich jemals gekannt habe, und ich habe mich in letzter Zeit schrecklich über sie aufgeregt.«

Dorothea Winterscheid-Fink gab eine Theatervorstellung, wenn auch keine besonders gute. Alles, was sie sagte und tat, war eine winzige Spur übertrieben. Hatte sie ein schlechtes Gewissen? Oder irgendetwas zu verbergen? Pia betrachtete die Frau aufmerksam. Manchmal waren es weder Trauer noch Schock, sondern Selbstmitleid oder die Angst vor Entdeckung, die Menschen in einer solchen Situation die Tränen in die Augen trieb.

»Sie wollte einen eigenen Verlag gründen«, merkte Pia an.

»Ja, das hatte sie vor.« Dorothea Winterscheid-Fink hatte den kurzen Moment der Rührung, ob echt oder gespielt, schnell überwunden. »Zusammen mit meinem Vater und Alex Roth. Maria und Josefin wussten auch Bescheid, nur mir hatte sie nichts gesagt. Wahrscheinlich hatte sie die Befürchtung, ich würde Carl davon erzählen. Zu Recht. Das hätte ich ganz sicher getan.«

Carl Winterscheid hatte es trotzdem erfahren und Frau Wersch gefeuert. Pia erinnerte sich daran, wie er sich gestern geweigert hatte, die Identität seines Informanten preiszugeben.

»Hätten oder haben Sie?«, fragte sie deshalb.

»Hätte!«, erwiderte Dorothea Winterscheid-Fink mit Nachdruck. »Ich hab's ja erst von Carl erfahren.«

»Du wärst doch sowieso nicht mitgegangen.« Stefan Fink streckte seine Hand aus und streichelte den Arm seiner Frau.

»Stimmt«, gab sie zu. »Trotzdem war ich sauer auf Heike. Zumal es ganz offensichtlich ist, dass sie nur den Namen und das Geld meines Vaters wollte, und das fand ich mies, nach allem, was er für sie getan hat. Sie wusste genau, dass er gar nicht mehr in der Lage wäre, einen Verlag neu aufzubauen und zu leiten. Zwar sieht er sich selbst immer noch gern als den großen Zampano, und Heikes Idee hat sicher seiner Eitelkeit geschmeichelt, aber er kann sich kaum noch selbst anziehen und längst nicht mehr ohne Windel in die Öffentlichkeit gehen.« Dorothea Winterscheid-Fink winkte bekümmert ab. »Meine Mutter und ich sind auf jeden Fall froh, dass aus diesen Plänen jetzt nichts mehr wird. Es wäre eine Demütigung für meinen Vater geworden, die er wirklich nicht verdient hätte.«

»Wird aus den Plänen jetzt nichts mehr, weil Frau Wersch tot ist?«, bohrte Pia. »Oder hatte sie die Verlagspläne sowieso aufgegeben?«

»Äh, nun ja, ehrlich gesagt weiß ich das gar nicht.« Dorothea Winterscheid-Fink hatte ihre missverständliche Formulierung bemerkt und lachte verlegen. Aber wenn Leute ›ehrlich gesagt‹ sagten, meinten sie es meistens alles andere als ehrlich, diese Erfahrung hatte Pia schon häufig gemacht.

»Wer könnte einen Grund gehabt haben, Frau Wersch umzubringen?«, fragte sie das Ehepaar nun ganz direkt.

»Darüber denke ich schon den ganzen Tag nach«, sagte Dorothea Winterscheid-Fink und seufzte. »Heike hat in den letzten Monaten viel Porzellan zerschlagen. Aber dass jemand so weit gehen würde, sie deshalb umzubringen, nein, das kann ich mir beim besten Willen nicht vorstellen.«

»Na ja. Sie war eine Meisterin darin, andere Menschen gegen sich aufzubringen.« Stefan Fink zündete sich eine neue Zigarette an. »Heike war immer verletzend direkt. Generationen von gedemütigten Volontärinnen, die unter ihr gelitten haben, Dutzende Autoren, deren Karrieren sie zerstört hat, beschimpfte Journalisten, verunglimpfte Kritiker, geschmähte Kollegen, Taxifahrer, Kellner, Müllmänner, Verkäuferinnen und wer noch alles hätten im Laufe der Jahre gute Gründe gehabt, Heike den Hals umzudrehen.«

»Das stimmt schon«, pflichtete Dorothea Winterscheid-Fink ihrem Mann bei. »Und sie hatte ein Talent dafür, bei jedem Menschen sofort den wunden Punkt zu finden und darin herumzustochern.«

»Sie hat übrigens auch vor uns, ihren Freunden, nicht haltgemacht«, sagte Stefan Fink. »Sie war immer schonungslos ehrlich. Aber wir konnten damit umgehen, denn wir wussten ja, dass sie Kritik nicht persönlich meinte. Heike ging es im Grunde genommen immer um die Sache. Sie war eine Perfektionistin und schnell genervt von Leuten, die ihr Tempo nicht halten konnten.

Sie konnte ein echtes Miststück sein, aber sie hatte einen hohen Unterhaltungswert und war eine inspirierende Gesprächspartnerin. Ich werde sie vermissen.«

Pia bezweifelte, dass man Kritik *nicht* persönlich nehmen konnte, besonders, wenn sie aus dem Mund einer Freundin kam. Viele Freundschaften beruhten auf Unehrlichkeiten, denn würde man sich tatsächlich die Wahrheit sagen, wäre es mit den meisten Freundschaften schnell aus und vorbei.

»Ich wünschte, das könnte ich auch sagen.« Dorothea Winterscheid-Fink machte aus ihrem Herzen keine Mördergrube. »Mir ist Heike nur noch auf die Nerven gegangen mit ihrer destruktiven Art und ihren Intrigen. Ich habe mir ganz sicher nicht gewünscht, dass sie stirbt, aber wenn sie nach Südamerika ausgewandert wäre und ich sie niemals wiedergesehen hätte, wäre ich auch nicht traurig gewesen.«

Das klang weitaus ehrlicher als das, was ihr Mann von sich gegeben hatte.

»Wussten Sie eigentlich, dass Frau Wersch ihren dementen Vater zu Hause gepflegt hat?«, wollte Pia wissen.

»Ja, das wussten wir.« Dorothea Winterscheid-Fink nickte, aber Pia entging nicht der überraschte Blick, den Stefan Fink seiner Frau zuwarf. »Maria Hauschild wusste es nicht«, sagte sie. »Und Alexander Roth auch nicht. Dabei waren sie doch gut mit ihr befreundet.«

»Sie hat es nicht an die große Glocke gehängt«, antwortete Dorothea Winterscheid-Fink.

»Heike hatte immer eine enge Beziehung zu ihrem Vater«, sagte ihr Mann. »Sie hatte ja früh ihren Bruder und ihre Mutter verloren. Ich habe nie gehört, dass sie von Verwandten gesprochen hätte. Es gab immer nur ihren Vater und sie.«

»Hatte Frau Wersch eigentlich nie eine Beziehung?«, erkundigte Pia sich, und wieder tauschten die Finks einen Blick.

»Doch. Allerdings nicht offiziell«, sagte Dorothea Winterscheid-Fink. »Sie war dreißig Jahre lang die Geliebte meines Vaters. Bis er vor zwei Jahren einen Schlaganfall hatte.«

* * *

Pia hatte mit Beck's noch eine Runde durch den nahe gelegenen Wald gedreht, dann hatte sie den Hund gefüttert und war hoch ins Badezimmer gegangen, um nach dem langen und anstrengenden Tag ausgiebig zu duschen. Christoph hatte ihr kurz vor seinem Abflug in Amsterdam eine Nachricht mit einem Herz-Emoji geschickt. Seine Maschine sollte um 19:50 Uhr in Frankfurt landen, und wenn nichts dazwischenkam, würde er dann gegen 21:00 Uhr zu Hause sein. Sie freute sich auf ihn. Auch, wenn es ihr nichts ausmachte, hin und wieder für ein paar Tage allein zu sein, fehlte ohne Christoph die Geborgenheit, und ihr Zuhause war ohne ihn einfach nur ein Haus. Obwohl sie jetzt schon beinahe zwölf Jahre zusammen waren, knisterte es noch immer zwischen ihnen, und das war weitaus mehr, als die meisten Paare nach so langer Zeit von ihrer Beziehung behaupten konnten. Nach ihrer gescheiterten Ehe mit Henning hatte Pia nicht damit gerechnet, noch einmal eine große Liebe zu finden, aber völlig unerwartet und ohne, dass sie danach gesucht hatte, war es geschehen. Mit Christoph konnte sie lachen und streiten und sich wieder vertragen, er war ihr bester Freund, ihr Ratgeber und ihr Vertrauter, und sie fühlte sich mit ihm so wohl wie mit keinem anderen Menschen.

Pia ging hinunter in die Küche und nahm zwei Zucchini und eine Aubergine aus dem Kühlschrank. Während sie Knoblauch und Zwiebeln hackte, das Gemüse in Scheiben schnitt, alles in der Pfanne anbriet und Nudelwasser aufsetzte, dachte sie über ihren aktuellen Fall nach. Die Fakten, die sie bisher zusammengetragen hatten, passten einfach nicht zusammen. Eins schien festzustehen: Nachdem Severin Velten Heike Wersch mit ihrem Laptop niedergeschlagen und sich aus dem Staub gemacht hatte, musste jemand anderes in ihr Haus gekommen sein und Veltens halbherzig ausgeführtes Werk mit Entschlossenheit und Tötungswillen vollendet haben. Das Nachtatverhalten ließ den Schluss zu, dass der Täter in einer Beziehung zu Heike Wersch gestanden hatte, sie war ihm nicht gleichgültig gewesen, sonst hätte er die Leiche einfach liegen lassen. Warum aber hatte er sich, nachdem er sie erschlagen hatte, eine solche Mühe gegeben, diesen brutalen Mord wie einen Unfall aussehen zu lassen? Hatte er gehofft, man würde sie im Wald nicht finden, oder vielleicht erst in ein paar Monaten oder Jahren, wenn die Natur den toten Körper in ein Skelett verwandelt hatte? Aber weshalb hatte er die Leiche dann nicht irgendwo im tiefsten Taunus abgeladen? Warum hatte er ihr das Handy und den Schlüsselbund in die Hosentaschen gesteckt? Jedes Kind wusste doch mittlerweile, dass man Handys orten konnte! Dieses Verhalten widersprach allem, was Pia im Laufe der Jahre über Täterpsychologie gelernt hatte. Sie versuchte, im Geiste einige der Widerspruchsebenen zu eliminieren, blieb aber immer wieder an demselben Punkt stecken. Es ergab einfach keinen Sinn.

Sie schenkte sich ein Glas Vinho Verde ein und warf einen Blick auf die Küchenuhr. Zwanzig vor neun. Das Nudelwasser kochte. Sie gab Salz, einen Schuss Olivenöl und die Pasta dazu, dann deckte sie den Tisch im Wintergarten, dessen Glastüren weit offen standen. Gerade, als die Nudeln *al dente* waren, sprang Beck's von seinem Kissen auf und lief schwanzwedelnd zur Haustür. In der nächsten Sekunde drehte sich der Schlüssel im Schloss und die Tür ging auf. Pia hörte Christoph mit dem Hund reden, dann betrat er die Küche, und ihr Herz machte bei seinem Anblick einen glücklichen Satz.

»Hey! Da bist du ja!« Sie schob die Pfanne von der heißen Herdplatte, gab Christoph einen Kuss und schmiegte sich in seine Arme. »Wie schön, dass du wieder da bist.«

»Was ist jetzt eigentlich mit unserem schönen Streit?«, neckte er sie und streichelte zärtlich ihre Wange.

»Ach, das Leben ist viel zu kurz, um sich zu streiten«, erwiderte Pia.

»Da hast du recht«, pflichtete Christoph ihr bei.

Nach dem Essen räumten sie gemeinsam die Küche auf, dabei erzählte Christoph von der Konferenz und Pia von der Bereitschaft ihres Chefs, seiner todkranken Ex-Frau einen Teil seiner Leber zu spenden. Obwohl sie beide müde waren, öffnete Christoph eine zweite Flasche Wein. Heute Abend hatten Cem und Tariq Bereitschaft, deshalb konnte Pia sich ruhig noch ein Gläschen genehmigen. Sie zündete die Kerzen in den Windlichtern an, dann setzten sie sich in die gemütliche Lounge auf der Terrasse. Pia hatte ihre Crocs abgestreift, und Christoph massierte ihre Füße. Eine Weile saßen sie einfach so da, genossen schweigend die Stille, den Wein und die samtige Abendluft. Die Vögel in den Bäumen ringsum waren verstummt. Ein paar Nachtfalter umschwärmten das Windlicht.

»Was beschäftigt dich?«, wollte Christoph wissen.

»Wir haben einen Mordfall. Hier in Bad Soden, übrigens. Unten, in der Burgbergstraße«, erwiderte Pia gähnend. »Zuerst sah es nach einer Affekttat aus, aber mittlerweile ist es ziemlich kompliziert geworden.«

»Willst du es mir erzählen?«

Wenn ein Fall kniffelig wurde, war es oft hilfreich, jemandem, der nicht alles durch die kriminalistische Brille sah, von den Ermittlungen zu berichten. Manchmal wurden ihr durch das bloße Aufzählen der Fakten Zusammenhänge klar, die sie vorher nicht gesehen hatte.

»Das Opfer ist eine sechsundfünfzigjährige Frau«, begann Pia also. »Sie war zufälligerweise eine Freundin von Hennings Agentin und hat bis zu ihrer fristlosen Entlassung vor ein paar Monaten in dem Verlag gearbeitet, in dem sein Buch erscheint. Sie war übrigens die Lektorin von Severin Velten, dem bekannten Schriftsteller. Wir haben ihre Leiche heute im Wald oberhalb vom Süßen Gründchen gefunden.«

»Ah! Für eine solche Geschichte bin ich doch immer zu haben.« Christoph schenkte sich noch einmal Wein nach und machte es sich gemütlich.

Pia fing mit ihrer Begegnung mit Maria Hauschild am Haus von Heike Wersch an und endete mit ihrem Besuch vorhin im Krankenhaus. Christoph, ein begeisterter Krimileser und Fan von amerikanischen Krimiserien wie *True Detective* oder *Criminal Minds*, hatte aufmerksam zugehört und nur hin und wieder kurze Zwischenfragen gestellt.

»Das alles ergibt einfach keinen Sinn«, sagte Pia, als sie geendet hatte. »Es gibt Dutzende von Leuten, die wütend genug auf sie waren, um sie nach einem Streit mehr oder weniger aus Versehen zu erschlagen, denn offenbar konnte sie andere bis aufs Blut reizen. Aber zwischen einem Schlag auf den Kopf im Affekt und einem systematischen Zu-Tode-Prügeln mit absolutem Vernichtungswillen liegen Welten. Da war jemand nicht nur gekränkt oder sauer, sondern voller Hass.«

»Vielleicht wisst ihr bis jetzt einfach noch nicht genug«, sagte Christoph. »Es könnte doch sein, dass es gar nichts mit dem Verlag zu tun hat und ihr in eine ganz andere Richtung denken müsst.«

»Wahrscheinlich hast du recht.« Pia gähnte wieder. Ihr fielen die Augen zu, und sie fühlte sich fast zu müde, um sich die Treppe nach oben ins Bett zu schleppen. »Morgen nehmen wir uns ihr Haus vor, und möglicherweise stoßen wir dort ja auch auf ganz andere Spuren.«

Tag 4

Sonntag, 9. September 2018

Bodenstein betrat um kurz vor acht den noch spärlich besetzten Speisesaal im Schloss und nahm sich eine der Sonntagszeitungen mit an den Tisch. Schon nach zwei Nächten wusste er die Annehmlichkeiten eines Lebens in einem Fünfsternehotel unter der strengen Leitung seiner Schwägerin sehr zu schätzen, und er genoss es, endlich wieder die gedruckte Ausgabe der Zeitung lesen zu können und nicht mehr nur das E-Paper, aus Rücksicht auf die angebliche Allergie einer narzisstischen Achtzehnjährigen. Fleißige Heinzelmännchen hatten über Nacht seine neu gekauften Hemden gewaschen und perfekt gebügelt und seine Schuhe geputzt, und in dem Hotelbett mit der harten Matratze hatte er wunderbar tief und traumlos geschlafen. Mit der Suche nach einer neuen Bleibe würde er es deshalb nicht besonders eilig haben, zumal Sophia glückselig war, endlich auf dem Gutshof leben zu dürfen. Bevor das Schloss in den 8oer-Jahren zu einem kleinen Hotel umgebaut und das Restaurant eröffnet worden war, hatten seine Eltern und Großeltern darin gewohnt. Bodenstein und seine Geschwister waren in dem 1884 im Tudorstil erbauten Schlösschen aufgewachsen, was zwar hochherrschaftlich, aber wenig komfortabel gewesen war.

Karoline hatte sich seit vorgestern Abend nicht mehr bei ihm gemeldet, dafür hatte er zig Nachrichten von Greta auf dem Smartphone, gesprochene und geschriebene, wie üblich, wenn sie sich danebenbenommen hatte. Er hatte jedoch keine einzige Nachricht aufgerufen. Es interessierte ihn nicht mehr. Diesmal war sie zu weit gegangen, und das sollte sie ruhig merken. Die freundliche Bedienung brachte ihm Kaffee, danach ließ er sich am

Frühstücksbuffet ein Gemüse-Omelett zubereiten und widmete sich an seinem Tisch der Zeitungslektüre. Der Tod von Heike Wersch war der *FAS* ein Schwarz-Weiß-Foto und einen zweispaltigen Nachruf wert, in dem ihre unbestritten großen Verdienste um die deutschsprachige Literatur gewürdigt wurden. Keine Silbe über den Skandal um Severin Velten, die fristlose Kündigung und die Umstände ihres Ablebens – über Tote sprach man nicht schlecht. Natürlich wurde auch nicht erwähnt, dass sie die Geliebte des Verlegers Henri Winterscheid gewesen war, ein durchaus interessanter Umstand übrigens, den Pia ihm gestern Abend noch mitgeteilt hatte.

Sein Telefon meldete sich mit einem diskreten Summen, als er gerade sein Omelett verzehrt und ein Schüsselchen Birchermüesli ausgelöffelt hatte. Er griff nach dem Gerät und begegnete dem missbilligenden Blick der alten Dame vom Nachbartisch. Bevor sie ihn laut rügte, weil im Speisesaal striktes Handyverbot herrschte, stand er auf und ging hinaus in die Lobby.

»Guten Morgen, Pia«, meldete er sich.

»Leider ist er nicht so besonders gut«, erwiderte seine Kollegin. »Das Krankenhaus hat uns darüber informiert, dass Alexander Roth heute Nacht verstorben ist, ohne das Bewusstsein wiedererlangt zu haben.«

»Das sind in der Tat keine guten Nachrichten.« Bodenstein nickte im Vorbeigehen der Rezeptionistin zu und erntete dafür ein freundliches Lächeln. So positiv hatte er schon lange keinen Tag mehr begonnen. »Wo bist du gerade?«

»Im Krankenhaus. Der zuständige Arzt hat einen nicht natürlichen Tod auf dem Totenschein angekreuzt, und ich habe schon den diensthabenden Staatsanwalt informiert«, sagte Pia mit gesenkter Stimme. »Frau Domski und ihre Töchter diskutieren hier gerade noch mit dem Arzt, obwohl ich ihnen schon erklärt habe, was ein Todesermittlungsverfahren ist und warum es bei einem nicht natürlichen Tod zwingend vorgeschrieben ist.«

Es war für Angehörige immer ein Schock, wenn der Arzt auf eine nicht natürliche oder sogar unklare Todesursache erkannte und die Kripo auftauchte. Die Vorstellung, dass ein geliebter

Mensch obduziert werden würde, verstörte die meisten Angehörigen zutiefst, zumal man ihnen nie genau sagen konnte, wann die Staatsanwaltschaft die Leiche freigeben würde.

»Ich werde Henning bitten, die Obduktion so schnell wie möglich zu machen«, fuhr Pia fort. »Irgendetwas stimmt da nicht.«

»In Ordnung.« Bodenstein stellte keine weiteren Fragen. Im Laufe der Jahre hatte er gelernt, auf Pias Bauchgefühl zu vertrauen. »Ich bin auf dem Weg.«

Er verließ das Schloss, ging an der Terrasse vorbei zum Parkplatz hinunter und öffnete den Dienstwagen mit der Fernbedienung am Schlüssel. Als er aus dem Parkplatz herausfuhr, wandte er den Kopf nach rechts und blickte kurz hoch nach Ruppertshain, das am oberen Ende des malerischen Tals lag. Es war einfach schön, wieder hier zu wohnen und morgens vom Krähen des Hahns und Pferdegewieher geweckt zu werden. Vielleicht sollte er Sophia und sich selbst den Gefallen tun und in die Wohnung auf dem Gutshof ziehen, die seit dem Auszug des Heilpraktiker-Ehepaars vor ein paar Monaten leer stand. Quentin hatte sie ihm erst gestern angeboten, und die Miete, die sein Bruder verlangte, war lächerlich im Vergleich zu dem, was man in Kelkheim, Königstein oder Bad Soden für eine Vierzimmerwohnung mit Terrasse zahlen musste, wenn man überhaupt eine fand. Bodenstein hatte nie gut allein leben können. Das Schlimmste daran war für ihn immer gewesen, seine täglichen Erlebnisse nicht mit jemandem teilen zu können. Auf Gut Bodenstein gab es jedoch genügend Leute, mit denen er reden konnte. Angefangen von seinen Eltern, über Sophia bis zu Quentin und Marie-Louise und seiner Tochter Rosalie mit ihrem Mann Jean-Yves. Während er durch den grünen Tunnel fuhr, den die Bäume bildeten, dachte er, dass er das bei Gelegenheit mit Cosima besprechen sollte. Und natürlich mit Karoline, fügte sein konditioniertes Gewissen schnell hinzu, doch dann wurde ihm bewusst, dass seine Ehefrau für seine Zukunftspläne keine Rolle mehr spielte. Es nützte nichts, sich etwas vorzumachen.

Oben, an der B455, bog er nach links Richtung Schneidhain ab, und seine Gedanken richteten sich auf das, was vor ihm lag. Er hielt es für denkbar, dass Alexander Roths Witwe Heike Wersch getötet hatte. Sie hatte das stärkste Motiv, denn sie gab ihr die Schuld daran, dass ihr Mann, der trockene Alkoholiker, wieder rückfällig geworden war. Außerdem hatte sie die alten Freunde ihres Mannes gehasst, weil sie ihr angeblich nie Zugang zu ihrem inneren Kreis gewährt hatten. Stimmte das überhaupt? Dorothea Winterscheid-Fink hatte Pia gestern etwas anderes erzählt. Aber falls es so gewesen war, warum hatte Frau Domski das nicht einfach akzeptiert? Wieso hatten sie und ihr Mann sich in fünfundzwanzig Jahren nicht einen eigenen Freundeskreis aufgebaut? Aus jedem ihrer Worte hatte tief sitzender Groll gesprochen. In einer Beziehung immer nur die zweite Geige zu spielen, so etwas nagte an einem, das wusste Bodenstein nur zu gut aus eigener Erfahrung. Auch Cosima war ihr Job immer wichtiger gewesen als ihre Familie. Wenn ihr Team und die Leute vom Fernsehen bei ihnen zu Hause gewesen waren, oder wenn er Cosima zu Filmpremieren oder zu Preisverleihungen begleitet hatte, hatte er sich immer wie das fünfte Rad am Wagen gefühlt. Genau wie Paula Domski es gestern beschrieben hatte, hatte er nie wirklich verstanden, worüber Cosima mit ihren Kollegen und Freunden gesprochen oder gelacht hatte, weil er nicht Teil dieser Welt gewesen war. Ja, er konnte nachvollziehen, wie sich die Witwe von Alexander Roth gefühlt haben mochte, und er wusste genau, wie schnell aus leisem Groll eifersüchtiger Hass werden konnte. Beruflicher Erfolg und Anerkennung waren nicht viel wert, wenn man von seinem Partner aus wichtigen Bereichen seines Lebens ausgeschlossen wurde. Pia mochte daran zweifeln, aber Bodenstein hielt es durchaus für möglich, dass Paula Domski Heike Wersch getötet und ihre Leiche anschließend im Wald versteckt hatte.

***

Im Haus von Heike Wersch ist eingebrochen worden, hatte Tariq in den K11-Chat geschrieben. *Küchentür aufgehebelt, Siegel zerrissen, im Haus totales Chaos. SpuSi ist da.*

»Na spitze«, murmelte Pia und ärgerte sich, dass sie das Haus nicht gleich am Donnerstag gründlich durchsucht hatten. »Auch das noch!«

Sie wartete seit zehn Minuten auf ihren Chef, der eine sehr gefasste Paula Domski und ihre hysterisch schluchzenden Töchter zu ihrem Auto geleitet hatte. Die Leiche von Alexander Roth war trotz der Proteste der Töchter, die die Vorstellung nicht ertragen konnten, dass man ihren Vater ›ausweiden‹ würde, im Leichenwagen unterwegs nach Frankfurt, und Henning hatte versprochen, die Obduktion so rasch wie möglich durchzuführen.

»Was hast du noch so lange mit ihr geredet?«, fragte Pia, als Bodenstein endlich aus dem Parkhaus kam. Sie hatten beide außerhalb des Krankenhausgeländes geparkt, was an einem Sonntagmorgen kein Problem und dazu billiger war, weil man keinen Parkschein brauchte.

»Ich habe sie ein bisschen getröstet«, erwiderte er.

»Aha. Wie das?«

»Ich weiß, wie es ist, wenn man von seinem Partner ausgeschlossen wird«, sagte Bodenstein. »Das ist doch dein Trick, um Mitgefühl zu suggerieren: Will man etwas aus jemandem herauskitzeln, dann muss man einfach so tun, als hätte man etwas Ähnliches erlebt. Ich erinnere dich nur an dein Schlafsack-Märchen bei dem Tierarzt in Mammolshain.«

»Der Trick ist aber der, eine Geschichte zu erfinden«, entgegnete Pia und warf ihrem Chef einen scharfen Blick zu. »Und wie mir scheint, hast du nichts erfunden.«

»Na ja. Das weiß sie ja nicht. Auf jeden Fall hat es ihr gutgetan.«

»Chef.« Pia blieb stehen. »Es geht mich ja nichts an, aber ich warne dich sehr davor, dich in Paula Domski zu vergucken. Sie ist eine Verdächtige.«

»Wie bitte?« Bodenstein machte große Augen. »Wie kommst du denn auf so etwas?«

»Ich kenne dich. Und ich kenne dein Beuteschema. Paula Domski ist eine beruflich erfolgreiche Frau mit angekratztem Selbstbewusstsein. So wie Annika Sommerfeld damals. Oder Karoline. Oder Inka Hansen.«

Eine leichte Röte stieg Bodenstein ins Gesicht.

»Was glaubst du eigentlich von mir?«, sagte er entrüstet und setzte sich wieder in Bewegung. »Ich habe mich gerade von meiner Frau getrennt. Da schmeiße ich mich doch nicht gleich der Nächstbesten an den Hals!«

»Ich meine ja nur.«

»Ich auch«, erwiderte Bodenstein. »Und wenn du mir hier mit der Verdächtigen-Nummer kommst, dann darf ich dich daran erinnern, wie und unter welchen Umständen du deinen Mann kennengelernt hast.«

Pia merkte, dass sie zu weit gegangen war.

»Wo soll man in unserem Job denn jemanden kennenlernen, außer bei der Arbeit?«, scherzte sie, aber Bodenstein ging nicht darauf ein. Sie blieb an ihrem Mini stehen. Verdammt! Wieso hatte sie nicht einfach den Mund gehalten? Das Letzte, was ihr Chef in seiner derzeitigen Situation brauchte, waren blöde Ratschläge von Kollegen.

»Es tut mir leid«, sagte sie deshalb zerknirscht. »Ich wollte dir nicht zu nahe treten. Jetzt bist du sauer auf mich, und das zu Recht.«

»Ich bin nicht sauer auf dich. Im Gegenteil«, antwortete er ernst. »Du sorgst dich ehrlich um mich. Und das tut sonst niemand, außer vielleicht meiner Mutter. Klar, alle behaupten, dass sie sich Sorgen um mich machen, aber genau betrachtet haben sie nur eigensüchtige Motive. Cosima sorgt sich angeblich, weil ich schlecht aussehe – aber interessiert sie das wirklich, oder hat sie nur Angst, ich könnte als Leberspender ausfallen? Und meine Kinder, mein Bruder oder auch Nicola: Haben sie tatsächlich Angst, dass ich bei der Operation sterben würde, weil es ihnen um mich geht, oder fürchten sie vielleicht nur um ihre eigene Bequemlichkeit, weil der zuverlässige, praktische und kostenlose Problemlöser, Chauffeur, Babysitter und was auch immer dann nicht mehr da ist?«

Pia war derart verblüfft, dass sie keinen Ton herausbrachte.

»Du bist meine einzige wirkliche Freundin, Pia«, sagte Bodenstein nun. »Deine Sorge um mich ist selbstlos. Und dafür bin ich dir dankbar. Denn niemanden sonst kümmert es, ob ich mich ins Unglück stürze oder nicht, solange ich nur weiter einwandfrei funktioniere.«

»Ich ... ich ... äh ...«, stammelte Pia unbehaglich, weil sie nicht wusste, was sie darauf erwidern sollte. Sie sahen sich einen Moment lang stumm an, und Bodenstein, der ihre Verlegenheit bemerkte, verzog das Gesicht zu einem schiefen Lächeln.

»Nimm's mir nicht übel, aber das musste ich dir einfach mal sagen.« Sein Tonfall war verändert, bewusst leichthin, als hätte er nur einen Witz gemacht. »Übrigens habe ich Frau Domski nach ihrem Alibi für den Montagabend gefragt. Stell dir vor: Sie hat keins. Angeblich war sie allein zu Hause und hat die Sendung für den nächsten Tag vorbereitet. Zeugen dafür gibt es natürlich nicht.«

***

»Die Küchentür wurde mit diesem Kuhfuß aufgebrochen.« Christian Kröger, im weißen Ganzkörper-Overall, präsentierte Bodenstein und Pia ein Brecheisen mit einer auffälligen Pulverbeschichtung in Schwarz und Rot. An einem Ende war die Spitze um 90 Grad gebogen, das andere Ende war abgeflacht und leicht gebogen. »Das Ding ist nagelneu und fast unbenutzt. Nur am flachen Ende ist die Pulverbeschichtung leicht verkratzt.«

»Ist es etwas Besonderes?«, wollte Pia wissen.

»Leider nicht. Absolute Massenware.« Kröger wog das Brecheisen in seiner behandschuhten Hand und schüttelte den Kopf. »Laut Preisschildchen hat es im Baumarkt 29,95 Euro gekostet.«

»Was denkst du?«, fragte Bodenstein den Chef des Ermittlungsdienstes. »War hier ein Profi-Einbrecher am Werk?«

»Profis lassen eher nicht ihr Einbruchswerkzeug, an dem noch ein Preisschild klebt, zurück«, erwiderte Kröger und reichte das Brecheisen einem Kollegen, der es in einen Beweismittelbeutel steckte. »Allerdings haben wir es schon öfter erlebt, dass in ein Haus, das wir versiegelt haben, anschließend eingebrochen wird.«

»Können wir rein?«

»Es kommt drauf an, wie du's haben willst. Wenn wir im Haus Spuren sichern sollen, dann wird es ein paar Stunden dauern.«

»Ich glaube, den Aufwand können wir uns sparen«, sagte Pia. »Heike Wersch und ihren Vater wird es nicht mehr kümmern, ob irgendwelche Gelegenheitseinbrecher einen Fernseher oder Schmuck geklaut haben.«

»Und wenn es der Täter war, der zurückgekehrt ist?«, fragte Cem.

»Dann wird er genauso wenig aussagekräftige Spuren hinterlassen haben wie bei seiner Tat«, erwiderte Pia.

»Das sehe ich auch so«, pflichtete Bodenstein Pia bei.

»Na dann.« Kröger zuckte die Schultern und machte eine einladende Geste. »Das Haus gehört euch. Vom Keller bis zum Dachboden.«

Pia instruierte das Team, das aus Cem, Tariq, Kathrin und drei Kollegen von der Spurensicherung bestand, wonach sie Ausschau halten sollten.

»Wir müssen mehr über die Lebenssituation von Heike Wersch erfahren, um rekonstruieren zu können, was sie beschäftigt hat und wie daraus eine Beziehung zu ihrem Mörder entstanden sein könnte«, sagte sie. »Packt alles ein, was euch irgendwie wichtig oder nützlich erscheint.«

Sie bewaffneten sich mit leeren Kartons und Wäschekörben, zogen sich Handschuhe an und verteilten sich im Haus. Die beiden Fernsehgeräte im Ober- und im Untergeschoss waren noch da, ebenso eine teure Küchenmaschine, das echt silberne Essbesteck und eine Damenarmbanduhr von Piaget aus Roségold mit Brillanten, die Cem zufolge um die fünftausend Euro wert war. Derjenige, der hier eingebrochen war, hatte nach irgendetwas anderem gesucht, und er hatte es eilig gehabt, davon zeugte das Durcheinander, das er hinterlassen hatte. Schubladen waren herausgezogen und deren Inhalt auf den Fußboden geleert worden. Im Arbeitszimmer waren alle Aktenordner – und das waren nicht wenige – durchsucht und anschließend einfach liegen gelassen worden. Eine wahre Papierflut ergoss sich bis in den Flur. Sämtliche Schublädchen eines zierlichen antiken Sekretärs standen offen, genau wie das Geheimfach. Bilder waren von den Wänden abgenommen, Vorratsregale und Küchenschränke geleert, Sofas, Betten und Sessel bis auf die Sprungfedern aufgeschlitzt worden. Pia wanderte durch das Haus, das ihr vorkam wie eine geschändete Leiche. Nicht einmal vor den Badezimmerschränken, dem Korb für Schmutzwäsche, Mülleimern und Papierkörben hatte der Einbrecher haltgemacht. Was würde wohl Dr. Harding angesichts dieser überwältigenden Unordnung tun? Wie würde er sie interpretieren?

»Wo soll ich denn hier anfangen?«, fragte Kathrin ratlos, bis an die Knie in Bücherbergen stehend, denn der Einbrecher hatte auch alle Bücher und Fotoalben aus den deckenhohen Bücherregalen im Wohnzimmer gerissen. »Wenn wir wenigstens wüssten, wonach wir überhaupt suchen!«

»Uns interessieren vor allen Dingen Notizen, Briefe, Tagebücher, Terminkalender, Fotoalben, Kontoauszüge und so weiter«, half Pia ihrer Kollegin. »Ich will wissen, wie weit ihre Verlagsgründungspläne gediehen waren, wer darin involviert war und wer nicht.«

»Okay. Also los.« Kathrin stieß einen Seufzer aus und begann, die herumliegenden Bücher aufzustapeln.

Das hier war der mühselige und unspektakuläre Teil der Polizeiarbeit, der in Fernsehkrimis und in Büchern immer zu gerne ausgespart wurde.

Sie müssen sich in den Täter hineinversetzen, so denken wie er, hörte Pia Dr. Hardings Stimme in ihrem Kopf. Was, wenn sie versuchte, sich nicht in einen Täter mit unbekanntem Motiv, sondern in Heike Wersch hineinzuversetzen? Sie stieg die Treppe hoch ins Obergeschoss und ließ ihre Augen durch die Räume wandern. Wo würde sie, wäre sie Heike Wersch, Dinge aufbewahren, die ihr wirklich wichtig waren? Uhren, Schmuck und andere Preziosen hatten ihr offenbar nichts bedeutet, denn sie hatte alles offen herumliegen lassen.

Sie fand Bodenstein in der Küche, wo er mit der Lektüre des Monatsplaners beschäftigt war, der neben der Tür hing. Kröger entledigte sich vor der Küchentür gerade seines Overalls.

»Sagt mal, was waren die abstrusesten Verstecke für Wertsachen oder geheime Unterlagen, an die ihr euch erinnern könnt?«, fragte Pia ihre Kollegen von der Spurensicherung.

»Tiergehege jeder Art«, erwiderte einer der Techniker, der am Küchentisch Post und Papiere sichtete. »Ich hatte schon alles – vom Pferdestall, über Hundezwinger, Meerschweinchen-Käfige, Vogelvolieren bis hin zu Aquarien.«

»Als ich noch bei der Steuerfahndung war, hatten wir mal einen Tipp von einer verlassenen Ehefrau bekommen«, sagte eine Kollegin. »Ihr Mann war Metzger und hatte massenweise Bargeld und heikle Bankunterlagen in Hundefutterdosen gesteckt und diese wieder professionell verschlossen, sodass wir sie nie gefunden hätten.«

»Im Gartenteich!«, rief Cem aus der Speisekammer.

»In Plastiktüten unterm Rasen«, ergänzte Kröger.

»In einem Klavier.«

»Kühltruhen sind beliebt.«

»Meine Eltern haben alle Kindheitserinnerungen in Umzugskartons gepackt und auf den Dachboden gestellt, als meine Geschwister und ich ausgezogen sind.« Bodenstein nahm den Kalender von der Wand und legte ihn in einen der Wäschekörbe. »Vielleicht hat das Herr Wersch ja genauso gemacht.«

Sein Handy klingelte und er ging dran.

»Hallo?«, ertönte in diesem Moment eine Männerstimme von draußen. »Hallo!«

Kröger wandte sich im Türrahmen um.

»Da steht ein Typ drüben im Rohbau«, sagte er.

»Ah! Vielleicht ist das der Bauherr, der Frau Wersch einen Baustopp verdankt.« Pia drängte sich an ihrem telefonierenden Chef vorbei nach draußen. In einer der bodentiefen Fensterhöhlen des Rohbaus, der das Haus von Frau Wersch wie eine gewaltige Festungsruine überragte, stand ein Mann und blickte neugierig herüber.

»Hallo«, wiederholte er, als Pia an den Maschendrahtzaun trat, der die Grundstücke voneinander trennte. »Sind Sie von der Polizei? Stimmt es, dass die alte Hexe vermisst wird?«

»Kommen Sie doch bitte zu uns herunter«, erwiderte Pia, die keine Lust hatte, sich den Hals zu verrenken, um mit ihm zu sprechen.

»Moment.« Der Mann verschwand aus der Fensterhöhle, und Pia nutzte die Zeit, um in ihrem Notizbuch die Stelle zu finden, an der sie den Namen des streitlustigen Bauherrn notiert hatte.

»Henning hat mich eben zurückgerufen.« Bodenstein trat neben sie. »Er wird die Obduktion von Alexander Roth heute um 13:00 machen.«

»Wie praktisch, dass er direkt im Institut wohnt. Übrigens, der Typ da ist Marcel Jahn, der Bauherr, mit dem Heike Wersch prozessiert«, informierte sie ihren Chef, als der Mann nun im Erdgeschoss seines halb fertiggestellten Betonpalastes auftauchte und sich mühsam einen Weg zwischen Mörteleimern, Zementsäcken und wuchernden Brennnesseln zum Zaun bahnte. Marcel Jahn war in den Vierzigern, rothaarig, sehnig, das ausgezehrte Gesicht von den Narben einer schlimmen Pubertätsakne gezeichnet. Er war kein schöner Mann, aber seine Körperhaltung strahlte Selbstsicherheit und Durchsetzungsvermögen aus.

»Ich wette meinen Mini darauf, dass er Investmentbanker oder Anwalt in irgendeiner von diesen Großkanzleien in Frankfurt ist, mindestens einen, wenn nicht gar zwei Doktortitel hat und morgens vor der Arbeit einen halben Marathon läuft«, flüsterte Pia.

»Du kannst dein Auto behalten. Ich wette nicht dagegen«, erwiderte Bodenstein, ohne eine Miene zu verziehen, und er verzog auch weiterhin keine, als der Mann ihm dreißig Sekunden später seine Visitenkarte unter die Nase hielt. *Dr. Marcel Jahn, Partner, Head of Private Equity.* Wahrscheinlich zahlte Dr. Jahn im Monat so viel an Steuern, wie Bodenstein im Jahr verdiente. Hinter ihm tauchte eine Frau mit blondem Pagenkopf auf, und Pia traute ihren Augen nicht, als sie die Weimaraner-Besitzerin von neulich erkannte, die ihr vulgäre Beschimpfungen hinterhergeschrien hatte. Sie konnte sich lebhaft vorstellen, wie sich das Ehepaar Jahn und die streitbare Frau Wersch auf der Straße gegenseitig angepöbelt hatten.

»Seit über einem Jahr hindert uns diese Person daran, unser

Haus fertigzustellen«, beklagte sich der rothaarige Superanwalt bei Bodenstein. »Ständig fallen ihr neue Schikanen ein.«

»In Zukunft nicht mehr«, sagte Bodenstein trocken. »Frau Wersch ist nämlich tot.«

»Oh«, machte Dr. Jahn, eher überrascht als betroffen. Seine Frau konnte ihre Freude über diese unerwartet gute Nachricht nicht so gut kaschieren.

»Na, das nennt man wohl Karma.« Sie grinste boshaft. »Diese schreckliche alte Schachtel hat uns das Leben zur Hölle gemacht.«

»Wer erbt denn jetzt Haus und Grundstück?« Ihr Mann heuchelte nicht einmal anstandshalber Bestürzung.

Pia überhörte die Frage.

»Uns wurde erzählt, dass es am letzten Sonntag zwischen Frau Wersch und Ihnen wieder einmal zu einem lautstarken Streit gekommen ist, bei dem Sie sehr ausfallend geworden sind«, sagte sie nun. Sie blätterte in ihrem Notizbuch. »Nachbarn haben berichtet, Sie hätten Frau Wersch im Verlauf dieses Streits unter anderem als – ich zitiere – ›bescheuerte Fotze‹ und ›alte Drecksau‹ bezeichnet und ihr in Anwesenheit von mehreren Kindern gewünscht, sie solle doch verrecken.«

Frau Jahn schämte sich nicht im Geringsten, stattdessen wurde sie aggressiv.

»Was? Wer hat das denn behauptet?« Sie stemmte die Hände in die Seiten und schob das Kinn vor. »Das ist eine ganz gemeine Lüge! Solche Ausdrücke benutze ich nicht! Ich will einen Namen!«

»Ganz sicher nicht.« Pia klappte das Notizbuch zu. »Wir ermitteln in dieser Angelegenheit, da Frau Wersch Opfer eines Gewaltverbrechens wurde. Und Sie beide haben ein starkes Motiv.«

Plötzlich wurden die Augen der Frau schmal.

»Ich kenne Sie doch!« Sie zeigte mit dem Finger auf Pia, dann ergriff sie den Arm ihres Mannes. »Marcel, das ist die Frau mit diesem Köter, der unseren Eddi gebissen hat! Ich musste beim Tierarzt 250 Euro bezahlen!«

»Dann nehmen Sie Ihren Hund am besten zukünftig an die Leine«, erwiderte Pia. »Mein Hund war nämlich angeleint.«

»Meiner auch!«, behauptete die Frau. »Meine Hunde sind immer an der Leine.«

Sie log derart dreist und mit einer solchen Überzeugung, wie Pia es selten erlebt hatte, und sie war in ihrem Leben schon wirklich oft angelogen worden. Auf einmal empfand sie so etwas wie Sympathie für die verstorbene Frau Wersch.

»Wo waren Sie am Montagabend?«, fragte Bodenstein den Anwalt und seine Frau.

»Das ist ja wohl eine Unverschämtheit!«, echauffierte sich die blondierte Anwaltsgattin, aber bevor sie loslegen konnte, ergriff ihr Mann das Wort.

»Ich bin am Sonntagabend geschäftlich nach Chicago geflogen«, sagte er. »Und ich bin gestern Morgen zurückgekommen. Wir hatten sehr viel Ärger wegen Frau Wersch, aber den Tod haben wir ihr sicherlich nicht gewünscht.«

»Und Sie, Frau Jahn, wo waren Sie am Montagabend?«

»Ich war auf einer Veranstaltung meiner Bank in der *Kameha-Lounge* in Frankfurt«, erwiderte sie schmallippig. »Gegen Mitternacht habe ich mir ein Taxi genommen. Und bevor Sie uns verdächtigen, die Hexe umgebracht zu haben, fragen Sie doch erst mal den alten Knacker, der am Sonntag bei ihr zu Besuch war und den sie hochkant rausgeworfen hat, bevor sie auf uns losgegangen ist.«

* * *

»Wer war wohl dieser Mann, mit dem sich Frau Wersch am letzten Sonntag angeblich gestritten hat? Alexander Roth?«, überlegte Pia, als sie über die Friedensbrücke auf die andere Seite des Mains fuhren. An Werktagen brauchte man für die Strecke zwischen Messe und Friedensbrücke manchmal eine halbe Stunde und länger, sonntags dauerte die Fahrt jedoch keine zehn Minuten.

»Roth wird wohl kaum am Sonntag *und* am Montag zu ihr gefahren sein«, erwiderte Bodenstein. »Außerdem war der Mann, so, wie ihn die Frau beschrieben hat, um einiges älter als Roth. Vielleicht war es ja Henri Winterscheid, ihr ehemaliger Liebhaber und zukünftiger Geschäftspartner.«

Er wechselte die Spur, um in die Kennedyallee einzubiegen.

»Nein, das glaube ich nicht«, sagte Pia. »Henri Winterscheid ist wohl gesundheitlich ziemlich angeschlagen, das sagt zumindest seine Tochter. Aber wir können Carl Winterscheid trotzdem später fragen, ob Frau Jahns Beschreibung auf seinen Onkel zutrifft.«

Nach der Obduktion, die hoffentlich zur Klärung von Alexander Roths Todesursache beitragen konnte, wollten sie dem Verleger noch ein paar Fragen stellen. Zwischen dem Mord an Heike Wersch und dem Tod von Alexander Roth musste es einen Zusammenhang geben. Sie waren beide schon zu lange Polizisten, um an Zufälle zu glauben.

Der Parkplatz des Instituts für Rechtsmedizin, das in einer schönen alten Jugendstilvilla an der Kennedyallee untergebracht war, war bis auf zwei Autos leer. Vor dem »Kundeneingang«, wie der für die Anlieferung von Leichen bestimmte Hintereingang von den Institutsmitarbeitern genannt wurde, gönnten sich Dr. Frederik Lemmer und Ronnie Böhme, der dienstälteste Sektionshelfer, ein Zigarettenpäuschen im Sonnenschein.

»Na, dann kann's ja losgehen«, sagte Böhme mürrisch. »Wenn wir einen Zahn zulegen, hab ich vielleicht noch was von meinem Wochenende.«

»Sie haben doch sowieso nichts Besseres zu tun.« Dr. Lemmer grinste und drückte seine Kippe aus. »Länderspielpause. Keine Bundesliga.«

»Tut mir leid, dass wir euch am Sonntag belästigen«, sagte Pia, aber der hünenhafte Rechtsmediziner winkte ab.

»Muss es nicht. Ich habe sowieso Bereitschaft, und Herr Böhme kriegt die Sonntagsarbeit nicht schlecht bezahlt.«

»Pah, so'n Scheiß, nicht schlecht bezahlt, wenn ich das schon höre. 'n Hungerlohn kriegt man hier, wenn man kein Doktor oder Professor ist«, meckerte Böhme vor sich hin und hielt Pia und Bodenstein die Tür auf. »Ich könnte eigentlich meine Bude kündigen und direkt hier einziehen, so oft, wie der Chef mich hierherbeordert. Als gäb's nur mich. Klar, man ist immer der Arsch, wenn man keine Familie hat.«

»Sie sind halt unser bester Mann, Herr Böhme«, sagte Dr. Lemmer.

»Bester Mann, tss, verarschen kann ich mich selbst«, antwortete Böhme griesgrämig. Sie folgten ihm den Flur entlang zu den beiden Sektionsräumen, die sich im Keller des Institutsgebäudes befanden. In Sektionsraum 1 lag die bereits entkleidete Leiche von Alexander Roth auf dem blanken Seziertisch aus Edelstahl. Obwohl Pia während ihrer Ehe mit Henning unzählige Abende und Wochenenden hier unten verbracht und Leichen in allen nur möglichen Zuständen gesehen hatte, ging ihr der Anblick des Mannes, mit dem sie vorgestern noch gesprochen hatte, an die Nieren. Es machte einen Unterschied, ob man den Menschen, dessen Obduktion man beiwohnte, vor seinem Tod gekannt hatte oder nicht. Allerdings hätte sie Alexander Roth nicht wiedererkannt, wenn sie nicht gewusst hätte, dass es sich um seine Leiche handelte. Gesicht und Körper waren von Blutergüssen, Prellungen und Platzwunden völlig entstellt. Die grauen Locken klebten feucht an seinem deformierten Schädel.

»Hallo, Pia. Hallo, Oliver.« Henning erhob sich von dem Rollhocker, auf dem er gesessen hatte, um sich Röntgenbilder anzuschauen.

»Danke, dass du so schnell obduzieren kannst«, sagte Pia zu ihrem Ex-Mann. »Dieser Fall ist bisher ein einziges Rätsel.«

»Einen Teil des Rätsels kann ich vielleicht lösen«, erwiderte Henning. »Wir haben ihn durchgeröntgt und ein paar Schnelltests gemacht, die die Laborbefunde und die Blutgasanalyse, die im Krankenhaus gemacht wurden, bestätigen.«

»Vor allen Dingen ›wir‹. Klar. Muss sich immer die Lorbeeren von anderen anstecken«, murrte Ronnie Böhme.

Henning, an sein ständiges Gemecker gewöhnt, achtete nicht auf ihn.

»Der behandelnde Arzt im Krankenhaus vermutet, dass Roth an einem Herzinfarkt infolge einer metabolischen Azidose gestorben ist.«

»Was ist das?«, wollte Bodenstein wissen.

»Bei einer metabolischen Azidose übersäuert der Körper. Das

kann vor allen Dingen bei Diabetes mellitus der Fall sein, aber auch bei schweren Hungerzuständen, Schock oder Alkoholmissbrauch«, erklärte Henning. »Die metabolische Azidose hat Auswirkungen auf Herz und Blutgefäße. Während der Blutdruck im Lungenkreislauf steigt, fällt er im restlichen Körper. Oft erscheint das Gesicht gerötet, auch die Bindehäute zeigen eine rötliche Verfärbung. Dazu kommen unspezifische Symptome wie Kopfschmerzen, Müdigkeit, Erbrechen, Appetitlosigkeit ...«

»Als ich am Freitag mit ihm gesprochen habe, war er ganz rot im Gesicht«, unterbrach Pia ihn. »Und er hat sich dauernd die Augen gerieben und gezwinkert.«

»Das würde passen.« Henning nickte. »Später treten weitere Symptome auf: Schwächeanfälle, Erbrechen, beschleunigte Atmung, Sehstörungen, Atemnot, Bewusstlosigkeit. Eine lebensbedrohliche Folge der metabolischen Azidose ist die Hyperkaliämie, eine Elektrolytstörung, bei der die Kalium-Konzentration im Blut erhöht ist. Dadurch kommt es zu Herzrhythmusstörungen bis hin zu Vorhof- und Kammerflimmern.«

»Und woher kommt so etwas? Doch nicht nur von ein paar Gläsern Wein?«, fragte Bodenstein.

»Ich vermute, der Mann hatte eine Methanolvergiftung«, erwiderte Henning. »Früher, nach dem Krieg, oder auch in der DDR, haben die Leute oft Alkohol gepanscht, da waren Methanolvergiftungen gang und gäbe. Aber mittlerweile sind sie in Deutschland sehr selten geworden, deshalb kommen Ärzte nicht unbedingt darauf.«

»Das heißt, Herr Roth hat gepanschten Alkohol getrunken?«

»Möglich«, sagte Henning. »Methanol selbst ist nur gering toxisch. Die eigentliche Toxizität entsteht durch den Abbau über Formaldehyd zu Ameisensäure. Und weil sich die Ameisensäure im menschlichen Körper nur sehr langsam abbaut, kommt es in einer sogenannten Latenzphase zur metabolischen Azidose. Dagegen gibt es ein simples Antidot, den ADH-Inhibitor 4-Methylpyrazol, man kann auch Ethanol geben, notfalls sogar hochprozentige Alkoholika, die den Methanolabbau im Körper hemmen. Den Abbau der Ameisensäure kann man durch Folsäuregaben fördern. Eine Methanolvergiftung muss also nicht zwangsläufig zum Tod führen, wenn man sie rechtzeitig erkennt und behandelt. In diesem Fall aber wäre jede Hilfe zu spät gekommen.«

»Er lag nach seinem Fahrradsturz ein paar Stunden im Straßengraben«, sagte Pia.

»Genau. In dieser Zeit sind sehr wahrscheinlich irreversible Hirnschäden entstanden«, antwortete Henning. »Ich rechne damit, dass wir Netzhautödeme finden, weil die Ameisensäure bereits die Augen angegriffen und womöglich zu Sehstörungen oder sogar Blindheit geführt hat. Außerdem kann man Veränderungen an Hirn, Herz, Leber, Nieren und anderen Organen finden, die meine Vermutung bestätigen würden.«

»Wann muss er dann den gepanschten Alkohol zu sich genommen haben?«, fragte Bodenstein.

»Die Latenzphase nach dem durch Alkoholkonsum hervorgerufenen narkotischen Stadium dauert etwa zwischen sechs und sechsunddreißig Stunden«, rechnete Henning vor.

»Den Unfall hatte er in der Nacht von Freitag auf Samstag«, half Pia. »Vermutlich gegen 23 Uhr.«

»Am Freitag, als du mit ihm gesprochen hast, hatte er allerdings bereits massive Symptome«, erinnerte Henning sie. »Also dürfte er sich eine erste Vergiftung bereits am Donnerstag zugezogen haben.«

Dr. Lemmer hatte bereits mit der äußeren Leichenschau begonnen und sprach seine Befunde in das Mikrofon seines Headsets. Pia betrachtete den Toten, der so schutzlos im grellen Licht auf dem Sektionstisch lag, und stieß einen Seufzer aus.

»Wenn er nicht mit dem Fahrrad verunglückt wäre, könnte er jetzt noch leben«, sagte sie.

»Nein, da war es schon zu spät«, korrigierte Henning sie. »Ich nehme an, es ist überhaupt nur deshalb zu dem Unfall gekommen, weil er aufgrund der bereits fortgeschrittenen Nervenschädigungen und Atemnot das Bewusstsein verloren hat.«

* * *

Ein durchdringendes Summen begann den Traum zu verdrängen. Die Gesichter der Menschen um sie herum wurden rasch blasser, und ihre Stimmen verklangen in der Ferne. Der Traum verschmolz mit der Wirklichkeit. Schon konnte sie sich nicht mehr an ihre Namen erinnern, und gleich würden sie ganz verschwunden sein. Es erfüllte sie mit Wehmut, weil sie ahnte, dass sie nicht hierher zurückkehren konnte, obwohl sie gerne noch länger geblieben wäre. Eine Weile blieb Julia mit geschlossenen Augen liegen und versuchte, wenigstens die letzten Fetzen dieses Traums, der sich so realistisch angefühlt hatte, in ihrem Gedächtnis festzuhalten. Benommen schlug sie die Augen auf und stellte fest, dass sie angezogen auf der Couch lag und helles Tageslicht durch die Fenster fiel. Sie mochte es nicht, so lange zu schlafen, denn dadurch geriet ihr Biorhythmus immer völlig durcheinander.

»Was für ein Mist!«, murmelte sie und tastete nach ihrem Smartphone. Es war schon beinahe Mittag, und das Summen, das sie so unsanft aus ihrem Traum gerissen hatte, war ein Anruf von Carl Winterscheid gewesen. Gähnend richtete sie sich auf und taumelte ins Badezimmer. Sie hatte um vier Uhr morgens das Manuskript ausgelesen, das leider abrupt endete. Zu gerne hätte sie erfahren, wie die Geschichte weiterging, was aus Karla geworden war, nachdem ihr Ehemann urplötzlich an einem Herzinfarkt gestorben war und sie mit ihrem vier Jahre alten Sohn allein zurückgelassen hatte. Hatte sie es geschafft, sich gegen ihren dominanten Schwager und seine herrschsüchtige Frau durchzusetzen? Würde herauskommen, dass die Clique den Neffen ihres Mannes im Meer in der Nähe des Ferienhauses auf der französischen Atlantikinsel Noirmoutier ertränkt hatte? War die ganze Geschichte eine Ausgeburt der Fantasie der Autorin, oder war die Ich-Erzählerin Karla in Wirklichkeit Katharina Winterscheid selbst gewesen?

Julia hatte irgendwann angefangen, Namen herauszuschreiben und zu spekulieren, welche Figur wessen Entsprechung in der Realität sein könnte. Sie wusste zu wenig über die Mutter ihres Chefs, um mit Bestimmtheit sagen zu können, was an alledem autobiografisch war, aber die Parallelen zu realen Ereignissen waren frappierend. Der Sohn von Henri und Margarethe Winterscheid war jung gestorben, allerdings war im Internet und auf der Webseite der Götz-Winterscheid-Stiftung nur von einem ›tragischen Unglück‹ die Rede, nicht von einem Mord. Außerdem hatte die Geschichte irgendeine vage Erinnerung in ihr ausgelöst, die sie allerdings nicht greifen konnte. Es war wie ein Wort, das ihr auf der Zunge lag, ihr aber nicht einfallen wollte. Das Ganze hatte Julia auf jeden Fall so tief berührt, dass sie von dem weißen Haus mit den hellblauen Fensterläden in den Dünen geträumt hatte, von den jungen Leuten, die sich in einem feierlichen Ritual auf den Klippen bei Sonnenuntergang ewige Freundschaft bis in den Tod geschworen hatten, und von Karla, der jungen Frau, die ihre große Liebe gefunden und nur wenige Jahre später wieder verloren hatte. Es passierte ihr nur äußerst selten, dass ein Buch sie bis in ihre Träume verfolgte. Sie musste unbedingt mit Carl Winterscheid darüber sprechen.

Nachdem sie geduscht, sich frische Klamotten angezogen und einen Kaffee getrunken hatte, rief sie ihn zurück, aber er ging nicht dran. Stattdessen erhielt sie nur Sekunden später eine Nachricht.

Bin im Verlag, Krisensitzung. Alexander Roth ist letzte Nacht seinen Verletzungen erlegen.

»Oh, mein Gott«, flüsterte Julia und spürte, wie ihr eine Gänsehaut über den Rücken und die Arme lief. Erst Heike Wersch, und nun war auch Alexander Roth tot! Und sie war eine der Letzten gewesen, die ihn lebend gesehen hatte. Wobei, eigentlich hatte sie am Freitagabend ja gar nichts gesehen, sondern nur Stimmen gehört.

Das ist wirklich schrecklich, antwortete sie ihrem Chef. *Ich habe letzte Nacht das Manuskript gelesen und muss mit Ihnen darüber reden. Jetzt ist es sicher schlecht, aber vielleicht später?*

Ja, auf jeden Fall, lautete seine Antwort.

* * *

Die Obduktion hatte Hennings Vermutungen und die Diagnose des Krankenhausarztes bestätigt: Alexander Roth war an einem durch eine Methanolvergiftung verursachten Multiorganversagen gestorben. Todesursächlich war letztlich ein Herzinfarkt gewesen, aber die Schädigung des Hirngewebes war so massiv, dass er bereits hirntot gewesen war, als nacheinander seine Nieren, seine Leber und schließlich sein Herz versagt hatte. Zwar war nun geklärt, woran Alexander Roth gestorben war, aber was dazu geführt hatte, blieb ein Rätsel. War es ein Unfall gewesen oder hatte sich Roth vielleicht wissentlich und in möglicherweise suizidaler Absicht mit Methanol vergiftet? Auf welchem Weg konnte das tückische Gift in seinen Körper gelangt sein?

Auf dem Weg zurück in die Innenstadt saß Pia am Steuer, und Bodenstein telefonierte mit dem diensthabenden Staatsanwalt, damit der ihm umgehend einen Durchsuchungsbeschluss für das Büro und das Privathaus von Alexander Roth ausstellte. Der Staatsanwalt zierte sich zunächst, aber Bodenstein gelang es, ihn davon zu überzeugen, dass Roth in der Mordsache Heike Wersch dringend tatverdächtig gewesen und nun womöglich selbst Opfer eines Verbrechens geworden war. Danach rief er Carl Winterscheid an, der ihm mitteilte, dass er im Verlag sei.

»Ich glaube auf keinen Fall, dass er sich das Leben genommen hat«, sagte Pia, als sie über die Untermainbrücke fuhren. Sie mochte den Blick von der Sachsenhäuser Mainseite aus auf die Wolkenkratzer des Bankenviertels, aber heute nahm sie die spektakuläre Aussicht kaum wahr. »So bringt sich niemand um. Da gibt es doch viel schnellere und wirkungsvollere Methoden.«

»Ich schließe einen Suizid nicht aus. Roth schien sehr verzweifelt gewesen zu sein«, entgegnete Bodenstein nachdenklich. »Vielleicht hat er mit Absicht eine nicht so offensichtliche Methode gewählt, damit seine Frau und seine Töchter nicht mit dem Stigma leben müssen, dass ihr Ehemann und Vater sich das Leben genommen hat. Möglicherweise dachte er, man würde seine Leiche finden und annehmen, er sei bei einem Unfall gestorben.«

»Als wäre sterben so leicht«, brummte Pia.

Sie fuhren die Neue Mainzer entlang zwischen den Hochhäusern hindurch.

»Worum handelt es sich wohl bei dieser Lüge, auf die Alexander Roths Karriere begründet sein soll?«, überlegte Bodenstein laut. »Weshalb hielt er sich für ›unwürdig‹?«

»*Unwürdig* – was für ein komischer Ausdruck«, fand Pia.

»Ich finde ihn sehr treffend«, widersprach Bodenstein. »Wenn ich es richtig verstehe, dann hat Herr Roth geglaubt, er hätte irgendetwas nicht verdient. Eine Auszeichnung? Vertrauen? Eine Aufgabe, der er sich nicht gewachsen fühlte?«

»Den Job als Programmleiter vielleicht«, vermutete Pia, pragmatisch wie immer. »Er musste in große Fußstapfen treten und stand auf einmal in der ersten Reihe. Das hat ihn so sehr gestresst, dass er wieder mit dem Trinken angefangen hat.«

»Aber das allein kann es nicht gewesen sein«, sagte Bodenstein. »Bei allem Engagement war das doch nur ein Job. Er hätte ihn nicht annehmen müssen. Er hätte kündigen können.«

»Das sehe ich anders. Alexander Roth hat sich über diese Position definiert, sie war ihm so wichtig, dass er dafür die Freundschaft mit Heike Wersch riskiert hat. Erst später hat er vielleicht gemerkt, dass er diesem Job ohne sie nicht gewachsen war und versagen würde. Ein solches Dilemma ist für einen labilen Menschen Grund genug, die Flucht zu ergreifen. In den Alkohol oder aus dem Leben.«

Zehn Minuten später bog Pia von der Börsenstraße in die Rahmhofstraße und fünfzig Meter weiter in die Schillerstraße ein. Unweit des Verlagshauses fand sie einen Parkplatz, und sie stiegen aus. Wie zugesagt, hatte der Staatsanwalt den Durchsuchungsbeschluss als PDF per Mail auf Bodensteins Smartphone geschickt.

Carl Winterscheid öffnete ihnen die Tür, und sie betraten das Foyer. Der Empfang war an einem Sonntag unbesetzt. Der Verleger, in schwarzem Hemd und schwarzer Jeans, war blass und wirkte angespannt. Der Tod von Alexander Roth hatte ihn sichtlich mitgenommen. Pia und Bodenstein kondolierten ihm. Winterscheid warf nur einen flüchtigen Blick auf den Durchsuchungsbeschluss, den Bodenstein ihm hinhielt.

»Tun Sie, was nötig ist«, sagte er. »Ich habe nichts dagegen einzuwenden. Kommen Sie, ich bringe Sie nach oben.«

Pias Blick fiel auf das Nietzsche-Zitat an der Wand zwischen Aufzug und Treppe. »Sie haben es ja schon ändern lassen.«

»Wie bitte? Was meinen Sie?«, fragte Carl Winterscheid verwirrt.

»Das Zitat.« Pia wies auf die Wand. *Man ist ein Mann seines Faches um den Preis, auch das Opfer seines Faches zu sein.* Jemand hatte ›ein Mann‹ mit einem Sternchen versehen und darunter wiederum mit Sternchen ›eine Frau‹ ergänzend an die Wand gepinselt.

»Das … oh ja!« Ein Lächeln flog über Winterscheids Gesicht und war gleich wieder erloschen. »Das war eine Idee von Alex. Also, von Herrn Roth. Ein guter Kompromiss, wie wir alle fanden.«

»Gefällt mir.« Pia lächelte freundlich.

Auf einmal hallten Stimmen durchs Treppenhaus. Irgendwo fiel eine Tür mit einem Knall ins Schloss.

»Sie sind nicht allein hier?«, erkundigte sich Bodenstein.

»Nein.« Winterscheid schob die Hände in die Taschen seiner Jeans. »Ich habe eine Krisensitzung einberufen. Der Vorstand ist da, außerdem alle Abteilungsleiter. Herr Roth war ein wichtiger und sehr geschätzter Mitarbeiter, sein plötzlicher Tod stellt uns vor große Probleme, besonders jetzt, so kurz vor der Buchmesse. Wenn wir unsere Präsenz auf der Messe aus Gründen der Pietät kurzfristig absagen, entsteht uns ein erheblicher wirtschaftlicher Schaden. Sagen wir nicht ab, wird man uns Respektlosigkeit vorwerfen. Bitte halten Sie mich nicht für kaltherzig, ich denke natürlich an die Familie von Herrn Roth, aber ich habe ein Unternehmen zu leiten, und die Frankfurter Buchmesse ist einer der wichtigsten Termine des Jahres.«

»Das verstehen wir«, versicherte Bodenstein ihm.

Der Tod seines Programmleiters ging dem Verleger sehr nahe, das war unübersehbar. Um seine Erschütterung zu überspielen, flüchtete er sich in Mitteilsamkeit.

»Wir müssen alle Autoren, für die Herr Roth zuständig war, benachrichtigen. Eine Pressemitteilung formulieren, eine Traueranzeige schalten.« Carl Winterscheid biss sich auf die Lippen.

»Auch wenn Frau Wersch nicht mehr bei uns angestellt war, so zähle ich sie noch immer zu unseren Mitarbeitern. Zwei Todesfälle innerhalb weniger Tage sind mehr als eine Tragödie. Das nimmt uns alle sehr mit.«

Der Aufzug kam und öffnete sich mit einem leisen Läuten.

»Frau Domski hat uns erzählt, dass ihr Mann nach langer Abstinenz wieder zu trinken angefangen hatte«, sagte Bodenstein auf dem Weg nach oben. »Vor ein paar Tagen kam er stark angetrunken nach Hause und erklärte seiner Frau, er habe Angst, es könnte herauskommen, dass er ›unwürdig‹ und sein ganzes Leben und seine Karriere auf einer Lüge aufgebaut sei. Was kann er damit gemeint haben?«

»Ich weiß es nicht.« Carl Winterscheid schüttelte den Kopf. »Natürlich ist mir nicht entgangen, dass Herr Roth wieder mit dem Trinken angefangen hat. Ich habe mit ihm gesprochen, ich wollte ihm helfen, aber er sagte, er habe alles im Griff.«

»War die Programmleitung vielleicht zu viel für ihn?«, fragte Pia.

»Das habe ich mich auch schon gefragt«, gab Winterscheid zu. Seine Schultern sackten nach vorne, plötzlich wirkte er niedergeschlagen. »Und ich fühle mich schuldig, weil ich glaube, dass ich mit der Personalentscheidung, die ich getroffen habe, diese Katastrophe überhaupt erst ausgelöst habe. War Alexander Roth überfordert? Habe ich ihn möglicherweise in einen Loyalitätskonflikt gebracht, der ihn wieder in den Alkohol getrieben hat?«

»Herr Roth hätte den Posten doch ablehnen können«, sagte Pia.

»Das hätte er gekonnt, ja.« Carl Winterscheid zuckte die Schultern. »Aber ich war mir ganz sicher, dass er das nicht tun würde. Er war geschmeichelt. Und er war scharf darauf, endlich aus dem Schatten von Heike Wersch und meinem Onkel zu treten und die Nummer eins zu sein.«

»Und Sie wussten auch, dass Sie ihn auf diese Weise davon abhalten würden, zu Heike Werschs neuem Verlag zu wechseln«, verstärkte Pia sein schlechtes Gewissen. Sie empfand es immer als ein wenig unfair, Menschen zu befragen, die sich unter Schock oder in einer emotionalen Ausnahmesituation befanden, aber genau in diesen Momenten, wenn die Abwehrmechanismen des Verstandes nicht richtig funktionierten, bekamen sie die ehrlichsten Antworten.

»Das stimmt«, räumte Carl Winterscheid nun mit entwaffnender Ehrlichkeit ein. »Genau deshalb mache ich mir ja Vorwürfe. Alex Roth zu befördern war eine rein strategische Entscheidung, die vielleicht zu seinem Tod geführt hat.«

Das war kein selbstmitleidiges Heischen nach Absolution, sondern eine sachliche Diagnose. Der junge Verleger des Winterscheid-Verlags war offenbar nicht nur ein guter Krisenmanager, sondern auch bereit und in der Lage, Fehler einzugestehen und Verantwortung für sein Handeln zu übernehmen. Genau so etwas machte einen guten Chef aus, nicht das Alter oder die berufliche Qualifikation.

Sie verließen den Aufzug und folgten Carl Winterscheid in den linken Flur.

»Gibt es Überwachungskameras in diesem Gebäude?«, erkundigte sich Bodenstein.

»Nein. Wir haben eine Alarmanlage, das ist alles. Mein Onkel hat leider nie in die Infrastruktur investiert. Alles war veraltet. Höhere Priorität als die Sicherheitstechnik hatte für mich erst mal eine moderne IT.« Winterscheid blieb vor der Tür des Büros von Alexander Roth stehen und streckte schon die Hand aus, um sie auf die Türklinke zu legen.

»Bitte nicht anfassen!«, sagte Pia, und er zog rasch seine Hand zurück.

Bodenstein und Pia streiften sich Handschuhe über, und Pia öffnete die Tür. Das Büro sah noch genauso aus wie am Freitag. Auf Aktenschränken, einem Sideboard und dem Tisch mit zwei Stühlen stapelten sich Bücher und Unterlagen. Der Schreibtisch war jedoch ordentlich aufgeräumt. Pia öffnete die Schubladen des Rollcontainers und hob die Schreibtischunterlage an. Bodenstein schob mit der Fußspitze den Papierkorb unter dem Schreibtisch hervor. Er war leer.

Im Türrahmen erschien neben Carl Winterscheid ein großer,

schlanker Mann etwa Mitte fünfzig. Er trug einen grauen Straßenanzug, dazu ein weißes Hemd und eine schwarze Krawatte.

»Ich habe mir erlaubt, Waldemar Bär herzubitten«, sagte Carl Winterscheid und stellte den Mann vor. »Er ist seit mehr als dreißig Jahren die gute Seele unseres Hauses und kennt sich hier sehr viel besser aus als ich. Sicher kann er alle Ihre Fragen beantworten.«

»Das ist gut.« Bodenstein nickte. »Danke, dass Sie sich an einem Sonntag Zeit nehmen, Herr Bär.«

»Das ist selbstverständlich«, erwiderte der Hausmeister höflich.

Sein schmales Gesicht war blass und ausdruckslos, abgesehen von den tief liegenden dunklen Augen unter dichten Brauen und einem gepflegten Schnauzbart fand Pia es in jeder Hinsicht durchschnittlich.

Winterscheids Handy summte. Der Verleger warf einen Blick aufs Display, dann entschuldigte er sich, versicherte aber, jederzeit zur Verfügung zu stehen. Er verschwand eilig in Richtung Treppe und nahm den Anruf entgegen.

Waldemar Bär blieb in der Tür stehen.

»Kommen Sie herein«, forderte Pia ihn auf. »Fällt Ihnen irgendetwas auf? Ist etwas anders als sonst?«

Der Hausmeister betrat das Büro und blickte sich prüfend um. Seine Augen wanderten über den Schreibtisch und den Fußboden, über die Bücherregale und Aktenschränke und blieben schließlich an einem Aktenvernichter hängen, der hinter dem Schreibtisch neben dem Papierkorb stand.

»Im Reißwolf ist Papier«, stellte er fest. »Die Mitarbeiter der Reinigungsfirma leeren abends alle Papierkörbe und Aktenvernichter.«

»Um wie viel Uhr?«

»Sie sind üblicherweise gegen 19:00 Uhr fertig.«

»Wann haben Sie am Freitag das Gebäude verlassen?«

»Um 17:30 Uhr. Ich hatte noch Verpflichtungen in der Villa.«

Bedeutete das, dass Roth am Freitagabend noch spät in seinem Büro gewesen und Unterlagen vernichtet hatte? Das war an und für sich nichts Verdächtiges. Theoretisch hätte jeder Mitarbeiter des Verlags Roths Aktenvernichter benutzen können, aber warum sollte das jemand tun? Pia erinnerte sich, dass sie vor einigen Jahren schon einmal den geschredderten Inhalt eines Reißwolfs konfisziert und mithilfe eines Dampfbügeleisens in mühsamer Kleinarbeit wieder zusammengesetzt hatte. Sie überließ Bodenstein die weitere Befragung des Hausmeisters. Im Laufe der Zeit hatten sie ein feines Gespür dafür entwickelt, wer besser auf sie oder auf ihren Chef reagierte, und der höfliche Herr Bär war eindeutig ein Fall für den höflichen Herrn von Bodenstein. Pia zog den Auffangbehälter des Aktenvernichters heraus, entnahm den Inhalt und bettete ihn vorsichtig in einen Beweismittelbeutel, ohne die Papierfetzen durcheinanderzubringen.

»Herr Bär, wie lange haben Sie Herrn Roth gekannt?«, fragte Bodenstein.

»Fast mein ganzes Leben lang. Herr Roth war ein Kindergartenfreund des jungen Götz Winterscheid«, erwiderte Waldemar Bär. »Ich bin in der Villa aufgewachsen, denn schon meine Eltern standen in Diensten der Familie Winterscheid. Seit 1988 bin ich angestellt und verantwortlich für das Verlagshaus und die Verleger-Villa am Grüneburgpark.«

»Wann haben Sie Herrn Roth zuletzt gesehen?«

»Freitag am späten Nachmittag«, erinnerte sich der Hausmeister. »Er ist an meinem Büro vorbei zum Hintereingang hinaus in den Wirtschaftshof gegangen. Ein paar Minuten später kam er wieder zurück, streckte den Kopf herein und wünschte mir ein schönes Wochenende, worüber ich mich ein bisschen gewundert habe.«

»Warum? Hat er das normalerweise nicht getan?«

»Nein. Die Einzigen, die das tun, sind der junge Herr Winterscheid, seine Cousine, die Vertriebsleiterin Frau Winterscheid-Fink, und Frau Bremora, eine junge Lektorin. Alle anderen Mitarbeiter wünschen mir nur dann einen schönen Abend oder ein schönes Wochenende, wenn sie mir zufällig begegnen.«

»Hatte Herr Roth sich in letzter Zeit verändert?«

»Ja, das hat er.«

»Inwiefern?«

»Ich möchte nicht indiskret sein, und das ist ja auch nur meine ganz persönliche Meinung ...« Waldemar Bär zögerte und glättete mit Daumen und Zeigefinger seinen Schnauzbart. »Ich hatte das Gefühl, dass Herr Roth nach dem Weggang von Frau Wersch ... keine wirkliche Freude mehr an seiner Arbeit hatte. Er war oft in sich gekehrt. Bedrückt. Ja, fast deprimiert.«

Waldemar Bärs Blick folgte Pia, die gerade nacheinander alle Aktenschränke und Schubladen öffnete.

»Und er hat wieder angefangen zu trinken«, sagte Bodenstein.

»Ja, leider.« Der Hausmeister nickte bekümmert.

»Wann war das ungefähr?«

»Mitte Juni. Kurz nachdem er seinen neuen Posten angetreten hatte. Da habe ich im Müllcontainer leere Wodkaflaschen entdeckt. Mir war sofort klar, dass sie von Herrn Roth stammen mussten, denn es handelte sich um seine früher schon bevorzugte Marke.«

»Haben Sie ihn je darauf angesprochen oder sich gar mit jemandem darüber ausgetauscht?«

Pia musste ein Lächeln unterdrücken, als sie hörte, wie Bodenstein sich Waldemar Bärs altmodischer Ausdrucksweise anpasste.

»Oh nein!« Bär schüttelte den Kopf. »So etwas steht mir nicht zu. Ich bin hier nur der Hausmeister. Ich sorge dafür, dass alles reibungslos funktioniert, aber ich würde niemals über etwas, das ich zufällig mitbekomme, sprechen, es sei denn, es beträfe meinen Verantwortungsbereich.«

Plötzlich vernahm Pia ein Brummen und Gluckern. Sie hielt inne und lauschte. Das klang wie ein Kühlschrank. Wo kam das Geräusch her?

»Aber Sie bekommen hier im Verlag doch sicherlich eine Menge mit, nicht wahr?«, fragte Bodenstein gerade.

»Nun ja, ich gehöre quasi zum Inventar.« Der Hausmeister rang sich ein dürftiges Lächeln ab. »Für gewöhnlich bemerken mich die Mitarbeiter kaum und senken nicht einmal die Stimme, wenn sie sich unterhalten. Aber ich habe mir angewöhnt, gar nicht hinzuhören.«

Obwohl Waldemar Bär sich so diskret und verschwiegen gab wie ein Butler des britischen Königshauses, gelang es Bodenstein, ihm ein paar Informationen über Herrn Roth zu entlocken, die aber letztlich nur bestätigten, was sie bereits wussten. Als er auf Heike Wersch angesprochen wurde, verschloss sich seine Miene jedoch.

»Frau Wersch hat mich mit ihrem Verhalten sehr enttäuscht«, sagte er steif. »Man beißt nicht die Hand, die einen so lange gefüttert hat. Aber das ist nur meine bescheidene Meinung.«

»Vielen Dank für die Auskünfte, Herr Bär«, sagte Bodenstein. Mit mehr würde der Hausmeister jetzt ohnehin nicht herausrücken. »Wir werden das Büro versiegeln. Heute oder morgen schicken wir die Spurensicherung her. Wenn Sie uns jetzt bitte noch den Müllcontainer zeigen würden, in dem Sie die Wodkaflaschen gefunden haben.«

»Selbstverständlich.«

Pia hatte inzwischen unter dem Tisch den Kühlschrank entdeckt. Sie wartete jedoch, bis Bodenstein und der Hausmeister das Büro verlassen hatten, bevor sie die Stühle zur Seite schob und in die Hocke ging, um das Gerät, das ein bisschen größer war als eine Hotel-Minibar, zu öffnen. Der Inhalt bestand aus einer Flasche Champagner, einer Flasche Weißwein und drei Flaschen Mineralwasser. Alle ungeöffnet. Im Eisfach lag eine 0,7-Liter-Flasche *Black Moose Vodka*, die etwa zur Hälfte geleert war. Als sie sie vorsichtig herausnahm, fiel ihr ein Beutel mit Eiswürfeln entgegen. Ganz hinten im Fach lag noch etwas. Pia beugte sich vor und schaute genauer hin. Ein silberner Gegenstand in einem ZipLoc-Beutel. Was war das nur? Sie zückte ihr Smartphone und machte ein paar Fotos, erst dann zog sie den Beutel vorsichtig heraus. Ihr Herz begann aufgeregt zu pochen, als sie den Gegenstand darin erkannte. Auf einmal schienen die Puzzlestücke an die passenden Stellen zu fallen. Sie zog einen Beweismittelbeutel aus ihrem Rucksack, beschriftete ihn und legte den ZipLoc-Beutel hinein, dann schloss sie den Kühlschrank wieder.

»Pia?« Bodenstein erschien im Türrahmen. »Wo hast du …?«

»Schau mal, was ich im Eisfach des Kühlschranks hinter einem

Beutel mit Eiswürfeln und einer Flasche Wodka gefunden habe«, unterbrach Pia ihren Chef und hielt ihm den Beutel hin.

»Was ist das?« Bodenstein kniff die Augen zusammen und begutachtete Pias Fund.

»Ich würde sagen, das ist ein Fleischklopfer aus Edelstahl«, erwiderte sie. »Mit einer vierkantigen, etwa vier mal vier Zentimeter großen Angriffsfläche.«

***

Es war schon später Nachmittag, als Bodenstein und Pia gleichzeitig mit den Kollegen, die das Haus von Heike Wersch durchsucht hatten, an der RKI eintrafen. Bodenstein hatte eine Besprechung anberaumt, um die neuesten Erkenntnisse auszutauschen. Kai Ostermann, der sich gerade am Getränkeautomaten im Erdgeschoss mit einer kalten Cola versorgt hatte, schloss sich ihnen an.

»Was macht eigentlich der B.S.U.L. im Keller?«, erkundigte sich Tariq auf dem Weg zu den Büros des K11, die sich im zweiten Stock des Gebäudes befanden. Kryptische Abkürzungen erfreuten sich bei der Polizei im Allgemeinen und Kriminaldirektorin Engel im Besonderen ungemeiner Beliebtheit.

»Der was?«, wollte Nicola Engel wissen.

»Äh, nichts weiter.« Tariq, der nicht gesehen hatte, dass die oberste Chefin mit ihnen durch die Feuerschutztür ins Treppenhaus getreten war, errötete und schaute betreten drein. »Das ist nur so ein Insider.«

»Und was bedeutet diese Abkürzung?«

»Berühmtester Schriftsteller unseres Landes«, rückte Tariq heraus. Cem, Kathrin und Pia feixten hinter dem Rücken ihrer Chefin.

»Sie machen sich über mich lustig«, warf Nicola Engel ihm vor und drehte sich blitzschnell um. »Und Sie auch!«

»Ach, konnten Sie den Kranich eigentlich schon wegen der Perücke von Heike Wersch fragen?«, fiel Pia ein, als sie Kai und Bodenstein aus dem Treppenhaus folgte.

»Ja, konnte ich«, erwiderte die Kriminaldirektorin. »Herrn Velten – so heißt der Mann nämlich und Sie könnten sich seinen

Namen endlich mal merken – ist an diesem Abend überhaupt erst bewusst geworden, dass Frau Wersch immer eine Perücke trug. Er hatte sie vorher nie ohne gesehen und war sehr überrascht, als sie ihm auf einmal mit kurz geschnittenem grauem Haar gegenüberstand.«

»Glaubt er immer noch, dass er sie getötet hat?«, fragte Bodenstein und hielt seiner Chefin die Tür, die in den Flur zu den Büros führte, auf.

»Ja.« Nicola Engel zuckte die Schultern. »Soll er doch. Es inspiriert ihn.«

»Na ja, hoffentlich begeht er nicht eines Tages wirklich einen Mord, wenn er wieder mal eine Schreibhemmung hat«, bemerkte Kai und erntete dafür einen strafenden Blick seiner Chefin.

Sie betraten den Besprechungsraum und verteilten sich rings um den Tisch. Pia berichtete, was sie im Verlagshaus erfahren und entdeckt hatten, und Kai schrieb auch den Namen des Hausmeisters an das Whiteboard.

Die Spurensicherung hatte aus dem Müllcontainer im Wirtschaftshof des Verlagshauses drei leere Wodkaflaschen der Marke *Black Moose* gefischt und sichergestellt. Bodenstein und Pia hatten Kröger und seinem Team das Büro von Alexander Roth überlassen und waren mit dem Fleischklopfer zurück in die Rechtsmedizin gefahren, wo Ronnie Böhme die Leiche von Heike Wersch aus ihrem Kühlfach geholt und Henning die Bruchkanten der Impressionsbrüche in der Schädeldecke der Toten mit dem Küchenutensil verglichen hatte. Sie passten auf den Millimeter genau, und es gab kaum noch Zweifel daran, dass es sich um die Mordwaffe handelte.

»Glückwunsch«, sagte Dr. Nicola Engel. »Ich würde sagen: Fall gelöst.«

»Und wie praktisch: Der Mörder ist auch schon tot«, bemerkte Pia mit einem ironischen Unterton, woraufhin ihr die Kriminaldirektorin einen scharfen Blick unter hochgezogenen Augenbrauen zuwarf.

Bodenstein enthielt sich jeglichen Kommentars. Seine Chefin, die ständig schlechte Presse befürchtete, schien froh zu sein, dass ihr verehrter Starautor von dem Verdacht, seine Lektorin erschlagen zu haben, befreit war, aber es gab noch zu viele Ungereimtheiten, um sicher zu sein, dass Alexander Roth tatsächlich der Mörder von Heike Wersch gewesen war. War er am Montagabend, nachdem er sich irgendwo Mut angetrunken hatte, noch einmal zurückgekehrt, um seine langjährige Kollegin auf bestialische Weise zu ermorden?

»Aber Roth hat Frau Wersch doch eigentlich gemocht. Sie waren Freunde«, gab Kathrin zu bedenken.

»Freunde!«, rief Pia verächtlich aus. »Wenn ich dieses Wort nur höre! Was bedeutet das eigentlich? Sie kannten sich sehr lange, das stimmt, aber das heißt doch nicht automatisch, dass sie sich mochten. Ich glaube viel eher, dass sie Konkurrenten waren und sich eigentlich gar nicht leiden konnten. Mal im Ernst: Wenn ihr mit jemandem *befreundet* seid, dann erzählt ihr demjenigen doch wohl, dass ihr euren Vater zu Hause pflegt, oder nicht?«

Allgemeines Schulterzucken und zögerliches Nicken waren die Antwort.

»Cem«, wandte Pia sich an ihren Kollegen. »Du hast Roth auch erlebt und mit ihm gesprochen. Hättest du ihm zugetraut, dass er die blutüberströmte Leiche seiner guten alten Freundin, die er gerade ermordet hat, in den Kofferraum ihres Autos packt, in den Wald fährt, sie dort auslädt und einen Abhang hinunterwirft, um anschließend seelenruhig die Küche zu putzen?«

»Nein«, gab Cem zu. »Ich hätte ihm schon mal gar nicht zugetraut, jemanden totzuprügeln.«

»Warum nicht?«, wollte Nicola Engel wissen.

»Weil er nicht der Typ dafür war«, erwiderte Cem. »Er war ein schmaler Kerl mit weichen Bürohocker-Händen. Ein Intellektueller, der …«

»Das ist doch Unsinn«, schnitt Dr. Engel ihm das Wort ab. »Sie wissen selbst gut genug, was Alkohol in Kombination mit Zorn auslösen kann.«

»Vielleicht hat ihm seine Frau dabei geholfen«, brachte Bodenstein seine bevorzugte Verdächtige ins Spiel. »Paula Domski ist voller Hass auf die alte Freundesclique ihres Mannes. Sie gibt Heike Wersch die Schuld daran, dass ihr Mann wieder rückfällig geworden ist.«

»Aber Paula Domski wollte doch, dass Heike Wersch am nächsten Abend in ihre Sendung kommt«, meldete sich Tariq zu Wort.

»Wollte sie das wirklich?«, überlegte Bodenstein laut. »Heike Wersch hat ihr jahrelang die Schau gestohlen. Die Leute haben eingeschaltet, um *sie* zu sehen, nicht Paula Domski, obwohl die Sendung ihren Namen trägt. Als Heike Wersch ausgestiegen ist, fielen die Einschaltquoten in den Keller.«

»Rasende Eifersucht als Motiv«, erwog Kai. »Das würde auf jeden Fall zu der Übertötung passen. Hat sie ein Alibi?«

»Das wackelt schon beim Hingucken«, antwortete Bodenstein. »Angeblich war sie am Montagabend alleine zu Hause und hat die Sendung für den nächsten Abend vorbereitet.«

»Was ist mit dem Alibi von Alexander Roth für den Montagabend?«, wollte Nicola Engel wissen.

»Wir haben mit jedem Kneipenwirt in Bad Soden gesprochen und ein Foto von Roth herumgezeigt«, antwortete Tariq. »Er war gegen halb sieben in einer Sportbar, nicht weit vom Haus von Frau Wersch entfernt, hat dort zwei Wodka Tonic getrunken, bar bezahlt und ist wieder gegangen. Sonst kann sich niemand daran erinnern, ihn gesehen zu haben.«

»Eine Streife hat ihn am Dienstagmorgen um 2:45 Uhr in Bad Soden in der Nähe der Otfried-Preußler-Grundschule aufgegriffen und nach Niederhöchstadt gebracht, weil er partout nicht nach Hause gefahren werden wollte.« Kai rief das Protokoll der Niederhöchstädter Kollegen, das er zur virtuellen Fallakte hinzugefügt hatte, auf dem Bildschirm auf. »Er war betrunken, aber friedlich. Auf eine Blutprobe wurde verzichtet, weil er kein Fahrzeug geführt hatte. Laut Protokoll hatte er nur eine Umhängetasche dabei.«

»Was war da drin?«, wollte Nicola Engel wissen.

»Hm …« Kais Augen huschten über den Bildschirm. »Das wurde nicht vermerkt.«

»Setzen Sie sich mit den Kollegen in Verbindung und fragen Sie nach, ob sie den Inhalt der Tasche in Augenschein genommen haben«, ordnete die Kriminaldirektorin an. »Ein Fleischklopfer sollte ihnen aufgefallen sein. Und wie ist Herr Roth eigentlich nach Bad Soden gekommen?«

»Mache ich«, sagte Kai. »Wir vermuten, er war mit der S-Bahn unterwegs. Roth besaß keinen Führerschein mehr, nachdem er ihm zwei Mal wegen Alkohol am Steuer abgenommen wurde. Aus dem Grund fuhr er mit dem Fahrrad zur Arbeit, oft nahm er auch die S-Bahn.«

»Was ist mit dem Bewegungsprofil seines Handys?«, fragte Bodenstein.

»Habe ich angefordert«, erwiderte Kai. »Genauso wie das Protokoll der Kollegen, die ihn am Samstagmorgen in Liederbach aufgefunden haben.«

»Die leeren Wodkaflaschen und die halb volle aus dem Kühlschrank in Roths Büro sind auf dem Weg ins Labor, ebenso der Fleischklopfer und der Inhalt des Aktenvernichters«, meldete Kröger. »Spätestens morgen sollten wir erste Ergebnisse haben.«

»Henning ist der Meinung, Roth muss sich die Methanolvergiftung schon am Donnerstag zugezogen haben«, sagte Pia. »Vermutlich ist es überhaupt nur deshalb zu dem Unfall gekommen, weil er wegen Atemnot und Nervenschädigungen das Bewusstsein verloren hat. Bis zu dem Zeitpunkt, als er aufgefunden wurde, sind sehr wahrscheinlich irreversible Hirnschäden entstanden.«

»Hat Herr Dr. Kirchhoff auch eine Meinung dazu, wie Roth das Methanol zu sich genommen haben könnte?«, wollte Nicola Engel wissen.

»Nein. Aber der Verdacht liegt nahe, dass er gepanschten Alkohol getrunken hat«, antwortete Pia.

»Seine bevorzugte Wodka-Marke ist *Black Moose*, das ist ein hochwertiger Wodka, kein selbst gebrannter Fusel«, sagte Kröger.

»Aber vielleicht hat er ja am Donnerstag irgendwo selbstgebrannten Fusel getrunken«, meinte Bodenstein. »Oder er hat sich absichtlich vergiftet, ohne dass ein Suizid zu offensichtlich wäre. Methanol kann man problemlos in Modellflugzeugshops im Internet bestellen.«

»Das ist doch absurd!« Nicola Engel schüttelte den Kopf. »Wieso sollte der Mann sich auf eine solch qualvolle Art und Weise selbst töten wollen?«

»Vielleicht als Buße für den Mord an Heike Wersch und andere Verfehlungen«, warf Bodenstein ein. »Alexander Roth war zutiefst deprimiert. Er fand sich ›unwürdig‹, das hat uns seine Frau erzählt. Und wenn man sich nicht gerade in einer absoluten Kurzschlusshandlung das Leben nimmt, greift man eher zu einer Methode, die man für kalkulierbar hält.«

Die Kriminaldirektorin warf Bodenstein einen zweifelnden Blick zu.

»Seid ihr im Haus von Frau Wersch auf irgendetwas Interessantes gestoßen?«, fragte Pia ihre Kollegen.

»Wir haben einen Schlüssel für ein Bankschließfach gefunden«, antwortete Tariq.

»Außerdem Aktenordner mit Plänen für die Verlagsgründung«, fügte Cem hinzu. »Heike Wersch war ein organisierter Mensch. Ihre Ablage ist akribisch. Sie hat sogar die gesamte Korrespondenz über die Rechtsstreitigkeiten mit Marcel Jahn ordentlich abgelegt. Im April hatte sie einen Antrag auf einen Kredit über fünfhunderttausend Euro bei ihrer Hausbank gestellt, der aber offenbar nicht bewilligt wurde, obwohl sie das Haus als Sicherheit einsetzen wollte.«

»Im April?«, hakte Bodenstein nach. »Sie wurde doch erst Ende Juni gefeuert.«

»Sie wurde ja überhaupt nur deshalb gefeuert, weil die Geschäftsleitung von ihren Verlagsgründungsplänen erfahren hatte«, erinnerte Pia ihn.

»Ach ja, richtig.« Bodenstein nickte und erntete den nächsten kritischen Blick von seiner Chefin.

»Der Dachboden stand voll mit verstaubten Kisten«, fuhr Cem fort. »Da drin sind unter anderem Fotoalben und Erinnerungsstücke, zum Teil uralt, zum Teil aus jüngerer Vergangenheit. Die gehen wir alle durch.«

»Der Laptop von Frau Wersch ist aus dem Kriminallabor zurück«, sagte Kai. »Da er als Mordwaffe ausscheidet, werde ich mich mit ihm beschäftigen. Ich kann sicher das E-Mail-Programm knacken und komme so an ihre Mail-Korrespondenz.«

»Wir haben auch eine Liste mit Passwörtern bei ihr zu Hause gefunden«, fügte Kathrin hinzu. »Wenn sie im Labor ihr Smartphone retten können, werden wir auch ihre Nachrichten lesen können.«

»Gut.« Die Kriminaldirektorin erhob sich. »Informieren Sie mich bitte weiterhin engmaschig. Herr Bodenstein, haben Sie mal fünf Minuten für mich?«

»Natürlich.« Bodenstein folgte ihr hinaus, während Pia noch die Aufgaben für den nächsten Tag verteilte.

* * *

Bodenstein wartete eigentlich schon seit einer geraumen Weile darauf, dass Nicola ihn fragen würde, was mit ihm los sei, aber ihre gemeinsame Vergangenheit stand nach wie vor zwischen ihnen. Wäre es nur eine unverbindliche Studentenliebe gewesen, so hätte Nicola das sicherlich längst überwunden, aber Bodenstein hatte ihre Beziehung damals nach zwei Jahren ziemlich abrupt beendet, weil er sich Hals über Kopf in Cosima verliebt hatte. Nur ein paar Monate später hatte er sie geheiratet und war kurz darauf Vater geworden. Auch, wenn das alles schon über fünfunddreißig Jahre her war, hatte die Kriminaldirektorin diese Kränkung nie wirklich verarbeitet und konnte Bodensteins Ex-Frau nicht ausstehen. Das war auch der Grund, weshalb Bodenstein ihr nicht längst gesagt hatte, was ihn beschäftigte.

»Ich habe den Eindruck, du bist in letzter Zeit nicht richtig bei der Sache«, begann Nicola, als sie die Tür seines Büros hinter sich geschlossen hatte. »Was ist mit dir?«

»Cosima hat Leberzellkrebs«, erwiderte er. »Ich werde bald für eine Weile ausfallen, denn ich werde ihr einen Teil meiner Leber spenden.«

»Wie bitte?« Die Kriminaldirektorin starrte ihn perplex an. »Cosima hat Krebs? Seit wann weißt du das schon?«

»Seit ein paar Wochen«, gab Bodenstein zu. »Es war ein Zufallsbefund. Wahrscheinlich die Spätfolge einer nicht entdeckten Hepatitis-Infektion, die sie sich vor Jahren wohl auf einer ihrer Expeditionen zugezogen hat.«

»Oh, mein Gott. Das tut mir ehrlich sehr leid«, sagte Nicola und legte in einer Geste aufrichtiger Betroffenheit ihre Hand auf ihre Brust. Bodenstein, der mit einer anderen, sehr viel kühleren Reaktion seiner Chefin gerechnet hätte, war berührt von ihrem Mitgefühl.

»Eine Lebertransplantation ist ihre einzige Chance«, sagte er. »Sie steht auf der Warteliste bei EUROTRANSPLANT, aber natürlich kann niemand sagen, wie lange es dauert, bis ein passendes Spenderorgan zur Verfügung steht. Laut Transplantationsgesetz kommen für eine Lebendspende nur Familienangehörige in Betracht, deshalb haben sich die Kinder und ich testen lassen. Bei mir passen alle Parameter. Und eigentlich warten wir nur noch darauf, dass es Cosima nach der Chemo wieder gut genug geht, damit operiert werden kann. Es ist ein Wettlauf mit der Zeit.«

»Ich kann nicht fassen, dass du mir das nicht früher erzählt hast. Eine Lebendleberspende! Du wirst wochenlang im Krankenhaus sein!« Nicola ließ die Hand sinken. »Ich habe wirklich geglaubt, wir hätten mittlerweile mehr Vertrauen zueinander.«

Sie war gekränkt. Nicht ganz zu Unrecht, wie Bodenstein sich eingestehen musste.

»Du hast Cosima doch nie leiden können«, sagte er.

»Wohl aus nachvollziehbaren Gründen«, entgegnete Nicola. »Aber das ist lange her und spielt keine Rolle mehr. Und ganz ehrlich, ich mache mir keine Sorgen um Cosima, sondern um dich. Eine solche Operation birgt große Risiken, und du bist – verzeih mir bitte – nicht mehr der Jüngste.«

»In zwei Jahren wäre ich tatsächlich zu alt«, antwortete Bodenstein. »Aber die Leber wächst wieder nach, und ich bin topfit. Ich habe alle notwendigen Untersuchungen hinter mir, und die Ärzte haben grünes Licht gegeben.«

»Was sagt denn eigentlich deine Ehefrau dazu?«, wollte Nicola wissen.

»Die weiß nichts davon.« Bodenstein ließ sich auf der Schreibtischkante nieder. »Ich bin vorgestern zu Hause ausgezogen. Meine Ehe mit Karoline ist beendet.«

»Wieso denn das?« Jetzt wirkte Nicola wirklich schockiert. »Du warst doch so glücklich mit ihr! Hast du selbst mir nicht noch vor einem Jahr gesagt, dass ihr alle Probleme überwunden hättet und endlich alles wunderbar sei?«

»Das war leider ein Irrtum«, erwiderte Bodenstein. »Karoline ist eifersüchtig, wenn ich Zeit mit meiner Familie verbringen will. Und das möchte ich. Ich will meine Enkelkinder aufwachsen sehen, aber sie wollte nie mitkommen und hat mir schreckliche Szenen gemacht, wenn irgendeine Feier oder ein Familientreffen anstand, bis ich nur um des lieben Friedens willen zu Hause geblieben bin.«

Er erzählte Nicola von den Problemen mit Greta, obwohl er wusste, dass sie dazu fähig war, dieses Wissen in einem geeigneten Moment gegen ihn zu verwenden.

»Karoline wollte nicht begreifen, dass zwischen Cosima und mir nichts mehr ist außer Freundschaft und unsere gemeinsamen Kinder. Und das wusste sie von Anfang an.«

»Aber sie hat doch auch einen Ex-Mann, zu dem sie noch Kontakt hat, oder nicht?«

»Doch, natürlich. Und das ist für mich völlig in Ordnung.« Bodenstein nickte. »Das ist eben so, wenn man später im Leben noch mal eine Bindung eingeht. Jeder hat eine Vergangenheit. Das Problem ist, dass Karoline und ihre Tochter sich weigern, etwas gegen ihr Trauma zu unternehmen. Ihre Verlustängste, ihre Eifersucht, eigentlich all ihre Probleme sind absolut nachvollziehbar, wenn man weiß, was sie erlebt haben. Aber ich kann nicht verstehen, weshalb sie sich keine professionelle Hilfe sucht.«

»Weil es schmerzlich und langwierig und anstrengend ist, sich mit sich selbst auseinanderzusetzen.« Nicola setzte sich auf einen der beiden Besucherstühle. »Ich habe dasselbe mit Kim erlebt. Sie war auch nie dazu bereit, ihre Vergangenheit zu bewältigen. Stattdessen hat sie alles einfach verdrängt oder ist weggelaufen, weil das der bequemere Weg ist. Sogar die Existenz ihrer Tochter hat sie mir verschwiegen. Und anstatt sich mit Fiona auseinanderzusetzen, ist sie nach Amerika verschwunden. Ich habe nie wieder etwas von ihr gehört.«

»Du hast das auch lange mitgemacht«, sagte Bodenstein.

»Ja. Viel zu lange.« Nicola seufzte. »Man will sich nicht eingestehen, dass man sich geirrt hat und gescheitert ist. Und man hofft immer, dass der andere sich schon irgendwann ändern wird, aber das ist ein Irrglaube. Menschen ändern sich nicht. Irgendwann muss man eine Entscheidung treffen, wenn man merkt, dass der Partner einem nicht guttut. In unserem Alter hat man nicht mehr ewig Zeit, auf Besserung zu warten.«

Sie blickten sich verständnisinnig an.

»Alleine geht es mir besser«, sagte Nicola.

»Ich glaube, mir auch«, pflichtete Bodenstein ihr bei.

»Ich will nie wieder Zeit damit vergeuden, mein Leben von einem anderen Menschen bestimmen zu lassen«, bekräftigte sie. »Und auch, wenn ich früher hin und wieder ein bisschen neidisch auf Leute war, die Kinder haben, bin ich heute ganz froh, keine zu haben.«

Eine Weile hingen sie beide schweigend ihren Gedanken nach, und Bodenstein betrachtete nachdenklich ihr Profil. Wie wäre sein Leben wohl verlaufen, wenn er Cosima nicht getroffen hätte? Nicola und er wären höchstwahrscheinlich trotzdem kein Paar geblieben. Wäre ihm eine andere Frau begegnet, eine, mit der er nicht nur eine Familie gegründet, sondern auch einen Freundeskreis aufgebaut hätte? Cosima und er hatten das nie geschafft. Es hatte ihre Arbeitskollegen gegeben und Bekannte, mit denen man sich gelegentlich getroffen hatte. In eine Freundschaft musste man Zeit investieren, und diese Zeit hatte er nie gehabt. Die Bedürfnisse der Kinder, der Haushalt und sein Job hatten ihm einfach keine Kapazitäten für die Pflege von Freundschaften gelassen. Einen richtigen Freund, einen echten Kumpel, dem er sich anvertrauen konnte und der sich ihm anvertraute, hatte er nie gehabt.

Bodenstein dachte an Heike Wersch und Alexander Roth und ihre alte Freundesclique, die ›Ewigen‹, auf die Roths Frau so eifersüchtig war. Sie hatten sich seit Schulzeiten gekannt und nie aus den Augen verloren, selbst dann nicht, als sie geheiratet und Kinder bekommen hatten. Aber was verband sie? Reichten gemeinsame Jugenderinnerungen tatsächlich als Grundlage für eine lebenslange Freundschaft aus, oder handelte es sich eher um alte Bekannte, die ihre Vergangenheit glorifizierten? Nur – warum taten sie das? Heike Wersch zumindest hatte ihren alten Freunden nicht alles erzählt, und als sie Unterstützung brauchte, war keiner von ihnen bereit gewesen, ihr zu helfen.

»Wann soll die Operation stattfinden?«, fragte Nicola.

»Wie gesagt: sobald Cosima stabil genug ist«, erwiderte Bodenstein. »Seit ein paar Tagen verbessert sich ihr Zustand langsam, aber stetig. Wenn es konkret wird, informiere ich dich natürlich.«

»Möchtest du bis dahin freigestellt werden?«, wollte Nicola wissen.

»Nein, das ist nicht nötig.« Allein die Vorstellung, tatenlos herumzusitzen und nur auf den Anruf aus der Klinik zu warten, war grässlich. »Wenn es so weit ist, übernimmt Pia die Leitung der Ermittlungen.«

»Sie hast du also schon eingeweiht?« In Nicolas Stimme schwang ein leiser Vorwurf mit.

»Auch erst vor zwei Tagen«, antwortete Bodenstein. »Ich wusste nicht genau, wie du reagieren würdest, deshalb habe ich dieses Gespräch vor mir hergeschoben. Aber jetzt bin ich froh, dass du es weißt. Und ich danke dir für dein Verständnis.«

Sie erhoben sich beide.

»Würdest du sagen, wir beide sind Freunde?«, fragte Bodenstein, als Nicola schon die Hand nach der Türklinke ausstreckte.

»Ich weiß nicht.« Sie ließ die Hand wieder sinken. »Ich bin deine Chefin. Und war mal deine Verlobte. Nein, ich glaube, wir sind eher keine Freunde in dem Sinne. Aber vielleicht sind wir sogar mehr als das, weil wir keine Ansprüche und Erwartungen aneinander haben. Ich habe lieber gute und zuverlässige Kollegen als ›Freunde‹, die keine Ahnung davon haben, was es bedeutet, bei der Kriminalpolizei zu sein und Mordermittlungen durchzuführen, keinen Feierabend zu haben und dazu oft genug der Buhmann für die Öffentlichkeit sein zu müssen.«

Bodenstein nickte langsam, dann lächelte er. Sie hatte recht. Kaum jemand aus seinem privaten Umfeld konnte auch nur annähernd nachvollziehen, wie es sich anfühlte, die Leiche eines misshandelten Mädchens aus dem Main zu fischen oder Jagd auf einen Psychopathen zu machen, der unschuldige Menschen mit einem Scharfschützengewehr hinrichtete. Nur Kollegen konnten wirklich verstehen, dass man so etwas nicht einfach bei Dienstschluss abschüttelte, sondern dass solche Tragödien mit einem nach Hause gingen. Kollegen verstanden, warum man manchmal nachts im Büro bleiben, an Wochenenden Obduktionen beiwohnen oder verweste Leichen anschauen musste. Eigentlich war es kein Wunder, dass seine Beziehungen zum Scheitern verurteilt gewesen waren.

»Schönen Feierabend«, sagte Nicola. »Wir sehen uns morgen früh.«

»Ja, das wünsche ich dir auch«, entgegnete er. »Bis morgen.«

»Ach, Oliver.« Die Kriminaldirektorin wandte sich noch einmal um. »Ich habe Cosima nicht leiden können, weil sie dich mir damals weggenommen hat. Aber das ist längst vergeben und vergessen. Ich wünsche ihr wirklich, dass sie wieder gesund wird. Bitte richte ihr das aus.«

***

Julia hatte den ganzen Nachmittag darauf gewartet, dass sich ihr Chef bei ihr melden würde, und als er es endlich tat, war es schon kurz nach fünf. Sie hatte die Zeit damit verbracht, die 134 Seiten des Manuskripts einzuscannen, was mit ihrem alten Flachbrettscanner eine mühselige Angelegenheit gewesen war, aber die Arbeit hatte sich gelohnt, denn jetzt war es gesichert. Es war wirklich traurig, dass Katharina Winterscheid gestorben war, bevor sie das Manuskript hatte beenden können, denn so würde man nie erfahren, wie die Geschichte ausgegangen war. Auf dem Weg zum Verlagshaus hatte Julia kurz bei *MoschMosch* am Goetheplatz haltgemacht, um zwei Portionen *Pinatsu Karê Don* zum Mitnehmen zu besorgen, denn sie hatte sich daran erinnert, dass Carl Winterscheid ihr an jenem Vormittag vor der Kleinmarkthalle verraten hatte, dies sei sein Lieblingsgericht.

Julia wusste nicht, ob er sich mehr über das Essen freute oder darüber, dass sie sich an seine Vorlieben erinnert hatte, aber als sie am Besprechungstisch in seinem Büro saßen und sich Glücksreis mit Erdnuss-Kokos-Curry, frischem Gemüse und gehackten Erdnüssen schmecken ließen, war seine sorgenvolle Miene verschwunden, und es fühlte sich ein bisschen so an, als säße sie mit einem guten Freund beim Abendessen. Erstaunlich vertrauensvoll erzählte er, was er von Paula Domski über den Tod von Alexander Roth erfahren hatte, und dass die Kriminalpolizei Roths Büro und den Müllcontainer im Hof durchsucht hatten. Er hatte zufällig mit angehört, dass die Kripo in Roths Büro-Kühlschrank etwas gefunden hatte, von dem sie vermuteten, dass es sich um die Mordwaffe handeln könnte.

Julia legte die Stäbchen zur Seite.

»Ich habe ein schrecklich schlechtes Gewissen«, bekannte sie. »Ich war es, die Ihrer Assistentin von dem Gespräch zwischen Frau Wersch und Herrn Roth erzählt hat. Hätte ich das nicht getan, hätten Sie Frau Wersch nicht entlassen und dann würde sie heute vielleicht noch leben.«

Auch Carl Winterscheid hörte auf zu essen und musterte Julia wieder mit dieser seltsamen Intensität, die ein Flattern in ihrer Brust erzeugte. Was bedeutete dieser Blick nur? *Ach, du warst das also, du Verräterin! Du schwärzt Kollegen an und hast nicht mal den Mumm, das beim Chef selbst zu tun?*

»Ich habe es nicht von meiner Assistentin erfahren«, sagte er jedoch zu ihrer grenzenlosen Erleichterung. »Ich wusste schon vorher Bescheid. Außerdem hatte mich der Agent eines Autors, den Frau Wersch abwerben wollte, informiert. Ich fürchte, ich war es, der das ganze Desaster ausgelöst hat, nämlich als ich Herrn Roth den Posten als Programmleiter gegeben habe. Ich hatte die Hoffnung, dass Frau Wersch danach von sich aus kündigen würde, aber den Gefallen hat sie mir nicht getan.«

Julia griff wieder zu ihren Stäbchen. Sie beendeten ihre Mahlzeit in einvernehmlichem Schweigen, und erst als die Pappboxen bis aufs letzte Reiskorn geleert waren und Carl aus der Teeküche eine Flasche Weißwein und zwei Weingläser geholt, die Flasche entkorkt und den Wein eingeschenkt hatte, fragte er nach dem Manuskript.

»Es ist gut«, erwiderte Julia und nippte an ihrem Wein. »Nein, falsch, es ist fantastisch! Ich würde die Autorin auf der Stelle unter Vertrag nehmen.«

»Tatsächlich?«

»Ja, ich bin wirklich begeistert.« Sie zog das Manuskript und die Zettel mit ihren Notizen aus ihrer Umhängetasche und legte sie vor sich auf den Tisch. »Mal ganz abgesehen vom Inhalt ist dieser Text sprachlich absolut überzeugend. Der Spannungsbogen wird kontinuierlich aufgebaut, man ist beim Lesen sofort dicht an den Figuren dran und kann sich mit ihnen identifizieren. Die Dialoge sind lebendig und authentisch, der Text entwickelt einen unglaublich starken Sog, und man will unbedingt wissen, wie es weitergeht. Ich habe bis vier Uhr morgens gelesen.« Sie legte ihre Hand behutsam auf das Manuskript. »Dieser Text wurde von einer routinierten Autorin verfasst. Sie ist eine Meisterin der Cliffhanger und bläht die Handlung nicht unnötig mit Nebensächlichkeiten auf. Es ist brillant. Zu schade, dass Ihre Mutter das Manuskript nicht zu Ende schreiben konnte.«

»Wie meinen Sie das?«

»Na ja, auf Seite 134 ist Schluss. Quasi mitten in der Handlung. Ich habe das Gefühl, danach sollte noch eine ganze Menge passieren«, sagte Julia. »Haben Sie eigentlich gewusst, dass Ihre Mutter geschrieben hat?«

»Nein. Das wusste ich nicht.« Carl zögerte. Er schien zu überlegen, wie viel er von sich preisgeben sollte, und entschloss sich dann zu mehr Offenheit. »Ich weiß nicht besonders viel über meine Mutter. Im Haus meines Onkels wurde nicht oft über sie gesprochen. Vielleicht weil sie sich das Leben genommen hat, als ich sechs Jahre alt war. Nur drei Tage vor meinem ersten Schultag. Das habe ich ihr ziemlich übel genommen.«

»Sie hat *was* getan?« Julia, die gerade einen Schluck Wein trinken wollte, klappte vor Verblüffung beinahe der Mund auf. Sie hatte angenommen, Katharina Winterscheid sei durch einen Unfall oder eine schwere Krankheit so früh verstorben. An Selbstmord hätte sie nie und nimmer gedacht, erst recht nicht nach Lektüre des unvollendeten Manuskripts und der liebevollen Widmung für ihren Sohn.

»Meine Mutter ist nach dem Tod meines Vaters depressiv geworden«, erklärte Carl. »Eines Abends hat sie sich vom Balkon ihrer Wohnung aus dem fünften Stock gestürzt und war sofort tot. Sie hat nicht einmal einen Abschiedsbrief hinterlassen.«

Julia war völlig konsterniert. Sie wusste nicht, was sie dazu sagen sollte. Es musste schwer für Carl gewesen sein, ohne Eltern aufzuwachsen, aber wie viel schlimmer musste es erst sein, nicht zu wissen, weshalb seine Mutter sich das Leben genommen und ihn allein zurückgelassen hatte. Selbstmörder waren in Julias Augen Egoisten. Ihrem eigenen Elend setzten sie zwar ein Ende, aber was mit ihren Angehörigen, ihren Freunden und Bekannten war, die sich zeit ihres Lebens eine Mitschuld geben würden, war ihnen gleichgültig.

»Das ... das tut mir sehr leid«, stammelte sie schließlich, eine völlig unzureichende Floskel angesichts der Tragweite dieses Ereignisses, auch wenn es bereits Jahrzehnte zurücklag. Plötzlich fühlte sie sich unbehaglich. Das hier war kein Romanplot, sondern Carl Winterscheids Leben, und sie hatte kein Recht, ihre Zweifel an einem Selbstmord zu äußern, zumal es keine Beweise gab, nur ein Gefühl. Außerdem durfte sie nicht vergessen, dass er ihr Chef war und kein Freund, und dass sie hier nicht über das Manuskript irgendeines neuen Autors sprachen, sondern über einen Text, den seine Mutter verfasst hatte und der auf mysteriöse Weise plötzlich aufgetaucht war, nachdem er jahrelang verschollen gewesen war.

Carl merkte, dass er Julia aus dem Konzept gebracht hatte.

»Ich habe nicht gewusst, dass meine Mutter Romane geschrieben hat«, griff er den Gesprächsfaden wieder auf. »Allerdings kann ich mich an das Klappern ihrer Schreibmaschine erinnern, das ich jeden Abend beim Einschlafen gehört habe. Ich dachte wohl, das gehört zu ihrer Arbeit.« Sein Blick wandte sich nach innen und seine Gedanken wanderten in die Vergangenheit.

»Seltsam«, sagte er und rieb sich nachdenklich das Kinn. »Wieso kann ich mich auf einmal an diese Schreibmaschine erinnern? Sie war gelb und sie stand immer auf dem Esstisch. Ich durfte oft an dem Tisch malen, und ich weiß noch, wie die Tischplatte vibriert hat, wenn meine Mutter tippte. Unsere Katze mochte das auch. Sie lag meistens quer auf dem Tisch ausgestreckt.«

»Sie hatten eine Katze?«, erkundigte sich Julia, die sich von ihrem ersten Schock erholt hatte. »War sie zufällig schwarz?«

»Ja, stimmt. Sie war schwarz. Mit weißen Pfoten.« Carl lächelte, selbst verwundert über die Erinnerungen, die aus irgendeinem verborgenen Winkel seines Gehirns in sein Bewusstsein emporgespült wurden. »Wie kommen Sie darauf?«

»Könnte es sein, dass sie *Fleur de Sel* hieß?« Julia beugte sich vor und musterte ihren Chef mit unverhohlenem Interesse.

»Ja, so hieß sie.« Das Lächeln verschwand von Carls Gesicht, und er sah sie prüfend an. »Woher wissen Sie das?«

»Ich weiß gar nichts.« Julia berührte mit dem Zeigefinger das Manuskript, das vor ihr lag. »Aber in dieser Geschichte, die zuerst in Frankfurt und später auf der Insel Noirmoutier spielt, findet die Protagonistin im Urlaub im Hafenbecken ein Katzenbaby und adoptiert es. Im Manuskript ist die Katze pechschwarz und hat weiße Pfoten. Und ihr Spitzname ist Selli.«

»Das gibt's doch nicht.« Carl Winterscheids Stimme klang plötzlich belegt. »Genau so sah unsere Katze aus. Sie ist mit mir in die Villa gezogen. Nach dem Tod meiner Eltern bin ich ja bei meinem Onkel und meiner Tante aufgewachsen.«

»Autoren machen sich gerne mal den Spaß, autobiografische Details in ihre Bücher einfließen zu lassen«, sagte Julia. Sie schob ihm das Foto mit den sechs jungen Leuten zu. »In der Geschichte Ihrer Mutter geht es um eine Studentin, die an der Uni eine Clique junger Leute kennenlernt, zu der unter anderem Lutz, der Sohn des Frankfurter Verlegers Hardy Vogelsang gehört. Karla, die Protagonistin, verliebt sich in David, Hardys Bruder, der zwölf Jahre älter ist als sie.«

Carl lauschte ihr aufmerksam, dabei wurde er immer blasser.

»Die Clique fährt im Sommer gemeinsam in das Ferienhaus der Familie Vogelsang auf der Insel Noirmoutier, und Karla fährt alleine mit, denn David kann erst eine Woche später nachkommen«, fuhr Julia fort. »Zuerst liest sich die Geschichte wie ein Liebesroman, aber dann wird sie zu einem Krimi, denn die fünf Jugendfreunde ertränken gemeinsam den Sohn des Verlegers im Meer. Danach erfinden sie eine Lügengeschichte und schließen einen Pakt. Sie schwören sich, nie wieder darüber zu sprechen. Als David und Karla von einem Segeltörn zurückkommen, ist schon die französische Polizei da.«

Julia verstummte.

»Wie geht es weiter?« Alle Farbe war aus Carls Gesichtszügen gewichen. Seine Fingerknöchel traten weiß unter seiner leicht gebräunten Haut hervor, so fest hielt er sein Weinglas umklammert.

»Lutz Vogelsangs Mutter glaubt, dass Karla ihrem Sohn den Kopf verdreht hat, zum Zeitvertreib, solange ihr Schwager David noch nicht da war«, sprach Julia weiter. »Dieses Gerücht hatten die anderen jungen Leute in die Welt gesetzt. Martha Vogelsang gibt Karla die Schuld am Tod ihres Sohnes, weil er sich angeblich aus Liebeskummer so sehr betrunken hat, dass er auf den Felsen ausrutschte, sich den Kopf anschlug und deshalb ins Wasser fiel und ertrank.«

»Konnte … Karla dieses Gerücht nicht entkräften?«, fragte Carl heiser.

»Offenbar nie so wirklich. Sie hatte kein gutes Verhältnis zu Martha Vogelsang, obwohl David und sie ein halbes Jahr nach der Beerdigung von Lutz geheiratet haben, als Karla merkte, dass sie schwanger ist«, erwiderte Julia und warf einen raschen Blick auf ihre Notizen, um nicht den Überblick zu verlieren. »Sie hatte ein sehr gutes Verhältnis zu ihrem Schwiegervater, dem alten Verleger Arnold Vogelsang, aber sie durfte nicht im Verlag arbeiten, das haben Hardy und Martha verhindert. Stattdessen bekamen die alten Freunde von Lutz Jobs im Lektorat und in der Stiftung, die die Vogelsangs zur Erinnerung an Lutz ins Leben gerufen hatten. Es gibt allerdings einige Geheimnisse, die leider nicht mehr aufgeklärt werden. Zum Beispiel, was mit dem Freund von Lutz' jüngerer Schwester Corinna passiert ist. Lutz, der ein paar Monate vor seinem Tod mit seiner unglaublich eifersüchtigen Jugendfreundin Mia, die übrigens auch zur Clique gehört, Schluss gemacht hatte, war nicht etwa in Karla verliebt, sondern in Mark. Das Manuskript endet ziemlich abrupt, gerade als Karla von den Ärzten erfahren hat, dass ihr Mann, ihre große Liebe, an einem Herzinfarkt gestorben ist.«

Carl hatte aufmerksam gelauscht, nun räusperte er sich.

»Das klingt irgendwie so, als ob meine … meine Mutter etwas mehr als nur ein paar autobiografische Details in ihre Geschichte hat einfließen lassen.«

Julia war ganz seiner Meinung. Dieses Manuskript war ein waschechter Schlüsselroman. Katharina Winterscheid hatte sich alles, was passiert war, von der Seele geschrieben. Wieso hatte sie sich vom Balkon gestürzt, bevor der Roman fertig gewesen war? Wenn diese Karla ihr *Alter Ego* gewesen war, dann hatte sie große Pläne für ihre und die Zukunft ihres kleinen Sohnes gehabt und war kein bisschen depressiv gewesen. Aber wer sagte überhaupt, dass der Text von ihr stammte? Jeder hätte diese Geschichte auf einer Schreibmaschine tippen können. Es gab keinen Beweis. Nur Rätsel.

»Sie könnten darüber vielleicht mal mit Maria Hauschild und Ihrer Cousine sprechen«, schlug Julia ihrem Chef vor, der stumm vor sich hinstarrte. »Die beiden haben Ihre Mutter doch sicher ziemlich gut gekannt. Möglicherweise haben sie sogar eine Idee, wer Ihnen das Manuskript und das Spielzeugauto geschickt haben könnte.«

»Genau deshalb habe ich bisher nicht mit ihnen gesprochen.« Carl erhob sich und trat ans Fenster. Er schob die Hände in die Hosentaschen. »Ich wollte nie etwas über meine Mutter wissen. Ich war früher sehr wütend auf sie, weil sie so … so egoistisch gewesen ist, sich umzubringen, obwohl ich sie gebraucht hätte. Ich habe ihr das lange nicht verzeihen können, aber mittlerweile bin ich darüber hinweg. Ich komme gut klar. Sie interessiert mich einfach nicht.«

»Das kann ich verstehen«, sagte Julia, obwohl es gar nicht stimmte. Sie an seiner Stelle hätte absolut nichts unversucht gelassen, um mehr über die Frau herauszufinden, die ihn einfach so zurückgelassen hatte. Allein, um inneren Frieden zu finden und die Sache abhaken zu können. »Aber möchten Sie nicht wissen, wer Ihnen dieses Manuskript und das Auto geschickt hat? Und warum gerade jetzt?«

Carl presste die Lippen aufeinander und drehte sich zu ihr um. Seine Körpersprache war plötzlich abweisend, und in seinen braunen Augen lag ein Ausdruck, der die Distanz zwischen ihnen wiederherstellte.

»Ich werde darüber nachdenken«, sagte er in einem geschäftsmäßigen Tonfall.

»Ich lasse Ihnen das Manuskript hier. Es gehört ja Ihnen.« Julia packte ihre Notizen ein. »Sie sollten es lesen. Es ist wirklich gut. Vielleicht hat sie ja noch mehr geschrieben, und derjenige, der Ihnen dieses hier geschickt hat, hat auch noch die anderen. Stellen Sie sich vor, Sie würden der Verleger Ihrer Mutter werden!«

Carls Handy begann zu klingeln. Er zog es hervor, und seine Miene verdüsterte sich, als er auf das Display blickte.

»Ich habe gerade leider ganz andere Sorgen. Aber irgendwann werde ich es lesen«, versprach er ihr. »Es läuft ja nicht weg.«

»Alles klar.« Julia hängte sich ihre Tasche über die Schulter und griff nach den leeren Essensboxen, um sie in den Müll zu werfen.

»Ach, Frau Bremora, was bekommen Sie für das Essen von mir?«, fragte Carl, was Julia kränkte. Das war eine glatte Zurückweisung, eine unnötige Dominanzgeste, mit der Julia nicht gerechnet hatte. Ärgerte er sich darüber, ihr zu viel von sich erzählt zu haben?

»Wenn es für Sie okay ist, war das eine Einladung«, erwiderte sie genauso kühl wie er. »So schlecht werde ich hier nicht bezahlt. Aber wenn Ihnen das unangenehm ist, können Sie mir bei Gelegenheit 8,90 Euro geben.«

Er hielt sein Smartphone hoch.

»Ich muss da drangehen«, sagte er brüsk. »Danke und einen schönen Abend.«

»Klar. Ihnen auch.« Derart abserviert, ließ Julia die leeren Kartons auf dem Besprechungstisch stehen und verließ das Chefbüro mit einer Mischung aus Verärgerung und Resignation. Doch irgendwie konnte sie nicht wirklich sauer sein auf ihren Chef. Auf diese Weise mit einer Vergangenheit konfrontiert zu werden, die man am liebsten vergessen würde, war sicherlich bitter. Erst als Julia die Schillerstraße entlang Richtung U-Bahn ging, fiel ihr wieder ein, was sie Carl Winterscheid noch hatte erzählen wollen, nämlich dass sie am Freitagabend beobachtet hatte, wie Alexander Roth jemanden durch den Hintereingang ins Verlagshaus eingelassen hatte. Aber das spielte jetzt, wo er tot war, wohl sowieso keine Rolle mehr.

Tag 5

Montag, 10. September 2018

Als Pia am Montagmorgen um sieben Uhr in den Flur einbog, in dem sich die Büros des K11 befanden, traf sie ihre Kollegen bereits in geschäftiger Betriebsamkeit an. Kathrin und Cem hatten auf dem großen Tisch im Besprechungsraum den Inhalt einer der Kisten, die sie vom Dachboden des Hauses von Heike Wersch mitgebracht hatten, ausgebreitet und wühlten sich akribisch durch persönliche Erinnerungen, Fotos und Unterlagen, in der Hoffnung, auf irgendetwas zu stoßen, was sie in ihren Ermittlungen weiterbringen konnte.

Kai und Tariq verrichteten eine ähnliche Arbeit, allerdings folgten sie der digitalen Schneckenspur, die Heike Wersch hinterlassen hatte. Ihnen war es mithilfe der Passwort-Liste, die sie bei der Hausdurchsuchung sichergestellt hatten, problemlos gelungen, den nur leicht beschädigten Laptop hochzufahren, und nun gingen sie die E-Mail-Korrespondenz der vergangenen Wochen und Monate durch.

»Und?«, erkundigte Pia sich. »Ist irgendetwas Interessantes dabei?«

»Schwer zu beurteilen«, antwortete Kai. »Sie hat wahnsinnig viele Mails geschrieben und erhalten. In erster Linie geht es um Geschäftliches und Organisatorisches. Korrespondenz mit Anwälten wegen der Kündigung, der Verhandlung beim Arbeitsgericht, der geplanten Verlagsgründung. Außerdem hatte sie jede Menge Newsletter von Zeitungen und Verlagen abonniert und häufig online eingekauft.«

»Sie hat viel mit Autoren und Agenten gemailt«, ergänzte Tariq. »Offenbar hat sie von allen Absagen für ihren Plan erhalten.

Nur einige wenige haben erwogen, ihr Angebot anzunehmen und mit zu ihrem neuen Verlag zu kommen, aber wenn ich das richtig verstehe, dann konnten sie nicht, weil sie beim Winterscheid-Verlag erst im April Vertragsverlängerungen unterschrieben hatten und deshalb langfristig gebunden sind. Darüber war Frau Wersch wahnsinnig wütend. Sie hat Autoren und Agenten als Idioten beschimpft, die aus Gier und Blödheit in eine hinterhältige Falle getappt seien.«

»Aha.« Das klang für Pia nicht unbedingt nach einem Motiv für einen brutalen Mord, aber da sie keine Ahnung von den Feinheiten des Verlagsgeschäfts hatte, beschloss sie, Maria Hauschild anzurufen. Als Literaturagentin konnte sie die Tragweite dieser Dinge einordnen und ihr erklären, was das zu bedeuten hatte. »Hat sie sich auch mit ihren Freunden geschrieben?«

»Oh ja!« Kai hielt ihr ein paar ausgedruckte Mails hin. »Sie hat sich innerhalb der letzten Woche vor ihrem Tod allein mit Alexander Roth 29 Mails geschrieben!«

»Und um was geht es da?«

»Das verstehen wir nicht so ganz«, erwiderte Tariq.

»Es klingt so, als ob Alexander Roth Heike Wersch vorwirft, ihn erpressen zu wollen«, sagte Kai. »Nur womit, das erschließt sich uns noch nicht. Vielleicht wirst du schlau aus dem, was sie schreiben.«

»Erpressung?« Pia horchte auf. Daran hatte sie ja auch schon gedacht. Bei Erpressung ging es nicht immer zwangsläufig um Geld. Manchmal ging es einfach um die Befriedigung, im Leben anderer Leute herumzufuschen und für Verunsicherung zu sorgen. Und Heike Wersch schien außerordentlich gerne andere Leute schikaniert und verunsichert zu haben. Pia setzte sich an ihren Schreibtisch und begann, die Mails zu lesen, die sich Heike Wersch mit Alexander Roth geschrieben hatte.

Wie kannst du so etwas tun? Was bist du nur für eine niederträchtige Egoistin? Du denkst wohl wirklich, alles müsse sich nur um dich drehen! Aber du kannst mit Menschen nicht umspringen wie mit Schachfiguren, hatte Alexander Roth am 23. August geschrieben. *Das wird dir auf die Füße fallen, das kann ich dir versichern. Wie kannst du annehmen, jemand wolle dich unterstützen? Von dir war schließlich noch nie etwas zu erwarten, weil du nur immer an dich selbst denken kannst.*

Gerade DU solltest ganz vorsichtig sein, du rückgratloser Zauderer!, hatte Heike Wersch postwendend geantwortet. *Dass du dich ausgerechnet hinter Carl versteckst, ist so absurd wie alles, was gerade passiert! Ich bin mir sicher, dass es deine Idee war, die Autoren mit Addenden zu ködern. Kleinliche Rache eines kleinen Geistes! Was, wenn Winterscheids erführen, welch falsche Natter sie all die Jahre an ihrem Busen genährt haben? Du hast wahrhaftig allen Grund zu zittern, du armselige Kreatur.*

»Na, das sind ja wirklich feine Freunde«, murmelte Pia. Alexander Roth hatte Cem und sie eindeutig belogen. Ganz sicher hatte er Heike Wersch am vergangenen Montag nicht besucht, um sie von einem Auftritt in der Talkshow von Paula Domski abzuhalten, sondern aus völlig anderen Gründen. Aber worum ging es? Um Severin Velten? *Was, wenn Winterscheids erführen, welch falsche Natter sie all die Jahre an ihrem Busen genährt haben* – das klang eindeutig wie eine Drohung. Pia las auch die nächsten Ausdrucke, dann suchte sie in ihrem Notizbuch nach der Telefonnummer von Maria Hauschild und griff zum Telefon, um von ihr zu erfahren, was wohl ›Addenden‹ waren, mit denen man Autoren ködern konnte.

* * *

»Ich habe gerade mit Maria Hauschild telefoniert, und sie hat mir gesagt, dass Frau Wersch nicht nur Henri Winterscheid, Alexander Roth, Josefin Lintner und sie, sondern auch Stefan Fink um finanzielle Unterstützung für ihren neuen Verlag gebeten hatte«, berichtete Pia eine halbe Stunde später in der Morgenbesprechung. »Am Samstagnachmittag, als ich mit ihm und seiner Frau gesprochen habe, hat Stefan Fink keinen Ton davon gesagt, als das Gespräch auf dieses Thema kam. Seine Frau war sehr gekränkt, weil sie überhaupt erst durch Carl Winterscheid von diesen Verlagsplänen erfahren hatte. Und jetzt frage ich mich, warum ihr Ehemann ihr verschwiegen hat, dass Heike Wersch ihn gefragt hatte.«

»Was spielt das für eine Rolle?«, wollte Nicola Engel wissen. Ihr Smartphone summte, und sie griff danach.

»Ich bin mir noch nicht ganz sicher«, erwiderte Pia. »Aber ich habe das Gefühl, dass Heike Wersch Alexander Roth mit irgendetwas erpressen wollte. Vielleicht auch Stefan Fink. Und Dorothea Winterscheid-Fink gehört offenbar nicht zu den ›Ewigen‹, wie Paula Domski die Freunde ihres Mannes nennt.«

»Hat Maria Hauschild nichts darüber gesagt, was Heike Wersch gegen Roth in der Hand gehabt haben könnte?«, fragte Bodenstein.

»So konkret habe ich sie nicht gefragt. Es ist ja bisher auch nur eine Vermutung von mir.« Pia blätterte in ihrem Notizbuch. »Aber ich habe herausgefunden, was Addenden sind. So werden nachträgliche Vertragsergänzungen bezeichnet. Carl Winterscheid hat nämlich Heike Werschs Pläne mit einem sehr cleveren Schachzug durchkreuzt, indem er Ende April die bestehenden Verträge fast aller wichtiger Winterscheid-Autoren, von denen er annahm, dass Heike Wersch sie abwerben wollte, verlängert und ziemlich großzügig nachhonoriert hat. Unter anderem auch die Verträge von Severin Velten. Dessen Agent wusste zu dem Zeitpunkt noch nichts von Heike Werschs Plänen. Erst, als alle Autoren unterschrieben hatten, hat Carl Winterscheid Frau Wersch gefeuert.«

»Clever und durchaus legal«, fand Nicola Engel.

»Heike Wersch hat angenommen, dass das Alexander Roths Idee war«, sagte Pia und zitierte den Satz mit der falschen Natter aus der Mail. »Vermutlich hat sie ihm deshalb gedroht. Womit, das müssen wir halt noch herausfinden.«

»Warum hat Maria Hauschild ihre Freundin nicht unterstützt?«, fragte Bodenstein.

»Das wollte sie ja tun«, antwortete Pia. »Aber sie war der Meinung, dass eine Verlagsgründung besser geplant werden müsste, und darüber sind Heike Wersch und sie wohl in Streit geraten. Immerhin hatte sie ihrer Freundin die stolze Summe von 250000 Euro als Anschubfinanzierung in Aussicht gestellt, wollte dafür aber ein größeres Mitspracherecht und ein breiteres Verlagsprogramm. Letzteres stieß bei Heike Wersch auf taube Ohren.«

»Eine Viertelmillion Euro als Anschubfinanzierung!«, staunte Kathrin. »Wofür brauchte die Wersch so viel Geld?«

»Maria Hauschild sagt, um Autoren von anderen Verlagen abzuwerben. Geld ist immer ein großer Anreiz. Klingt logisch, finde ich«, erwiderte Pia. »Übrigens haben Stefan Fink und die Buchhändlerin Josefin Lintner abgesagt, weil sie finanziell nicht in der Lage sind, das Projekt zu unterstützen. Fink kämpft offenbar mit seiner Großdruckerei ums Überleben. All die Jahre war der Winterscheid-Verlag der beste Kunde, auf den er sich auch immer verlassen konnte, aber seitdem Carl Winterscheid den Verlag führt, lässt er in Tschechien und Polen drucken, weil es erheblich günstiger ist. Josefin Lintners Buchhandlung geht es auch nicht gerade rosig, die Miete im Main-Taunus-Zentrum ist recht hoch, außerdem hat sie hohe Personalkosten.«

»Wen hatte Heike Wersch denn noch als Mitstreiter?«, fragte Nicola Engel.

»Soweit Frau Hauschild wusste, waren außer ihr nur der ehemalige Verleger Henri Winterscheid und der Schriftsteller Hellmuth Englisch dabei«, erwiderte Pia. »Sie hat mir allerdings auch erzählt, dass es zwischen Heike Wersch und Hellmuth Englisch zu einem Zerwürfnis gekommen ist, denn sie wollte sein neues Buch nicht verlegen, obwohl er einer der erfolgreichsten deutschen Schriftsteller ist, der schon alle wichtigen Literaturpreise gewonnen hat. Carl Winterscheid hatte seinen letzten Vertrag gekündigt, und Heike Wersch wollte ihn auch nicht, deshalb steht er jetzt verlagslos da.«

»Und ist wahrscheinlich nicht glücklich darüber«, warf Bodenstein ein. »Könnte er der Mann sein, der mit Heike Wersch am Sonntag letzte Woche gestritten hat?«

»Möglich. Lass uns Frau Jahn ein Foto zeigen«, sagte Pia.

»Also, ich fasse mal zusammen.« Kai ging zu den Whiteboards und nahm den Folienstift zur Hand. »Stefan Fink hat seiner Ehefrau verschwiegen, dass Heike Wersch ihn um Unterstützung für ihren Verlag gebeten hatte. Korrekt?«

»Ja.« Pia nickte.

»Was ist daran so schlimm?«, fragte Nicola Engel, ohne von ihrem Smartphone aufzublicken.

»Und wieso seid ihr so sicher, dass Fink seiner Frau nichts davon erzählt hat?«, wollte Tariq wissen.

»Dorothea Winterscheid-Fink hat es sehr gekränkt, dass ihr Vater ihr nichts über Heikes Pläne gesagt hat«, erwiderte Pia. »Wie viel schlimmer muss es für sie sein, wenn ihr eigener Mann ihr so etwas verschweigt? Und wenn sie es gewusst hätte, hätte sie es am Samstag bei unserem Gespräch vor dem Krankenhaus ganz sicher erwähnt. Dorothea Winterscheid-Fink dürfte es ganz ähnlich ergangen sein wie Paula Domski – sie gehörte nie richtig dazu zu den ›Ewigen‹.«

»Warum hat ihr Mann das überhaupt vor ihr verheimlicht?« Die Kriminaldirektorin blickte auf und legte ihr Smartphone auf den Tisch.

»Aber genau das ist doch die Frage, um die es hier geht!« Pia wurde langsam ungeduldig. »Ich vermute, dass Heike Wersch irgendein Druckmittel gegen ihre alten Freunde in der Hand hatte, das sie genutzt hat, um ihre Unterstützung zu bekommen!«

»Stefan Fink dürfte also kein Interesse daran gehabt haben, dass sein Geheimnis ans Licht kommt«, sagte Kai. »So etwas kann Ehen ruinieren. Ein gutes Motiv für einen Mord, wie ich finde.«

Er zog auf dem Whiteboard eine Linie vom Namen Stefan Fink zu dem von Heike Wersch.

»Fink ist eins neunzig groß und sportlich«, sagte Pia und dachte an den blonden Hünen. »Für ihn wäre es sicher kein Problem, eine Leiche in den Kofferraum zu bugsieren und im Wald abzuladen.«

»Okay«, sagte Bodenstein. »Wir werden mit Fink reden. Weiter, was haben wir noch?«

Kathrin und Cem präsentierten Fotos, Zeitungsausschnitte und Gegenstände, die sie in einem Schuhkarton ganz unten in einer der Erinnerungskisten gefunden hatten.

»Heike Wersch hat penibel Alben befüllt«, sagte Kathrin. »Wir haben zig Fotoalben im Wohnzimmer und auf dem Dachboden gefunden. Sie hatte bis zum Jahr 2010 jedes Jahr ein Fotoalbum gemacht, die Fotos akkurat mit Fotoecken eingeklebt und Texte daruntergeschrieben, Eintrittskarten, Menükarten, Programmhefte und Ähnliches dazu geklebt. Es gibt auch noch ältere Fotoalben, die möglicherweise noch ihre Mutter gemacht hatte. Deshalb fanden wir es ungewöhnlich, dass sie diese Bilder hier nicht in ein Album geklebt hat.«

Damit hatten sie sich an die alte Polizistenregel gehalten, dass man auf der Suche nach Informationen über eine Person immer nach etwas Ausschau halten musste, was aus der Reihe fiel.

Auf den Fotos, die aus den Jahren 1978 bis 1983 stammten, posierten immer dieselben jungen Leute für die Kamera: vier Männer und drei Frauen, 1983 war eine neue Frau hinzugekommen, und einer der jungen Männer war nicht mehr auf den Bildern zu sehen.

»Alex, Götz, Steve, Josi, Waldi, Mia und Heike – Noirmoutier, Sommer 1981«, las Kathrin von der Rückseite eines Fotos ab, das die jungen Leute an einem Strand vor Felsen und blauem Meer zeigte. In der ihr eigenen Akribie hatte Heike Wersch alle Fotos beschriftet. ›Waldi‹ fehlte ab 1983, dafür war ›Katze‹ mit auf den Bildern. Im Hintergrund war immer dasselbe weiß getünchte Haus mit hellblauen Fensterläden zu sehen, manchmal auch ein Segelboot, der Strand, ein Pool.

»Die ewigen Freunde im Urlaub«, kommentierte Tariq.

»Ob es sich bei ›Waldi‹ wohl um Waldemar Bär, den Hausmeister handelt?«, überlegte Bodenstein. »Vom Alter her könnte es hinkommen.«

»Heike ist natürlich Heike Wersch«, sagte Kathrin. »Sie hatte früher echte rote Haare. Und Alex ist Alexander Roth, leicht zu erkennen an seinem Lockenkopf und der Brille.«

»Josi ist Josefin Lintner.« Cem tippte mit der Fingerspitze auf eine junge blonde Frau, die sich auf jedem Foto eng an den jungen Alexander Roth schmiegte. »Mia dürfte dann Maria Hauschild sein. Und bei Götz handelt es sich wohl um Götz Winterscheid.«

»Den älteren Bruder von Dorothea, der schon früh verstorben ist«, erklärte Pia.

»Warum ist Dorothea nicht auf den Fotos zu sehen?«, fragte Nicola Engel.

»Sie gehörte wahrscheinlich nicht zur Clique, weil sie ein paar Jahre jünger ist als die anderen«, vermutete Cem. »Dafür aber ihr Mann. Wir glauben, dass ›Steve‹ Stefan Fink ist. Hier, der große blonde Kerl ganz rechts im Bild.«

»Ja, das würde passen.« Pia betrachtete die Fotos mit zusammengekniffenen Augen, dann schob sie eins nach dem anderen Bodenstein hin. »Und ›Waldi‹ könnte wirklich der Hausmeister sein. Aber wer ist die ›Katze‹?«

Pia versuchte, das halb von der Kamera abgewandte Gesicht der dunkelblonden Frau zu erkennen, die nur auf einem einzigen Foto zu sehen war.

»Wie ist Götz Winterscheid eigentlich gestorben?«, mischte sich Nicola Engel ein.

Kai nahm wieder hinter seinem Laptop Platz und googelte den Namen.

»Laut Wikipedia ist Götz Winterscheid, der Sohn des Frankfurter Verlegers Henri Winterscheid und seiner Frau Margarethe, 1983 im Sommerurlaub in Frankreich bei einem tragischen Unfall ums Leben gekommen. Er war erst 21. Danach haben seine Eltern die Götz-Winterscheid-Stiftung ins Leben gerufen.« Er hielt inne und schüttelte den Kopf. »Hey, Leute, ratet mal, wer der Vorstandsvorsitzende der Stiftung ist. Oder war, muss man jetzt ja wohl sagen.«

»Alexander Roth.« Pia wiederholte den Satz aus Heike Werschs E-Mail an Roth und zog den Schuhkarton zu sich heran: *»Was, wenn Winterscheids erführen, welch falsche Natter sie all die Jahre an ihrem Busen genährt haben?«*

Ganz allmählich begann alles, Sinn zu machen. Die ersten Puzzlestücke fielen an ihre Plätze.

»Roth hatte nach vielen Jahren der Abstinenz wieder angefangen zu trinken«, sagte Bodenstein. »Auslöser dafür war vielleicht gar nicht seine Berufung zum Programmleiter, sondern die begründete Angst, Heike Wersch könnte etwas öffentlich machen, was unangenehme Folgen für ihn gehabt hätte. Er sagte einmal, sein ganzes Leben und seine Karriere gründeten auf einer Lüge.«

Während ihre Kollegen verschiedene Szenarien diskutierten, betrachtete Pia die anderen Gegenstände, die sich in dem Schuhkarton befanden. Eine kleine bauchige Orangina-Glasflasche, gefüllt mit Sand und verschlossen mit Korken und Siegellack. Ein Glas mit Muschelschalen und Steinen. Ein vertrockneter Zweig in einer Plastikhülle. Eine abgegriffene Taschenbuchausgabe von Hermann Hesses *Steppenwolf*, typische Achtzigerjahre-Kultlektüre. Mehrere Bierdeckel und ausgeblichene Kassenbons. Eine Vogelfeder. Ein mit Stoff bespanntes und kunstvoll verziertes Holzkästchen, in dem sich ein altes Brillengestell mit gesprungenen Gläsern befand. Eine Plastiktüte mit der Werbeaufschrift einer längst nicht mehr existenten französischen Supermarktkette, darin ein Stück Stoff. Pia schüttelte die Tüte aus, ein fleckiges hellgraues T-Shirt fiel auf die Tischplatte.

Sie stutzte.

»Gib mir bitte mal die Fotos aus dem Jahr 1983«, sagte sie zu Cem, und er schob ihr den kleinen Stapel hin. Pia blätterte sie rasch durch und legte eines, das die sechs jungen Leute auf Treppenstufen vor dem weiß getünchten Haus zeigte, vor sich auf den Tisch. Dann zog sie ein Paar Latexhandschuhe aus ihrem Rucksack und streifte sie über. Das Gespräch am Besprechungstisch war verstummt, alle verfolgten neugierig ihr Tun. Pia breitete das T-Shirt aus. Es war hellgrau, trug das Logo von *Fruit of the Loom* und war übersät mit dunklen Flecken.

»Ich wette, das ist das T-Shirt, das Götz Winterscheid getragen hat, als er starb!«, sagte sie aufgeregt. »Schaut euch das Foto an!«

»Früher hatte fast jeder, der etwas auf sich hielt, solch ein T-Shirt«, merkte Nicola Engel an. »Es war damals ein absolutes Must-have.«

»Schon klar. Aber warum sollte Heike Wersch irgendein T-Shirt aufheben?«, fragte Pia. »Dieses hier muss für sie eine besondere Bedeutung gehabt haben.«

Dann fiel ihr noch etwas auf, und ein Adrenalinstoß rauschte durch ihren Körper, wie immer, wenn sie unerwartet auf etwas stieß, das sie der Wahrheit näher bringen konnte. Sie nahm das Brillengestell aus dem verzierten Kästchen und legte es neben das Foto.

»Heike Wersch hat nicht nur das T-Shirt von Götz Winterscheid aufgehoben, sondern auch seine Brille«, sagte sie triumphierend. »Und ich glaube, sie hat das nicht aus sentimentalen Gründen getan, sondern weil es Beweismittel sind.« Sie hielt kurz inne und dachte scharf nach. Dann erschien alles völlig klar. »Alexander Roth muss irgendetwas mit dem Tod von Götz Winterscheid zu tun haben. Heike Wersch wusste das und hat ihn damit erpresst!«

»Um was zu bekommen?«, fragte die Kriminaldirektorin.

»Sie wollte, dass er Winterscheid verlässt und mit ihr den neuen Verlag aufzieht«, erwiderte Pia. »Das war ihr wichtiger als alles andere auf der Welt. Sie war jemand, der es nicht ertragen konnte, bedeutungslos und ohne Einfluss zu sein. Sie wollte wieder mitmischen und gleichzeitig Carl Winterscheid eins reinwürgen.«

»Götz' Eltern haben Roth damals zum Vorstandsvorsitzenden der Stiftung gemacht«, fügte Bodenstein hinzu. »Er hat die Karriere im Winterscheid-Verlag gemacht, die sonst wahrscheinlich Götz vorbehalten gewesen wäre. Eine Karriere, die auf eine Lüge begründet ist. Kein Wunder, dass Roth sich für unwürdig hielt, wenn er tatsächlich etwas mit dem Tod von Götz Winterscheid zu tun gehabt hatte.«

Für einen Moment war es ganz still. Alle spürten, dass sich der Fall verändert hatte.

»Wie machen wir jetzt weiter?«, wollte Kai wissen.

»Wir müssen unsere Vermutungen durch Beweise erhärten, was schwierig sein dürfte, so lange, wie das her ist«, bremste Bodenstein die aufkeimende Euphorie seiner Mitarbeiter. »Und dabei müssen wir vorsichtig vorgehen und dürfen nichts überstürzen, denn wir brauchen eine lückenlose Beweiskette, selbst, wenn unser Hauptverdächtiger tot ist. Zuerst müssen wir herausfinden, wie Götz Winterscheid gestorben ist, und dazu sollten wir diejenigen befragen, die damals dabei waren. Gibt es nur den Hauch eines Zweifels daran, dass sein Tod ein Unfall war, sind alle anderen Freunde, die in diesem Sommerurlaub dabei waren, mindestens so verdächtig wie Alexander Roth.«

»Sie könnten ebenfalls von Heike Wersch erpresst worden sein«, warf Nicola Engel ein. »Und dann hätten alle anderen auch ein Mordmotiv.«

»Stefan Fink, Maria Hauschild, Josefin Lintner und die Frau, die ›Katze‹ genannt wurde«, zählte Tariq auf. »Heike Wersch und Alexander Roth sind tot.«

»Schicken wir das T-Shirt und die Brille ins Labor, vielleicht kann man noch DNA sichern«, schlug Kai vor.

»Die von Alexander Roth haben wir schon«, sagte Cem.

»Die anderen besorgen wir«, sagte Pia, eifrig wie ein Terrier, dem der Geruch eines Fuchses in die Nase gestiegen ist.

Das Faxgerät, das auf einem der halbhohen Aktenschränke stand, begann zu surren und spuckte drei Blätter aus. Kathrin beugte sich vor und zog sie heraus.

»Der Durchsuchungsbeschluss für das Bankschließfach ist da«, stellte sie fest.

»Gut.« Bodenstein stand auf. »Pia und Tariq, ihr fahrt zu der Bankfiliale in Bad Soden und öffnet das Schließfach. Cem, wir beide besuchen Paula Domski. Kathrin, du fährst zu Frau Jahn und zeigst ihr ein Foto von Hellmuth Englisch, denn die Möglichkeit, dass es ein anderes Motiv gegeben haben könnte, dürfen wir nicht außer Acht lassen. Außerdem besorg bitte Informationen über die finanzielle Situation der Druckerei Fink. Kai, du telefonierst herum und kriegst so viel wie möglich über Götz Winterscheid heraus.«

»Macht es Sinn, mit Heike Werschs Vater zu sprechen?«, fragte Pia. »Er ist momentan noch im Krankenhaus.«

»Das kann ich machen«, bot Kathrin an.

»Okay.« Bodenstein nickte. »Einen Versuch ist es wert. Dann an die Arbeit. Spätestens heute Nachmittag um drei treffen wir uns hier wieder.«

* * *

In Bodenstein war die Jagdlust erwacht, ein Gefühl, das ihm in den letzten Jahren abhandengekommen war. Sein Beruf war für ihn immer auch Berufung gewesen und nicht nur ein Brotjob. Er war mit Leib und Seele Ermittler und hatte nie Ambitionen gehabt, Dienststellenleiter oder gar Polizeipräsident zu werden. Mehrfach waren ihm Aufstiegsmöglichkeiten angeboten worden, aber er hatte sie zum Verdruss von Nicola Engel, die ihm mangelnden Ehrgeiz vorwarf, jedes Mal ausgeschlagen. Er war Polizist geworden, weil er an Gerechtigkeit glaubte, an Regeln und Werte, nicht um Karriere oder Politik zu machen, höhere Besoldungsstufen zu erreichen und mit Mitte fünfzig in Pension zu gehen. Vor ein paar Jahren hatte er jedoch ein Sabbatical gebraucht, denn der Fall des Heckenschützen, der auch Karolines Mutter erschossen hatte, hatte ihn an den Rand der Belastbarkeit gebracht. Es war ihm nicht mehr gelungen, Distanz zu wahren und die Arbeit nach Feierabend auszublenden. Als er dann noch bei Ermittlungen in seinem Heimatort Ruppertshain mit seiner eigenen Vergangenheit konfrontiert worden war, hatte er mit dem Gedanken gespielt, den Polizeiberuf endgültig an den Nagel zu hängen. Eine Weile hatte er ernsthaft erwogen, das verlockende Angebot seiner ehemaligen Schwiegermutter anzunehmen, denn die Verwaltung des Vermögens von Gräfin Gabriella von Rothkirch war ein außerordentlich gut dotierter und stressfreier Job. Aber als sich seine Auszeit dem Ende zugeneigt hatte, hatte er sich doch für seinen alten Beruf entschieden. Er war bereit gewesen, sich in das Team, das er viele Jahre geleitet hatte, einzufügen, aber Pia, die das K11 während seiner Abwesenheit kommissarisch geleitet hatte, war freiwillig ins zweite Glied zurückgetreten, und Nicola hatte ihm wieder die Leitung übertragen. Das Sabbatical hatte ihm gutgetan. Er hatte eine andere, gesündere Einstellung seinem Job gegenüber bekommen, und zweifellos waren sein Beruf und das Team des K11 oft genug sein Anker, wenn es in seinem Privatleben drunter und drüber ging, wie es im Augenblick der Fall war.

Cem hatte die A66 genommen, um nicht halb Hofheim durchqueren zu müssen. Nach dem Kreisel an der Ortseinfahrt von Liederbach bog er von der Höchster Straße in den Münsterer Weg ein und hielt wenig später vor einer gepflegten Doppelhaushälfte. Unter einem Carport stand ein silberner Škoda.

»Da sind wir«, sagte Cem.

Bodenstein löste den Sicherheitsgurt. »Es ist besser, wenn du die Gesprächsführung übernimmst, Cem. Ich glaube, ich bin zu voreingenommen.«

»Okay.« Cem nickte und drückte auf die Klingel.

Paula Domski öffnete nur Sekunden später. Sie war blass und hatte violette Schatten unter den Augen, aber sie trug kein Schwarz, sondern einen ähnlichen Hosenanzug wie am Samstag und am Sonntagmorgen im Krankenhaus, dazu einen gelben Seidenschal und eine bunte Holzperlenkette um den Hals.

»Kommen Sie herein«, sagte sie, als sie Bodenstein erkannte. »Möchten Sie einen Kaffee trinken?«

»Sehr gerne«, erwiderte Cem höflich. Ihm war daran gelegen, eine angenehme Gesprächsatmosphäre zu schaffen.

Sie folgten Frau Domski in eine Küche mit Hochglanzfronten in gewöhnungsbedürftigem Knallrot und nahmen am Küchentisch Platz. Sehr häufig wurden sie in Küchen gebeten, wenn sie Zeugen oder Verdächtige zu Hause aufsuchten. Es musste etwas Psychologisches sein, nahm Bodenstein an, eine Küche war weniger förmlich als ein Wohnzimmer und gab gleichzeitig nicht so viel Persönliches preis. Während Cem sich einen Kaffee kredenzen ließ und eine äußerst gefasste Frau Domski über das Ergebnis der Obduktion und die Todesursache ihres Mannes aufklärte, überlegte Bodenstein, wo er selbst wohl die Kripo empfangen würde und musste ein Schmunzeln unterdrücken, denn auf ungewisse Zeit würde das wohl sein Hotelzimmer sein.

»Was ist das?«, fragte Paula Domski argwöhnisch, als Cem ihr ein Foto des Fleischklopfers zeigte, den Pia im Bürokühlschrank von Alexander Roth entdeckt hatte.

»Kennen Sie diesen Fleischklopfer?«, fragte Cem.

»Nein. Den kenne ich nicht.« Frau Domski zog eine Schublade auf und nahm einen Gegenstand heraus. »Das hier ist mein Fleischklopfer. Er wird nicht mehr benutzt, weil wir Vegetarier sind.«

»Wir haben diesen hier im Kühlschrank im Büro Ihres Mannes gefunden«, sagte Cem. »Er wird gerade kriminaltechnisch untersucht, denn höchstwahrscheinlich wurde damit Frau Wersch erschlagen.«

Paula Domski wurde blass. Ihr Blick wanderte zu Bodenstein.

»Glauben Sie etwa, dass mein Mann Heike umgebracht hat?«, fragte sie.

»Wir glauben gar nichts«, entgegnete Bodenstein. »Aber wir wissen, dass er am Montagnachmittag bei ihr war und mit ihr gesprochen hat. Wir versuchen gerade nachzuvollziehen, wo er sich danach aufgehalten hat, bevor ihn die Streife aufgegriffen hat.«

»Ihr Mann hat uns am Freitag gesagt, er könne sich an nichts mehr erinnern«, sagte Cem. »Nach unseren Informationen hat er in einer Bar in Bad Soden zwei Wodka Tonic getrunken. Aber davon wird er wohl kaum einen Filmriss gehabt haben.«

»Nein. Dafür brauchte er schon etwas mehr als zwei Wodka Tonic«, entgegnete Paula Domski grimmig. »Was wollen Sie jetzt von mir wissen? Ich habe auch keine Ahnung, wo er gewesen ist, bis mich die Polizei am Dienstagmorgen angerufen und gebeten hat, ihn abzuholen.«

»Wo waren Sie am Montagabend?«, wollte Cem wissen.

»Sie glauben doch wohl nicht …«, begann Paula Domski, dann brach sie ab und schüttelte den Kopf in einer Mischung aus Widerwillen und Resignation. »Ich weiß, Sie *glauben* nichts, schon klar. Ich war am Montagabend hier. Zeugen dafür gibt es nicht, abgesehen von unseren Nachbarn, die mich möglicherweise auf der Terrasse gesehen haben. Seitdem unsere Töchter ausgezogen sind, arbeite ich von zu Hause aus und spare mir so die teure Miete für ein Büro in der Stadt. Ich habe meine Sendung für den nächsten Abend vorbereitet.«

»Die Sendung, die Sie und Heike Wersch früher zusammen moderiert haben?«

»Ja, richtig. *Paula liest …* heißt die Sendung. Ein Literaturtalk, in dem ich mit wechselnden Gästen aus der Literaturszene aktuelle Bücher bespreche.«

»Wieso ist Frau Wersch eigentlich ausgestiegen? Und wann?«

»Das war letztes Jahr«, erwiderte Paula Domski. »Es war aber nicht so, dass Heike freiwillig aufgehört hätte. Der Sender wollte sie loswerden.«

»Aber danach ging es mit den Einschaltquoten steil bergab.« Cem hatte seine Hausaufgaben gemacht. »Statt zwei Millionen Zuschauern zu besten Zeiten waren es zuletzt nur noch 150 000, deshalb verbannte der Sender Sie vom Sonntagmittag ins Spätprogramm. Bedeutet das, dass die Leute eigentlich Frau Wersch sehen wollten und nicht Sie?«

»Wenn Sie das so interpretieren möchten«, erwiderte Paula Domski spitz. Cems Provokation hatte ins Schwarze getroffen. »Die Leute liebten es, wie sie Bücher, Autoren und Kritiker verrissen oder hoch gelobt hat, das hatte etwas von Circus Maximus im alten Rom. Das Problem war allerdings, dass die Verlage irgendwann Angst vor Heikes schonungslosen Verrissen hatten, die sich oft direkt auf die Verkaufszahlen auswirkten. Autoren kamen daher schon lange nicht mehr als Gäste in unsere Sendung. Deshalb hat der Sender Heike rausgeschmissen. Ob diese Entscheidung letztendlich klug war oder nicht, sei dahingestellt.«

Paula Domski gab nichts Negatives über Heike Wersch von sich. Sie bezeichnete sie als leidenschaftliche, eloquente und hochgebildete Verfechterin zeitgenössischer Literatur, sie nannte sie zuverlässig, genau und immer gut vorbereitet. Nur beiläufig erwähnte sie, dass Heike Wersch über dreißig Jahre lang die Geliebte von Henri Winterscheid, ihrem Chef, gewesen sei.

»Jeder wusste das, auch Margarethe, Henris Frau«, sagte sie und rührte mit einem Löffel in ihrem Kaffee, ohne ihn zu trinken. »So wie jeder wusste, dass es Heike war, die das Verlagsprogramm von Winterscheid gemacht hat. Alexander war zufrieden als der zweite Mann. Er mochte seine Aufgabe bei der Stiftung, und er liebte es, sich um seine Autoren zu kümmern. Zwischen ihm und Heike gab es keine Konkurrenz. Sie waren Freunde. Alte Freunde.«

Bodenstein räusperte sich.

»Ich fürchte, da irren Sie sich, Frau Domski«, sagte er. »Wir haben E-Mail-Korrespondenz zwischen Frau Wersch und Ihrem Mann gelesen, die für uns so klingt, als ob Frau Wersch Ihren Mann erpresst haben könnte.«

»Erpresst?« Frau Domski hörte auf zu rühren.

Bodenstein zog einen Ausdruck der Mails aus der Innentasche seines Sakkos, faltete sie auseinander und setzte seine Lesebrille auf.

»*Gerade DU solltest ganz vorsichtig sein, du rückgratloser Zauderer!*, hat Heike Wersch am 23. August Ihrem Mann geschrieben«, sagte er. »*Dass du dich ausgerechnet hinter Carl versteckst, ist so absurd wie alles, was gerade passiert! Was, wenn Winterscheids erführen, welch falsche Natter sie all die Jahre an ihrem Busen genährt haben? Du hast wahrhaftig allen Grund zu zittern, du armselige Kreatur.*«

Paula Domski starrte Bodenstein ungläubig an. Ihr Mund zuckte kurz, als ob sie lächeln wollte.

»Sie haben uns erzählt, dass Ihr Mann Ihnen gestanden hat, er fühle sich unwürdig«, fuhr er fort. »Wir vermuten, dass im Sommer 1983 etwas passiert ist, von dem Ihr Mann profitiert hat.«

»Im Sommer 1983 ist Götz Winterscheid gestorben.« Paula Domski fand ihre Sprache wieder. »Mein Mann war sein bester Freund, schon seit Kindergartenzeiten. Nach Götz' Tod haben Henri und Margarethe meinen Mann wie ihren eigenen Sohn behandelt und ihn mit 22 Jahren sogar zum Vorstandsvorsitzenden der Stiftung gemacht, die sie als Erinnerung an Götz gegründet haben. Und Alexander bekam eine Festanstellung im Verlag, gleich nachdem er sein Studium beendet hatte. Das ist ungewöhnlich. Normalerweise macht man erst mal ein befristetes Volontariat.«

»Hat er mit Ihnen jemals über die Ereignisse von damals gesprochen?«, wollte Cem wissen.

»Kaum. Auf jeden Fall nicht im Detail.« Paula Domski lachte bitter auf. »Und ganz sicher hat er mir nie die Wahrheit gesagt. Er hat mir überhaupt nie die Wahrheit gesagt. Ich wusste nie, was ihn wirklich bewegt. Im Grunde genommen ist er mir immer fremd geblieben.«

»Erzählen Sie uns etwas über die Winterscheids und die Freunde Ihres Mannes«, forderte Cem sie auf.

»Er nannte Henri und Margarethe seine zweite Familie«, erwiderte sie. »Zu seinen eigenen Eltern hatte mein Mann schon seit vielen Jahren keinen Kontakt mehr. Den wirklichen Grund dafür habe ich auch nie erfahren. Zu unserer Hochzeit und den Tauffeiern unserer Töchter wurden die Winterscheids eingeladen, nicht Alexanders richtige Familie. Vielleicht kann Ihnen Josi mehr darüber sagen, sie kannte ihn länger als ich.«

»Josi?«

»Josefin Lintner, die blonde Frau, die am Samstag auch im Krankenhaus war. Ihrem Mann und ihr gehört die Buchhandlung *House of Books* im Main-Taunus-Zentrum. Vor vielen Jahren waren mein Mann und sie mal ein Paar.«

»Wie ist Ihr Verhältnis zu den Winterscheids und den anderen Freunden Ihres Mannes?«, fragte Bodenstein.

»Wie wäre Ihr Verhältnis zu Leuten, die Sie nie wirklich akzeptiert haben, nie in ihren Kreis aufnehmen wollten?«, antwortete Paula Domski mit einer Gegenfrage. »Ich habe sehr lange gute Miene zum bösen Spiel gemacht. Aber irgendwann habe ich es aufgegeben, um ihre Gunst zu kämpfen. Das hatte ich nicht nötig. Ich habe einen eigenen Freundeskreis und eine Familie. Mit Heike hatte ich eine gute professionelle Beziehung, aber wir haben nie über Privates gesprochen. Das war einfach tabu.«

Bodenstein empfand echtes Mitgefühl für die Frau, die ganz Ähnliches in ihrer Ehe erlebt hatte wie er mit Cosima. Irgendwann fand man sich an einem Scheideweg wieder, und es blieb einem nichts übrig, als sich mit einer eigentlich unerträglichen Situation zu arrangieren oder seine Sachen zu packen und zu gehen. Waren Kinder im Spiel, tendierte man zum Bleiben, auch wenn das die gefährlichere Variante war. Denn die Selbstverleugnung, derer es bedurfte, wenn man in einer solchen Ehe feststeckte, konnte in Hass umschlagen, besonders dann, wenn einen der andere auf einmal schnöde gegen einen neuen Partner austauschte. Bodenstein besaß eine geradezu sprichwörtliche Leidensfähigkeit, aber selbst ihm waren einmal die Nerven durchgegangen, und er hatte

Cosima auf dem Parkplatz von Schloss Bodenstein in einem Anfall von Hass und Zorn gewürgt, als er erfahren hatte, dass sie ihn schon seit Monaten betrog. Ohne das Eingreifen seines Vaters und seines Bruders hätte er sie damals womöglich umgebracht und säße dafür noch immer im Gefängnis. Seitdem war ihm klar, dass im Prinzip jeder Mensch zum Affekttäter werden konnte.

»Laut Obduktionsbericht ist Ihr Mann an den Folgen einer Methanolvergiftung gestorben«, sagte Bodenstein.

»Eine Methanolvergiftung?«, wiederholte Paula Domski ungläubig. »Wie kann denn so etwas heutzutage noch passieren?«

»Wir nehmen an, er hat das Methanol mit hochprozentigem Alkohol zu sich genommen«, erklärte Cem.

»Das ist wohl naheliegend.« Die Journalistin lachte gallig. »Womit auch sonst? Wenn er unter Stress geriet, was bei ihm schnell der Fall war, hat er alles getrunken, was ihm in die Finger kam.«

»Er muss sich am Donnerstag vergiftet haben. Wissen Sie, wo er an diesem Tag gewesen ist?«

»Im Verlag, schätze ich.« Paula Domski versuchte, sich zu erinnern. »Er war an dem Abend vor mir zu Hause und schlief schon, als ich kam. Aber was hat das zu bedeuten? Ist ihm das aus Versehen passiert?«

»Das versuchen wir herauszufinden«, sagte Bodenstein. »Ich habe noch eine letzte Frage, bevor wir gehen. Hat Ihr Mann eventuell einen Abschiedsbrief hinterlassen?«

»Wieso denn das?« Die Witwe von Alexander Roth schien ehrlich erstaunt.

»Ich halte es nicht für ausgeschlossen, dass er sich das Leben genommen hat. Er hatte offenbar sehr große Angst.«

»Nein, das kann ich mir beim besten Willen nicht vorstellen«, erwiderte Paula Domski bestimmt. »So groß seine Angst, wovor auch immer, gewesen sein mag, für einen Selbstmord war mein Mann gar nicht mutig genug.«

Die Geringschätzung, die in diesen Worten mitschwang, war für Bodenstein die letzte Bestätigung dafür, dass Paula Domski sich ganz sicher nicht für ihren Mann die Finger schmutzig gemacht und Heike Wersch erschlagen hätte. Ihren Namen konnte er getrost von der Liste der Verdächtigen streichen.

***

Um 10:30 Uhr versammelten sich sämtliche Mitarbeiter in der Bibliothek, dem größten Raum im Verlagsgebäude. Die Geschäftsleitung hatte per Rundmail das Erscheinen der gesamten Belegschaft angeordnet, aber schon bevor Carl Winterscheid, Dorothea Winterscheid-Fink und der kaufmännische Geschäftsführer, alle schwarz gekleidet, den Saal betraten, waren Betroffenheit und Trauer groß, denn natürlich hatte sich längst herumgesprochen, was passiert war. Julia stand ganz hinten, in der Nähe des Ausgangs, um schnell verschwinden zu können. In der Nacht hatte sie das Manuskript von Katharina Winterscheid ein zweites Mal gelesen, und beim Lesen war ihr immer wieder eine vage Assoziation im Kopf herumgeflattert, wie ein Schmetterling, der sich nicht greifen ließ. Irgendetwas an dem Text weckte eine Erinnerung, die sich in einem Winkel ihres Gedächtnisses versteckte, aber was war es? Es war nicht die Geschichte selbst, es war irgendein Detail, doch sie kam einfach nicht darauf, welches.

»Liebe Kolleginnen, liebe Kollegen, es ist meine traurige Pflicht, Ihnen mitzuteilen, dass unser langjähriger und hochgeschätzter Mitarbeiter, unser Programmleiter Alexander Roth, in den frühen Morgenstunden des gestrigen Sonntags an den Folgen eines Fahrradunfalls verstorben ist«, sagte Carl Winterscheid. Silvia Blanke, Christine Weil und Manja Hilgendorf, die Kolleginnen aus dem Literatur-Lektorat, schluchzten und schnäuzten sich, sie hielten sich umarmt, wie so viele im Saal. Selbst Leute, die sich sonst nicht wirklich nahe waren, lagen sich jetzt trauernd in den Armen. In Zeiten der Krise war das Bedürfnis nach Trost durch körperliche Nähe immer besonders groß. Mittlerweile sprach Carl über Heike Wersch, aber seine Worte rauschten an Julia vorbei. Ihre Gedanken waren noch immer auf Schmetterlingsjagd, wenn auch vergeblich.

»Hallo, Frau Bremora«, sagte jemand neben Julia, und sie wandte sich nach links.

»Hallo, Herr Bär«, begrüßte sie den Hausmeister leise. Sie überlegte kurz, ob sie ihm kondolieren sollte, denn immerhin hatte er Alexander Roth und Heike Wersch sehr lange gekannt, aber dann fand sie es doch unpassend.

»Schlimme Sache«, sagte sie, nur, um überhaupt etwas zu sagen.

»Ja, in der Tat. Wirklich schlimm«, erwiderte Hausmeister Bär, und seiner ausdruckslosen Miene war nicht anzusehen, ob ihn die Ereignisse traurig machten oder kaltließen.

Nach einer Schweigeminute für die verstorbenen Kollegen ging wieder jeder seines Weges, und Julia beeilte sich, aus der Bibliothek herauszukommen, bevor Carl Winterscheid sie ansprechen konnte. Seitdem er sie gestern Abend quasi aus seinem Büro geworfen hatte, hatte er sich nicht mehr bei ihr gemeldet, was einerseits eine Enttäuschung war, auf der anderen Seite eine Erleichterung. Es war eindeutig klüger, eine rein professionelle Beziehung zu seinem Vorgesetzten zu haben.

Wieder in ihrem Büro, versuchte Julia, sich auf die Mails der Agenturen zu konzentrieren, die einen Monat vor Beginn der Buchmesse ihre Messelisten schickten. Es war immer spannend zu erfahren, welche Neuheiten die Agenturen in ihren Portfolios hatten, und Julia interessierte sich besonders für zwei amerikanische Autoren, die in Deutschland bisher noch nicht verlegt worden waren. Aber sie war nicht bei der Sache. Immer wieder wanderten ihre Gedanken zu Katharina Winterscheid, und sie versuchte, sich in die junge Frau hineinzuversetzen, die bei ihrem Tod genauso alt gewesen war wie sie heute. Nahm man sich das Leben, wenn man einen sechsjährigen Sohn hatte, den man über alles liebte? *Wie immer, für immer – für Carl, meinen größten Schatz.* Diese Widmung implizierte zweierlei: Katharina musste schon mehr geschrieben haben, als nur dieses eine, unvollendete Manuskript, und ihr kleiner Sohn war ihr das Wichtigste auf der Welt gewesen. Hatte sie sich möglicherweise gar nicht absichtlich vom Balkon gestürzt, sondern war sie gefallen? Ein tragischer Unfall, den man für einen Selbstmord gehalten hatte – aber wieso hatte niemand daran gezweifelt?

Julias Festnetztelefon klingelte, und sie erkannte die Nummer von Henning Kirchhoff auf dem Display. Sie hatte ihm eine Nachricht hinterlassen mit der Bitte um Rückruf, denn es gab ein paar Dinge zu klären. Die Termine für Kirchhoffs Lesereise quer durch Deutschland, Österreich und die Schweiz standen bereits fest, aber noch immer kamen neue Anfragen und Einladungen hinzu, und der Vertrieb bat darum, zwei wichtige Kunden – eine Buchhandlung im Allgäu und eine andere im Ruhrgebiet – wenn möglich noch zu berücksichtigen. Ein Redakteur von HR2 wollte Kirchhoff in der Kultursendung *Doppelkopf* dabeihaben und die Sendung bereits innerhalb der nächsten Woche aufzeichnen, außerdem gab es eine Einladung in eine Talkshow.

»Ich habe noch eine andere Frage«, sagte Julia, als sie alles Wichtige besprochen hatten. »Gibt es bei Selbstmord eigentlich auch eine gerichtliche Untersuchung?«

»Nur, wenn es die zuständige Staatsanwaltschaft anordnet«, erwiderte Kirchhoff. »§ 159 der Strafprozessordnung verpflichtet die Polizei zur Aufnahme von Ermittlungen bei jedem nicht natürlichen Todesfall. Sobald also auf dem Totenschein bei der Todesursache ›nicht natürlich‹ oder ›unbekannt‹ angekreuzt wird, wird die Staatsanwaltschaft eingeschaltet. Die Polizei versucht, ein eindeutiges Motiv für eine Selbsttötung herauszufinden. Das geschieht meistens durch Befragung von Angehörigen vor Ort, Nachbarn, Arbeitskollegen oder anderen Personen, die dem Selbstmörder nahestanden. Die Leiche wird natürlich untersucht und fotografiert, ebenso der Leichenfundort und die Wohnung. Weitere Indizien sind oft Gegenstände wie Tagebücher oder Abschiedsbriefe, die von der Polizei beschlagnahmt werden können und den Angehörigen nach Abschluss der Untersuchungen zurückgegeben werden.«

»Wird die Leiche eines Selbstmörders auch obduziert?«, wollte Julia wissen.

»Nicht zwangsläufig. Die Staatsanwaltschaft entscheidet aufgrund der Ermittlungen über eine Freigabe der Leiche oder ordnet bei nicht eindeutiger Sachlage eine Leichenschau oder Leichenöffnung an. Erst wenn feststeht, dass der Tod nicht durch

Unfall oder Fremdeinwirkung Dritter verursacht wurde, werden die Ermittlungen eingestellt.«

»Und wie lange werden nach einem Suizid die Ermittlungsunterlagen aufbewahrt?«, fragte Julia.

»In der Regel werden Unterlagen in Leichensachen, oder wie es korrekt heißt: *Verfahren zur Ermittlung der Todesursache Verstorbener*, dreißig Jahre lang bei der Staatsanwaltschaft aufgehoben. In dieser Akte befinden sich sämtliche Polizei- und Vernehmungsprotokolle, Tatort- und Leichen-Fotos, sowie Berichte von Leichenschau oder Obduktion«, gab Henning Kirchhoff bereitwillig Auskunft. »Jetzt haben Sie mich neugierig gemacht, Frau Bremora. Gibt es einen konkreten Grund für Ihre Wissbegier?«

»Ja, allerdings, Und das könnte Stoff für Ihren nächsten Krimi sein«, antwortete Julia. »Ich bin rein zufällig auf eine Sache gestoßen, die sich vor längerer Zeit hier in Frankfurt ereignet hat. Die Mutter eines Bekannten hat sich 1990 angeblich das Leben genommen. Aber irgendwie sind mir Zweifel gekommen, ob es wirklich ein Suizid gewesen ist.«

»Aha. Und warum?«

»Es ist nur so ein Gefühl«, räumte Julia verlegen ein. Manchmal vergaß sie, dass Henning Kirchhoff nicht nur ein erfolgreicher Krimiautor war, sondern der Leiter des Instituts für Rechtsmedizin der Frankfurter Universität, und obendrein eine Koryphäe auf dem Gebiet der forensischen Anthropologie. Sie wollte ihm nicht mit einer vagen Ahnung die Zeit stehlen.

»Oft haben Polizisten ›nur so ein Gefühl‹«, erwiderte Kirchhoff jedoch zu ihrer Überraschung. »Und das bringt sie nicht selten auf die richtige Spur.«

Also erzählte Julia, erst zögernd, dann immer flüssiger, dem Rechtsmediziner von dem Manuskript, das anonym mit der Post gekommen war, von seiner Verfasserin, die zufällig die Mutter ihres Chefs war, und von der Widmung, die sie hatte stutzen lassen. Dann fasste sie den Inhalt des Manuskripts zusammen, von dem sie mittlerweile überzeugt war, dass es stark autobiografisch war. Kirchhoff stellte hin und wieder kurze Zwischenfragen, und Julia kam es so vor, als hätten sie ihre Rollen vertauscht. Sie fühlte sich wie eine Autorin, die ihrem Lektor ihr neues Buch pitchte.

»Ich kann mich daran erinnern«, sagte Kirchhoff auf einmal. »Ich bin 1982 zum Medizinstudium nach Frankfurt gekommen, und ich weiß noch, dass die medizinische Fakultät im Sommer 1983 um Götz Winterscheid trauerte, der im Sommerurlaub tödlich verunglückt war.«

»Haben Sie ihn etwa gekannt?« Julia lief ein Schauer der Aufregung über den Rücken.

»Das wäre übertrieben«, erwiderte Kirchhoff. »Er war ein Semester über mir. Ich kannte sein Gesicht, mehr nicht. In der *FAZ* war damals eine ganze Seite voller Todesanzeigen für ihn, das hat mich sehr beeindruckt. Von seiner Familie natürlich, von der Schule, der Universität, seinen Freunden. Es gab eine Riesen-Beerdigung auf dem Hauptfriedhof, die tagelang Gesprächsthema war, und wenig später wurde eine Stiftung gegründet, die nach Götz Winterscheid benannt war. Die gibt es wahrscheinlich heute noch.«

Julia rutschte aufgeregt auf ihrem Stuhl hin und her. Katharina Winterscheid hatte in ihrem Manuskript *In ewiger Freundschaft* die Beerdigung von ›Lutz Vogelsang‹ bis ins Detail beschrieben, sie hatte sogar die Todesanzeigen erwähnt, ›so groß, als sei der Bundespräsident gestorben‹.

»Ja, die Stiftung gibt es noch«, bestätigte Julia. »Alexander Roth, der Programmleiter, der am Sonntag nach einem Fahrradunfall gestorben ist, war Vorstandsvorsitzender. Er war der beste Freund von Götz Winterscheid. Vielleicht haben Sie ihn gekannt, denn er war ein alter Freund von Maria Hauschild, Ihrer Agentin.«

»Ja, das weiß ich, aber ich habe seine Bekanntschaft leider erst auf meinem Sektionstisch gemacht«, sagte Kirchhoff trocken, und Julia konnte nur mit Mühe ein hysterisches Kichern unterdrücken. Das war alles völlig verrückt, und wenn ein Autor ihr eine solche Story voller Zufälle angeboten hätte, hätte sie sie als unglaubwürdig abgelehnt.

»Erinnern Sie sich vielleicht auch an den Selbstmord von Katharina Winterscheid?«, fragte sie eifrig. »Das war sieben Jahre später, irgendwann 1990.«

»Im Juni 1990 haben Pia und ich geheiratet«, dachte Kirchhoff laut nach. »Da war ich gerade mit dem Medizinstudium fertig und habe meine Facharztausbildung in Berlin an der Charité angefangen. Nein, ich fürchte, das ist an mir vorbeigegangen.«

»Und Ihre Frau? Also, Ihre Ex-Frau, meine ich natürlich«, sagte Julia. »War sie damals schon bei der Polizei?«

»Sie hat 1989 mit ihrer Ausbildung angefangen, an der Polizeihochschule in Wiesbaden. Damals war sie noch nicht bei der Kripo.« Kirchhoff besaß ein fabelhaftes Gedächtnis, das Julia bei ihrer Zusammenarbeit schätzen gelernt hatte. »Und es ist eher unwahrscheinlich, noch jemanden bei der Frankfurter Polizei zu finden, der sich erinnert oder sogar an den Ermittlungen beteiligt war, wenn es überhaupt welche gegeben hat. Allerdings ... Vor ein paar Jahren habe ich unser Archiv hier im Institut von meinen Studenten komplett digitalisieren lassen. Sie könnten vorbeikommen, und wir schauen, ob wir etwas zu dem Fall finden.«

»Das wäre großartig!«, rief Julia begeistert. »Wann passt es Ihnen am besten?«

»Ich habe jetzt eine Sektion und muss heute noch ein Gutachten fertigstellen«, antwortete Kirchhoff. »Aber da ich ja hier wohne, spielt es eigentlich keine Rolle. Kommen Sie einfach vorbei, wenn Sie Feierabend machen.«

»Super! Ich schicke Ihnen dann eine Nachricht, wenn ich mich auf den Weg mache«, sagte Julia. Sie bedankte sich und legte auf. An konzentriertes Arbeiten war nicht mehr zu denken. Ihre Gedanken verselbstständigten sich, sobald sie über etwas anderes als Katharina Winterscheid nachdenken wollte. War es nicht seltsam, dass Carl nichts von den Manuskripten seiner Mutter gewusst hatte? Wo waren die anderen Texte, die Katharina verfasst und ihrem Sohn gewidmet hatte? Was war nach ihrem Tod mit ihrer persönlichen Habe geschehen? Fragen über Fragen taten sich auf, je länger Julia nachdachte, doch die wohl drängendste Frage war: Wer hatte Carl dieses Manuskript geschickt? Und warum ausgerechnet jetzt? Vielleicht würde sie heute Abend ein paar Antworten finden. Falls nicht, würde sie auf eigene Faust Nachforschungen anstellen. Sie musste wissen, wie die Geschichte ausgegangen war.

* * *

»Laut Aufzeichnungen der Bank war Heike Wersch zuletzt am Freitag, den 31. August um 11:20 Uhr an ihrem Bankschließfach«, sagte Pia. Sie hatte alle Kollegen gebeten, in die RKI zu kommen, denn Tariq und sie hatten eine erstaunliche Entdeckung gemacht, die ihre Ermittlungen möglicherweise in eine völlig andere Richtung lenken konnte.

»Wir haben alle möglichen Unterlagen gefunden: Patientenverfügungen für sie und für ihren Vater, Grundbuchauszüge, etwas Schmuck, Bargeld und ihr Testament. Und da wird es interessant. Für den Fall, dass ihr vor dem Tod ihres Vaters etwas zustoßen sollte, hatte sie den Notar Philipp Eberwein aus Königstein, der auch ihr Testament aufgesetzt hat, zum Vormund für ihren Vater bestimmt. Und als Alleinerben ihres gesamten Vermögens hatte sie Waldemar Bär eingesetzt, ohne Auflagen oder Beschränkungen.«

Sie hielt das Testament, das Tariq sicherheitshalber in eine Klarsichthülle gesteckt hatte, in die Höhe.

»Den Hausmeister des Winterscheid-Verlags?«, fragte Bodenstein erstaunt. Das war in der Tat eine Überraschung. Der Mann hatte gestern nicht gerade freundlich von Heike Wersch gesprochen. Was verband die beiden miteinander?

»Waldi«, sagte Kathrin Fachinger und griff nach den Fotos, die auf dem Besprechungstisch herumlagen. »Er gehörte auch zu der Clique.«

»Wieso Waldemar Bär?«, überlegte Bodenstein laut und betrachtete das Foto vom Sommer 1981, das Kathrin herausgesucht hatte. Der magere dunkelhaarige Junge, der Waldemar Bär gewesen war, blickte ernst drein und hielt sich etwas abseits. Er umarmte niemanden und wurde auch nicht umarmt. Er war dabei gewesen, hatte aber nicht dazugehört. Eine interessante Konstellation.

»Wie alt ist das Testament?«, erkundigte sich Bodenstein.

»Es wurde im November 2015 aufgesetzt«, antwortete Pia.

»Wir haben uns mit dem Notariat in Verbindung gesetzt«, sagte Tariq. »Heike Wersch hatte für morgen um 11 Uhr einen Termin dort vereinbart, denn sie wollte ihr Testament ändern.«

»Ob Bär wusste, dass Heike Wersch ihn zu ihrem Alleinerben bestimmt hatte?«, fragte Cem.

»Viel interessanter wäre es zu erfahren, ob er es wusste und befürchtete, dass sie ihn wieder aus ihrem Testament streichen wollte«, fand Kathrin.

»Immerhin geht es um das Haus und Grundstück in Bad Soden«, warf Tariq ein. »Die Preise für Grundstücke und Immobilien explodieren momentan. Da könnte es locker um anderthalb oder zwei Millionen Euro gehen. Menschen sind schon für erheblich weniger umgebracht worden.«

»Bevor wir hier herumspekulieren, sollten wir ihn fragen«, schlug Pia vor. »Seine Adresse steht im Testament.«

»Moment«, meldete sich Kai zu Wort. »Christian ist auf dem Weg hierher, er hat Ergebnisse aus dem Labor. Und ich habe das Bewegungsprofil von Alexander Roths Handy von seinem Provider bekommen.«

»Und?«

»Am Montag vor einer Woche war es ab 16 Uhr in einer Funkzelle in Bad Soden eingewählt«, erwiderte Kai. »Bis 2:54 Uhr war es in verschiedenen Funkzellen in Bad Soden, später in Niederhöchstadt, was zu unseren bisherigen Erkenntnissen passt. Er hat sich also permanent im Stadtgebiet aufgehalten.«

»Zumindest sein Handy«, warf Tariq ein.

»Klar.« Kai nickte. »Wir müssen davon ausgehen, dass er es bei sich trug. Falls nicht, nützt es uns nichts.«

»Wo kann er sich in der Zwischenzeit dermaßen betrunken haben?«, fragte Kathrin.

»Vielleicht hat er sich etwas zu trinken mitgebracht«, vermutete Cem. »Oder er hat sich irgendwo etwas besorgt und auf einer Parkbank getrunken. Wir sollten die Supermärkte und Kioske in Bad Soden abklappern.«

»Gute Idee«, sagte Bodenstein. »Macht das.«

»Am Freitagabend«, fuhr Kai fort, »war Roths Handy bis 23:30 Uhr in derselben Funkzelle in der Frankfurter Innenstadt. Ich nehme an, dass er im Verlagshaus gewesen ist. Danach bewegt es sich durchs Westend, am Messeturm vorbei und durch Rödelheim bis zur Nidda, unter dem Autobahnkreuz Frankfurt-West durch, weiter entlang an der Nidda, quer durch Höchst und Unterliederbach, unter der A66 durch und dann die Schmalkaldener Straße entlang. Ab 1:12 Uhr war das Telefon in ein und derselben Funkzelle kurz vor dem Ortseingang Liederbach eingewählt. Bis 5:44 Uhr.«

»Dort wurde er laut Leitstelle im Straßengraben neben dem Radweg gefunden und mit dem Rettungswagen ins Bad Sodener Krankenhaus gebracht«, sagte Kathrin. »Passt alles.«

»Das Labor hat am Fleischklopfer DNA von Heike Wersch festgestellt.« Kai angelte nach der Fallakte. »Das Ding ist zweifelsfrei die Mordwaffe. Dr. Kirchhoff hat bestätigt, dass die Bruchkanten der Impressionsfrakturen in Heike Werschs Schädel mit den Kanten des Fleischklopfers exakt übereinstimmen.«

Ein paar Erkenntnisse und eine Lösung, aus denen neue Rätsel resultierten. Woher stammte der Fleischklopfer? Hatte ihn der Mörder von Heike Wersch mitgebracht, oder handelte es sich um eine Zufallswaffe, die der Täter in der Küche seines Opfers gefunden hatte?

»Sonst keine Spuren am Fleischklopfer?«, fragte Pia. »Fingerabdrücke?«

»Leider nein«, bedauerte Kai.

Es klopfte an der Tür des Besprechungsraums, und Kröger trat ein. Die Spurensicherung hatte in Alexander Roths Büro nichts Verdächtiges oder Hilfreiches gefunden, auch keinen Abschiedsbrief. Sein Terminkalender für die kommenden Wochen war randvoll, er hatte zig Einladungen vor und während der Buchmessenwoche, unter anderem mehrere Podiumsgespräche. In seinen E-Mails hatte sich nichts gefunden, was von Bedeutung für den Fall gewesen wäre.

»Aber meine Mitarbeiterin war fleißig«, sagte Kröger und präsentierte mit einem stolzen Lächeln zwei Blätter. »Es ist ihr gelungen, die Papierstreifen aus dem Reißwolf in Roths Büro wieder zusammenzusetzen. Hier, seht selbst.« Er reichte Bodenstein die Blätter, Kopien des fragilen Originals. »Ein Brief, adressiert an Roth. Zwei computergeschriebene Sätze und danach etwas, was für mich wie ein Tagebucheintrag aussieht.«

»Ich weiß, was du im Sommer 1983 getan hast. Und du weißt es auch«, las Bodenstein vor. »Frankfurt, 12. August 1983. Gestern war Götz' Beerdigung. Es war der blanke Horror. Ich wünschte, ich wäre nicht hingegangen. Margarethe hat laut geschrien und geheult, dann ist sie vor dem Grab zusammengebrochen. Henri stand nur da und weinte. Alle haben geweint. Die arme Doro hat niemand beachtet. Es war alles so entsetzlich. Alex, dieser elende Arschkriecher, hat jetzt endlich erreicht, was er wollte. Henri hat ihn umarmt und gar nicht mehr losgelassen, nachdem Alex eine schleimige Grabrede auf seinen ›besten Freund, seinen Seelenverwandten‹ gehalten hat, dabei hatte Götz schon lange keinen Bock mehr auf ihn. Wenn ich nur daran denke, wie er Alex in Frankreich angebrüllt hat, ihn und auch Heike und Josi und die kuhäugige Mia mit ihrer Leidensmiene. Natürlich haben sie alle keinen Pieps davon gesagt, daß Götz sie eigentlich rausgeschmissen hatte, weil er sie nicht mehr ertragen konnte. Das weiß ich von Stefan, aber der hält auch feige den Mund. Klar, offiziell ist er ja Doros Freund, und seine Eltern sind von Henri und seinem Verlag abhängig! Manchmal hätte ich wirklich Lust, Henri und Margarethe die Wahrheit (auch die über Götz und Stefan) ins Gesicht zu schreien, aber sie würden mir sowieso nicht glauben. Wenigstens glaubt John mir. Aber ob unsere Liebe eine Zukunft hat? Sein Bruder und seine Schwägerin hassen mich. Sie geben uns die Schuld an Götz' Tod! Uns!! Und natürlich vor allen Dingen mir!! Margarethe nennt mich doch tatsächlich Lady Macbeth, seitdem sie weiß, daß John und ich zusammen sind. Sie glaubt allen Ernstes, ich hätte Götz das Herz gebrochen, weil ich ihn mit John betrogen hätte. Wer weiß, was Alex ihnen noch alles für Lügengeschichten erzählt hat! Die Zecke wohnt ja quasi in der Villa, seitdem wir zurück sind. Aber eigentlich ist es meine

eigene Schuld. Ich habe Götz' und Stefans Spielchen mitgespielt, und dann, als John ankam, bin ich mit ihm segeln gegangen. Was sollen sie also glauben? Verdammt! Wenn ich es richtig überlege, sieht es genauso aus, wie sie es sagen. Ach, ich könnte nur noch heulen.«

»Das muss die ›Katze‹ geschrieben haben«, sagte Kathrin in die Stille, die eingetreten war. »Sie war neu in der Clique.«

»Was ist ein Lady Mac? Ein Burger?«, fragte Tariq.

»Oh, mein Gott, bist du ungebildet!«, rügte Kathrin ihren Kollegen. »Mac*beth* ist ein Drama von Shakespeare. Macbeth und seine Frau ermorden den König von Schottland, und Macbeth lässt sich danach selbst zum König krönen. Lady Macbeth ist eine skrupellose und machtgierige Figur. Mit ihr verglichen zu werden, ist alles andere als ein Kompliment.«

»Ah okay, danke«, murmelte Tariq kleinlaut.

»Wer ist dieser John?«, wollte Cem wissen.

»Steht doch alles da drin, Mann!« Kai, der Schnelldenker, pflückte Bodenstein ungeduldig die Kopie des Tagebucheintrags aus der Hand. »John ist der Bruder von Henri und damit der Schwager von Margarethe Winterscheid. Die Verfasserin des Tagebuchs ist offenbar seine Freundin. Carl Winterscheid ist der Neffe von Henri und laut Wikipedia 1984 geboren, deshalb nehme ich an, dass es sich bei John und der Verfasserin um Carls Eltern handelt.«

»Was für ein Spielchen haben Götz und Stefan wohl gespielt?«, fragte Pia.

»Das werden wir jetzt herausfinden.« Bodenstein erhob sich. »Gute Arbeit, Christian. Danke an deine Mitarbeiterin. Komm, Pia, wir beide besuchen jetzt Waldemar Bär. Cem, du holst Stefan Fink her. Nur ihn, nicht seine Frau. Ich will mit ihm alleine sprechen.«

»Was machen Kathrin und ich?«, fragte Tariq.

»Ihr fragt in den Supermärkten und Kiosken in Bad Soden nach und sprecht mit den Kollegen von der Streife, die Roth aufgegabelt haben«, antwortete Bodenstein. »Ich möchte genau wissen, was sie für einen Eindruck von ihm hatten, ob er wirklich so betrunken war, dass er einen Filmriss hatte, und falls ja, wo er den Alkohol herhatte.«

* * *

»Mein lieber Schwan«, sagte Pia, als sie Waldemar Bärs Adresse im Frankfurter Westend erreichten und vor einem doppelflügeligen schmiedeeisernen Tor anhielten. »Waldi wohnt wahrhaftig nicht schlecht. Hausmeister bei den richtigen Leuten müsste man sein.«

»Ich bin sicher, er hat nur die Dienstbotenwohnung«, entgegnete Bodenstein.

Villa Winterscheid stand in schlichten Blockbuchstaben auf einem Schild neben der Klingelanlage, darunter *Götz-Winterscheid-Stiftung* und *Abraham-Liebman-Archiv. Termine nur nach Vereinbarung.*

Pia ließ die Seitenscheibe hinunter, beugte sich aus dem Fenster und betätigte die Klingel. Eine Stimme krächzte »Ja bitte?«, Pia nannte ihr Anliegen und hielt nach Aufforderung ihren Kripoausweis in die Kamera. Daraufhin schwang das Tor wie von Geisterhand auf. In einem herrlich angelegten Park mit uralten Bäumen, kunstvoll beschnittenen Büschen und einem wahren Meer blühender Hortensien in allen nur erdenklichen Farben und Größen lag am Ende einer kiesbestreuten Auffahrt die Villa, ein großes hellgelb gestrichenes Gebäude mit einer breiten Treppe und einem von Säulen gestützten Portikus, eine Architektur, die Pia gut gefiel, auch wenn sie keine Ahnung hatte, welcher Stilrichtung oder Epoche das Haus angehören mochte. Charlotte Horowitz, die Großmutter ihrer ehemals besten Freundin Miriam und Grande Dame der feinen Frankfurter Gesellschaft, bewohnte einen ähnlichen Palast im noblen Holzhausenviertel, und als junges Mädchen war Pia dort ein und aus gegangen. Die Villa Winterscheid war noch einen Tick besser gelegen, und das riesige Grundstück, diese grüne Oase inmitten der Großstadt, dürfte jedem Immobilienspekulanten die Tränen der Begehrlichkeit in die Augen treiben.

Margarethe Winterscheid, ganz in Schwarz, öffnete ihnen die

Haustür. Wie üblich spielte Bodenstein seine Adelskarte aus, und auch diesmal verfehlten seine mustergültigen Umgangsformen, die angedeutete Verbeugung und die Visitenkarte nicht ihre Wirkung. Die Dame des Hauses führte sie bereitwillig die Treppe hinunter und um das Gebäude herum zu einem Seiteneingang, doch ihr Klingeln und Klopfen blieb unbeantwortet.

»Herr Bär scheint nicht zu Hause zu sein«, sagte Margarethe Winterscheid.

»Hat er kein Handy?«, fragte Pia.

»Doch. Natürlich. Aber ich kenne die Nummer nicht auswendig. Er ist sicherlich noch im Verlagshaus. Ich kann meine Tochter anrufen und sie bitten, nach ihm zu schauen.«

»Das wäre sehr freundlich von Ihnen«, erwiderte Bodenstein.

»Darf ich fragen, weshalb Sie unseren Herrn Bär sprechen möchten?«, erkundigte sich die Gattin des ehemaligen Verlegers. Normalerweise beantworteten Bodenstein und Pia solche Fragen nicht, aber in diesem Fall schien es Bodenstein angeraten, es doch zu tun. Vielleicht erfuhren sie von Margarethe Winterscheid etwas, was Waldemar Bär ihnen nicht erzählen würde.

»Heike hat Waldemar in ihrem Testament bedacht?«, wiederholte Margarethe Winterscheid und hob erstaunt ihre sorgfältig gezupften Augenbrauen. Ihr Tonfall veränderte sich, ihr Blick wurde aufmerksam. »Das ist ja erstaunlich.«

»Wir waren auch überrascht«, erwiderte Bodenstein. »Wenn Sie einen Moment Zeit haben, würden meine Kollegin und ich gerne mit Ihnen und Ihrem Mann sprechen. Wir sind auf einige Ungereimtheiten gestoßen, und Sie können uns vielleicht helfen, diese aufzuklären.«

»Selbstverständlich werden wir Ihnen helfen.« Jetzt war die Neugier der alten Dame geweckt. »Meinen Mann haben die schlimmen Nachrichten sehr mitgenommen. Alexander, Heike und er haben ja fast dreißig Jahre lang sehr eng zusammengearbeitet, und Alexander war für meinen Mann immer wie ein eigener Sohn.«

Margarethe Winterscheid geleitete Pia und Bodenstein ins Haus, bat sie, am Fuß einer breiten Freitreppe zu warten, und verschwand in einem Raum, an dessen Tür ein Messingschild mit der Aufschrift *Götz-Winterscheid-Stiftung* angebracht war. Pia erhaschte einen Blick auf zwei unbesetzte Schreibtische und hörte, wie Frau Winterscheid telefonierte. Zwei Minuten später kehrte sie zurück.

»Herr Bär wurde im Verlag heute noch nicht gesehen«, teilte sie ihnen mit. »Meine Tochter versucht, ihn auf dem Handy zu erreichen.«

»Das ist sehr freundlich«, sagte Bodenstein. »Wie lange arbeitet Herr Bär schon für Sie?«

»Seine Eltern haben schon für meine Schwiegereltern und dann für uns gearbeitet«, erwiderte Margarethe Winterscheid. »Waldemar ist mit unseren Kindern hier im Haus aufgewachsen. Nach der Bundeswehr hat er eine Ausbildung zum Elektriker gemacht, aber gleich danach hat mein Schwiegervater ihn eingestellt. Dreißig Jahre sind es sicherlich schon.«

»War er auch mit Ihrer Familie im Sommerurlaub?«, erkundigte sich Pia.

»Ja. Wir haben ihn als Kind jeden Sommer mit in unser Ferienhaus nach Frankreich genommen«, bestätigte die alte Dame. »Er hatte früher Asthma. Das Reizklima am Meer tat ihm gut. Später fuhr er dann mit unserem Sohn und seinen Freunden hin.«

»Hat Herr Bär eine Frau und Familie?«, fragte Bodenstein.

»Nein. Seine Eltern sind verstorben, und seit seiner Scheidung vor zehn Jahren lebt er allein in der Hausmeisterwohnung.« Margarethe Winterscheid lud sie mit einer Geste ein, ihr die Freitreppe hoch in den ersten Stock zu folgen. »Herr Bär ist ein ausgesprochen zuverlässiger und vertrauenswürdiger Mitarbeiter. Er kümmert sich um das Verlagshaus und die Villa, aber auch um den Garten und den Fuhrpark. Er kann einfach alles. Ohne ihn wären wir verloren.«

Sie lachte wohlwollend und führte Bodenstein und Pia in einen großen Salon mit einer hohen stuckverzierten Decke, verglasten Bücherschränken und efeugrün tapezierten Wänden. Auf einem niedrigen Tisch stand eine Vase mit weißen Bauernhortensien, durch bodentiefe Sprossenfenster blickte man über den Park auf die Wolkenkratzer des Bankenviertels. An einem Tisch in einer Ecke des großen Raumes saß ein hagerer alter Mann mit einer scharf vorspringenden Adlernase und eingefallenen Gesichtszügen über ein Schachspiel gebeugt. Seine knochige Hand hielt den Griff eines Gehstocks umklammert, das graue, leicht gewellte Haar reichte ihm bis in den Nacken. Obwohl er zu Hause war, war Henri Winterscheid so korrekt gekleidet, als wollte er ausgehen: ein hellgrauer Anzug, ein weißes Hemd und eine schwarze Krawatte, wohl zum Zeichen seiner Trauer.

»Henri, die Herrschaften sind von der Kriminalpolizei. Sie sind wegen Heike hier«, sprach Margarethe Winterscheid ihren Gatten an, der daraufhin vom Schachbrett aufblickte und erst Bodenstein dann Pia aus geröteten Augen einen Moment lang anstarrte, bevor er sich mühsam aus dem Sessel erhob. Henri Winterscheid war ein großer Mann, seine Bewegungen waren langsam, und er wirkte gebrechlich im Vergleich zu seiner Frau, die, so freundlich und großmütterlich sie auch wirken mochte, zweifellos Eisen im Rückgrat und hier das Sagen hatte.

»Bitte behalten Sie Platz, Herr Winterscheid«, beeilte sich Bodenstein zu sagen. »Wir wollen nicht lange stören.«

»Setzen Sie sich doch bitte.« Der alte Mann wies mit einer kraftlosen Handbewegung auf ein mit verblichenem Brokatstoff bespanntes Sofa gegenüber und ließ sich selbst wieder auf seinen Stuhl sinken. Margarethe Winterscheid blieb am Fenster stehen, während Bodenstein und Pia auf dem Sofa, das ein wenig durchgesessen war, Platz nahmen.

»Alexander war wie ein zweiter Sohn für mich«, klagte Henri Winterscheid, als Bodenstein den Tod von Alexander Roth ansprach. »Jetzt ist er auch tot.«

»Und deine Konkubine auch.« Ein leiser Hauch von Triumph schwang in Margarethe Winterscheids Stimme mit – ihre Nebenbuhlerin war endgültig besiegt –, und sie bleckte kurz blendend weiße dritte Zähne zu einem Lächeln, aber ihr Mann reagierte nicht auf diese Bemerkung.

»Wen meinen Sie damit?«, stellte Pia sich ahnungslos.

»Mein Mann und Heike Wersch hatten siebenundzwanzig

Jahre lang eine Liebschaft«, klärte Margarethe sie mit boshafter Befriedigung auf. »Henri wollte sogar seine Verlagsanteile verhökern, um das Geld in ihren neuen Verlag stecken zu können. Was er dabei nicht bedacht hat, war, dass wir dann unser Zuhause verlieren würden, denn die Villa gehört zum Betriebsvermögen des Verlags.«

»Ich habe es ja nicht getan!«, fuhr Henri Winterscheid ungehalten auf, und seine Augen funkelten zornig. »Es war nur eine Überlegung!«

»Eine Überlegung, die immerhin so konkret war, dass du Carl deine Anteile zum Kauf anbieten wolltest.« Margarethe streute genüsslich Salz in die offenen Wunden ihres Mannes. Sie hatte zeitlebens im Hintergrund gestanden und gute Miene zum bösen Spiel gemacht, sie hatte es ertragen, dass ihr Mann sie mit einer Jüngeren betrogen hatte, und nun, da er alt und krank war, rächte sie sich für all die Demütigungen mit spitzen, kleinen Bosheiten. Es war eine Menge Gift, die sich im Laufe der Jahre in ihr angesammelt hatte. Bodenstein und Pia erlebten so etwas nicht selten bei Ehepaaren, bei denen jede Zuneigung erloschen war und die sich gegenseitig das Leben zur Hölle machten, statt irgendwann einen Schlussstrich zu ziehen und sich in Würde und Anstand zu trennen. Bei den Winterscheids schien es genauso zu sein. Die Fassade musste stimmen, um jeden Preis.

»Weshalb war Herr Roth wie ein zweiter Sohn für Sie?«, mischte Bodenstein sich ein, bevor die beiden sich in die Haare kriegten. So hinfällig Henri Winterscheids Körper auch sein mochte, im Kopf war er hellwach.

»Sie wissen vielleicht, dass unser Sohn Götz vor vielen Jahren bei einem Unfall gestorben ist«, klärte Margarethe Winterscheid sie auf, bevor ihr Mann etwas sagen konnte. »Alexander war sein bester Freund, schon seit Grundschulzeiten. Er und Götz' Verlobte Maria haben uns in den schweren Zeiten nach unserem Verlust zur Seite gestanden und sind meinem Mann und mir im Laufe der Jahre ans Herz gewachsen wie eigene Kinder.«

Pia erinnerte sich, wie Maria Hauschild sich am Samstag im

Krankenhaus von Margarethe Winterscheid hatte vereinnahmen lassen.

»Maria?«, hakte sie dennoch nach. »Maria Hauschild, die Agentin?«

»Ja, richtig. Maria war Götz' erste und leider auch einzige Liebe. Sie waren seit der Schulzeit und auch später an der Uni ein Paar. Wir …«

In dem Moment betrat ein kleiner weißhaariger Mann in einem zerknitterten hellblauen Anzug den Salon. Sein Blick glitt uninteressiert über Bodenstein und Pia, die ihn sofort erkannten.

»Wie sieht es aus, Henri? Hast du dich endlich zu einem Zug durchgerungen oder erkennst du an, dass du schachmatt bist?«, fragte er, ohne sich darum zu kümmern, dass er in ein Gespräch hereinplatzte.

»Sind Sie nicht Hellmuth Englisch, der berühmte Schriftsteller?« Bodenstein stand vom Sofa auf.

»Ja, der bin ich.« Der Mann warf sich in die Brust wie ein Zwerghahn im Hühnerhof. Es gefiel ihm zwar nicht, dass er den Kopf in den Nacken legen musste, um Bodenstein ins Gesicht blicken zu können, aber gleichzeitig war er eindeutig geschmeichelt.

»Sehr erfreut, Ihre Bekanntschaft zu machen. Ich verehre Ihre Kunst«, kam es Bodenstein glatt über die Lippen, und Pia musste sich beherrschen, um nicht laut herauszulachen. Ganz sicher hatte ihr Chef nie ein Buch von Hellmuth Englisch angefasst, geschweige denn gelesen. »Ich bin Kriminalhauptkommissar Oliver von Bodenstein. Meine Kollegin Frau Sander und ich würden Ihnen gerne ein paar Fragen stellen.«

»Was für Fragen?« Der Schriftsteller gab sich leutselig. »Wollen Sie mit mir über Literatur sprechen?«

»Nein, über Heike Wersch.« Pia hatte sich ebenfalls erhoben. »Wir sind vom Morddezernat.«

Dieser Ausdruck, der schon lange nicht mehr üblich war, machte besonders bei Leuten älteren Semesters immer noch Eindruck. Hellmuth Englisch war kurz verunsichert, aber nicht besonders lange, typisch für einen Menschen, der sich nur für sich selbst und seine eigenen Probleme interessierte.

»Was gibt's denn wohl über Heike Wersch zu fragen?«, fragte er verdrossen. Sein unsteter Blick irrte durch den Raum.

»Wann haben Sie das letzte Mal mit ihr gesprochen?«, wollte Pia wissen.

»Woher soll ich das wissen? Ich führe keinen Kalender über solche Bagatellen«, antwortete Englisch unwirsch. Mit seiner Leutseligkeit war es vorbei. »Ich kann Ihnen aber sagen, dass sie mich betrogen hat, die Frau Wersch, möge sie in der Hölle schmoren, dieses hinterhältige Aas! Mit einem Drei-Buch-Vertrag hat sie mich gelockt, und bei Winterscheid herauskaufen wollte sie mich! Hoch und heilig hat sie mir das versprochen, weil sie genau gewusst hat, dass Hellmuth Englisch ihrem neuen Verlag Renommee verleihen würde. Fünfundzwanzig Jahre hatte sie die Ehre, meine Romane zu lektorieren. Und dann – nichts mehr! Kaltblütig abserviert hat sie mich, nachdem dieser kleine Scheißer Carl Winterscheid meinen Vertrag aufgelöst und das Honorar zurückgefordert hat, als wäre ich ein x-beliebiger Schreiberling! Wie geht denn so was, frage ich Sie? Diese … diese Person weiß doch genau, wer Hellmuth Englisch ist! Er hat den Büchner-Preis gewonnen! Sein Name wurde mehrfach für den Literaturnobelpreis gehandelt! Man wirft einen Hellmuth Englisch nicht so mir nichts, dir nichts …«

Seine Stimme rutschte eine Oktave nach oben, doch als er nicht aufhörte, von sich in der dritten Person zu sprechen, unterbrach Pia ungerührt seinen Redefluss.

»Sie wurden am vergangenen Sonntag gesehen, wie Sie mit Frau Wersch gestritten haben. Stimmt es, dass Sie ihr sogar den Tod angedroht haben? Sie werden verstehen, dass wir von der Kriminalpolizei so etwas sehr ernst nehmen, besonders wenn die bedrohte Person nur einen Tag später tatsächlich einem Gewaltverbrechen zum Opfer fällt.«

Englisch verschluckte sich und bekam einen Hustenanfall.

»Wer behauptet denn so einen Mist?«, krächzte er mit zuckenden Gesichtsmuskeln. Sein Hals rötete sich, was ihm noch mehr Ähnlichkeit mit einem Gockel verlieh. »Ich bin erst letzten Mittwoch in Frankfurt eingetroffen!«

»Stimmt nicht«, fiel Margarethe Winterscheid ihm in den Rücken. »Du bist schon am 29. August aus Starnberg gekommen. Bär hat dich mittags am Hauptbahnhof abgeholt.«

Englisch bedachte sie mit einem verächtlichen Blick, dann zuckte er die Schultern. »Ja, kann sein. Ist doch auch egal.«

»Uns nicht. Wo waren Sie am Montagabend letzter Woche?«, insistierte Pia.

»Am Montagabend, am Montagabend!«, erregte sich der Schriftsteller. »Woher soll ich das heute noch wissen? Denken Sie wirklich, ich habe Zeit, mich mit solch profanen Nebensächlichkeiten zu beschäftigen?«

Ganz kurz spielte Pia mit dem Gedanken, diesem selbstverliebten Gockel in die Parade zu fahren und ihm mit vorübergehender Festnahme zu drohen, doch da ergriff Henri Winterscheid das Wort.

»Meine Frau und ich waren an dem Abend auf einer Veranstaltung im Literaturhaus«, ließ er sich vernehmen. »Herr Englisch hat uns begleitet. Wir wurden von Herrn Bär gegen 18:30 Uhr hin chauffiert und um 22:45 Uhr von ihm wieder abgeholt. Für unsere Anwesenheit dort gibt es eine Menge Zeugen und sicherlich auch Pressefotos. Sind Sie damit zufrieden?«

Die Überheblichkeit, mit der er das sagte, missfiel Bodenstein, genauso wie Englischs fehlendes Mitgefühl für zwei Menschen, die er gut gekannt hatte und die jetzt tot waren. Aber da keiner der drei wirklich tatverdächtig war und weder Flucht- noch Verdunklungsgefahr bestand, ergriff er das Wort, bevor Pia eine harsche Antwort geben konnte.

»Danke, vorerst sind wir damit zufrieden«, sagte er rasch, dann wandte er sich dem Schriftsteller zu. »Wir möchten gerne das Ehepaar Winterscheid unter vier Augen sprechen. Würden Sie uns bitte entschuldigen?«

Es dauerte ein paar Sekunden, bis Hellmuth Englisch begriff, dass er gebeten worden war, den Salon zu verlassen. Mit einem Schnauben zog er ab und knallte die Tür hinter sich zu wie ein trotziges Kind.

»Setzen wir uns doch«, schlug Bodenstein vor und wartete, bis sich Margarethe Winterscheid auf einem der Sessel niedergelassen hatte. Dann erzählte er in knappen Worten von den Kopien des Tagebuchs, die Alexander Roth vor seinem Tod anonym erhalten hatte.

»Wessen Tagebuch soll das denn gewesen sein?«, fragte Margarethe Winterscheid mit einem skeptischen Unterton.

»Wir sind uns nicht ganz sicher«, räumte Bodenstein ein. »Auf den Fotos von 1983, die wir bei Heike Wersch gefunden haben, wurde eine junge Frau erwähnt, die den Spitznamen ›Katze‹ hatte. Aus dem Inhalt des Tagebuchs haben wir geschlossen, dass es sich bei ihr um die spätere Frau Ihres Schwagers John gehandelt haben muss, also die Mutter von Carl Winterscheid, Ihrem Neffen.«

»Katharina?« Margarethe Winterscheid war verblüfft. »Meine verstorbene Schwägerin?«

»Wenn das ihr Name war, richtig.« Bodenstein nickte. »Uns ist noch nicht ganz klar, warum und von wem diese Seiten verschickt wurden, aber es geht um den Tod Ihres Sohnes Götz. Den Kopien lag ein Anschreiben bei, in dem stand: ›Ich weiß, was du im Sommer 1983 getan hast.‹«

»Oh, mein Gott«, flüsterte Margarethe und griff sich ans Herz. Henri Winterscheid wirkte ebenfalls bestürzt, sagte aber nichts dazu.

»Aus dem Inhalt des Tagebucheintrags schließen wir, dass Ihr Sohn in jenem Sommer eine Affäre mit Stefan Fink gehabt hat«, sagte Bodenstein. »Und Katharina hat davon gewusst und die beiden wohl gedeckt.«

Das Ehepaar Winterscheid starrte Bodenstein verständnislos an.

»Das ist eine Lüge!« Margarethe Winterscheid war pikiert. »Unser Sohn war doch nicht homosexuell! Er hatte eine Verlobte, die er heiraten wollte! Und unser Schwiegersohn ist seit dreißig Jahren mit unserer Tochter verheiratet, sie haben Kinder! Was fällt Ihnen ein, so etwas zu behaupten? Unser Götz war glücklich mit Maria, bis Katharina plötzlich auf der Bildfläche auftauchte. Sie hat Götz erst völlig den Kopf verdreht und ihm dann das Herz gebrochen, weil sie es nie ernst mit ihm gemeint hatte!«

Sie sprach im Brustton der Überzeugung.

»Ich fürchte, Sie irren sich, Frau Winterscheid«, sagte Bodenstein. Er gab Pia ein Zeichen, und sie rief auf ihrem Handy das Foto auf, das sie von den zusammengesetzten Fetzen aus Alexander Roths Aktenvernichter gemacht hatte. Sie las dem Ehepaar Winterscheid den ganzen Text vor. Beide lauschten stumm. Auf ihren Mienen malte sich erst Fassungslosigkeit, dann Unglaube und schließlich Abwehr. Margarethe Winterscheid schüttelte immer wieder den Kopf.

»Nein, nein! Das kann nicht sein!«, sagte sie entschieden, als Pia den letzten Satz vorgelesen hatte. »Das stimmt nicht! Irgendjemand hat sich diesen Unsinn ausgedacht. Es ist eine Unverschämtheit, jemandem, der sich nicht mehr wehren kann, so etwas vorzuwerfen!«

»Aber wie können Sie so sicher sein, dass es nicht so war?«, fragte Pia.

»Weil ich das einfach weiß! Eine Mutter kennt ihre Kinder«, behauptete Margarethe Winterscheid und sah ihren Gatten an. »Nicht wahr, Henri? Wir wissen, dass Götz und Maria heiraten wollten! Und Götz wäre heute Verleger des Winterscheid-Verlags, nicht Carl!«

Sie spie den Namen ihres Neffen aus wie ein Stück verdorbenen Fisch.

Henri Winterscheid gab keine Antwort.

»Stimmt es, dass Sie Katharina ›Lady Macbeth‹ genannt haben?«, wollte Pia wissen.

»Ja, das stimmt«, gab Margarethe Winterscheid zu. »Sie ist hier aufgetaucht und hat sich an unseren Sohn herangemacht, obwohl er eine Freundin hatte! Und als er tot war, hat sie meinen Schwager in ihr Bett gezerrt und sich von ihm schwängern lassen, dieses … dieses berechnende Luder!« Unversehens brachen alte, nie verheilte Wunden auf. »Für mich war es unerträglich, wie Katharina sich in unserer Familie breitgemacht hat. Wie sie mit ihrem dicken Bauch herumstolziert ist, während mein Junge ihretwegen gestorben war! Und dann bekam sie einen Sohn, und sie nannte ihn nach meinem Schwiegervater Carl August, und mein Schwiegervater war so stolz und hat meinen Götz einfach vergessen!«

Ihre Stimme brach. Sie schlug die Hände vor ihr Gesicht und schluchzte auf. Die Heftigkeit ihres Schmerzes, den die Jahre nicht hatten mildern können, machte Pia betroffen. Ihr Blick fiel auf Henri Winterscheid, der kein Wort des Trostes für seine Frau hatte. Aber der alte Mann stand selbst unter Schock. Sein Gesicht war ganz grau geworden, und er hatte den glasigen Blick eines Menschen, dessen Welt vor seinen Augen in Stücke gefallen war und nie mehr dieselbe sein würde.

Was hatten ›die ewigen Freunde‹ vor fünfunddreißig Jahren getan? Welche Lüge hatten Stefan Fink, Alexander Roth, Maria Hauschild, Josefin Lintner und Heike Wersch den trauernden Eltern ihres Freundes Götz erzählt? Hatten sie einen Pakt geschlossen, an den sie sich eisern gehalten hatten, weil sie alle von Götz' Tod profitiert hatten? Warum hatte Katharina dieser Lüge nie widersprochen? Hatte sie es vielleicht versucht und war damit auf taube Ohren gestoßen? Im Laufe der Zeit hatte sich die Lügengeschichte für das Ehepaar Winterscheid auf jeden Fall verfestigt und war zu einer Tatsache geworden, die sich nicht so leicht entkräften ließ. Aber jetzt war irgendjemand aufgetaucht, der die Wahrheit kannte und das Lügengebäude zum Einsturz gebracht hatte. Zwei der ›Ewigen‹ waren schon tot, würde es noch einen von ihnen treffen?

»Alexander Roth hat wieder mit dem Trinken angefangen, weil er befürchtete, es könnte herauskommen, dass sein ganzes Leben und seine Karriere auf eine Lüge aufgebaut waren. Sein Gewissen hat sich nach all den Jahren gemeldet, als er merkte, dass es jemanden gibt, der weiß, was damals geschehen ist«, sagte Bodenstein in die Stille, die entstanden war. Er ritt nicht weiter auf den Details des Tagebucheintrags herum, denn er wollte die Winterscheids weder unnötig quälen, noch war es seine Aufgabe, sie von irgendetwas zu überzeugen. Er wollte einen Mörder finden und musste dafür eine Wahrheit ans Licht bringen, die sie beide nicht wahrhaben wollten. »Er hat seiner Frau gesagt, er fühle sich unwürdig.«

Unwürdig. Das Wort hallte von den Wänden des Salons wider. Margarethe Winterscheid stand auf, und Pia glaubte schon, sie würde hinausgehen, aber sie ging nur zu einer Anrichte, auf der gerahmte Fotografien in unterschiedlichen Silberrahmen standen, und nahm eines der Fotos in die Hand.

»In einer Mail hat Heike Wersch an Alexander Roth geschrieben: ›*Was, wenn Winterscheids erführen, welch falsche Natter sie all die Jahre an ihrem Busen genährt haben*‹, fuhr Bodenstein fort. »Das ist in unseren Augen ein deutlicher Hinweis darauf, dass Roth ein falsches Spiel mit Ihnen gespielt hat. Und Heike Wersch hat das gewusst und ihn mit ihrem Wissen erpresst.«

Henri Winterscheid gab ein unartikuliertes Geräusch von sich, eine Mischung aus Stöhnen und Seufzen. Der alte Mann machte den Eindruck, als ob er nicht viel mehr ertragen könnte. Eine Träne rann über seine runzelige Wange und versickerte in seinem Hemdkragen. Er bebte am ganzen Körper. Pia hatte Verständnis für diese Reaktion. Es musste wirken, als hätten sie die böse Absicht, das Andenken seines toten Sohnes zu beschmutzen.

»Götz' Freunde haben damals ihre große Chance erkannt und Sie belogen«, sagte sie dennoch unerbittlich. »Sie haben von seinem Tod nur Vorteile gehabt. Alexander hat die Rolle als Ihr Sohn übernommen. Niemand hat Sie je darüber aufgeklärt, dass Götz sich gar nicht aus Liebeskummer wegen Katharina, sondern wegen Stefan betrunken hatte. Katharina musste mit der Unwahrheit und Ihrem Hass leben.«

Die Miene von Margarethe Winterscheid gefror. Sie wahrte nur noch mühsam Haltung.

»Ich glaube, Sie gehen jetzt besser«, sagte sie kühl.

»Wir müssen mit Ihnen noch über zwei Gegenstände sprechen, die wir im Haus von Frau Wersch gefunden haben«, sagte Pia. »In einem Schuhkarton auf dem Dachboden ihres Hauses befanden sich unter anderem ein mit Blut beflecktes graues T-Shirt und eine Brille, die möglicherweise Ihrem Sohn Götz gehörten. Auf den Fotos, die wir auch dort sichergestellt haben, trug er nämlich genau diese Brille und ein solches T-Shirt. Beides ist gerade im Kriminallabor und wird dort auf DNA untersucht. Wir möchten

Sie oder Ihren Mann um eine Speichelprobe bitten, damit wir gegebenenfalls die DNA vergleichen können.«

Jetzt war auch Margarethe Winterscheid aschfahl geworden. Erschüttert presste sie das Foto an ihre Brust. Die Echtheit eines kopierten Tagebucheintrags konnte sie noch infrage stellen, ein Ergebnis aus dem Kriminallabor nicht.

»Gehen Sie!«, flüsterte sie tonlos. »Bitte gehen Sie einfach und lassen Sie uns alleine.«

***

»Jetzt verstehe ich, wovor Roth Angst hatte«, sagte Pia, als sie durchs Tor der Villa fuhren und in den Grüneburgweg abbogen. »Was auch immer damals geschehen ist, er und seine Freunde haben die Wahrheit für sich behalten und den alten Winterscheids irgendeine Lügengeschichte aufgetischt.«

Sie warf einen Blick auf ihr Handy. Cem hatte ihr eine Nachricht geschrieben und Vollzug gemeldet: Stefan Fink saß in einem der Vernehmungsräume der RKI. Pia schrieb ihm zurück und bat ihn, dafür zu sorgen, dass Fink den Keller, in dem es keinen Handyempfang gab, nicht verließ. Sie wollte nicht, dass er mit seiner Schwiegermutter telefonierte, bevor sie mit ihm gesprochen hatten.

»Roths Leben und Karriere waren auf dieser Lüge begründet. Er muss fünfunddreißig Jahre lang ein schlechtes Gewissen gehabt haben«, erwiderte Bodenstein. »Kein Wunder, dass er seiner Frau nie etwas davon erzählt hat.«

»Er hatte sich alles erschlichen. Sogar neue Eltern.« Pia schüttelte den Kopf. »Wie kann man bloß mit diesem Wissen leben?«

»Konnte er nicht. Was glaubst du, weshalb er getrunken hat?«, entgegnete Bodenstein. »Wer hat wohl das Tagebuch von Katharina Winterscheid?«

»Maria Hauschild könnte das wissen«, sagte Pia. »Sie muss ja immerhin so gut mit Katharina Winterscheid befreundet gewesen sein, dass die sie zur Patin ihres Sohnes gemacht hat. Sie wird sich daran erinnern, was nach ihrem Tod mit ihren Sachen passiert ist.«

»Wir haben völlig vergessen zu fragen, woran Katharina Winterscheid eigentlich gestorben ist«, fiel Bodenstein ein. »Sie muss ja noch sehr jung gewesen sein.«

»Danach kann ich Frau Hauschild auch fragen.« Pia kramte ihr Notizbuch hervor, suchte die Telefonnummer heraus und rief die Agentin an.

»Besetzt«, stellte sie fest. »Wahrscheinlich ruft Margarethe Winterscheid sie gerade an. Da wird Frau Hauschild ganz schön in Erklärungsnöte geraten.«

»Oder sie hat sich für diesen Fall längst die nächste Lüge bereitgelegt.« Bodenstein setzte den Blinker und bog in die Siesmayerstraße ein, die nach ein paar Hundert Metern in die Bockenheimer Landstraße mündete. »Heike Wersch und Alexander Roth sind tot, sie kann getrost alles auf die beiden schieben. Für meine Begriffe gehört sie auch zum Kreis der Verdächtigen.«

»Ja, unbedingt. Aber was sollte ihr Motiv gewesen sein? Sie hat mit dem Winterscheid-Verlag nichts zu tun, und sie hat auch von Götz' Tod nicht profitiert«, überlegte Pia. »Ihre Karriere hat sie sich selbst erarbeitet, und heute ist sie gut situiert. Und sie hat sich immerhin so große Sorgen um ihre Freundin gemacht, dass sie zu ihr hingefahren ist und Henning angerufen hat, der wiederum mich informiert hat.«

»Das ist kein Beweis für Unschuld«, sagte Bodenstein. »Du weißt doch selbst, dass Täter gerne an den Tatort zurückkehren. Oder sie helfen sogar aktiv und besonders engagiert bei der Tätersuche, ähnlich wie Feuerwehrleute, die Brände gelegt haben.«

»Traust du der Frau wirklich zu, dass sie sich die Perücke ihrer Freundin aufsetzt, die sie vorher brutal erschlagen hat, die Leiche in den Wald schleppt und danach noch die Küche putzt?«

»Man hat schon Pferde kotzen sehen«, antwortete Bodenstein, als sie an der Bundesbank auf die A66 fuhren. »Maria Hauschild ist nicht meine bevorzugte Verdächtige, aber außer Acht lassen sollten wir sie trotzdem nicht. Und deshalb wäre es auch gut, wenn du Henning klarmachst, dass er sie auf keinen Fall über unsere Ermittlungsfortschritte informieren darf.«

»Das weiß er ja eigentlich«, brummte Pia.

»Eigentlich ist mir nicht genug«, wiederholte Bodenstein.

»Ich sage es ihm noch mal in aller Deutlichkeit«, versicherte Pia ihm.

Ihr Handy klingelte.

»Ah, das ist sie.« Sie schaltete das Bluetooth ein und ging ran. »Hallo, Frau Hauschild. Danke für Ihren Rückruf. Wir sind gerade in der Stadt und würden gerne kurz bei Ihnen vorbeikommen.«

»Hallo, Frau Sander«, erklang die Stimme von Hennings Agentin aus den Lautsprechern. »Ich bin gerade in Marburg und … Abend zurück in Frank … Um was geht …? Ich … ein paar Minuten Zeit bis … Termin, aber vielleicht … weiterhelfen. Leider … Funkverbindung … nicht …«

»Dann mach ich's schnell«, sagte Pia. »Wir haben in den Unterlagen von Herrn Roth die Kopie eines Tagebuchauszugs gefunden, zusammen mit einem Anschreiben, das aus zwei Sätzen bestand. Die lauteten: ›*Ich weiß, was du im Sommer 1983 getan hast. Und du weißt das auch.*‹« Wir glauben, dass sich das auf den Urlaub in Frankreich bezieht, in dem Götz Winterscheid gestorben ist. Haben Sie zufällig auch ein solches Schreiben bekommen?«

»Ja, … habe ich«, erwiderte Maria Hauschild. »… drei Wochen. Es war in einem … schlag, der keinen Absen … ziemlich überrascht, denn es … Tagebuch … von Katha … interscheid wäre.«

»Das ist die Mutter von Carl Winterscheid, dem jetzigen Verleger, nicht wahr?« Pia sprach lauter.

»Genau. Ich … sehr gut … waren eng …« Die Qualität der Verbindung wurde schlechter. »… mich gewundert, wer das …«

»Frau Hauschild? Hallo? Hören Sie mich noch?«, rief Pia.

»Schlechte Verbindung … später … melde …«, hörten sie noch, dann riss das Gespräch ab.

»Schrei doch nicht so«, grinste Bodenstein. »Davon hört sie dich auch nicht besser.«

»Macht man irgendwie automatisch.« Pia grinste auch.

In der Ferne tauchten die Umrisse des Main-Taunus-Zentrums auf.

»Lass uns Josefin Lintner besuchen«, schlug sie ihrem Chef vor. Die Buchhändlerin war die Einzige der ›Ewigen‹, mit der sie noch gar nicht gesprochen hatten.

»Gute Idee. Stefan Fink kann ruhig noch ein bisschen warten.« Bodenstein fuhr hinter der ARAL-Tankstelle auf die B8 ab und nahm nach zwei Kilometern die Abfahrt zum Einkaufszentrum. Sie ließen den Dienstwagen in einem der Parkhäuser zurück, holten sich beim Straßenverkauf eines italienischen Feinkostladens gegrillte Panini mit Schinken, Tomaten und Mozzarella als schnellen Lunch und setzten sich auf eine Bank. Beim Essen spekulierten sie weiter darüber, wer Alexander Roth und Maria Hauschild die Kopie des Tagebucheintrags geschickt haben könnte.

»›Ich weiß, was du im Sommer 1983 getan hast‹«, zitierte Pia. »Das klingt wie dieser alte Hollywood-Horrorfilm. Da kriegt eine der Hauptfiguren auch einen Brief mit diesem Satz.«

»Wahrscheinlich kannte derjenige, der die Tagebuchseiten verschickt hat, den Film«, erwiderte Bodenstein. »Und weil er ihn ganz sicher anonym geschickt hat, hat er Alexander Roth, der sowieso schon unter seiner alten Schuld litt, damit zusätzlich eine Höllenangst eingejagt. Ich bin gespannt, ob Frau Lintner auch solche Post erhalten hat.«

»Würde mich wundern, wenn nicht«, sagte Pia kauend. »Jemand hat sie unter Druck gesetzt, die ›Ewigen‹. Vielleicht, um ans Licht zu bringen, was damals wirklich passiert ist. Aber warum genau jetzt? Weshalb ist das nicht schon viel früher geschehen?«

»Hm.« Bodenstein kaute nachdenklich. »Es muss dafür irgendeinen Auslöser gegeben haben. Der Tod von Heike Wersch kann es nicht gewesen sein. Diese Kopie muss Roth schon länger gehabt haben. Wahrscheinlich hat er sie zum selben Zeitpunkt erhalten wie Frau Hauschild, vor drei Wochen.«

Eine Weile aßen sie schweigend und hingen ihren Gedanken nach.

»Ich fürchte, wir kennen noch nicht alle Personen auf dem

Spielfeld.« Bodenstein tupfte sich mit der Papierserviette den Mund ab. »Es ist wie bei einem Schachspiel. Fliegt eine wichtige Figur raus, verändert sich die gesamte Dynamik des Spiels. Das ist spätestens mit dem Tod von Heike Wersch passiert.«

»Du immer mit deinen Metaphern.« Pia knüllte das Papier zusammen, in das ihr Panino eingewickelt gewesen war, warf es in den Mülleimer neben der Bank und unterdrückte die Nikotingier, die sie jedes Mal überfiel, wenn sie etwas gegessen hatte. »Komm, gehen wir.«

Die Buchhandlung *House of Books* in der Mitte der alten Ladenstraße behauptete sich schon seit Jahrzehnten im Main-Taunus-Zentrum und war mittlerweile eine Institution. In dem weitläufigen Verkaufsraum herrschte um diese Uhrzeit Flaute. Nur wenige Kunden kramten auf den Büchertischen herum, zwei junge Frauen mit Kinderwagen schlenderten durch die Kinderbuchabteilung, ein Mann ließ sich von einer Buchhändlerin beraten. Pia erkannte Josefin Lintner, die mit dem Telefon am Ohr an einem Computerterminal hinter dem Kassentresen stand und eine Bestellung entgegennahm. Höflich warteten sie, bis die Buchhändlerin ihr Telefonat beendet hatte, dann präsentierten sie ihre Kripoausweise.

»Ach hallo«, begrüßte Frau Lintner sie. »Ich habe Sie doch am Samstag im Krankenhaus gesehen.«

Ihr aschblondes Haar war zu einem lockeren Knoten im Nacken geschlungen, auf ihrer Nasenspitze saß eine Lesebrille, sie trug ein dunkelblaues V-Ausschnitt-T-Shirt mit dem Logo ihrer Buchhandlung und eine Jeans zu Blockabsatzschuhen, was vernünftig war, wenn man den ganzen Tag stehen oder laufen musste.

»Es geht um Alexander Roth und Heike Wersch«, sagte Bodenstein. »Haben Sie einen Moment Zeit für uns?«

»Natürlich.« Frau Lintner winkte einer Mitarbeiterin und signalisierte ihr, dass sie die Kasse übernehmen solle, dann führte sie Bodenstein und Pia zu einer Tür zwischen den Regalen mit Jugendbüchern und der Abteilung für Gesundheitsratgeber. Sie bewegte sich flink und energiegeladen und schien eine Frau mit einem sonnigen Gemüt zu sein. Ein Lächeln hier, ein Winken dort, sie hatte alles im Blick. Hinter der Tür stapelten sich Kisten, zwei junge Frauen waren damit beschäftigt, Bücher auszupacken und zu kommissionieren. Frau Lintner sprach kurz mit den beiden, erklärte etwas, freundlich, aber bestimmt.

»Die tägliche Lieferung vom Großhändler«, kommentierte sie und öffnete die Tür zu einem Büro, das kaum weniger vollgestopft war als der Flur. Zwei sich gegenüberstehende Schreibtische, auf denen jeweils ein Computer und volle Ablagekörbchen standen, Regale voller Aktenordner, zwei Drucker und ein Faxgerät auf einem Sideboard. Auf jeder freien Fläche stapelten sich Bücher und Vorschaukataloge von Verlagen.

»Räumen Sie einfach das Zeug von den Stühlen und legen Sie es auf den Boden«, sagte die Buchhändlerin. »Es ist etwas eng hier, aber bei den Mietpreisen hier zählt jeder Zentimeter Verkaufsfläche.«

»Wir finden schon Platz«, sagte Bodenstein und packte einen Stapel Kataloge auf den Fußboden.

»Puh, das erste Mal, dass ich heute sitze.« Josefin Lintner ließ sich in den Chefsessel hinter einem der beiden Schreibtische fallen, verzog das Gesicht und streckte die Beine aus. Sie musste Mitte fünfzig sein, sah aber älter aus. Zu viel Sonne und Zigaretten hatten deutliche Spuren in ihrem sommersprossigen Gesicht, das fast gänzlich ungeschminkt war, hinterlassen.

»Unser Beileid zum Tod von Herrn Roth«, begann Bodenstein, nachdem Pia darum gebeten hatte, das Gespräch mit ihrem Smartphone aufzeichnen zu dürfen.

»Vielen Dank«, erwiderte Frau Lintner. »Es ist wirklich sehr traurig.«

»Wir haben gehört, dass Sie und Herr Roth früher mal ein Paar waren.«

»Ach Gott, das ist aber wirklich schon sehr lange her.« Die Buchhändlerin wirkte ein wenig verwundert. »Sicherlich bald fünfunddreißig Jahre. Wir kannten uns aus der Schule, einem Privatgymnasium in Kelkheim, auf das viele Schüler in der Oberstufe wechselten, wenn sie ein besseres Abitur machen wollten.

Heike und ich kamen in der 11. Klasse von der St. Angela-Schule aus Königstein, Alex und Götz Winterscheid von einem Gymnasium in Frankfurt. Nur Maria und Stefan waren schon länger auf dieser Schule.«

»Maria Hauschild?«, erkundigte sich Pia.

»Damals hieß sie noch Maria Molitor«, bestätigte Josefin Lintner. »Wir hatten alle ähnliche Interessen und dieselben Leistungskurse: Deutsch und Gemeinschaftskunde.«

»Alexander Roth war der beste Freund von Götz Winterscheid, oder?«, fragte Pia.

»Schon von Kindesbeinen an.« Josefin Lintner nickte. »Dabei waren sie völlig gegensätzlich. Götz war ein charmanter Hallodri, gut aussehend, witzig, großzügig. Er hat uns häufig mit in die Villa seiner Eltern genommen und uns Jobs besorgt: Kellnern auf Partys, bei den Kaminabenden oder auf Veranstaltungen wie Autorenlesungen, Arbeit am Messestand auf der Buchmesse. Wir waren alle tief beeindruckt vom Glamour der berühmten Schriftsteller, Künstler und Philosophen, die bei Winterscheids ein und aus gingen. Das war für uns eine völlig neue und faszinierende Welt. Alex und Stefan kannten das ja schon, aber Heike, Maria und ich waren entzückt davon, all diese großen Autoren kennenzulernen.« Sie lachte bei der Erinnerung auf. »Wir verehrten die Philosophen der Frankfurter Schule, und auf einmal trafen wir sie persönlich, diskutierten, tranken und aßen mit ihnen. Wir wetteiferten miteinander um die Gunst dieser Leute, versuchten, uns gegenseitig auszustechen, lasen all die Bücher, und es war wie ein Ritterschlag, wenn einem jemand wie Alfried Kempermann, Volker Böhm oder Marina Bergmann-Ickes zustimmte. Wir waren irgendwie so was wie Autoren-Groupies, völlig schräg aus heutiger Sicht, aber damals waren wir achtzehn oder neunzehn und fanden es cool. Ich hatte sogar mal einen One-Night-Stand mit Gunnar Gantenberg, der damals gerade irgendeinen wichtigen Preis bekommen hatte und im *Frankfurter Hof* in der Präsidenten-Suite logierte. Als ich ihn Jahrzehnte später mal zu einer Lesung in unsere Buchhandlung einlud, ist er tatsächlich gekommen und wir schwelgten in Erinnerungen an diese Tage.« Sie erinnerte sich mit einem leichten Lächeln in den Mundwinkeln an Ereignisse, die ein halbes Leben zurücklagen, bevor sie fortfuhr. »Götz hatte nie Ambitionen, in den Verlag seines Vaters einzusteigen. Er hatte ein sehr gutes Abitur gemacht und einen Studienplatz für Medizin in Frankfurt ergattert. Lieber wäre er nach München oder Hamburg gegangen, aber Maria zuliebe blieb er erst mal hier.«

»Warum?«, wollte Pia wissen.

»Maria hatte ihren Vater auf tragische Weise verloren«, erwiderte die Buchhändlerin. »Er hatte zu Hause in der Sauna einen Herzinfarkt erlitten, und Maria hatte am nächsten Morgen seine Leiche gefunden.«

»Erzählen Sie uns etwas über Alexander Roth«, forderte Bodenstein sie auf. »Seine Witwe hat uns erzählt, dass er den Kontakt zu seinen Eltern abgebrochen hatte. Wieso?«

Josefin Lintner stieß einen Seufzer aus und schüttelte den Kopf.

»Alex hatte einen Minderwertigkeitskomplex, weil seine Eltern keine Akademiker waren. Sein Vater besaß mehrere Tankstellen, er verdiente viel Geld, und er war ein netter Mann. Seine Mutter machte die komplette Buchhaltung und arbeitete in den Tankstellen mit. Ich habe sie sehr gern gemocht, aber Alex hat sich für sie geschämt. Ich glaube, seine Freundschaft mit Götz hat seinen sozialen Ehrgeiz geweckt. Alex hat Henri Winterscheid und dessen Vater, den alten Verleger, verehrt wie Götter. Er wollte unbedingt so sein wie sie, und Götz war seine Fahrkarte ins Glück.« Sie schürzte die Lippen, wieder flog ein Lächeln über ihr sommersprossiges Gesicht, diesmal war es jedoch spöttisch. »Heute sieht man es mir nicht mehr an, aber ich war damals das hübscheste Mädchen der Schule. Ich hätte jeden Jungen haben können, doch ich hatte mich unsterblich in Alex verliebt, obwohl der gar nicht zu mir gepasst hat. Heute muss ich sagen, dass mich wahrscheinlich seine intellektuelle Aura fasziniert hat, dieses Andersartige, Geheimnisvolle. Er trug eine Brille, weil Götz eine trug, dabei war er gar nicht kurzsichtig. Er las jedes Buch, das im Winterscheid-Verlag erschien, nur, um mitreden und bei den alten Winterscheids Eindruck schinden zu können, nicht etwa, weil es ihn wirklich interessiert hätte. Heike war tatsächlich eine Intellektuelle, aber Alex wollte immer nur verbissen einer sein. Als wir unsere Leistungskurse wählen mussten, wählte ich dieselben wie er, dabei lagen meine Stärken eher im naturwissenschaftlichen Bereich. Ein Jahr lang habe ich Alex angehimmelt, bevor er mich endlich erhörte. Ich hatte mir sogar eine Brille gekauft, um intelligenter auszusehen, als ich war.« Josefin Lintner lachte wieder. »Ich war nämlich weder intellektuell noch sonderlich schlau. Die berühmten Autoren und Philosophen hatten für mich ziemlich schnell ihren Reiz verloren, weil ich festgestellt hatte, dass die meisten von ihnen Mundgeruch hatten und dazu schrecklich langweilig und selbstverliebt waren. Sie wollten nur über sich selbst, ihre Bücher oder ihre Theorien reden und junge Mädchen betatschen. Wäre da nicht Alex gewesen, hätte ich wahrscheinlich mit der Clique nichts mehr zu tun gehabt.« Sie räusperte sich. »Heike hatte bei uns das Sagen. Stefan, Maria und ich hielten die Klappe, wenn sie und Alex sich die Köpfe heißredeten, weil Heike richtig gemein werden konnte. Ich wusste, dass sie mich für dumm hielten, was mich sehr unglücklich machte, denn ich habe mir wahnsinnig viel Mühe gegeben, so zu reden wie sie. Ich habe viel geweint damals, denn Alex ließ mich jedes Mal, wenn Götz nur mit dem Finger schnippte, einfach stehen. Götz war ihm wichtig, wegen des Verlags und dem Kontakt zu all den berühmten, tollen Leuten. Ein paar Wochen nach Götz' Tod hat Alex mit mir Schluss gemacht, ganz kurz und knapp am Telefon. Er hatte keine Zeit mehr für mich, denn Götz' Eltern hatten ihn und Maria quasi adoptiert, und Heike hat sich mit Henri Winterscheid eingelassen. Der war auch so ein notgeiler alter Sack, der die Finger nicht bei sich behalten konnte.« Sie schauderte bei der Erinnerung. »Katharina hat dann kurze Zeit später Götz' Onkel John geheiratet, dann haben auch Stefan und Dorothea geheiratet, und mit unserer Clique war's vorbei.«

»Katharina hatte aber noch nicht sehr lange zu Ihrer Clique gehört, oder?«, hakte Bodenstein nach, und Pia machte sich ein paar Notizen, um nicht den Überblick über alle Namen und Beziehungen zu verlieren.

»Nein, das stimmt. Sie kam im Herbst 1982 nach Frankfurt, um ihr Studium abzuschließen, sie war ein paar Jahre älter als wir«, antwortete Josefin Lintner. »Sie meldete sich auf einen Aushang von Maria, die damals noch jemanden für unsere WG suchte. Hinterher hat sie's wahrscheinlich bereut, dass sie Katharina ein Zimmer gegeben hat, denn Götz war ganz verrückt nach ihr. Er hat sie zu irgendeinem Event in die Villa mitgenommen, da ist sie dann seinem Onkel über den Weg gelaufen und das war's für Götz, denn Katharina und John waren auf den ersten Blick ineinander verschossen.«

»Hatte Katharina einen Spitznamen?«

»Ja. Wir nannten sie ›Katze‹. Ich weiß gar nicht mehr, warum. Vielleicht als Abkürzung für Katharina, aber vielleicht auch deshalb, weil sie eine Katzennärrin war. In dem Urlaub auf Noirmoutier hat sie vier junge Katzen aus dem Hafenbecken gefischt. Drei Katzenbabys waren tot, aber das vierte hat sie retten können. Sie hat es ständig mit sich herumgetragen und später sogar mit nach Frankfurt genommen.«

»Was genau ist in dem Sommerurlaub 1983 passiert, als Götz Winterscheid gestorben ist?«, fragte Pia.

»Wir waren zum vierten Mal zusammen dort, die ganze Clique«, erinnerte sich Josefin Lintner. »Winterscheids besaßen auf der Insel Noirmoutier ein großes Haus mit Blick aufs Meer, Hausmeister-Quartier und allem Drum und Dran. Götz hat uns immer Ende Juli dorthin eingeladen, nachdem seine Eltern wieder abgereist waren. 1983 waren wir zu siebt dort, und eigentlich war es vom ersten Moment an grässlich. Maria war dabei, obwohl Götz ein paar Monate vorher mit ihr Schluss gemacht hatte. Niemand von uns konnte das so richtig verstehen, und die Stimmung war deswegen angespannt. Alle haben total viel getrunken. Götz hat mit Katharina geflirtet. Die beiden und Stefan waren dauernd zusammen unterwegs, und Maria war dauernd eifersüchtig deswegen. Dann kam John und ging mit Katharina segeln. Götz hat sich an dem Abend schrecklich betrunken und wurde wahnsinnig aggressiv. Es hat ihn total genervt, wenn Alex und Heike stundenlang über Literatur, Philosophie und Politik diskutiert haben, und er hat uns beschimpft und verhöhnt und sich über Alex' und Heikes Zukunftspläne lustig gemacht. Er konnte ganz schön zynisch und verletzend sein, wenn er betrunken war. Er hat uns vorgeworfen, wir würden ihn nur ausnutzen, dann hat er gebrüllt, wir sollten am nächsten Tag alle verschwinden, wir würden ihn ankotzen. So was hatten wir schon öfter erlebt und haben es deshalb nicht wirklich ernst genommen. Sobald er wieder nüchtern war, entschuldigte er sich normalerweise für sein Verhalten. Aber an dem Abend lief es völlig aus dem Ruder. Götz beleidigte erst mich, dann beschimpfte er uns alle, nannte uns Schmarotzer und Zecken. Ich hatte irgendwann die Nase voll und bin auf mein Zimmer gegangen, um zu packen. Ich war stinkwütend und habe geheult, vor allen Dingen deshalb, weil Alex mich nicht in Schutz genommen hat. Am nächsten Morgen sind wir von der Polizei geweckt worden. Jemand hatte am Strand Götz' Leiche gefunden. Es war entsetzlich. Glücklicherweise kamen John und Katharina am späten Vormittag von ihrem Segeltörn zurück. John sprach ja perfekt Französisch, er regelte alles. Abends kamen Henri und Margarethe an. Margarethe ist fast durchgedreht. Ich habe noch nie in meinem Leben einen Menschen so schreien hören. Die Kriminalpolizei war vom Festland auf die Insel gekommen, es gab eine Untersuchung, wir wurden alle vernommen. Götz hatte über drei Promille Alkohol im Blut gehabt und einen Schädelbruch. Die Ermittler kamen zu dem Ergebnis, dass es ein Unfall gewesen war. Götz musste gestolpert, mit dem Kopf unglücklich auf einen Felsen gefallen und bewusstlos ins Wasser gestürzt sein. An dem Abend war hohe Flut gewesen, es war sehr windig, die Brandung stark. Ach, das war ein Drama, ein absoluter Albtraum. Ich bin am nächsten Morgen zusammen mit Heike und Stefan nach Hause gefahren. Die ganze Fahrt hat niemand von uns einen Ton gesagt, und auch später haben wir nie wieder über diesen Tag gesprochen.«

»Und danach haben Henri und Margarethe Winterscheid Alexander Roth wie einen Sohn bei sich aufgenommen.«

»Ja. Sie haben in ihm offenbar eine Art Götz-Ersatz gesehen. Den guten, loyalen Freund. Sie haben ihn komplett vereinnahmt.

Ehrlich gesagt war Alex auch besser geeignet für das, was sie sich von ihrem Sohn erhofft und gewünscht hatten. Götz wäre niemals in den Verlag eingestiegen, aber Alex hat immer all das gemacht, was Henri und Margarethe sich wünschten und erwarteten. Sie haben diese Stiftung gegründet und die Leitung Alex und Maria übertragen. Margarethe hat Maria schon als Schwiegertochter betrachtet. Ich glaube, sie weiß bis heute nicht, dass längst Schluss war zwischen Götz und Maria.«

»Und Heike Wersch wurde die heimliche Geliebte von Götz' Vater.«

»So heimlich war das nicht.« Josefin Lintner schüttelte leicht den Kopf. »Uns hat sie immer weismachen wollen, sie wären Seelenverwandte und würden nur reden, aber das war Quatsch. Henri hatte uns Mädchen alle schon angebaggert, er war scharf auf alles, was jung und nicht bei drei auf den Bäumen war. Aber Heike hätte es auch ohne ihn weit gebracht. Sie war wirklich gut in ihrem Job. Tja, irgendwie sind wir alle in der Welt der Bücher gelandet, ich allerdings eher aus Zufall. Ich habe meinen Mann auf einem Weinfest kennengelernt und mich in ihn verliebt, bevor ich wusste, dass er eine Buchhandlung besitzt. Eine richtige Ausbildung habe ich nie gemacht. Wahrscheinlich wäre ich auch eine gute Bäckersfrau oder Gastwirtin geworden.« Sie lächelte versonnen. »Maria ist damals relativ schnell wieder bei der Stiftung ausgestiegen, aber Henri hat auch sie im Verlag untergebracht, in der Lizenzabteilung. Alex und Heike kriegten Festanstellungen im Lektorat, Stefan hat die Druckerei seiner Eltern übernommen. Katharina erbte nach Johns Tod seine Verlagsanteile und übernahm Marias Job im Verlag, als die zur Literaturagentur Hauschild wechselte, deren Chef sie irgendwann heiratete. Wir haben uns alle nie so ganz aus den Augen verloren, dafür ist die Buchbranche auch zu klein. Jedes Jahr treffen wir uns auf der Buchmesse, traditionell am Donnerstagabend auf der Winterscheid-Party. Leider sind diese Buchmessen-Partys Carls Rotstift zum Opfer gefallen, deshalb treffen wir uns jetzt am Buchmessen-Freitag beim Fischer-Verlag oder bei der Kehraus-Feier von Josef Moosbrugger, dem Agenten.«

Pia warf einen Blick auf ihr Smartphone, um sicherzugehen, dass es noch aufnahm. Diese Fülle an Informationen der erfreulich mitteilsamen Buchhändlerin würde sie sich nie und nimmer merken können. Aber eins war nun ganz klar: Alexander Roth und Heike Wersch hatten von Götz Winterscheids Tod ganz erheblich profitiert. Roth hatte den sozialen Aufstieg geschafft, Heike Wersch und er hatten sich beide in der Welt der Literatur einen Namen gemacht.

»Was ist eigentlich mit Dorothea Winterscheid, der Tochter?«, fragte Bodenstein. »Warum haben ihre Eltern nicht ihr die Leitung der Stiftung übertragen?«

»Vielleicht, weil sie damals noch zu jung war«, vermutete Frau Lintner. »1983 kann sie höchstens achtzehn oder neunzehn gewesen sein.«

»Wie war Ihr Verhältnis zu Frau Wersch?«, fragte Pia.

»Recht gut«, antwortete die Buchhändlerin. »Sie hat immer dafür gesorgt, dass wir bei Veranstaltungen des Winterscheid-Verlags den Büchertisch machen durften, das ist ein sehr guter Nebenverdienst. Oft haben wir auch selbst Lesungen oder Signierstunden veranstaltet. In unserer Buchhandlung ist ja immer viel los, schon aufgrund der Lage. Heike und ich waren keine dicken Freundinnen, aber sie sah in mir auch nie eine Konkurrentin.« Sie hielt kurz inne. »Was passiert jetzt eigentlich mit ihrem Vater?«

»Herr Wersch hat einen Vormund und kommt in ein Pflegeheim, dafür hatte seine Tochter gesorgt«, erwiderte Pia. Josefin Lintner war offenbar die Einzige von allen alten ›Freunden‹, die über die häusliche Situation der ermordeten Heike Bescheid gewusst hatte. »Wie hat sich Maria Hauschild mit Frau Wersch verstanden?«

»Die beiden haben sich immer gemocht. Wieso, das habe ich nicht durchschaut«, gab Josefin Lintner offen zu. »Sie waren eigentlich wie Feuer und Wasser. Heike war herrschsüchtig, emotional und zynisch, Maria ist zielstrebig, pragmatisch und ausgleichend. Vielleicht waren es diese Gegensätze, die sich angezogen haben. Seitdem Maria verwitwet war, wurde ihre Freundschaft mit Heike noch enger.«

»Maria Hauschild ist verwitwet?«, fragte Bodenstein nach.

»Ja. Erik, ihr Mann, ist während der Buchmesse 2005 an einem Zuckerschock gestorben.«

»Hat Heike Wersch auch Sie um Unterstützung für ihren neuen Verlag gebeten?«

»Ja, hat sie«, bestätigte Josefin Lintner. »Sie hat uns alle gebeten mitzumachen, weil sie Startkapital brauchte, und hat uns utopische Renditen versprochen. Ich musste aber ablehnen. Nicht, weil ich es nicht spannend gefunden hätte, sondern weil wir das Geld dafür nicht haben. Wir kommen ganz gut über die Runden, aber ein paar Zehntausend Euro können wir nicht einfach so aus dem Ärmel schütteln. Noch dazu für ein gewagtes Experiment. Soweit ich weiß, haben ihr alle abgesagt, bis auf Maria und Henri, der sich wohl schon wieder als den großen Verleger gesehen hat. Dabei wollte Heike in erster Linie nur seinen Namen, um Carl zu ärgern. Und natürlich sein Geld, klar.«

»Sagt Ihnen der Name Waldemar Bär etwas?«, wollte Bodenstein wissen.

»Ja, natürlich. Er ist das Faktotum der Winterscheids.«

»Das – was?«, fragte Pia, die diesen Ausdruck noch nie gehört hatte.

»Hausmeister, Gärtner, Chauffeur, alles in einer Person.« Frau Lintner warf einen Blick auf ihr Handy, das sie vor sich auf den Schreibtisch gelegt hatte. »Möchten Sie sonst noch etwas wissen? Ich muss allmählich wieder raus in den Laden.«

»Wir sind gleich fertig«, sagte Bodenstein. »Im Büro von Herrn Roth haben wir die Kopie eines Tagebuchauszugs gefunden, zusammen mit einem Anschreiben, das aus zwei Sätzen bestand.«

»*Ich weiß, was du im Sommer 1983 getan hast*‹«, nahm Josefin Lintner ihm vorweg. »So was habe ich auch bekommen. Es kam anonym, mit der Post, vor ungefähr drei Wochen. Mein Mann und ich haben gerätselt, was das zu bedeuten hat und wer der Absender sein könnte.« Sie begann, die Ablagekörbchen zu durchsuchen, wurde in einem fündig und reichte Bodenstein zwei Blätter. »Es sind offenbar zwei Seiten aus einem Tagebuch von Katharina.«

»Können Sie mir eine Kopie machen?«, bat Bodenstein.

»Nehmen Sie's ruhig mit«, erwiderte die Buchhändlerin.

Pia nahm ihrem Chef die Blätter aus der Hand und überflog sie rasch.

An Frau Josefin Lintner
– persönlich –
c/o House of Books
Main-Taunus-Zentrum
65843 Sulzbach

Ich weiß, was du im Sommer 1983 getan hast. Und du weißt es auch.

Île de Noirmoutier, 18. Juli 1983

Gestern abend bin ich allein zu den Klippen gegangen, um mir den Sonnenuntergang hinter der Leuchtturminsel anzusehen, und als ich zurückgekommen bin, hatten diese Idioten es noch nicht mal geschafft, den Tisch abzuräumen. Ach, wenn doch nur John schon hier wäre! Mit ihm wird das hier sicher ein Traum. Dieser Klugscheißer-Kindergarten geht mir total auf die Nerven. Ich – also ehrlich, ich!!!! (Oma würde sich kaputtlachen, wenn sie das wüsste) – hab sogar freiwillig das Kochen und Abwaschen übernommen, bloß um diesen endlosen Diskussionen über Handke, Grass oder Bernhardt zu entkommen. Wie sie sich die Köpfe heißreden, wie sie sich ereifern und wie wichtig sie sich nehmen, wenn sie Passagen aus irgendwelchen Büchern zitieren und bis aufs I-Tüpfelchen sezieren! Alex' Lieblingswort ist »Ambiguität«, Heike wirft mit Ausdrücken wie »ästhetische Formprinzipien« und »Autoreferenzialität« um sich, und Josi, die dumme Gans, läßt sich von den beiden niedermachen. Dabei rauchen sie Joints und saufen Rotwein und kommen sich wahnsinnig intellektuell vor. So albern, das alles. Bis in die Puppen quatschen sie blödes Zeug, sind jeden Abend sturzbesoffen und pennen dann bis mittags. Alex und Josi treiben es jede Nacht, blöderweise habe ich das Zimmer direkt neben ihrem, und ich muß mir das Gestöhne und Gekeuche anhören. Ich vermisse John und meine Schreibmaschine! Hier könnte ich wunderbar schreiben, mit Blick auf den blauen Atlantik.

Mia übertreibt total. Sie schleicht wie ein Trauerkloß hinter Götz her und schmachtet ihn an, aber der flirtet mit mir auf Teufel komm raus, nur damit niemand merkt, in wen er wirklich verliebt ist. Ich decke die beiden so gut, wie es geht, aber ich habe absolut keine Lust mehr dazu. Das ist stressig. Josi macht ständig dumme Bemerkungen wegen John. So doof, wie sie immer tut, ist sie gar nicht, da sollte Götz besser aufpassen. Heike hat mir gestern erzählt, daß alle geglaubt haben, Götz und Mia würden eines Tages heiraten, weil sie schon seit der zehnten Klasse zusammenwaren, so nach dem Motto: Laß die Finger von ihm! Puh, ist das anstrengend! Wie soll ich das noch vierzehn Tage ertragen?

»Warum hatte sich Götz an dem Abend, an dem er gestorben ist, eigentlich so sehr betrunken?«, fragte Bodenstein.

Josefin Lintner zögerte für den Bruchteil einer Sekunde.

»Das ist alles schon so lange her«, wich sie aus. »Er war unglücklich in Katharina verliebt und hat seinen Frust im Alkohol ertränkt.«

»Das stimmt nicht, und das wissen Sie ganz genau«, wagte Pia einen Schuss ins Blaue. »Wem haben Sie damals versprochen, nicht darüber zu reden? Alexander Roth? Oder Heike Wersch? Die sind beide tot.«

»Ich habe überhaupt niemandem irgendetwas versprochen!« Josefin Lintner schüttelte heftig den Kopf, aber sie konnte nicht verhindern, dass ihr das Blut in die Wangen schoss. »Wie kommen Sie auf so etwas?«

»Alexander Roth wurde eine andere Stelle aus dem Tagebuch geschickt als Ihnen.« Pia zückte ihr Handy und rief das Foto des Textes auf. »Darin stehen folgende Sätze: ›Wer *weiß, was Alex ihnen noch alles für Lügengeschichten erzählt hat! Die Zecke wohnt ja quasi in der Villa, seitdem wir zurück sind. Aber eigentlich ist es meine eigene Schuld. Ich habe Götz' und Stefans Spielchen mitgespielt.‹«*

Die Buchhändlerin starrte Pia erschrocken an. Sie schluckte.

»Maria war nicht eifersüchtig auf Katharina. Sie scheint sie gemocht zu haben, und umgekehrt wohl auch«, sagte Pia. »Sonst hätte Katharina sie kaum zur Patin ihres Sohnes gemacht, oder?«

Josefin Lintner kämpfte einen Augenblick mit sich, dann stieß sie einen tiefen Seufzer aus.

»Sie haben recht. Da lief irgendetwas zwischen Götz und Stefan, das hatten wir alle gecheckt«, gab sie schließlich zu. »Dieses Geflirte mit Katharina war nur Schau. An dem Abend, an dem Götz gestorben ist, habe ich einen Streit zwischen Stefan und ihm mitbekommen. Ich konnte nicht genau verstehen, worüber sie gesprochen haben, sie waren unten am Strand und ich auf dem Dünenweg, aber Götz hat geschrien und Stefan angebettelt. Stefan ist dann zum Haus gerannt und etwas später mit seinem Auto weggefahren. Der Abend war schrecklich, das habe ich Ihnen ja schon erzählt. Maria und ich waren in unseren Zimmern und haben gepackt, weil wir am nächsten Tag abreisen wollten, notfalls mit dem Bus nach Nantes und von dort aus mit dem Zug nach Hause. Wir hatten beide keine Lust mehr, länger zu bleiben. Ich habe dann meine Sachen in Marias Zimmer gebracht, denn ich war stinksauer auf Alex. Es muss so um Mitternacht rum gewesen sein, und Maria hat schon geschlafen, aber ich lag noch wach im Bett, als es unten plötzlich leise war. Ich bin rüber in Alex' und mein Zimmer geschlichen und habe aus dem Fenster geguckt. Es war Vollmond in dieser Nacht und sehr stürmisch, ich konnte die Brandung hören. Und ich habe gesehen, wie Alex und Heike den Dünenweg entlang Richtung Klippen gegangen sind.«

Sie verstummte. Pia und Bodenstein ließen ihr Zeit.

»Ich dachte, die beiden wollten Sex haben«, sagte die Buchhändlerin. »Ich bin vor Eifersucht fast geplatzt und bin ihnen nachgelaufen. Ich hatte mir schon ausgemalt, was ich tun und sagen würde, wenn ich sie in flagranti erwische. Aber es war ganz anders. Götz hat auf einem Felsen oberhalb der Klippen gesessen, den Kopf auf den Armen. Ich glaube, er hat geweint. Ich dachte, Alex und Heike wollten mit ihm reden, ihn trösten …« Josefin Lintner presste die Lippen zusammen. »Es war der höchste Stand der Flut. Die Wellen waren gigantisch. Götz hatte keine Chance, Alex … er hat ihm einfach in den Rücken getreten, ohne Vorwarnung. Im nächsten Moment standen nur noch Heike und Alex oben auf dem Felsen. Sie guckten runter in diesen … diesen Hexenkessel. Die beiden haben Götz umgebracht. Eiskalt. Die Polizei hat später eine Whiskey-Flasche auf dem Felsen gefunden, auf der seine Fingerabdrücke waren. Man hat das als Beweis dafür genommen, dass Götz dort gesessen und getrunken hatte. Aus Liebeskummer, angeblich wegen Katharina.« Sie schnaubte resigniert und schüttelte den Kopf. »Ich bin zurück zum Haus gerannt, so schnell ich konnte. Ich hatte Todesangst. Die ganze Nacht habe ich kaum ein Auge zugemacht, aber ich habe mich auch nicht getraut, Maria zu wecken und ihr zu erzählen, was ich beobachtet hatte. Ich habe es nie jemandem gesagt. Als die Polizei kam, weil sie Götz' Leiche am Strand gefunden hatten, ist Stefan fast ohnmächtig geworden. Er war außer sich und gab sich die Schuld daran, dass Götz tot war. Wir mussten ihm versprechen, kein Sterbenswörtchen darüber zu sagen, dass er und Götz was miteinander gehabt hatten. Wir haben uns eine Geschichte ausgedacht, die wir der Polizei und Götz' Eltern erzählen würden, nämlich, dass er in Katharina verliebt gewesen sei. Maria und Stefan wissen bis heute nicht, was Heike und Alex getan haben.«

»Sind Sie sich da sicher?«, fragte Bodenstein.

»Von mir haben sie es auf jeden Fall nicht erfahren«, erwiderte Josefin Lintner.

»Aber irgendjemand scheint es zu wissen«, entgegnete Pia. »Nämlich derjenige, der Katharinas Tagebuch hat.«

»Wieso hat Katharina das selbst eigentlich nie aufgeklärt?«, wollte Bodenstein wissen. »Sie hat in die Familie Winterscheid eingeheiratet und musste damit klarkommen, dass ihre Schwägerin Margarethe sie gehasst hat.«

»Ich kann mir vorstellen, dass sie es Stefan zuliebe auf sich genommen hat«, sagte die Buchhändlerin. »Aber vielleicht war ihr auch einfach klar, dass sie keine Chance hatte, die Wahrheit zu beweisen, weil wir alle vier geschworen hätten, dass Götz sie geliebt hat.«

»Warum haben Sie die Freundschaft zu Heike Wersch und Alexander Roth aufrechterhalten, obwohl Sie doch wussten, was die beiden getan hatten?«, fragte Pia. »Kann man so etwas vergessen?«

»Nein, das kann man nicht. Aber man kann es verdrängen. Sogar ziemlich gut.« Josefin Lintner kaute nachdenklich an ihrer Unterlippe. »Nach diesem Sommer habe ich mein Studium geschmissen und angefangen, in einer Kneipe in Sachsenhausen zu arbeiten. Leider habe ich auch angefangen, Drogen zu nehmen. Erst Pillen, dann Kokain und irgendwann Heroin. Ich habe einen amerikanischen Soldaten kennengelernt und drei Wochen später geheiratet. Ich bin mit ihm in die USA gegangen, aber nach einem halben Jahr hat er mich rausgeschmissen, weil ich ihn beklaut habe, um mir Drogen kaufen zu können. Wir haben uns scheiden lassen. Ich war drogensüchtig, wurde irgendwann bei einem Einbruch erwischt und landete in einem Frauenknast in Illinois, bis man mich nach einem Jahr ausgewiesen hat. Als ich nach Deutschland zurückkam, hatte ich nichts: keinen Beruf, kein Geld, kein Zuhause. Ich war dreißig und längst nicht mehr das hübsche Mädchen von früher. Meine Eltern haben mir die Tür vor der Nase zugeschlagen, so enttäuscht waren sie von mir. Ich bin im Bahnhofsviertel in Frankfurt gelandet. Ich war am Ende. Da habe ich zufällig Alex getroffen. Er war auf dem Weg von der S-Bahn zur Arbeit und hat mich mitgenommen und zu Heike gebracht. Die hat keine Sekunde gezögert und mir ein Zimmer in ihrer Wohnung gegeben. Maria hat mich in eine Entzugsklinik gebracht, die sie bezahlt hat. Stefan hat mir einen Job bei sich in der Firma gegeben. Ich war wieder krankenversichert, keine drogenabhängige Pennerin mehr. Mit ihrer Hilfe wurde ich clean und konnte wieder Fuß fassen im Leben. Ich arbeite seit vielen Jahren ehrenamtlich für den *Weißen Ring*, engagiere mich für Opfer von Gewalt und ihre Angehörigen. Da kann ich etwas tun. Götz ist tot. Nichts, was ich tun oder sagen könnte, wird ihn wieder lebendig machen. Und egal, was diese Menschen auch getan haben, sie haben mir das Leben gerettet und nie dafür eine Gegenleistung verlangt. So etwas tun nur Freunde.«

* * *

»Jetzt haben wir schon wieder vergessen zu fragen, wie Katharina Winterscheid gestorben ist«, fiel es Pia ein, als sie eine Viertelstunde später im Auto saßen und zurück nach Hofheim fuhren. Sie zog ihr Handy heraus. »Ich schreibe Maria Hauschild eine SMS und frage sie.«

Sie tippte rasch eine Nachricht.

»Wir hatten recht mit unserer Vermutung«, sagte sie dann. »Alexander Roth hat Götz Winterscheid umgebracht.«

»Und diese Geschichte, die sie sich ausgedacht hatten, nämlich, dass Götz sich aus Liebeskummer betrunken hatte und deshalb verunglückt ist, war die Lüge, von der Roth gesprochen hat.« Bodenstein nickte. »Kein Wunder, dass er panische Angst davor hatte, seine Ersatzeltern könnten erfahren, dass sie den Mörder ihres Sohnes in ihre Familie aufgenommen hatten.«

»Heike Wersch könnte ihm damit gedroht haben, es den Winterscheids zu sagen.« Pia legte die Stirn in Falten. »Aber damit hätte sie sich auch selbst belastet, immerhin war sie dabei und hat es geschehen lassen.«

»Vorausgesetzt, Frau Lintner hat uns gerade die Wahrheit gesagt«, wandte Bodenstein ein. »Und daran zweifle ich. Sie war damals völlig verrückt nach Alexander Roth, sie war ihm regelrecht hörig. Wenn er zu ihr gesagt hätte: Stoß Götz von der Klippe, dann hätte sie es sicherlich getan, denn sie hat Götz eigentlich gehasst.«

Er hatte schon häufig die Erfahrung gemacht, dass Wahrheit etwas Semantisches war. Die Leute manipulierten sie, schmückten sie je nach Bedarf aus oder filterten kleine, aber wichtige Details heraus. Meist geschah das ohne Hintergedanken, einfach deshalb, weil Wahrnehmung immer subjektiv war, doch manchmal war es auch Absicht.

»Sie war eifersüchtig auf Götz, weil der ihrem Freund wichtiger war als sie«, stimmte Pia ihrem Chef zu.

»Vielleicht ist sie ja auch deshalb nach Amerika geflüchtet, weil sie befürchtet hat, ihre Tat könnte ans Licht kommen«, spekulierte Bodenstein. »Und als sie dann zurück nach Deutschland kam, forderte sie von ihren Freunden, für die sie einen Mord begangen hatte, Unterstützung.«

»Sie hat in Amerika im Gefängnis gesessen«, sagte Pia. »Sie war drogensüchtig und obdachlos und ist sicherlich nicht zimperlich. Als Heike Wersch ihr gedroht hat, sie würde Winterscheids oder vielleicht sogar der Polizei sagen, dass sie Götz umgebracht hat, hat sie sie erschlagen.«

»Allerdings hat sie ein Alibi«, gab Bodenstein zu bedenken. »Sogar ein ziemlich gutes.«

Josefin Lintner war am Montagabend um 20:00 Uhr auf einer Sitzung des SoA, dem Sortimenterausschuss des Börsenvereins, in Frankfurt gewesen und anschließend in einem griechischen Restaurant an der Adickesallee zum Essen. Danach hatte sie noch einen Kollegen in ihrem Auto mitgenommen, ihn in Sossenheim abgesetzt und war um kurz vor zwei zu Hause gewesen.

»Mist«, fluchte Pia. »Stimmt. Sie könnte zwar Heike Wersch erschlagen, nicht aber ihre Leiche entsorgt haben. Also doch Alexander Roth?«

»Warten wir mal ab, was uns Stefan Fink jetzt erzählt.« Bodenstein verringerte das Tempo auf sechzig Stundenkilometer, als er auf die L3018 fuhr, deren Teilstück zwischen der Autobahnabfahrt und dem Ortseingang von Hofheim im Volksmund ›die Erdbeermeile‹ genannt wurde und als Unfallschwerpunkt galt, weshalb es regelmäßig Radarkontrollen gab. »Ich wette, er hat auch eine Tagebuchkopie bekommen.«

Er fuhr in den Hof der Regionalen Kriminalinspektion und weiter bis auf den Parkplatz, der den Dienstfahrzeugen vorbehalten war. Dort trafen sie Cem und Kathrin, beladen mit Tüten vom Dönerladen, denen ein verführerischer Duft entströmte, bei dem Pia das Wasser im Mund zusammenlief. Auf dem Weg ins Gebäude erzählte Pia ihnen von den Gesprächen mit dem Ehepaar Winterscheid und mit Josefin Lintner, und Kathrin berichtete, dass Frau Jahn tatsächlich Hellmuth Englisch als den Mann identifiziert hatte, der am Sonntag mit Heike Wersch gestritten hatte.

»Das Gespräch mit Herrn Wersch war leider sehr einseitig«, fügte sie hinzu. »Er hat mich die ganze Zeit nur ›Gisela‹ genannt und überhaupt nicht begriffen, was ich von ihm wollte.«

»Schade.« Bodenstein hatte kaum etwas anderes erwartet. »Habt ihr in den Unterlagen aus dem Haus von Heike Wersch einen ähnlichen Brief gefunden wie den, den Josefin Lintner und Alexander Roth bekommen haben?«

»Nein.« Cem schüttelte den Kopf. »Da war nichts dabei, was wie die Kopie eines Tagebucheintrags ausgesehen hätte. Wenn sie einen solchen Brief aber schon vor drei Wochen bekommen hat, kann sie ihn weggeworfen haben.«

»Oder der Einbrecher hat ihn mitgenommen«, vermutete Bodenstein. »Vielleicht war dieser Brief überhaupt der Grund des Einbruchs.«

»Was? Eine Kopie von einem Tagebucheintrag?« Cem schüttelte den Kopf. »Das wäre echt der seltsamste Grund für einen Einbruch, von dem ich jemals gehört habe.«

»Alexander Roth hat eine andere Stelle aus dem Tagebuch erhalten als Josefin Lintner.« Bodenstein hielt seinen Kollegen die Eingangstür auf. »Möglicherweise hat derjenige, der das Tagebuch in seinem Besitz hat, speziell solche Stellen herausgesucht, die die Empfänger besonders unter Druck setzen, weil sie etwas verraten, was sie kompromittiert.«

»Immerhin geht's um Mord«, sagte Kathrin.

»Eher wohl darum, dass Winterscheids erfahren könnten, wie schnöde sie von den feinen Freunden ihres Sohnes belogen worden sind«, entgegnete Pia.

»Aber das ist fünfunddreißig Jahre her!« Cem nickte der uniformierten Kollegin hinter der Panzerglasscheibe am Empfang zu. »Wen juckt das heute noch?«

»Jemanden, der sein Gewissen entdeckt hat, wenn auch ziemlich spät«, sagte Bodenstein. »Ich glaube, wir haben unseren Täter gefunden. Alexander Roth hatte ein Motiv und die passende Gelegenheit. Severin Velten hatte schon die Vorarbeit erledigt. Den Fleischklopfer kann er im Haus seines Opfers gefunden haben.«

Die zweite Tür der Sicherheitsschleuse ging auf, und sie betraten das Gebäude.

»Aber der Hausmeister ist für mich auch noch nicht raus«, entgegnete Pia, als sie am Getränkeautomaten vorbei Richtung Treppenhaus gingen. »Er hat die alten Winterscheids um halb sieben zum Literaturhaus gefahren und sie um Viertel vor elf wieder abgeholt. In vier Stunden kann er locker nach Bad Soden gefahren sein, die Wersch erschlagen, in den Wald gekarrt und die Küche geputzt haben.«

»Und warum sollte er das getan haben?«, fragte Kathrin.

»Weil er möglicherweise erfahren hatte, dass sie ihn aus ihrem Testament streichen wollte.«

»Reine Spekulation. Außerdem passen die Uhrzeiten nicht, zu denen die Nachbarn Frau Wersch gesehen haben wollen.«

»Alexander Roth hat eindeutig am meisten von Götz Winterscheids Tod profitiert«, verteidigte Bodenstein seinen Lieblingsverdächtigen. »Er war versessen auf eine Karriere im Verlag. Er wollte nichts mehr, als in der Welt, die er durch Götz Winterscheid kennengelernt hatte, eine große Nummer werden. Dafür war er bereit, seinen besten Freund zu opfern.«

Sie bogen in den Flur ein, der zu ihren Büros führte, und betraten den Besprechungsraum, in dem Tariq allein am Tisch saß. In der Mitte des Tisches stand ein rosafarbener Pappkarton.

»Hey, Leute, da seid ihr ja endlich!« Tariq sprang auf. Seine Augen glänzten, er war auf etwas gestoßen, das war ihm anzusehen. »Ich hab etwas entdeckt!«

»Du bist einfach abgehauen und hast mich die restlichen Supermärkte und Kneipen alleine abklappern lassen!«, warf Kathrin ihm verärgert vor. »Und das ausgerechnet heute.«

»Was ist denn ausgerechnet heute?«, wollte Pia wissen.

»Ihr Geburtstag«, erwiderte Tariq an Kathrins Stelle und schob den Pappkarton zu ihr rüber. »Herzlichen Glückwunsch, liebe Kollegin!«

»Oh wow, eine richtige Geburtstagstorte!« Kathrin strahlte, als sie den Karton öffnete. Ihr Ärger war vergessen. »Oh, Tariq, du bist echt mein Lieblingskollege!«

Tariq grinste geschmeichelt, und Pia gratulierte ihr beschämt. Bodenstein entschuldigte sich wortreich dafür, dass er am Morgen vergessen hatte, ihr zu gratulieren, obwohl ihr Geburtstag in seinem Timer notiert war.

»Dir verzeihe ich, Chef, du hast gerade Wichtigeres um die Ohren«, gab Kathrin sich großmütig, dann funkelte sie Pia, Tariq und Kai, der gerade in den Besprechungsraum kam, an. »Euch aber nicht! Ich denke immer an eure Geburtstage, und ihr vergesst mich einfach!«

»Jetzt iss einfach ein Stück von der blöden Torte und halt die Klappe«, fuhr Kai ihr über den Mund. »Du benimmst dich wie ein Kleinkind! Was glaubst du, wer das Geld gesammelt, die Karte besorgt und genau diese Torte, von der du uns seit einem Jahr vorschwärmst, beim Konditor bestellt hat, hm? Sicherlich nicht der Herr Omari.«

Jetzt war es an Kathrin, verlegen zu sein.

»Ich hol mal Teller«, sagte sie und verschwand in die Teeküche.

»Leute, ich habe gestern Nacht ein Programm geschrieben, mit dem ich …«, begann Kai, aber Tariq übertönte ihn.

»Ich habe die Wodkaflasche gefunden, mit der Alexander Roth vergiftet wurde!«, rief er aufgeregt.

»Ach?« Bodenstein wandte sich ihm erstaunt zu. »Wo denn das?«

»Das Obduktionsergebnis von Roth hat mich beschäftigt«, erwiderte Tariq. »Und da ist mir eingefallen, dass mir unser Nachbar, der als Assistenzarzt in der Notaufnahme im Höchster Krankenhaus arbeitet, am Sonntagmorgen beim Joggen von drei Obdachlosen erzählt hat, die in der Nacht von Freitag auf Samstag mit eigenartigen Vergiftungserscheinungen ins Krankenhaus eingeliefert wurden. Zwei von ihnen ging es relativ schnell wieder gut, der Dritte liegt auf der Intensivstation. Er ist erblindet und ihm geht es dreckig. Alle drei hatten eine extrem hohe Konzentration von Methanol im Blut! Die beiden Genesenen sind spurlos verschwunden, als es ihnen wieder besser ging, aber mit dem Dritten habe ich vorhin gesprochen. Er hat mir erzählt, dass er und seine Kumpel es sich am Spielplatz in der Nähe der Kirche St. Stephanus in Unterliederbach gemütlich gemacht hatten, als ein Fahrradfahrer vorbeikam. Er fuhr, als ob er sternhagelvoll wäre, und als sie ihn ansprachen, hielt er an und kippte um. Dabei rollte eine Wodkaflasche, die in seinem Fahrradkorb gelegen hatte, direkt vor ihre Füße. Der Mann, auf den übrigens die Beschreibung von Alexander Roth zu hundert Prozent zutrifft, sagte, sie könnten die Flasche behalten, er hätte genug. Er kam mühsam wieder auf sein Rad und fuhr weiter. Die Flasche war noch halb voll. Kein billiger Fusel. Zu dritt haben sie die Flasche geleert, nach ein paar Stunden ging es ihnen dann dreckig. Tja, und weil der Obdachlose sich daran erinnern konnte, dass sie die Flasche in ein Gebüsch am Spielplatz geworfen hatten, bin ich nach Unterliederbach gefahren und habe sie tatsächlich gefunden!«

»Und wo ist sie?«, wollte Cem wissen.

Kathrin kehrte zurück. Sie stellte Teller auf den Tisch und begann, die Torte zu verteilen.

»Ich habe sie direkt ins Labor gebracht«, antwortete Tariq. »Es ist *Black Moose Vodka*, Alexander Roths bevorzugte Marke. Wenn sie im Labor tatsächlich Spuren von Methanol feststellen, dann müssen wir ja wohl davon ausgehen, dass Roth absichtlich vergiftet wurde, oder was meinst du, Chef?«

»Allerdings. Gut gemacht, Omari«, lobte Bodenstein seinen jüngsten Mitarbeiter. Tariq Omari war jemand, der bei Ermittlungen den entscheidenden Impuls geben konnte, weil er in der Lage war, Zusammenhänge zu erkennen und auf unorthodoxe Weise zu denken. Schon jetzt war er ein sehr guter Polizist, aber er hatte zweifellos das Zeug dazu, hervorragend zu werden.

»Roth hatte übrigens am letzten Montagabend in einem Supermarkt in Bad Soden eine Flasche Wodka gekauft«, warf Kathrin ein. »Als ihn die Kollegen von der Streife aufgegriffen haben, hatte er die Flasche nicht mehr. Er hatte allerdings auch keinen blutigen Fleischklopfer in seiner Tasche, die sie natürlich durchsucht haben.«

»Okay.« Bodenstein nickte mit einem Anflug von Enttäuschung. Alexander Roth mochte allerhand auf dem Kerbholz haben, aber er hatte offenbar nichts mit dem Tod von Heike Wersch zu tun. Sie durften sich nicht auf Nebenkriegsschauplätzen verzetteln, sondern mussten ihre eigentliche Aufgabe, nämlich den Mörder von Heike Wersch zu finden, im Auge behalten.

Kathrin verteilte die Torte auf Teller, während Cem Döner, Lahmacun und Börek aus den Tüten holte und auf den Tisch stellte.

»Dürfte ich jetzt auch mal was sagen, bevor hier das große Fressen losgeht?«, meldete sich wieder Kai zu Wort.

»Entschuldige bitte, natürlich«, sagte Bodenstein und biss in einen noch lauwarmen Börek mit Schafskäse und Spinat.

»Ich beschäftige mich seit Tagen damit, Mobilfunknummern den Funkzellen in Bad Soden am vergangenen Montag zur fraglichen Zeit zuzuordnen«, sagte Kai. »Es sind leider Tausende, und die Suche ist eine echte Sisyphusarbeit. Deshalb habe ich ein Programm geschrieben, und es funktioniert. Es gibt exakt *zwei* Mobilfunknummern, die am Dienstag, den 4. September bis 0:05 Uhr in der Funkzelle 48701E-332 eingewählt waren, und dann in die Funkzelle Nummer 48701W-334 gewechselt sind. Allerdings ist nur eine dieser beiden Nummern später wieder ...«

Bodensteins Handy klingelte.

»Moment bitte, Kai. Das ist die Chefin«, sagte er kauend und nahm den Anruf entgegen. Er lauschte kurz, sagte »Wir kommen« und beendete das Gespräch.

»Das war Dr. Engel«, verkündete er. »Severin Velten will mit uns sprechen. Er hat uns angeblich etwas äußerst Interessantes mitzuteilen. Lasst uns runtergehen.«

»Oliver! Kannst du mir nicht gerade noch fünfzehn Sekunden zuhören?« Kai war sauer. »Ich habe euch auch etwas äußerst Interessantes mitzuteilen!«

»Na klar. Ich höre dir zu«, sagte Bodenstein zu seinem Hauptsachbearbeiter. »Erzähl es mir doch auf dem Weg nach unten.«

Sie verschoben das Essen auf später, verließen den Besprechungsraum und gingen den Flur entlang zum Treppenhaus.

»Also, nur eine von den zwei Mobilfunknummern, die mein Programm aus den Tausenden von Nummern herausgefiltert hat, ist in die Funkzelle 48701E-332 zurückgewechselt, und zwar am Dienstag, den 4. September um exakt 1:07 Uhr«, sagte Kai, als sie die Treppe hinuntergingen. »Spaßeshalber habe ich diese Nummer noch etwas weiterverfolgt. Sie hat sich am Montagabend um 22:24 Uhr zum ersten Mal in diese Funkzelle eingewählt und hat sie am Dienstagmorgen um 1:57 Uhr verlassen.«

»Aha. Klingt gut.« Bodenstein lauschte Kai nur mit einem Ohr. Er beeilte sich, hinter Pia, Cem und Tariq herzukommen. Was hatte ihnen der Kranich wohl mitzuteilen?

»Verdammt, Chef! Jetzt hör mir zu!« Kai stellte sich ihm in den Weg und hinderte ihn daran, den anderen zu folgen. Der ansonsten stets gelassene und ruhige Kollege war so aufgebracht, wie Bodenstein ihn selten erlebt hatte. Im Untergeschoss fiel die Feuerschutztür ins Schloss, die Stimmen verklangen. »Diese Mobilfunknummer, von der ich rede, gehört Josef Moosbrugger, dem Agenten vom Kranich! Er war zur Tatzeit am Haus von Heike Wersch, und er hat offenbar sein Handy einstecken gehabt, als er ihre Leiche in den Wald gefahren hat! Er hatte anderthalb Stunden Zeit, die Küche zu putzen und alle Spuren zu verwischen. Ist das interessant genug für dich? Und wehe, du fragst mich jetzt, ob ich mir sicher bin!«

Bodenstein brauchte ein paar Sekunden, um zu begreifen, was diese Neuigkeit für ihre Ermittlungen bedeutete, und ihn erfüllte dieses beinahe andächtige Gefühl, das ihn immer dann ergriff, wenn sich das verschlungene Dickicht der Verdachtsmomente und Spuren, der Annahmen und Irrtümer auf einmal lichtete und den Blick auf den Täter freigab. Das war der Durchbruch! Die Erkenntnis durchfuhr ihn wie ein Stromstoß, und er verspürte vor Erleichterung plötzlich eine Schwäche in den Knien. Moosbrugger würde nicht leugnen können; die Spur, die sein Mobiltelefon im Funknetz hinterlassen hatte, war ein unwiderlegbarer Beweis dafür, dass er zum Tatzeitpunkt am Ort des Geschehens gewesen war. Und ein Motiv hatte er auch gehabt: Rache für Severin Velten, seinen Autor, dem Heike Wersch übel mitgespielt hatte. Bodenstein atmete tief durch und rieb sich mit der rechten Hand den Nacken. Er würde die Akte bald der Staatsanwaltschaft übergeben und sich um seine privaten Probleme kümmern können, ohne ein schlechtes Gewissen, denn der Fall war gelöst.

»Das muss ich dich nicht fragen, Kai, das weiß ich doch«, sagte er. »Danke.«

»Ist nur mein Job.« Kai lächelte bescheiden. »Soll ich einen Haftbefehl besorgen?«

»Ja, auf jeden Fall.« Bodenstein klopfte ihm auf die Schulter.

Unten ging wieder die Tür auf.

»Chef?«, tönte Pias Stimme durchs Treppenhaus. »Wo bleibt ihr?«

»Komm mal her, Pia!«, rief Bodenstein zurück. »Ich denke, Kai hat unseren Fall gelöst.«

Sekunden später kam Pia die Treppe hoch.

»Was? Wie denn das auf einmal?«, fragte sie überrascht.

»Josef Moosbrugger war so ungeschickt, sein Handy mit auf seinen Mordausflug nach Bad Soden zu nehmen«, entgegnete Kai nicht ohne Stolz und erzählte Pia dieselbe Geschichte.

»Moosbrugger ist unser Täter«, sagte Bodenstein zufrieden. »Wir können ihn anhand seiner Mobilfunkdaten eindeutig überführen, und er hatte ein Motiv.«

»Und wie soll die Tatwaffe in das Eisfach von Roths Kühlschrank im Verlagshaus gelangt sein?«, fragte Pia.

Der freudige Schreck über den vermeintlichen Ermittlungserfolg verwandelte sich in Enttäuschung. Auch das erwartungsvolle Lächeln auf Kais Gesicht erlosch.

»Verdammt«, brummte Bodenstein. Daran hatte er in seiner Euphorie gar nicht gedacht.

»Aber er war in Bad Soden«, beharrte Kai, allerdings ohne Überzeugung.

»Du weißt selbst, dass du Datenschutzbestimmungen verletzt hast, Kai«, ernüchterte Pia ihren Kollegen und ihren Chef. »Das Einzige, was du damit beweisen kannst, ist, dass Moosbruggers Mobiltelefon in Bad Soden war. Ein cleverer Anwalt holt ihn da im Handumdrehen raus, wenn wir nicht noch andere Beweise bringen.«

»Das müssen wir Moosbrugger ja nicht auf die Nase binden.« Bodenstein steckte den Rückschlag mit Fassung weg. »Kai, besorg trotzdem einen Haftbefehl. Komm, Pia, lass uns mal hören, was der Kranich zu erzählen hat, und dann holen wir uns seinen Agenten.«

»Was ist mit Stefan Fink?«, fragte Kai. »Der sitzt seit heute Vormittag unten in Vernehmungsraum 4.«

»Cem und Tariq können Moosbrugger holen«, sagte Bodenstein. »Bis er hier ist, reden Pia und ich mit Fink.«

Pias Smartphone gab ein Geräusch von sich.

»Ah! Maria Hauschild hat geantwortet«, stellte sie fest und blieb stehen. Ihre Augen wurden groß, als sie die Nachricht las, die Hennings Agentin geschickt hatte.

»Und?«, erkundigte sich Bodenstein.

»Das hätte ich jetzt nicht gedacht«, sagte Pia und blickte auf. »Stellt euch vor: Katharina Winterscheid hat im August 1990 Selbstmord begangen!«

* * *

Julia hatte sich dagegen entschieden Carl Winterscheid zu sagen, dass sie zu Kirchhoff in die Rechtsmedizin fahren würde. Er hatte momentan genug um die Ohren, und vielleicht war es ohnehin besser abzuwarten, ob sie überhaupt etwas über den Tod seiner Mutter herausfinden konnte. Sie machte pünktlich um 18:00 Uhr Feierabend, lief im Laufschritt die Schillerstraße entlang und stieg an der Hauptwache in die S3 nach Darmstadt. Die S-Bahn war um diese Uhrzeit hoffnungslos überfüllt, und sie musste stehen, aber das störte sie nicht, denn es waren nur fünf Haltestellen. Im Verlag hatte sie einige Seiten des eingescannten Manuskripts ausgedruckt und sich notiert, was sie mit Kirchhoff besprechen wollte. An der Haltestelle Stresemannallee stieg sie aus und legte den Rest des Weges die Waidmannstraße entlang zu Fuß zurück. Es war nicht ihr erster Besuch in der Rechtsmedizin, trotzdem war sie ein bisschen nervös, als sie die Kennedyallee überquerte und auf die Villa zuging, die sie eigenartigerweise an das *Bates Motel* aus *Psycho* erinnerte. Möglicherweise wäre der Gedanke, dass im Keller dieses Gebäudes jede Menge Tote in Kühlfächern lagen, einfacher zu ertragen gewesen, wenn die Umgebung steriler und klinischer gewesen wäre, aber diese eigenartige Diskrepanz zwischen dem schönen großbürgerlichen Stilaltbau mit seinen holzgetäfelten Wänden, Sprossenfenstern und Stuckdecken und der gruseligen Welt der Toten mit kaltem Neonlicht, Sektionstischen aus Edelstahl und dem Geruch von Desinfektionsmittel und Formaldehyd flößte ihr Unbehagen ein. Henning Kirchhoff öffnete ihr im weißen Arztkittel die Tür und führte sie in sein Büro mit den deckenhohen Bücherregalen und dem überladenen Schreibtisch, der von einem großen Mikroskop dominiert wurde.

»Ich habe mir erlaubt, das Archiv zu durchstöbern, und bin fündig geworden«, verkündete er ihr. Er schob einen der Besucherstühle neben seinen Chefsessel und lud Julia mit einer Handbewegung ein, sich neben ihn zu setzen, dann rief er den Untersuchungsbericht auf.

»Es hat tatsächlich eine Leichenöffnung stattgefunden, wie ich es mir schon gedacht hatte«, sagte er. »Und zwar am 18. August 1990. Sie wurde von zwei Rechtsmedizinern durchgeführt, unter anderem vom damaligen kommissarischen Leiter des Instituts. Man darf also davon ausgehen, dass die Sektion fachmännisch durchgeführt wurde.«

Katharina Winterscheid, geborene Komorowski, geboren am 14. September 1959 in Bochum, verstorben am 17. August 1990 nach Sturz vom Balkon ihrer Wohnung im fünften Stock, Stalburgstraße 82 in Frankfurt am Main, las Julia und bekam eine Gänsehaut.

Todesursächlich waren schwerste Kopfverletzungen und massive Organzerreißungen, eine Blutuntersuchung hatte allerdings nur einen geringen Blutalkohol von 0,2 Promille ergeben und eine toxikologisch-chemische Untersuchung war gänzlich ohne Befund geblieben.

»Mageninhalt: Brot, Käse, Tomaten.« Die Vorstellung, wie

Katharina Winterscheid mit ihrem kleinen Sohn zu Abend gegessen und ihn dann ins Bett gebracht hatte, bevor sie sich vom Balkon gestürzt hatte, schnürte Julia für einen Moment die Luft ab.

»In ihrem Blut wurden also keine Psychopharmaka oder Antidepressiva festgestellt?«, wollte sie von Kirchhoff wissen.

»Nein. Hier steht nichts davon.« Kirchhoff schüttelte den Kopf.

»Dann kann sie vor ihrem Tod keine Medikamente zu sich genommen haben, oder?«

»Korrekt. Das wäre festgestellt worden. Sie hat an dem Abend maximal ein Glas Wein getrunken, das entspricht ungefähr 0,2 Promille.«

»Ich kann einfach nicht glauben, dass sie sich umgebracht haben soll«, sagte Julia. »Welche Mutter würde so etwas tun, wenn ihr Kind in der Wohnung ist? Und sie war mitten in der Arbeit an einem Manuskript! Sie hat ein Käsebrot mit Tomaten gegessen und ein Glas Wein getrunken. Tun das Menschen, die sich umbringen wollen?«

»Ich habe schon alles gesehen. Die Menschen tun die verrücktesten Dinge.« Konzentriert studierte Kirchhoff den 28 Jahre alten Bericht. Julia betrachtete die scharfen, klaren Konturen seines Profils und sah, wie er beim Lesen die Lippen bewegte. Henning Kirchhoff war ein ausgesprochen gut aussehender Mann, erfolgreich und gebildet noch dazu. Warum lebte er wie ein Eremit in der winzigen Hausmeisterwohnung des Instituts? Und wieso gab es keine Frau in seinem Leben? Julia wusste, dass er zwei Mal verheiratet gewesen und auch zwei Mal geschieden war. Hatte er vielleicht irgendwann festgestellt, dass er eigentlich gar nicht auf Frauen stand? Katharinas Plot kam ihr wieder in den Sinn. Wenn die Entsprechung ihrer Figur ›Lutz Vogelsang‹ im wahren Leben Götz Winterscheid war, dann musste Stefan Fink die reale Vorlage für dessen heimliche Liebe Mark sein. Ob Dorothea wohl gewusst hatte, dass ihr Freund eine Liebesbeziehung zu ihrem Bruder gehabt und Katharina die beiden nur gedeckt hatte, aus Freundschaft oder Verständnis, oder weil Götz sie darum gebeten hatte? Was, wenn sie es Jahre später herausgefunden und Katharina aus Eifersucht oder Zorn über die Balkonbrüstung gestoßen hatte?

»Seltsam«, murmelte Kirchhoff in diesem Moment.

»Was ist seltsam?«, fragte Julia, jäh in die Realität zurückkatapultiert.

»Neben Zerreißungen von Lunge, Milz, Leber, Darm und Herz wurden Knochenbrüche, Prellungen und Schürfwunden an der linken Hüfte und der linken unteren Rückenseite festgestellt, die meines Erachtens nicht ins Verletzungsmuster des Sturzes passen«, erwiderte Kirchhoff. »Die Kollegen haben sie den Folgen des Sturzes zugeordnet, ohne andere Möglichkeiten in Betracht zu ziehen, und darüber wundere ich mich.«

Er lehnte sich in seinem Stuhl zurück, setzte die Brille ab und massierte mit Daumen und Zeigefinger seinen Nasenrücken. »Bei offensichtlichen Sturztodesfällen aus großer Höhe muss immer auch an ein eventuelles Fremdverschulden gedacht werden. Wird jemand zum Beispiel eine Treppe hinuntergestoßen, so hinterlässt das meistens kein für eine Tatrekonstruktion verwertbares Spurenbild am Opfer.«

»Aber man ist von einem Selbstmord ausgegangen, ohne zu hinterfragen?«, merkte Julia an.

»Ja. Zu diesem Schluss sind meine Kollegen damals auf jeden Fall gekommen«, bestätigte Kirchhoff und setzte seine Brille wieder auf. »Tötungsdelikte durch Sturz aus der Höhe als Tatmittel sind äußerst selten. Das hängt damit zusammen, dass die Tatausführung kaum planbar ist und durch nicht kalkulierbare Umstände erschwert wird, auf die ein Täter praktisch keinen Einfluss hat. Er muss einen Überraschungseffekt ausnutzen, oder das Opfer muss wehrlos sein. Außerdem scheuen Täter mögliche Tatzeugen, was gerade in einem Haus mit fünf Stockwerken im Sommer, wenn die Leute bis spätnachts auf ihren Balkonen sitzen, immer ein Risiko darstellt.«

Kirchhoff las den Bericht bis zum Ende.

»Steht da auch drin, mit wem die Polizei gesprochen hat und ob in Katharinas Wohnung ein Abschiedsbrief gefunden wurde?«, erkundigte sich Julia.

»Nein, das hier ist nur das Protokoll der Leichenöffnung«, antwortete Henning Kirchhoff, ohne den Blick vom Monitor abzuwenden. »Alles andere befindet sich bei der Staatsanwaltschaft. Ein Angehöriger könnte mithilfe eines Anwalts Akteneinsicht beantragen. Und das sollte Herr Winterscheid meiner Meinung nach dringend tun. Um die Situation wirklich beurteilen zu können, müsste man nämlich die genauen Umstände kennen, unter denen der Sturz erfolgt ist.«

Der Rechtsmediziner wandte sich Julia zu und betrachtete sie nachdenklich. Hier, in seinem Büro, ganz in seinem Metier, wirkte er völlig anders als bei den Treffen, bei denen es um seine Bücher ging. Etwas einschüchternd Professionelles ging von ihm aus, das allerdings durchaus anziehend war.

»Ich teile Ihre Zweifel an einem Suizid, Frau Bremora«, sagte er nun.

»Tatsächlich?« Julias Herz machte einen Hüpfer. »Warum?«

Kirchhoff zögerte.

»Zusammen mit dem Protokoll sind die Fotos der Leichenschau archiviert. Diese Bilder sind sicherlich kein angenehmer Anblick«, warnte er Julia vor. »Können Sie das ertragen?«

»Ich ... ich denke schon«, erwiderte Julia und wappnete sich innerlich. Kirchhoff klickte die Bilddateien an und begann, ihr das darauf Gezeigte zu erklären.

»Bei Stürzen aus großer Höhe bestimmen schwere Aufprallverletzungen das Spurenbild an der Leiche«, sagte er. »Doch über die Mechanik eines solchen Sturzes ist oft nur wenig bekannt. Die Art und Weise des Aufpralls eines fallenden Körpers wird durch reflexhafte und willkürliche Muskelbewegungen beeinflusst, die zu Richtungsänderung während des Falls führen können. Dazu kommt die Möglichkeit der Zwischenkollisionen. Außerdem ist es wichtig zu wissen, ob sich der Suizident in die Tiefe gleiten oder fallen ließ oder ob er abgesprungen ist, denn dann vergrößert sich logischerweise der Abstand zwischen Hauswand und Auftreffpunkt. Das erfährt man nur aus dem Protokoll der Polizei, das meinen Kollegen damals sicherlich vorlag.«

Die Fotos, die das zerschmetterte Gesicht von Katharina Winterscheid aus nächster Nähe zeigten, waren nur schwer zu ertragen. Kirchhoff betrachtete aber besonders eingehend die Bilder, die die linke Körperhälfte der Toten zeigten.

»Sehen Sie das hier?« Er deutete auf die Schürfwunden, und Julia nickte. »Diese Verletzungen sehen für mich so aus, als ob sie kurz vor Eintreten des Todes entstanden wären. Keine Unterblutungen.«

»Und was ist daran besonders?«, fragte Julia.

Kirchhoff blickte sie an, sein Gesicht war dem ihren so nah, dass sie die braunen Sprenkel in der grauen Iris seiner Augen erkennen konnte.

»Die Kollegen haben diese Schürfwunden damals mit einer möglichen Kollision mit der Hauswand oder einem darunterliegenden Balkongeländer erklärt«, erwiderte Kirchhoff. »Wäre Letzteres der Fall gewesen, hätten sich unter den Abschürfungen Knochenbrüche oder Gewebszerreißungen finden müssen, die es aber nicht gibt. Nicht an dieser Stelle des Körpers.«

»Und was ist Ihre Meinung?« Julia hielt gespannt die Luft an.

»Ich könnte mir vorstellen, dass ihr Körper seitlich über raues oder scharfkantiges Material geschoben wurde, zum Beispiel über ein Balkongeländer. Stürzt sich jemand mit Absicht über eine Balkonbrüstung, dann klettert er auf irgendetwas drauf und springt entweder kopfüber in die Tiefe oder er setzt sich auf das Geländer und lässt sich dann fallen. Niemand schiebt sich seitlich über ein Geländer, das ist anatomisch auch nur schwer zu bewerkstelligen.«

Kirchhoff klickte mit angespannter Miene erneut die Bilder durch.

»Wonach suchen Sie?«, erkundigte sich Julia neugierig.

»Danach!« Der Rechtsmediziner lächelte triumphierend. »Erkennen Sie das?«

»Das ist ein Oberarm«, antwortete Julia zögernd.

Kirchhoff sprang auf.

»Stehen Sie auf!«, rief er, und Julia gehorchte verwundert.

»Stellen Sie sich vor, mein Schreibtisch wäre das Balkongeländer. Sie sind Katharina Winterscheid und ich bin … wer auch immer! Ich will Sie über die Brüstung stoßen, was Sie natürlich nicht kampflos zulassen. Also packe ich Sie an den Oberarmen.« Er demonstrierte es. »Und ich muss fest zupacken.«

»Autsch!«, beschwerte Julia sich.

»Versuchen Sie, sich zu befreien!«, forderte Kirchhoff sie mit glänzenden Augen auf. »Na los! Ich will Sie über die Balkonbrüstung stoßen!«

Verbissen wand Julia sich unter seinem unerbittlichen Griff, aber sie hatte keine Chance, seine Hände abzuschütteln. Als er sie schließlich losließ, rieb sie sich keuchend die Oberarme, auf denen seine Finger rote Male hinterlassen hatten. »Ich habe nicht so fest zugedrückt, wie es derjenige getan hat, der Katharina Winterscheid gepackt hatte«, beruhigte Kirchhoff sie. »Das da ist gleich wieder verschwunden, keine Sorge. Aber würden Sie innerhalb der nächsten zehn Minuten sterben, würden sich die Flecken nicht mehr zurückbilden.«

Er setzte sich wieder vor seinen Computer, zog das Bild auf und wies auf vier kaum sichtbare halbmondförmige Abdrücke.

»Das hier sind die Abdrücke von Fingernägeln«, erklärte er. »Und das ist ein Beweis dafür, dass es eine Fremdeinwirkung gegeben haben muss.«

»Wahnsinn!«, murmelte Julia beeindruckt. »Wieso ist das damals nicht aufgefallen?«

»Keine Ahnung.« Kirchhoff schüttelte den Kopf. »Vielleicht, weil sie nicht danach geschaut haben. Oder sie haben es bei einem derart komplexen Spurenbild einfach übersehen.«

Dann blickte er Julia wieder an. Seine Nähe brachte sie in Verlegenheit, und sie spürte, wie ihr das Blut ins Gesicht schoss.

»Ich habe einen guten Draht zur Staatsanwaltschaft«, sagte er. »Ich werde den kurzen Dienstweg bemühen, um Akteneinsicht zu bekommen.«

»Und ich spreche gleich morgen mit meinem Chef«, antwortete Julia so gelassen, wie es ihr möglich war.

Wieder blickte Kirchhoff sie an. Seine Miene war ernst.

»Sie sollten vor allen Dingen meiner Ex-Frau von der Sache erzählen«, riet er ihr. »Denn falls meinen Vorgängern tatsächlich eine Fehleinschätzung unterlaufen sein sollte, könnte die Sache neu aufgerollt werden. Und Sie wissen ja: In Deutschland verjährt Mord nicht.«

* * *

Stefan Fink beklagte sich nicht darüber, dass er mehrere Stunden in dem kleinen fensterlosen Raum eingesperrt gewesen war, als Pia und Bodenstein ihm gegenüber Platz nahmen, und sie entschuldigten sich auch nicht dafür. Der uniformierte Kollege, der ihn überwacht hatte, hatte berichtet, Fink sei zunächst unablässig hin- und hergelaufen und habe immer wieder verzweifelt versucht, zu telefonieren oder Nachrichten zu schreiben, was mangels Funkverbindung im Keller der RKI ohne WLAN jedoch nicht möglich war. Als er das irgendwann akzeptiert hatte, habe er sich hingesetzt und sei in dumpfes Brüten verfallen.

»Herr Fink«, begann Pia, nachdem sie die notwendigen Informationen auf Band gesprochen hatte. »Haben Sie vor ungefähr drei Wochen ein anonymes Schreiben mit der Kopie eines Tagebuchauszugs von Katharina Winterscheid erhalten?«

Bodenstein und sie hatten sich für die Strategie der direkten Konfrontation entschieden, kein Vorgeplänkel, sondern sofortiger Angriff.

»Ja«, antwortete Stefan Fink. Er saß aufrecht da, sein kantiges Gesicht war ernst, der Blick aus seinen hellblauen, von blonden Wimpern umkränzten Augen aufmerksam. »Es war die Kopie eines Tagebucheintrags vom Juli 1983. Ich gehe davon aus, dass Sie die Zusammenhänge bereits kennen.«

»Ja, ausreichend«, nickte Pia. »Fahren Sie fort.«

»Katharina hatte mit mir über Götz gesprochen und mir ins Gewissen geredet. Sie und Maria waren ja die Einzigen, die wussten, dass da etwas zwischen uns lief.«

»Aha.« Pia machte sich eine Notiz. Über die Rolle, die Maria Hauschild in jenem Sommer gespielt hatte, musste sie später mit der Agentin sprechen.

»Ich habe damals gerne damit kokettiert, bisexuell zu sein«, fuhr Fink fort. Wie viele Menschen, die jahrelang ein Geheimnis mit sich herumgetragen hatten, reagierte auch Stefan Fink mit Erleichterung, als ihm klar wurde, dass es gelüftet worden war, und gab bereitwillig Auskunft. »Für mich war das mit Götz ein aufregendes Spiel, für ihn war es mehr. Ich hatte nicht begriffen, wie sehr er darunter gelitten hat, seine sexuelle Orientierung geheim halten zu müssen. Und seine Eltern wussten nicht, dass er Medizin studierte, weil er Arzt werden wollte. Götz war hinter seiner humorvollen und fröhlichen Fassade ein sehr unglücklicher Mensch. Im Urlaub im Sommer 1983 hat er mich gedrängt, ich solle mich entscheiden, ob ich mit ihm oder mit seiner Schwester zusammen sein wolle. Er war bereit, sich zu outen und seinen Eltern zu sagen, dass er seine Zukunft nicht im Verlag sehe, und Katharina hat ihn darin bestärkt. Aber ich war noch nicht so weit. Ich hatte Angst vor den Reaktionen meiner Familie. Meine Eltern waren autoritär und altmodisch, sie hätten niemals Verständnis dafür aufgebracht. Ich wollte schon von klein auf die Firma meines Vaters übernehmen. Dafür habe ich in allen Ferien und nach der Schule bei ihm gearbeitet und mich durch das BWL-Studium gequält. Katharina und ich haben lange über all das gesprochen, darum ging es in dem Tagebucheintrag, den ich bekommen habe.«

»Was ist im Sommer 1983 passiert, als Götz gestorben ist?«, fragte Bodenstein.

Stefan Fink zögerte.

»Ich hatte mit Götz Schluss gemacht. Ich hatte gehofft, er würde meine Beweggründe verstehen, aber das tat er nicht. Er war außer sich, er weinte und nannte mich einen Feigling. Ich bin weggelaufen, habe den anderen gesagt, ich würde ins *Boîte à Sel* fahren, das war eine Diskothek im Hauptort der Insel. In Wirklichkeit war mir nicht nach Tanzen zumute. Ich war todunglücklich, weil ich Götz nicht verlieren, sondern wenigstens als Freund behalten wollte. Aber unser Streit hatte alles kaputt gemacht. Bis zum Morgengrauen habe ich am Strand im Sand gesessen und nachgedacht. Und dann habe ich die Entscheidung getroffen, mutig zu sein. Götz hat mir viel mehr bedeutet als meine Eltern oder die Firma meines Vaters. Und auch mehr als Doro. Er würde eines Tages Arzt sein und ich Betriebswirtschaftler, wir würden niemanden brauchen, sondern selbst genug Geld verdienen. Ich bin zurück zum Haus gefahren, habe unterwegs noch den Sohn der Nachbarn und einen Freund aufgegabelt, die die ganze Nacht in der Disko gewesen waren. Im Haus bin ich direkt zu Götz' Zimmer gegangen. Ich war so … glücklich, und ich habe mich darauf gefreut, es ihm zu sagen. Aber sein Bett war leer und unbenutzt. Ich bin in mein Zimmer nebenan gegangen, habe mich auf mein Bett gelegt und darauf gewartet, dass Götz zurückkommt, dabei bin ich eingeschlafen.« Stefan Fink machte eine Pause. Seine minutiösen Erinnerungen an diese Zeit ließen die Vermutung zu, dass ihn diese Geschichte seither nicht losgelassen hatte. »Ich bin von lauten Stimmen aufgeweckt worden. Jemand riss die Zimmertür auf, es war Maria, sie weinte und sagte mir, die Polizei wäre da, man hätte … man hätte Götz' Leiche am Strand gefunden.«

Er schluckte schwer und kniff ein paar Mal die Augen zusammen.

»Später habe ich erfahren, dass er sich am Abend vorher, nachdem ich weggefahren bin, schrecklich betrunken hat. Er … er hat alle beschimpft und sie angeschrien, sie sollten aus seinem Haus verschwinden, er wolle sie nicht mehr sehen. Und dann … dann muss er runter zu den Klippen gegangen sein. Zu unserem geheimen Treffpunkt. Wir … wir haben dort oft gesessen und aufs Meer rausgeschaut, besonders gern, wenn es stürmisch war und die Flut hoch, dann war es spektakulär, wie … wie die Brandung gegen die Felsen brauste. Er … er muss das Gleichgewicht verloren haben und ins Wasser gestürzt sein. Ich bin schuld an seinem Tod. Ich bin schuld, dass … dass sein Leben mit 21 Jahren zu Ende war. Er war meinetwegen unglücklich. Und das werde ich mir bis ans Ende meines Lebens vorwerfen.«

Der Kummer, für den es keine Worte gab, der Schmerz und die Vorwürfe, die ihn seit fünfunddreißig Jahren begleiteten, spiegelten sich in seinem Gesicht und in seiner Körperhaltung.

»Wieso haben Sie die Geschichte erfunden, dass Götz in Katharina verliebt war und sich ihretwegen betrunken hatte?«, wollte Pia wissen.

»Das haben sich Heike und Alexander ausgedacht«, erwiderte Stefan Fink. Seine Stimme klang gezwungen, und Pia ahnte, wie viel Kraft es ihn kosten musste, darüber zu sprechen. »Sie meinten, Götz sei tot, daran sei nichts mehr zu ändern, aber man müsse es für seine Eltern und seine Schwester nicht noch schlimmer machen. Wenn sie erführen, dass ihr Sohn schwul war und den Freund ihrer Tochter geliebt hatte, würde sie das um den Verstand bringen. Ich habe es geschehen lassen. Weil ich eben doch ein Feigling bin.«

»Aber weshalb hat Katharina diese Schuld auf sich genommen und die Sache nicht aufgeklärt?«, fragte Bodenstein.

»Die Lüge war in der Welt und nicht mehr zurückzuholen.« Stefan Fink zuckte die breiten Schultern. »Heike hat Katharina klipp und klar gesagt, dass wir alle schwören würden, Götz wäre scharf auf sie gewesen und sie hätte ihn wegen John abblitzen lassen.«

»Warum? Was hatte sie davon?«

Fink dachte einen Moment lang nach.

»Ich weiß nicht, ob Sie schon mal mit Menschen zu tun gehabt haben, die etwas unbedingt wollten und bereit waren, dafür notfalls über Leichen zu gehen.« Er hatte auf einmal einen bitteren Zug um den Mund. »Heike und Alexander, sie waren solche Menschen. Sie waren regelrecht besessen von der Idee, Teil des Winterscheid-Universums zu werden. Und dieser Besessenheit ordneten sie alles unter. Sie haben sich von Götz beschimpfen lassen. Sie haben ertragen, dass er sie als Schmarotzer und Zecken tituliert hat. Er hat sich über sie lustig gemacht und sie verspottet, aber irgendwie hat es ihm auch gefallen, eine solche Macht über sie zu haben.«

»Hat Maria Hauschild über Götz und Sie Bescheid gewusst?«

»Ja, sie hat es gewusst.« Stefan Fink nickte. »Sie war ja immer Götz' Alibi. Und nach seinem Tod hat sie die Rolle einfach weitergespielt, bis sie gemerkt hat, dass sie aus der Nummer nicht mehr rauskommt. Meine Schwiegermutter hat sie völlig vereinnahmt.«

Und das tat sie bis heute, das hatten Pia und Bodenstein am Samstag im Krankenhaus beobachten können.

»Und ich bin aus der Nummer auch nicht mehr rausgekommen«, sagte Fink. »Dorothea war damals neunzehn Jahre alt. Wir waren schon seit ein paar Jahren zusammen. In dem Sommer war sie nicht mit auf Noirmoutier, weil sie mit zwei Freundinnen eine Interrailtour durch Spanien und Portugal gemacht hat. Sie ist am Vorabend des Tages, an dem ihre Eltern von Götz' Tod erfuhren, nach Hause gekommen und hat noch geschlafen, als die sich ins Auto gesetzt haben und nach Noirmoutier gefahren sind. Sie haben ihrer Tochter nicht Bescheid gesagt! Und danach haben sie sich an Alexander und Maria geklammert, und Heike fing eine Affäre mit Henri an. Um Doro kümmerte sich niemand, außer mir. Sie tat mir schrecklich leid, dazu kam mein schlechtes Gewissen, weil ich sie ja mit ihrem Bruder betrogen hatte. Unsere Clique war kaputt. Josi brach ihr Studium ab, heiratete irgendeinen Amerikaner, den sie erst ein paar Wochen zuvor kennengelernt hatte, und verschwand über Nacht nach Amerika. Alexander und Maria wohnten quasi bei Winterscheids. Katharina heiratete John und wurde schwanger. Wir haben über diesen Sommer nie mehr gesprochen.«

»Bis Heike Wersch angefangen hat, Sie alle mit diesem Wissen zu erpressen, damit Sie ihre Verlagspläne unterstützen«, vermutete Pia.

»Nein.« Stefan Fink blickte sie überrascht an. »Darüber hat sie nichts gesagt. Sie brauchte Geld, das ich nicht hatte. Deshalb habe ich ihr abgesagt. Seitdem Carl aus Kostengründen im Ausland drucken lässt, habe ich Kredite aufgenommen und viel Geld in die neueste Drucktechnik investiert, um wieder konkurrenzfähig zu werden.«

»Warum haben Sie Ihrer Frau nichts davon erzählt?«

»Weil Heike mich darum gebeten hatte«, antwortete Fink. »Doro sitzt in der Geschäftsleitung von Winterscheid, und Heike wollte nicht, dass Carl von ihren Plänen erfährt.«

»Damit haben Sie Ihre Frau hintergangen. Was, wenn sie das eines Tages herausfindet?«, fragte Bodenstein.

»Dann wird sie wütend auf mich sein. Und eines Tages wird sie es mir verzeihen.« Fink schien sich darum keine Sorgen zu machen. »Schlimm wäre nur gewesen, wenn ich ohne ihr Wissen in Heikes Verlag investiert hätte.«

»Als wir uns am Samstag vor dem Krankenhaus unterhalten haben, wirkten Sie überrascht, als Ihre Frau sagte, sie hätte gewusst, dass Heike Wersch ihren Vater zu Hause gepflegt hat«, sagte Pia. »Warum?«

»Weil ich es nicht gewusst habe«, erwiderte Fink. »Aber Doro hat viel enger mit Heike zusammengearbeitet als ich. Möglich, dass die beiden darüber gesprochen haben und meine Frau einfach vergessen hat, es mir zu erzählen, weil es ihr nicht wichtig erschien.«

»Noch mal zurück zu dem Tagebucheintrag, den man Ihnen geschickt hat.« Bodenstein schlug die Beine übereinander. »Davon weiß Ihre Frau auch nichts, oder?«

»Nein.« Fink stieß einen kleinen Seufzer aus. »Ich wusste nicht, wie ich es ihr sagen sollte. Es gibt einiges, was sie nicht weiß.«

»So, wie auch Paula Domski vieles nicht wusste.«

»Ja. Paula hat sich deswegen immer geärgert. Sie fühlte sich ausgeschlossen. Doro nicht. Sie versteht, dass Heike, Alexander, Josi, Maria und ich eine gemeinsame Vergangenheit haben, und das ist für sie okay. Und sie weiß auch, dass wir nie richtige Freunde gewesen sind. Eher eine Zweckgemeinschaft, aus der eine Schicksalsgemeinschaft geworden ist.«

Diesen Satz fand Pia sehr aufschlussreich, und sie fragte sich, ob Dorothea Winterscheid-Fink das wirklich so sah. Hatte sie am Samstag nicht noch betont, man würde miteinander feiern, aber auch einander in schwierigen Zeiten beistehen?

»Wer, glauben Sie, hat Ihnen die Tagebuchkopien geschickt?«, fragte Bodenstein eindringlich und beugte sich nach vorne. »Wer kann das Tagebuch von Katharina Winterscheid nach ihrem Tod an sich genommen haben?«

»Darüber habe ich viel nachgedacht«, gab Stefan Fink zu.

»Mein erster Gedanke war: Maria. Sie war am engsten mit Katharina befreundet. Aber Maria hat selbst eine Kopie bekommen und weiß nichts von irgendwelchen Tagebüchern. Dann habe ich an Margarethe, meine Schwiegermutter, gedacht. Sie hat damals ja Carl bei sich aufgenommen und Katharinas Wohnung ausgeräumt, zusammen mit meiner Frau und Waldemar Bär. Weil ich ziemlich sicher bin, dass Doro die Tagebücher nicht hat – eine der sympathischen Eigenschaften meiner Frau ist, dass sie das nie für eine so lange Zeit für sich behalten könnte. Also bleibt nur Waldemar übrig. Er hat Katharina sehr verehrt. Und er ist äußerst loyal gegenüber der Familie Winterscheid.«

»Aber Sie gehören doch auch zur Familie.«

»Nein. Ich bin nur angeheiratet.« Ein Schimmer der Belustigung flog über Finks Granitgesicht. »Das macht für Waldemar einen Unterschied.«

»Wieso sollte er ausgerechnet jetzt diese Tagebuchauszüge schicken?«, bohrte Bodenstein weiter. »Weshalb nicht viel früher? Und was will er damit bezwecken?«

»Ich weiß es nicht.« Fink wirkte ratlos. »Ich kann mir darauf keinen Reim machen.«

Pia spürte sein Unbehagen wie eine Spannung, die vorher nicht da gewesen war. Er log. Und plötzlich war sie sich sicher, dass er den Grund kannte. Waren die besten Lügner nicht immer die Menschen, die sich selbst gut belügen konnten? Stefan Fink belog sich seit fünfunddreißig Jahren selbst: Hatte er nicht eben gesagt, er habe seine Frau nur deshalb geheiratet, weil er ›aus der Nummer nicht mehr rausgekommen‹ sei?

In diesem Moment schoss Pia eine Vermutung durch den Kopf, und sie bekam vor Aufregung eine Gänsehaut. Was, wenn Waldemar Bär, das loyale Faktotum der Familie Winterscheid, nach dem Selbstmord von Katharina Winterscheid ihr Tagebuch an sich genommen und aufbewahrt hätte wie eine Reliquie, um hin und wieder darin zu blättern und zu lesen, ohne die Zusammenhänge richtig zu verstehen? Hatte er, der im Verlag quasi zum Mobiliar gehörte und deshalb kaum noch wahrgenommen wurde, etwas belauscht, das nicht für seine Ohren bestimmt gewesen war? Zum Beispiel einen Streit zwischen Heike Wersch und Alexander Roth, als sie über den Mord an Götz Winterscheid gesprochen hatten, mit dem Frau Wersch ihren alten Kumpel Alex Roth erpressen wollte? Hatte Waldemar Bär daraufhin das Tagebuch Dorothea Winterscheid-Fink, der ewig zu kurz gekommenen Tochter, gegeben und ihr erzählt, was er belauscht hatte? Hatten die beiden gemeinsam beschlossen, die ›ewigen Freunde‹ mit Kopien des Tagebuches zu verunsichern und gegeneinander aufzubringen? Vielleicht hatten sie gemeinsam Heike Wersch erschlagen und Roth vergiftet, als Rache für den Mord an Götz! Der Tod ihres Bruders hatte das Leben von Dorothea Winterscheid-Fink auf den Kopf gestellt. Für Waldemar Bär und sie war es auf jeden Fall ein Leichtes, die Mordwaffe in Roths Kühlschrank zu deponieren und Methanol in eine Wodkaflasche zu füllen!

Pia versetzte ihrem Chef einen leichten Tritt unter dem Tisch und signalisierte ihm mit einem Blick, dass sie mit ihm reden musste. Vor der Tür des Vernehmungsraumes platzte sie mit ihrer Vermutung heraus. Die Tür des Beobachtungsraumes ging auf, und Nicola Engel und Kai Ostermann kamen heraus.

»Was ist los? Warum habt ihr abgebrochen?«, wollte die Kriminaldirektorin wissen.

Pia wiederholte ihre Theorie.

»Margarethe Winterscheid hat heute Vormittag ihre Tochter angerufen und sie gefragt, ob Waldemar Bär im Verlag ist, weil die Kripo mit ihm sprechen will«, sagte Pia aufgeregt. »Angeblich war er nicht da. Klar, dass Dorothea Winterscheid-Fink ihn schützt, oder?«

»Die Dynamik innerhalb dieser Clique kann eine ganz andere gewesen sein, als wir annehmen«, gab Bodenstein zu bedenken. »Stefan Fink kann Götz Winterscheid auch getötet haben. Er ist nach dem Streit, den er zugegeben und den Josefin Lintner beobachtet hat, angeblich weggefahren, war aber nach eigenen Angaben nicht in der Disko, sondern hat am Strand herumgesessen. Was, wenn er gar nicht weggefahren ist, sondern am Haus gewartet hat, bis Götz zu den Klippen gelaufen ist? Götz wollte ihn immerhin zwingen, sich als homosexuell zu outen, wozu Fink nicht bereit war.«

Sie überlegten hin und her, diskutierten die unterschiedlichen Möglichkeiten und Szenarien, und mussten einsehen, dass sie der Lösung ihres Falles keinen Schritt näher gekommen waren, im Gegenteil. Josefin Lintner hatte behauptet, Alexander Roth habe Götz von der Klippe gestoßen und Heike habe dabei zugesehen. Aber sie selbst hätte das auch getan haben können, um den anderen zu gefallen. Die Macht einer Gruppe war als psychologisches Phänomen nicht zu unterschätzen. Sie enthob ein Individuum seiner Verantwortung, weil aus dem Ich- ein Wir-Gefühl wurde, und schnell vereinte man sich gegen einen gemeinsamen Feind, agierte nicht mehr als Einzelperson, sondern als ein Stamm.

»Was machen wir jetzt?«, wollte Pia wissen. »Konfrontieren wir ihn mit dem, was uns Josefin Lintner erzählt hat?«

»Auf keinen Fall!« Bodenstein schüttelte energisch den Kopf. »Am besten behalten wir ihn über Nacht in Gewahrsam, damit er weder mit seiner Schwiegermutter noch mit seiner Frau sprechen kann, bevor wir mit ihr und Waldemar Bär geredet haben.«

»Unmöglich. Mit welcher Begründung willst du den Mann hierbehalten?«, fragte Nicola Engel.

»Wenn er kein gutes Alibi für Montagabend letzte Woche hat, behalten wir ihn hier wegen des Verdachts, Heike Wersch getötet zu haben«, entgegnete Bodenstein.

»Leute, Leute! Das verstößt gegen alle Vorschriften!« Nicola Engel schüttelte missbilligend den Kopf. »Mit so etwas bringt ihr mich in Teufels Küche.«

»Fällt dir etwas Besseres ein?«, fragte Bodenstein. »Fink weiß noch nicht, was ihn erwartet, sobald er wieder Netz hat. Seine Schwiegermutter hat heute Vormittag von uns erfahren, dass er eine homosexuelle Beziehung zu ihrem Sohn hatte. Ganz sicher weiß das mittlerweile auch seine Frau!«

»Wir behalten ihn in Schutzhaft, sozusagen«, bemerkte Kai und grinste.

»Ist Moosbrugger schon da?«, erkundigte Bodenstein sich.

»Ja. Vor einer halben Stunde eingetroffen«, erwiderte Kai. »Er ist erkennungsdienstlich erfasst worden und wartet jetzt drüben in der 2.«

Bodenstein furchte nachdenklich die Stirn, dann warf er einen Blick auf seine Uhr. Gleich halb acht.

»Okay, Leute, passt auf.« Er hatte einen Entschluss gefasst. »Nachtschicht für alle. Wir lassen Moosbrugger noch ein bisschen warten und essen jetzt erst mal. Danach reden Pia und ich mit Moosbrugger. Kai, frag Fink nach seinem Alibi für vergangenen Montagabend und ob er einen von den Dönern haben will. Von mir aus kann er auch rauchen, wenn jemand vorher den Rauchmelder abmontiert. Das Rauchen ist hier ja momentan offenbar gestattet.« Er warf Nicola Engel einen kurzen Blick zu, und die Kriminaldirektorin nickte schulterzuckend. »Anschließend fahren wir Fink nach Hause und sprechen mit seiner Frau. Ich will spätestens morgen früh einen Durchsuchungsbeschluss für das Verlagshaus und die Privatwohnung von Waldemar Bär haben, Tariq soll sich darum kümmern. Und Kathrin soll so viel wie möglich über den Selbstmord von Katharina Winterscheid in Erfahrung bringen.«

* * *

Josef Moosbrugger litt unter qualvollem Nikotinentzug. Seit Cem und Tariq ihn zwei Stunden zuvor wegen des Verdachts, Heike Wersch getötet zu haben, in einem Biergarten im Ostend festgenommen hatten, tigerte er nun in einem der fensterlosen Vernehmungsräume der RKI hin und her und wurde dabei immer nervöser. Man hatte ihm seine Rechte vorgelesen und ihm geraten, sich einen Anwalt zu nehmen, doch das hatte er als unnötig abgelehnt.

Bodenstein, Pia, Kai und Cem saßen hinter der als Spiegel getarnten Glasscheibe im Nachbarraum, aßen die in der Mikrowelle aufgewärmten Döner und Lahmacun und sahen dem Agenten von Severin Velten zu. Auf dessen Autor waren sie auch schlecht zu sprechen. Seit Tagen hockte er in der zur Schreibstube umfunktionierten Zelle, ließ sich – nicht wie ein Kranich, sondern eher wie ein gefräßiger Kuckuck – von ihrer obersten Chefin mit

Essen, Getränken, frischen Klamotten und Zigaretten versorgen, und hatte es erst jetzt als notwendig erachtet, ihnen eine wichtige Information mitzuteilen. Ganz plötzlich hatte Velten sich nämlich daran erinnert, dass sein Agent am letzten Montagabend doch noch mal das Haus verlassen hatte und erst am frühen Morgen zurückgekehrt war, während er sich in dessen Büro seinem Schreibrausch hingegeben hatte. Wäre er früher damit herausgerückt, hätte Kai nicht Tausende von Telefonnummern durchsuchen und eigens ein Programm schreiben müssen, um zu dem Ergebnis zu gelangen, dass Moosbrugger sie dreist belogen hatte.

Die Tür ging auf, und Dr. Nicola Engel steckte den Kopf herein.

»Wie lange wollt ihr ihn noch schmoren lassen?«, fragte sie erstaunlich friedlich. Bei aller Sympathie für Severin Velten wusste sie auch, dass er zu Recht bei Bodenstein und seinem Team in Ungnade gefallen war.

»Nicht mehr lange.« Bodenstein schob sich das letzte Stück seines Döners in den Mund und tupfte sich mit einem Stück Küchenrolle das Kinn ab. Nach Wochen, in denen er sich hauptsächlich von Gemüse und Salat ernährt hatte, genoss er das fettige Fleisch. »Wir sind gleich fertig mit Essen.«

»Er soll ruhig noch einen Moment glauben, er wäre wegen Mordes dran«, fügte Pia hinzu. »Ich wette, er denkt gerade darüber nach, wie es sich wohl anfühlt, für fünfzehn Jahre in so einer Zelle zu hocken.«

»Geschieht ihm recht«, knurrte Cem.

Um Punkt 21:00 Uhr betraten Bodenstein und Pia den Vernehmungsraum. Moosbrugger war inzwischen nur noch ein Schatten seiner selbst.

»Nehmen Sie Platz«, sagte Pia und legte beiläufig ein Päckchen Zigaretten auf den Tisch, dann schaltete sie das Aufnahmegerät und die Videokamera ein und sprach Aktenzeichen, Ort und Uhrzeit sowie die Namen der Anwesenden ins Mikrofon.

»Ich habe die Heike nicht umgebracht«, brach es aus Moosbrugger heraus. Seine munteren Gesichtszüge wirkten eingefallen, er war grau im Gesicht und kalter Schweiß stand auf seiner

Stirn. »Wirklich, das müssen Sie mir glauben! Sie war schon tot, als ich gekommen bin.«

»Immer der Reihe nach.« Bodenstein lehnte sich zurück und faltete gemütlich die Hände über dem Bauch. »Schildern Sie uns bitte den Abend des 3. September 2018 ganz genau.«

Moosbrugger erzählte bereitwillig, wie sein Autor Severin Velten gegen 20:30 Uhr bei ihm hereingeplatzt war und aufgeregt gestammelt hatte, er habe Heike Wersch im Streit mit ihrem Laptop erschlagen. Während er sprach, gab er sich große Mühe, nicht ständig auf das Zigarettenpäckchen zu schielen, mit dem Pia provozierend herumspielte. Nach allem, was in den Wochen zuvor passiert war, hatte Moosbrugger es für möglich gehalten, dass ein Streit zwischen Velten und seiner Lektorin eskaliert sein könnte, nicht aber, dass Velten sie getötet hatte. Er hatte versucht, seine alte Freundin Heike Wersch anzurufen. Als sie nicht ans Telefon gegangen war und Velten wie ein Verrückter auf die Tastatur seines Laptops einhämmerte, hatte er das Haus verlassen, war in sein Auto gestiegen und nach Bad Soden gefahren.

»Ich habe damit gerechnet, dass die Heike eine Platzwunde am Kopf haben und stinkwütend sein würde, aber als ich in die Küche komme und sie da so blutüberströmt auf dem Fußboden liegen sehe, dachte ich, mich trifft der Schlag«, sagte Moosbrugger mit tränenerstickter Stimme. »Alles war voller Blut! Ihr Schädel war … war regelrecht … *zertrümmert*! So was habe ich noch nie in meinem Leben gesehen!«

»Wieso haben Sie nicht die Polizei gerufen?«, wollte Bodenstein wissen.

»Ich … ich weiß es nicht.« Der Agent hob hilflos die Schultern. »Ich war plötzlich wie auf Autopilot und konnte nur noch an den Severin denken. Er ist so ein friedfertiger, lebensuntüchtiger Kerl. Die Heike muss ihn derart in die Enge getrieben haben, dass er sich nicht mehr anders zu helfen gewusst hat. Ich wollte ihn beschützen. Ich wollte nicht, dass die Heike sein ganzes Leben ruiniert, deshalb bin ich auf die Idee gekommen, es so aussehen zu lassen, als wäre sie verunglückt. Draußen zog gerade ein Gewitter auf, und die Heike hatte mir mal erzählt, sie würde jetzt jeden Tag Nordic Walking machen. Da dachte ich mir, sie könnte doch im Wald einen Baum auf den Kopf gekriegt haben oder irgendwie verunglückt sein. Ich meine – tot ist tot. Da spielt es doch keine Rolle, wie es passiert ist, oder?«

Zustimmung heischend blickte er zwischen Pia und Bodenstein hin und her.

»Biologisch betrachtet haben Sie sicherlich recht«, erwiderte Bodenstein trocken. »In juristischer Hinsicht haben Sie allerdings gleich mehrere Straftaten begangen.«

Moosbrugger seufzte. Eine ganze Weile saß er still da und rieb sein Kinn. Bodenstein und Pia warteten geduldig darauf, dass er weitersprach.

»Ich habe der Heike zuerst eine Plastiktüte über den Kopf gezogen, dann habe ich ihren Körper in zwei Müllsäcke verpackt, dabei habe ich die ganze Zeit geweint«, fuhr der Agent schließlich bedrückt fort. »Ihr Gesicht und ihr Kopf waren ein grauenhafter Anblick, und sie tat mir so leid. Auch, wenn ich wütend auf sie gewesen war, so ein Ende hatte sie wirklich nicht verdient. Erschlagen wie ein räudiger Hund! Ich habe mich nicht getraut, die Leiche durch den Garten zur Garage zu tragen, deshalb habe ich mir ihre Perücke aufgesetzt, Putzhandschuhe angezogen und die Mülltonne geholt. Sie war leer. Ich habe die Leiche also in die Mülltonne gesteckt und die Tonne in die Garage gezogen. Dort habe ich gemerkt, dass ich den Autoschlüssel von Heikes Auto im Haus vergessen hatte. Mittlerweile hat es wie verrückt geregnet und da dachte ich mir, ich putze zuerst gründlich die Küche. Das hat ungefähr eine Stunde gedauert. Danach bin ich zurück in die Garage. Der Kofferraum von Heikes Auto war voller Einkaufstaschen und Getränkekisten, die musste ich erst ausladen, bevor ich die Leiche reinlegen konnte. Dann wurde es problematisch, ich habe nämlich nicht an die Leichenstarre gedacht. Die Heike, die fing zu dem Zeitpunkt nämlich schon an, ziemlich ... nun ja ... steif zu werden.«

Bodenstein und Pia lauschten mit wachsender Fassungslosigkeit der Geschichte, die ebenso unglaublich wie grauenvoll war und trotzdem einer gewissen Komik nicht entbehrte.

»Glücklicherweise hat's draußen gedonnert.« Ähnlich wie Stefan Fink wirkte auch Moosbrugger erleichtert, endlich sein Geheimnis loszuwerden, das ihn ganz offensichtlich belastet hatte. Er mochte ein Schlitzohr sein, ein Verbrecher war er nicht, und Pia glaubte ihm, dass er das alles tatsächlich nur getan hatte, um Velten zu schützen. Allerdings war zweifellos auch ein gewisser Eigennutz im Spiel gewesen, denn im Gefängnis hätte sein Schützling wohl kaum den nächsten lukrativen Bestseller verfassen können.

»Ich habe die Mülltonne umgekippt und die Heike rausgezogen, dabei sind die Müllsäcke aufgerissen«, erzählte der Agent, dessen Gesicht allmählich wieder Farbe bekam. »Aber irgendwie habe ich sie dann doch in den Kofferraum reingekriegt und im letzten Moment noch an die Nordic-Walking-Stöcke gedacht. Dann ist mir eingefallen, dass sie wohl kaum mit Crocs an den Füßen in den Wald gegangen wäre, also habe ich im Haus andere Kleider und Schuhe geholt, und ihr Handy. Ich habe die Küchentür von innen abgeschlossen, bin zur Haustür raus und habe den Schlüsselbund mitgenommen, um ihn der Heike in die Tasche zu stecken. In der Garage habe ich die Heike wieder aus dem Kofferraum und aus den Müllsäcken rausgeholt und umgezogen, was ganz schön schwierig war.«

Bodenstein und Pia wechselten einen Blick. Diese genaue Schilderung der Ereignisse war grotesk, aber da sämtliche Details mit der festgestellten Spurenlage übereinstimmten, war die Geschichte glaubwürdig. Trotzdem war es unfassbar, dass sie, nur weil Moosbrugger die Leiche von Heike Wersch in der Mülltonne vom Haus in die Garage transportiert hatte, beinahe einen fünfundzwanzig Meter tiefen Schacht des Müllheizkraftwerks durchwühlt hätten! Sein Schweigen hatte sie Zeit und Geld gekostet – und möglicherweise Alexander Roth das Leben.

»Irgendwann hatte ich sie endlich im Kofferraum drin. Alle Putzlappen, die Tüten mit den Einkäufen und die Klamotten, die sie vorher angehabt hatte, habe ich in die Mülltonne geworfen, dann habe ich das Auto aus der Garage gesetzt und dabei noch fast einen Typen mit seinem Hund überfahren.« Moosbrugger sprach jetzt immer schneller. Er war in Richtung Königstein gefahren, in stockdunkler Nacht, während es in Strömen regnete. Ohne Ortskenntnis war er einfach in den ersten Waldweg eingebogen, den er gesehen hatte. Mitten im Wald hatte er die tote Heike Wersch aus dem Kofferraum gehievt, ihr die Stöcke um die Handgelenke geschnallt und Handy und Schlüsselbund in ihre Hosentaschen gesteckt. Er hatte mit mehreren Fußtritten nachhelfen müssen, bis die Leiche über den Rand der Schlucht gerollt war.

»Ich bin zurück nach Bad Soden gefahren, habe das Auto von der Heike in die Garage gestellt und den Autoschlüssel wieder ans Schlüsselbrett in der Küche gehängt.«

»Und wie sind Sie ins Haus reingekommen?«, erkundigte Pia sich. »Der Schlüsselbund war doch in der Hosentasche von Frau Wersch.«

»Stimmt.« Moosbrugger nickte. »Aber den Ersatzschlüssel hatte ich zu diesem Zweck behalten.«

»Wo ist der Schlüssel jetzt?«

»Ich habe ihn auch in die Mülltonne geworfen und die Tonne an den Straßenrand gestellt.«

»Was haben Sie mit der Perücke gemacht?«

»Die habe ich während der Fahrt zurück nach Frankfurt aus dem Fenster geworfen«, gab Moosbrugger zu. »Der Severin war immer noch am Schreiben, als ich nach Hause kam. Ich bin unter die Dusche, hab zur Beruhigung einen doppelten Whiskey getrunken und bin ins Bett gegangen.«

»Und um Ihre Tat zu vertuschen, haben Sie immer wieder Nachrichten an Frau Wersch geschrieben und bei ihr angerufen, weil Sie wussten, dass man das später auf ihrem Handy sehen würde.«

»Ja.« Moosbrugger senkte zerknirscht den Kopf.

»Sehr bedauerlich, dass Sie uns das alles nicht schon letzte Woche erzählt haben«, sagte Pia. »Herr Velten hat Heike Wersch nicht erschlagen, das steht eindeutig fest. Aber wir nehmen an, dass derselbe Mörder auch etwas mit dem Tod von Alexander Roth zu tun hat. Und das hätten Sie, Herr Moosbrugger, mit hoher Wahrscheinlichkeit verhindern können.«

Wieder wich alle Farbe aus dem Gesicht des Agenten. Er ließ den Kopf hängen.

»Es war idiotisch, was ich getan habe«, gab er reumütig zu. »Idiotisch und schrecklich.«

»Gut, dass Sie das einsehen.« Bodenstein stand auf. »Es war nicht nur idiotisch und schrecklich, sondern vor allen Dingen kriminell, und es wird ein Nachspiel für Sie haben. Sie werden sich wegen Strafvereitelung und Störung der Totenruhe verantworten müssen.«

»Das habe ich wohl verdient.«

»Sie können jetzt gehen, Herr Moosbrugger«, sagte Bodenstein. »Allerdings dürfen Sie nicht das Land verlassen.«

Pia ging zur Tür und klopfte dagegen; der uniformierte Kollege, der auf dem Flur Wache hielt, öffnete.

»Das werde ich nicht«, versicherte der Agent und erhob sich ebenfalls.

»Eine Frage noch«, sagte Pia. »Haben Sie eigentlich gewusst, dass Frau Werschs dementer Vater oben im Haus war, während Sie die Küche geputzt haben?«

»Nein. Oder doch, eigentlich wusste ich es«, räumte Moosbrugger ein und wurde noch ein bisschen kleinlauter. »Aber ich habe in dem Moment nicht an ihn gedacht. Ich war zu ... abgelenkt.«

»Seien Sie froh, dass er überlebt hat«, gab Pia dem Agenten noch mit auf den Weg. »Sonst wären Sie jetzt wegen billigender Inkaufnahme des Todes eines hilflosen Menschen dran und auf dem Weg ins Untersuchungsgefängnis.«

* * *

Die kurzfristige Euphorie und die Hoffnung, den Mörder von Heike Wersch überführt zu haben, war einer tiefen Niedergeschlagenheit gewichen. Nachdem Moosbrugger gegangen war, waren auch Cem, Kathrin und Tariq nach Hause gefahren und Bodenstein saß nun mit Pia, Nicola Engel und Kai im Besprechungsraum. Jeder hatte einen Kaffee vor sich stehen, um wach zu bleiben. Vor den Fenstern war es längst dunkel. Die Büros ringsum waren verwaist. Nur unten in der Wache, die rund um die Uhr besetzt war, brannte noch Licht.

»Wir sind wieder genauso weit wie vor fünf Tagen.« Pia blätterte frustriert in ihrem Notizbuch. »Schlimmer noch. Wir müssen alle unsere bisherigen Erkenntnisse völlig neu bewerten und überdenken.«

Die ganze Zeit waren sie davon ausgegangen, dass Heike Wersch von ein und demselben Täter brutal erschlagen und im Wald entsorgt worden war, und das hatte den potenziellen Täterkreis stark eingeschränkt, denn sie hatten einige der möglichen Verdächtigen aufgrund ihres Alters oder ihrer körperlichen Konstitution gleich ausgeschlossen. Jetzt mussten sie jeden Einzelnen von ihnen noch einmal aus einem anderen Blickwinkel betrachten.

»Ein Fleischklopfer, der knapp ein Kilo wiegt, ist auch in der Hand einer Frau oder eines alten Mannes eine tödliche Waffe«, sagte Dr. Nicola Engel.

»Vor allen Dingen dann, wenn das Opfer bereits durch eine Kopfverletzung geschwächt ist und sich kaum wehren kann«, ergänzte Bodenstein.

»Margarethe Winterscheid wusste, dass ihr Mann über dreißig Jahre lang ein Verhältnis mit Heike Wersch hatte. Sie kann der ehemaligen Geliebten ihres Mannes nicht wohlgesinnt gewesen sein«, sagte Pia. »Bei unserem Gespräch hatte ich den Eindruck, dass sie ihren Mann eigentlich nicht leiden kann. Wenn Henri Winterscheid tatsächlich seine Verlagsanteile verkauft hätte, hätte sie Einfluss, Status und ihr Zuhause verloren.«

»Dann hätte sie doch besser ihn und nicht Heike Wersch umbringen müssen«, entgegnete Kai.

»Na ja, ohne Frau Werschs neuen Verlag hätte Henri Winterscheid keinen Grund mehr gehabt, seine Anteile zu verkaufen«, warf Nicola Engel ein. »Es wäre eine elegante Lösung gewesen.«

Kai stand auf und ging zu den Whiteboards hinüber. »Alexander Roth kann es doch auch gewesen sein.«

»Das hatten wir doch schon. Ich sage nur Tatwaffe«, sagte Pia.

»Ach ja. Klar.« Kai kratzte sich nachdenklich am Kopf. »Wieso hat der Täter den Fleischklopfer überhaupt mitgenommen und ihn nicht einfach am Tatort liegen lassen?«

»Die alten Winterscheids und Hellmuth Englisch scheiden aus«, sagte Bodenstein entschieden. »Sie waren zum fraglichen Zeitpunkt, also zwischen 20.00 Uhr und 21:30 Uhr auf einer Veranstaltung in Frankfurt, auf der sie gesehen wurden. Die Buchhändlerin Josefin Lintner war ebenfalls auf einer Veranstaltung. Natürlich werden wir das morgen überprüfen, aber ich gehe jetzt einfach mal davon aus, dass die Alibis stimmen.«

»Wie ist es um die Alibis der anderen Verdächtigen bestellt?«, erkundigte sich die Kriminaldirektorin.

»Die müssen wir noch abfragen«, antwortete Bodenstein. »Unser wichtigster Anhaltspunkt ist die Mordwaffe in Roths Kühlschrank. Wer hatte problemlos Zugang zu seinem Büro?«

»Das hatten wir auch schon.« Pia gähnte. »Dorothea Winterscheid-Fink und Waldemar Bär. Und Carl Winterscheid, natürlich.«

»Mein Favorit ist Waldemar Bär, der Hausmeister, der Alleinerbe von Heike Wersch«, entgegnete Bodenstein. »Er hat meiner Meinung ein wirklich starkes Motiv, wenn ihm der Inhalt ihres Testaments bekannt war.«

»Wir haben morgen früh einen Termin bei ihrem Notar in Königstein. Da erfahren wir vielleicht mehr.« Pia gähnte wieder. »Komm, Chef, wir müssen Fink nach Hause fahren und mit seiner Frau reden.«

»Eins noch«, wandte Kai ein. »Moosbrugger hat vorhin erzählt, dass bei Heike Wersch schon die Leichenstarre eingesetzt hatte, als er ihre Leiche in die Mülltonne stecken wollte. Wie ist das möglich?«

»Es war recht warm, da entwickelt sich eine Leichenstarre schneller, als wenn es kalt ist«, erwiderte Nicola Engel.

»Aber trotzdem tritt eine komplette Starre frühestens nach etwa acht bis zehn Stunden ein«, wandte Pia ein. »Er muss sich geirrt haben.«

»Oder er hat sich nicht geirrt und sie war schon früher tot«, meinte Kai. »Wenn sie um 19:30 Uhr getötet wurde, könnte sich tatsächlich vier Stunden später die Erstarrung über Hals und Arme ausgebreitet haben.«

»Was wollen Sie damit sagen, Kollege Ostermann?« Nicola Engel warf Kai einen scharfen Blick zu.

»Dass es doch der Kranich war«, erwiderte Kai.

»Unsinn!« Die Kriminaldirektorin zog ihre Augenbrauen so stark zusammen, dass sie sich beinahe über der Nasenwurzel trafen. »Wie soll denn die Tatwaffe in Roths Büro gelangt sein?«

»Ein Agent, der eine Leiche entsorgt, um seinen Autor zu schützen, könnte auch das hingekriegt haben«, fand Kai. »Soweit ich das mitbekommen habe, ist es üblich, dass Literaturagenten den Verlagen ihrer Autoren regelmäßig Besuche abstatten. Ich kann mir vorstellen, dass Moosbrugger in letzter Zeit des Öfteren bei Winterscheid war, immerhin mussten sie ja eine Strategie entwickeln, wie Velten rehabilitiert werden kann. Was, wenn wir es mit einem Komplott zu tun haben? Wenn Carl Winterscheid oder Dorothea Winterscheid-Fink Bescheid wüssten und gemeinsam den Verdacht auf Alexander Roth lenken wollten?«

»Und haben Severin Velten als Killer eingesetzt, oder was?«, fragte Nicola Engel spöttisch.

»Velten hat die Wersch mit dem Fleischklopfer erschlagen«, sagte Kai. »Er war rasend vor Wut, weil sie seinen Ruf ruiniert und ihm nicht zugehört hat. Dann fuhr er zu seinem Agenten. Der räumte hinter seinem Goldesel auf und nahm die Tatwaffe mit. Moosbrugger ist ein Typ, der nichts für sich behalten kann, also hat er den Winterscheids davon erzählt. Keiner der drei hat ein Interesse daran, dass ihr Bestsellerautor als Mörder seiner Lektorin in den Knast geht, deshalb haben sie überlegt, wem sie die Geschichte in die Schuhe schieben könnten, und sind dabei auf Alexander Roth gekommen. Damit er nicht mehr aussagen kann, haben sie ihm Methanol in seinen Wodka gekippt, ihn vielleicht noch zum Trinken animiert, um sicher zu gehen, dass er eine tödliche Dosis zu sich nimmt. Danach mussten sie nur noch abwarten. Als er tot war, hat jemand von ihnen die Tatwaffe in Roths Kühlschrank deponiert und fertig.«

Eine ganze Weile sagte niemand etwas. Jeder ließ sich die Tragweite dieser Möglichkeit und deren Auswirkungen durch den Kopf gehen, erwog Für und Wider.

»Eine kühne Theorie«, brach Bodenstein schließlich das Schweigen. »Aber nicht undenkbar.«

»Haben sie Roth geopfert?« Pias Müdigkeit war verschwunden. Sie war wieder hellwach. »Carl Winterscheid hat selbst zugegeben, dass seine Entscheidung, Roth zum Programmleiter zu machen, rein strategischer Natur war und nicht aus Überzeugung gefällt wurde. Er hielt nicht besonders viel von ihm.«

»Er hätte Roth leicht vergiften können«, pflichtete Kai ihr bei.

»Männer sind keine Giftmörder«, widersprach Nicola Engel entschlossen. »Diese Hypothese ist außerdem völlig absurd. Mit Ihrer wilden Fantasie sollten Sie Drehbücher für Fernsehkrimis schreiben, Ostermann!«

»Soll das ein Kompliment sein oder eine Beleidigung?«, fragte Kai seine Chefin, aber die winkte nur ab.

»Ich finde die Geschichte gar nicht so abwegig, auch wenn sie ein paar Schwächen hat«, widersprach Bodenstein. »Morgen schicken wir Kröger ins Verlagshaus. Wenn er irgendwo eine Flasche Methanol findet, sollten wir Kais Idee zumindest in Betracht ziehen.«

»Meine Lieblingsverdächtige ist Dorothea Winterscheid-Fink«, begeisterte Pia sich für diese neue Möglichkeit. »Sie hat gleich mehrere Motive, auf Heike Wersch und Alexander Roth wütend zu sein. Ihr ganzes Leben lang haben ihre Eltern die beiden ihr, der eigenen Tochter, vorgezogen. Der alte Winterscheid wollte sogar ihr Erbe, nämlich seine Verlagsanteile, verkaufen, um Heike Werschs Verlag finanziell zu unterstützen. Vielleicht hat sie auch erfahren, dass Wersch und Roth etwas mit dem Tod ihres Bruders zu tun hatten.«

»Wir müssen unbedingt herausfinden, wer die Kopien des Tagebuchs von Katharina Winterscheid verschickt hat«, sagte Bodenstein. »Der- oder diejenige weiß etwas, was geheim bleiben sollte. Also stellt sich uns die Frage: Wer hat bei dieser ganzen Geschichte am meisten zu verlieren und ist dazu bereit, Menschen zu töten, um ein Geheimnis zu bewahren?«

Pias Blick wanderte über die Namen und Fotos der Toten und Verdächtigen.

»Wir übersehen etwas Entscheidendes«, sagte sie. »Aber was?«

»Oder besser gesagt: *Wen* übersehen wir?« Bodenstein runzelte die Stirn. »Wir müssen das Tagebuch finden, aus dem diese Kopien stammen.«

»Und was ist das Motiv für die Morde an Wersch und Roth?«, stellte Nicola Engel in den Raum.

»Eigentlich wissen wir überhaupt nichts«, sagte Kai düster. »Ich habe das blöde Gefühl, dass unser Täter noch nicht das letzte Mal gemordet hat.«

»Morgen befragen wir noch einmal Carl Winterscheid. Und wir sprechen jetzt mit Dorothea Winterscheid-Fink. Cem und Tariq holen gleich morgen früh Waldemar Bär zur Vernehmung her. Wenn er wieder nicht anzutreffen ist, geht sein Name in die Fahndung.« Bodenstein streckte seinen Rücken und gähnte hinter vorgehaltener Hand. »Komm, Pia. Weiter geht's!«

Stefan Finks Smartphone war überraschend still, als es sich am Fuß der Treppe wieder ins Netz einwählte. Offenbar hatte er nur mehrere Anrufe von seiner Frau bekommen, sonst nichts, was Bodenstein überraschte, denn Pia und er hatten fest damit gerechnet, dass Margarethe Winterscheid sofort ihren Schwiegersohn anrufen und ihm bittere Vorwürfe machen würde. Doch das war nicht geschehen. Dafür fand Bodenstein selbst nach Verlassen des Untergeschosses zig Nachrichten auf seinem Handy. Lorenz hatte den zerkratzten Porsche in die Lackiererei gebracht, worum er ihn gebeten hatte. Sophia hatte ihm eine kryptische Sprachnachricht geschickt, die derart mit Jugendwörtern wie *cringe*, *safe* und *mega* gespickt war, dass er sie kaum verstand. Außerdem hatte Cosima sich gemeldet, ebenfalls mit einer Sprachnachricht, die aber besser verständlich war. Bodenstein blieb stehen und ließ Pia, Nicola und Kai mit Stefan Fink vorausgehen, um sich anzuhören, was Cosima ihm zu sagen hatte. Die Ärzte hatten ihr Hoffnung gemacht, dass die Operation bald stattfinden konnte, denn ihre Blutwerte hatten sich eine Woche nach Beendigung der Chemotherapie bedeutend gebessert. Das war erfreulich, aber gleichzeitig erhöhte es den Druck, diesen Fall so schnell wie möglich abzuschließen. Danach sah es jedoch leider nicht aus.

»Chef!« Kathrin kam die Treppe hinunter. »Warte mal!«

»Du bist ja noch da?« Bodenstein war erstaunt.

»Ja. Ich habe im Internet ein paar Informationen über Katharina Winterscheid gefunden!«

»Komm mit, damit die anderen das auch hören können«, forderte er seine Kollegin auf. Pia und Kai warteten mit der Kriminaldirektorin und Stefan Fink an der Sicherheitsschleuse, und Bodenstein winkte sie zu sich her.

»Also«, begann Kathrin. »Ich habe keine Details, dazu müsste ich die Akte anfordern, wenn es überhaupt eine gegeben hat, aber ich habe herausgefunden, dass eine Frau namens Katharina Winterscheid in der Nacht vom 17. auf den 18. August 1990 leblos im Hof des Hauses Stalburgstraße 82 in Frankfurt aufgefunden wurde. Die Kollegen haben ihren Tod damals als Suizid eingeordnet.«

Bei ihren Worten blitzte in Bodensteins Kopf unerwartet eine Erinnerung auf. Im Juni 1990 war er als frischgebackener Kriminalkommissar zur Kripo ins Betrugsdezernat nach Frankfurt gekommen. Aufgrund akuten Personalmangels hatte man ihn schon vier Wochen nach Dienstantritt dem Morddezernat zugeteilt, wo er dann auch geblieben war. Sein Chef war der legendäre Oberkommissar Menzel gewesen, ein Kriminaler alter Schule, von dem er viel gelernt hatte. Er hatte oft zusätzliche Nachtschichten übernommen, denn wie alle jungen Beamten war auch er damals darauf versessen gewesen, sich bei seinen Chefs zu profilieren, und das erreichte man am besten durch Einsatzbereitschaft.

»Ich erinnere mich an den Fall«, sagte er nun zum Erstaunen seiner Kollegen. »Ich war neu im K10, es war eine meiner ersten Nachtschichten und mein allererster Selbstmord. Vielleicht kann ich mich auch nur deshalb daran erinnern, weil mich der Fall sehr berührt hat, denn der kleine Sohn der Frau war damals genauso alt wie Lorenz. Erst sechs Jahre. Und ich habe mich gefragt, wie eine Frau es fertigbringt, vom Balkon zu springen, wenn ihr Kind oben in der Wohnung ist.« Bodenstein legte die Stirn in Falten und versuchte sich an Details des Falles zu erinnern, aber vergeblich.

»Und?« Nicola Engel sah ihn abwartend an.

»Was – und?«, entgegnete Bodenstein.

»Hast nur du dich das gefragt, oder dein Chef auch? Wer war das damals? Menzel? Seid ihr der Sache nachgegangen?«

»Ich weiß es nicht mehr«, gab Bodenstein zu. »Ja, Menzel war mein erster Chef. Ich denke, er hat den Fall weiterbearbeitet. Vielleicht wurde ich danach woanders eingesetzt. Du weißt doch selbst, wie das war, als Neuling. Und die Sache liegt lange zurück. Danach habe ich ziemlich viele Suizide bearbeitet.«

»Dann sollten wir schnellstens die Akte anfordern«, sagte Pia. »Wir müssen unbedingt mehr über Katharina Winterscheid herausfinden. Ich würde nicht mal an Selbstmord denken, wenn ich meinen Hund allein in meiner Wohnung zurücklassen müsste, geschweige denn mein sechsjähriges Kind!«

»Ich kümmere mich darum«, bot Nicola Engel an. »Gleich morgen früh rufe ich bei der Staatsanwaltschaft an.«

* * *

Dorothea Winterscheid-Fink hatte für den Abend des Mordes an Heike Wersch kein Alibi, ihr Ehemann ebenso wenig. Angeblich hatte sie zum Yoga nach Eschborn gehen wollen, doch dann war der Anruf eines Verlagsvertreters dazwischengekommen, und sie war direkt vom Verlag nach Hause gefahren. Stefan Fink war bis spät im Büro gewesen. Seine Großdruckerei befand sich in einem Gewerbegebiet in Rödelheim, unweit des Müllheizkraftwerks. Anders als das Gebäude des Winterscheid-Verlags war das Betriebsgelände der Druckerei mit einer hochmodernen Überwachungsanlage ausgestattet, und möglicherweise konnte man die Aufnahmen vom 3. September noch überprüfen. Viel interessanter war jedoch die Information von Dorothea Winterscheid-Fink bezüglich des Alibis ihrer Eltern, denn die Veranstaltung, auf der sie gemeinsam mit Hellmuth Englisch gewesen sein wollten, hatte bereits am Sonntagabend stattgefunden, und nicht am Montag. Durch die Aussage von Josef Moosbrugger war das

Ehepaar Winterscheid plötzlich tatverdächtig, genauso wie der zornige Schriftsteller. Mit genügend Wut im Bauch hätten zumindest Margarethe Winterscheid und auch Hellmuth Englisch die tödlichen Schläge ausführen können.

Das Haus der Finks, ein hübsches Haus mit einem tief heruntergezogenen Walmdach, Sprossenfenstern und einer Doppelgarage, lag direkt an der L3005 am Ortsrand von Schwalbach. Durch die geöffnete Terrassentür hörte man trotz der Schallschutzwand gelegentlich ein Auto auf der vierspurigen Straße vorbeirauschen. Die Vertriebsleiterin des Winterscheid-Verlags hatte Bodenstein und Pia ohne Anzeichen von Überraschung oder einem Hinweis auf die späte Uhrzeit hereingebeten – wahrscheinlich hatte ihr Mann sie von unterwegs per Kurznachricht vorgewarnt –, und nun saßen sie in einer großzügigen Wohnküche am Esstisch, an dem die Hausherrin offenbar noch gearbeitet hatte. Neben einem zugeklappten Laptop stand ein Weinglas, daneben ein Teller voller Krümel. Das Innere des Hauses war modern und wohnlich zugleich eingerichtet. Die Bilder an den Wänden gehörten den unterschiedlichsten Stilrichtungen an, über der Wohnzimmercouch hing ein großes Foto der ganzen Familie samt Hund, den es wohl nicht mehr gab. Das Ehepaar Fink ging auch miteinander um wie Menschen, die sich mögen.

»Ich habe Heike nicht umgebracht«, sagte Dorothea Winterscheid-Fink, als Pia nach ihrem Alibi gefragt hatte. »Wieso hätte ich das tun sollen?«

»Vielleicht, weil Sie erfahren haben, dass Ihr Vater seine Verlagsanteile, die immerhin Ihr Erbe sind, verkaufen wollte, um das Geld in Frau Werschs Verlagspläne zu investieren«, mutmaßte Pia.

»Ich gebe zu, ich war sehr enttäuscht und wütend deswegen«, erwiderte Dorothea Winterscheid-Fink. Sie war barfuß, trug eine bequeme schwarze Jogginghose, ein graues Kapuzensweatshirt und eine schlichte schwarze Brille. »Ich bin oft übergangen worden in meinem Leben. Immer zogen meine Eltern fremde Leute mir vor. Von meinem Großvater habe ich 12 Prozent des Verlages geerbt. Das mag nicht viel erscheinen, aber es ist eine Sperrminorität. Ich muss zustimmen, wenn jemand der Anteilseigner verkaufen will. Wenn mein Vater tatsächlich seine Anteile hätte verkaufen wollen, hätte ich einfach meine Zustimmung verweigert.«

Das klang einleuchtend. Ein erstes mögliches Mordmotiv löste sich in Rauch auf.

»Wann haben Sie das letzte Mal mit Frau Wersch gesprochen?«, wollte Pia wissen.

»Das ist schon eine Weile her.« Frau Winterscheid-Fink überlegte kurz. »Ich glaube, zuletzt an dem Tag, an dem ihr gekündigt wurde. Nach dem ganzen Ärger, den sie uns gemacht hat, hatte ich nicht das Bedürfnis, mit ihr zu sprechen. Dass sie einen Autor wie Severin Velten auf eine solche Art an den Pranger gestellt hat, obwohl sie selbst ihn dazu gebracht hat, abzuschreiben, das verstehe ich bis heute nicht. Hätte ich sie umbringen wollen, dann hätte ich das wahrscheinlich vorher getan, bevor sie diesen ganzen Unsinn über Carl und Severin Velten erzählen konnte.«

»Waren Sie eifersüchtig auf Frau Wersch oder Herrn Roth?«, fragte Bodenstein. »Die beiden wurden von Ihren Eltern wie Ersatzkinder behandelt. Das hat sie doch sicherlich gekränkt.«

»Oh ja, früher hat mich das sehr gekränkt. Heute nicht mehr.« Dorothea Winterscheid-Fink nickte. »Neben Alexander und Heike gab es ja auch noch Maria, die von meiner Mutter wie eine Schwiegertochter behandelt wurde. Jahrelang habe ich mich gegrämt, weil meine Eltern meinen Bruder einfach durch Alexander ersetzt haben. Und diese Stiftung zur Förderung junger Schriftsteller und Poeten – so etwas Scheinheiliges! Mein Bruder hatte nicht das geringste Interesse am Verlag, ihm lag nichts an der Literatur. Er wollte Arzt werden und studierte heimlich Medizin. Mein Vater wäre ausgeflippt, wenn er das erfahren hätte! Wenn sie schon eine Stiftung gründen mussten, dann hätte es Götz sicher besser gefallen, wenn es um die Unterstützung mittelloser Medizinstudenten gegangen wäre!«

»Möchte jemand etwas trinken?«, bot Stefan Fink an. Bodenstein und Pia lehnten höflich ab, aber Dorothea Winterscheid-Fink nickte und wies auf ihr leeres Weinglas. Ihr Mann verschwand in der Küche und kehrte mit einer Weißweinflasche zurück. Er schenkte ihr Glas halb voll und reichte es ihr.

»Meinen Eltern ist wichtig, dass die schöne Fassade stimmt«, fuhr Dorothea fort, nachdem sie einen Schluck getrunken hatte. »Das war früher so und hat sich bis heute nicht geändert. Sie können sich eigentlich nicht leiden und sind trotzdem zusammengeblieben, obwohl mein Vater nie diskret war mit seinen Affären. Er nannte Heike vor meiner Mutter gerne seine ›Zweitfrau‹, nur, um sie zu ärgern! Na ja. Meine Mutter konservierte ihre Trauer um meinen Bruder und idealisierte ihn. Josefin und Maria wohnten in den ersten Monaten nach Götz' Tod bei uns und durften ihr die Tränen abtupfen.« Sie schnaubte. »Ich war meinen Eltern nie wichtig. Vom Tod meines Bruders musste mir unsere Haushälterin erzählen, weil meine Eltern ohne mich nach Noirmoutier gefahren waren. Seine Beerdigung war der blanke Horror.«

Sie verstummte und ließ versonnen den Wein in ihrem Glas kreisen. Ihr Mann stand vom Tisch auf, ging auf die Terrasse. Er blieb in der offenen Schiebetür stehen und zündete sich eine Zigarette an.

»Nach Götz' Tod haben meine Eltern das Haus auf Noirmoutier, das ich so sehr geliebt habe, verkauft und den Erlös in diese bescheuerte Stiftung gesteckt. Heike und Alexander wurden von meinem Vater im Lektorat untergebracht, Maria steckte er in die Lizenzabteilung. Für mich war dort kein Platz, angeblich, weil ich keine Ahnung von Literatur hatte. Deshalb habe ich auch nicht studiert, sondern eine Ausbildung zum Großhandelskaufmann gemacht und bei Stefans Vater im Büro gearbeitet. Meine Eltern haben mich nie nach meinem Job gefragt.«

»Aber Sie und Ihr Mann haben noch eine Weile in der Villa Ihrer Eltern gewohnt, oder nicht?«, fragte Bodenstein.

»Ja. Nicht wegen meiner Eltern, sondern wegen meines Großvaters und meines Onkels«, erwiderte Dorothea Winterscheid-Fink, und ihre Miene verdüsterte sich. »Als sie starben, wurde alles anders. Die Frau meines Onkels zog nach dem Tod ihres Mannes mit ihrem Sohn ins Nordend.«

»Katharina, nicht wahr?«

»Ja. Katharina.«

»Sie hat sich das Leben genommen, haben wir gehört.«

»Ja. Sie wurde nach Johns Tod depressiv. Er war ihre große Liebe, und er starb an einem Herzinfarkt mit gerade mal 41 Jahren. Katharina hat von ihm die Hälfte des Verlages geerbt, was für meinen Vater ein Albtraum war. Aber Katharina hat sich durchgesetzt, einen Platz in der Geschäftsführung und Marias Posten in der Lizenzabteilung übernommen. Wenn sie schlechte Phasen hatte, kümmerte sich Waldemar um sie. Er hat dann für sie eingekauft und so weiter. Für Carl hatte sie immer Au-pair-Mädchen.«

Bodenstein und Pia wechselten einen Blick. Sollte sie tatsächlich recht behalten mit ihrer Vermutung? Steckte Waldemar Bär hinter den anonymen Briefen mit den Tagebuchkopien?

»Hatte Waldemar Bär eine Beziehung mit Katharina?«, fragte Pia.

»Oh nein!« Dorothea Winterscheid-Fink schüttelte entschieden den Kopf. »Waldemar hatte John immer sehr verehrt und diese Verehrung nach seinem Tod auf Katharina übertragen.«

»Was geschah mit den Hinterlassenschaften von Katharina nach ihrem Tod?«, wollte Pia wissen. »Irgendjemand muss sich doch um die Auflösung ihrer Wohnung gekümmert haben.«

»Hm, das weiß ich gar nicht mehr.« Dorothea Winterscheid-Fink wandte sich zu ihrem Mann um. »Kannst du dich daran erinnern?«

»Ich meine, das hat Margarethe gemacht, zusammen mit Maria und Waldemar«, entgegnete Stefan Fink. »Du hast dich so lange um Carl gekümmert, weil der nicht allein bei der Haushälterin in der Villa bleiben wollte.«

»Ja, stimmt.« Dorothea Winterscheid-Fink nickte. »Er hatte Angst vor Frau Bär, übrigens der Mutter unseres Herrn Bär. Carl war ja auch völlig durcheinander.«

»Und was ist mit all den Sachen passiert? Kleidung, Möbel, Bücher, persönliche Dinge?«

»Soweit ich weiß, hat meine Mutter sämtliche Kleider in die

Altkleidersammlung gegeben, und der Nachmieter hat die meisten Möbel übernommen. Was mit Katharinas persönlichen Dingen passiert ist, weiß ich nicht. Da sollten Sie vielleicht besser Maria fragen.«

»Und was geschah mit dem Kind?«

»Ich hätte Carl gerne zu mir genommen. Wir hatten damals noch keine eigenen Kinder. Auch Maria hätte ihn genommen, sie ist ja seine Patentante. Aber meine Mutter hat Carl an sich gerissen, obwohl sie Katharina gehasst hat. Sie hatte ihr immer vorgeworfen, sie sei schuld an Götz' Tod gewesen.«

»Warum hat sie das getan?«, fragte Pia.

»Sie hat einmal gesagt, sie hätte ein Recht auf Carl, weil seine Mutter ihr ihren Sohn gestohlen habe« erwiderte Dorothea Winterscheid-Fink. »Carl hatte es leider nicht gut bei meinen Eltern. Sie haben ihn vom Verlag ferngehalten und in ein Internat gesteckt, als er zehn war. Und als er dann nach Amerika zu seinem Patenonkel ziehen wollte, waren sie heilfroh, ihn los zu sein. Dass er jetzt zurückgekommen ist und den Verlag übernommen hat, ist irgendwie eine Ironie des Schicksals.« Sie leerte ihr Glas. »Würden Sie mit raus auf die Terrasse kommen? Wir rauchen nicht im Haus, und ich brauche jetzt eine Zigarette.«

Bodenstein und Pia folgten ihr hinaus auf die überdachte Terrasse. In einer Ecke standen gemütlich aussehende Loungemöbel, auf der anderen Seite ein abgedeckter Gasgrill. Dorothea Winterscheid-Fink ließ sich von ihrem Mann eine Zigarette geben und zündete sie an. Sie tat einen tiefen Zug.

»Wir haben immer Kontakt zu Carl gehalten. Mein Mann und ich haben ihn mehrfach in den USA besucht. Es ist großartig, mit ihm zusammenzuarbeiten. Er hat viel Ahnung vom Geschäft und vor allen Dingen auch von Betriebswirtschaft. Mein Vater ist immer ein Snob gewesen, und Heike war auch einer.«

»Und Alexander Roth?«, erkundigte sich Pia.

»Alex war der größte Snob von allen. Er lechzte geradezu nach gesellschaftlichem Status. Irgendwann, ich war noch in der Schule, hat er mal zu mir gesagt, wenn ich erst alt genug sei, würde er mich heiraten und meinen Namen annehmen. Dann würde

er dazugehören. Das sagt doch eigentlich schon alles, oder?«
Dorothea Winterscheid-Fink ließ den Rauch durch die Nasenlöcher ausströmen. »Und er war ein Schwächling. Aber es sind
ja oft gerade die Schwachen, die sich am zähesten irgendwo festkrallen. Sein Traum war, eines Tages Verleger des Winterscheid-
Verlags zu sein, Pfeife rauchend im Verlegerbüro zu sitzen und
in Schopenhauer-Erstausgaben mit Goldschnitt zu blättern. Für
diesen Traum ließ er sich nur zu gerne von meinen Eltern vereinnahmen.« Sie lachte spöttisch auf. »Im Gegensatz zu Maria,
die vernünftigerweise schnell das Weite gesucht und den Posten
in der Stiftung nach ein paar Monaten aufgegeben hatte, waren
Alex und Heike glücklich. Alex war mit 22 Jahren Vorstandsvorsitzender der Stiftung, und Heike hatte eine Stelle im Lektorat
sicher, ohne vorher ein Volontariat absolvieren zu müssen. Mein
Vater war auch glücklich, er hatte gleich zweifachen Götz-Ersatz
bekommen, der sich wesentlich besser in seine Pläne fügte als der
echte Götz.«

Sie drückte die Zigarette in einem Aschenbecher auf dem
Loungetisch aus. »Aber am Ende hat es sie beide nicht glücklich gemacht, weder Alex noch Heike. Glauben Sie mir, ich habe
absolut keinen Grund, mein gutes Leben zu ruinieren, indem ich
jemanden umbringe, der mir gleichgültig ist. Ich habe einen wunderbaren Mann, zwei tolle Söhne, ein schönes Haus und einen
Beruf, der mich erfüllt. Und wenn mein Vater eines Tages das
Zeitliche segnet, erbe ich seine Verlagsanteile oder auch nicht. Es
spielt für mich keine Rolle, denn mir gehört schon ein Teil des
Verlages. Verstehen Sie das?«

»Ja.« Bodenstein nickte. »Das verstehe ich.«

Pias Smartphone summte. Sie zog es aus der Tasche und sah,
dass Maria Hauschild ihr eine Nachricht geschickt hatte.

Hallo Frau Sander, ich bin erst jetzt nach Hause gekommen,
hatte Hennings Agentin geschrieben. *Ich schicke Ihnen die Kopie, die dem anonymen Brief, den ich ungefähr vor drei Wochen
bekommen habe, beigefügt war. Zu Ihrem Verständnis: Mia =
ich, Heike = ist klar, Alex = Alexander Roth, Josi = Josefin Lintner, Stefan = Stefan Fink. Morgen bin ich den ganzen Tag gut*

erreichbar. Rufen Sie mich an oder kommen Sie gerne vorbei.
MfG MH. Pia setzte ihre Lesebrille auf, öffnete das erste Foto
und begann zu lesen.

Frau
Maria Hauschild
c/o Literarische Agentur Hauschild
Untermainanlage 211
60311 Frankfurt am Main

Ich weiß, was du im Sommer 1983 getan hast. Und du weißt
es auch.

Île de Noirmoutier, 24. Juli 1983
Götz ist tot. Der süße, witzige, charmante, fröhliche Götz! Ich
kann es nicht fassen. Er war der einzig Vernünftige von dieser
ganzen Bande, und jetzt lebt er nicht mehr. Ich kann das
gar nicht begreifen. Wo ist er jetzt? Wo ist seine Seele? Wie
kann das alles, was in ihm gewesen ist, all seine Gedanken
und Gefühle, seine Pläne und Ideen, von einer auf die andere
Sekunde einfach aufhören zu existieren? Ist er ertrunken?
Oder war er schon tot, als er ins Wasser gefallen ist? Ob er
etwas gemerkt hat, ob er Todesangst hatte? John hat mir
erzählt, der Arzt glaubt, er sei bewußtlos gewesen, wegen des
Alkohols. Aber wie kann er das wissen? Ich bin so froh, daß
John da ist und sich um alles kümmert! Ach, ich wünschte,
ich könnte um Götz weinen und trauern, aber ich bin viel zu
schockiert. Es ist …

Île de Noirmoutier, 25. Juli 1983 – 3:55 Uhr morgens
Sie sind weg. Endlich kann ich wieder einen klaren Gedanken
fassen. Mia und Alex sind vorhin mit Götz' Eltern gefahren.
Mia spielt die trauernde Witwe, es war schrecklich peinlich,
das mitanzusehen, vor allen Dingen, wenn man weiß,
welcher Art ihre Beziehung mit Götz wirklich war. Seine
Eltern scheinen gar nicht zu wissen, daß die beiden gar kein

Paar mehr waren, und keiner hat es ihnen gesagt. Josi ist in Stefans Auto gehechtet, sie haben sich nicht mal von uns verabschiedet, und um ein Haar hätten sie noch Heike vergessen, so eilig hatten sie es, hier wegzukommen. Soviel zum Thema Freundschaft. Na ja. In Wirklichkeit können sie sich nämlich alle nicht leiden. Zu Hause ist es mir nicht so aufgefallen, weil ich sie nur selten zusammen erlebt habe. Aber wie sie um Götz' Gunst gewetteifert haben, wie sie, wenn er nicht dabei war, aufeinander herumhacken, sich eifersüchtig belauern und gegenseitig schlechtmachen, das hat absolut gar nichts mit Freundschaft zu tun. Die Schlimmste von allen ist Heike. Sie ist voller Gift und Neid, und sie ist absolut berechnend. Ich werde mich nach diesem ›Urlaub‹ sofort nach einer eigenen Bleibe umschauen. Ich will keinen Tag und keine Nacht länger mit ihnen zusammensein.

Pia rief das nächste Foto auf und las den Text.

Es wäre falsch, wenn ich behaupte, ich hätte es geahnt, das habe ich nicht. Aber ich hätte es kommen sehen müssen. Da war immer eine unterschwellige Aggression. Und dieses Verstummen, wenn ich dazukam. Die vielsagenden Blicke, die Heike und Alex gewechselt haben. Trotzdem hätte ich es niemals für möglich gehalten, daß sie ihn umbringen würden. Denn das haben sie getan, die beiden, da bin ich mir sicher. Sie sind so anders als vorher. Die Trauer und der Schock sind bei den beiden nicht echt, bei Josi, Mia und Stefan schon. Natürlich habe ich keine Beweise, und ich war in dieser Nacht ja nicht mal hier, aber ich glaube, sie lügen alle, sogar Stefan, und das macht mich fix und fertig. Sie haben irgendetwas verabredet, die fünf, und die Polizei hat ihnen geglaubt, weil sie überzeugend ihre Rollen spielen. Genausogut wie vorher auch. Götz mußte mit seinem Leben bezahlen, weil er unterschätzt hat, wieviel es ihnen bedeutet, zu dieser Verlagswelt dazuzugehören. Ach, wenn er doch nur auf mich gehört und nicht soviel getrunken hätte! Ich habe seinen Frust verstanden, aber es hätte sicher irgendeine Lösung für sein Dilemma gegeben, und außerdem ist ihm der Verlag doch sowieso scheißegal gewesen. Wieso war er nur so dumm, ihnen immer wieder damit zu drohen? Warum war ich bloß nicht da??? Während ich mit John die schönste Zeit meines Lebens hatte, ist Götz gestorben. Das werde ich mir vorwerfen, bis ich selber sterbe. Und ich weiß, daß Johns Bruder und seine gräßliche Frau mir das auch vorwerfen, weil sie offenbar glauben, Götz wäre in mich verliebt gewesen und ich hätte ihn Johns wegen absverviert! Natürlich bin ich selbst schuld, ich habe Götz' und Stefans Spielchen ja mitgespielt, weil Götz mich darum gebeten hat (und weil es irgendwie auch Spaß gemacht hat, ich gebe es zu). Wie hätte ich denn auch wissen können, was passieren würde? Hoffentlich übersteht das mit John und mir diese ganze schreckliche Tragödie! Ich liebe ihn so sehr, und ich würde sterben, wenn er mit mir Schluß macht. Drei Tage lang war ich der glücklichste Mensch der Welt. Aber ich darf einfach nie glücklich sein. Ach, Götz, Götz, wie konnte das alles nur so schrecklich aus dem Ruder laufen?

Pia reichte Bodenstein ihr Handy und ihre Lesebrille. Das Ehepaar Fink beobachtete das schweigend.

»Was haben Sie am vergangenen Donnerstag gemacht?«

»Das war der letzte Tag unserer Vertreterkonferenz. Ich war den ganzen Tag im Verlag, bis abends gegen acht.«

»Und danach?«

»Bin ich nach Hause gefahren. Unser ältester Sohn war da, wir haben gegrillt.«

»Haben Sie am Donnerstag Alexander Roth gesehen?«

»Ja, natürlich. Wie gesagt, es war Vertreterkonferenz. Unsere Lektoren haben die neuen Titel für das Frühjahrsprogramm 2019 den Vertretern vorgestellt. Die Programmleiter sind die ganze Zeit über dabei, darauf lege ich großen Wert.«

Bodenstein hatte die Lektüre der Texte beendet. Er setzte Pias Lesebrille ab, reichte ihr das Handy und blickte auf.

»Wann haben Sie Waldemar Bär zuletzt gesehen?«

»Ich weiß es nicht genau. Gestern? Ja, gestern Morgen war er da, als Carl der Belegschaft die Nachricht von Heikes und Alexanders Tod mitgeteilt hat. Danach habe ich ihn nicht mehr gesehen.«

»Haben Sie heute mit Ihrer Mutter gesprochen?«, erkundigte Pia sich.

»Heute morgen ganz kurz. Sie wollte wissen, ob ich Herrn Bär gesehen hätte.« Dorothea Winterscheid-Fink legte den Kopf schief. »Worüber hätte sie mit mir sprechen wollen?«

»Ihre Eltern haben heute erfahren, dass sie fünfunddreißig Jahre lang eine Lüge geglaubt haben«, sagte Bodenstein. »Ihr Bruder hatte sich vor seinem Tod nicht etwa wegen Katharina betrunken, sondern wegen eines Mannes, den er liebte.«

»Wie bitte?« Dorothea Winterscheid-Fink, die gerade nach dem Zigarettenpäckchen greifen wollte, das ihr Mann auf den Tisch gelegt hatte, erstarrte mitten in der Bewegung. Ihr Blick wanderte zu ihrem Mann. Es war deutlich an ihrer Miene abzulesen, wie es in ihrem Kopf arbeitete, wie sie Informationen abrief und bewertete und daraus ihre Schlüsse zog, bis sie begriff. »Nein! Nein, das kann nicht sein. Stefan, sag mir, dass ich mich irre. Sag mir bitte, dass ihr uns nicht all die Jahre belogen habt!«

Stefan Fink schien vor ihren Augen zu schrumpfen. Er ließ schuldbewusst den Kopf hängen und machte keinen Versuch, sich zu rechtfertigen.

»Es tut mir leid«, sagte er nur.

»Götz und – *du*?«, flüsterte seine Frau.

Fink nickte und machte eine hilflose Bewegung mit beiden Armen.

»Es war zuerst nur Spaß. Nichts Ernstes. Ich konnte nicht ahnen, dass Götz sich wirklich ... nun ja ... in mich verlieben würde.«

Seine Frau starrte ihn stumm an und bemühte sich angestrengt, ihre Fassungslosigkeit unter Kontrolle zu bekommen. Das Ausmaß dieser Lüge dämmerte ihr allmählich. Sie mochte nicht nachtragend sein, aber dieser Vertrauensbruch war so gewaltig, dass sie ihrem Mann nicht so schnell verzeihen würde, wenn sie es überhaupt jemals konnte.

»Wer hat darüber Bescheid gewusst?«, krächzte sie.

»Das ... das können wir doch später besprechen«, antwortete ihr Mann peinlich berührt.

»Ich will es *jetzt* wissen«, zischte Dorothea Winterscheid-Fink mit mühsamer Beherrschung. »Wer hat all die Jahre gewusst, dass du mit meinem Bruder gevögelt hast? Hast du ihn geliebt? Bist du ein heimlicher Schwuler, der sich nachts auf irgendwelchen Autobahnparkplätzen herumtreibt? Hättest du mit mir Schluss gemacht, wenn er nicht gestorben wäre? Hast du meinen Bruder am Ende umgebracht?«

Die letzte Frage hatte sie geschrien, und sie war drauf und dran, sich auf ihren Mann zu stürzen, beherrschte sich im letzten Moment jedoch. Fink war die Situation sichtlich unangenehm. Er war dunkelrot angelaufen.

»Würden Sie uns wohl bitte allein lassen?«, wandte er sich an Bodenstein und Pia, aber Pia schüttelte den Kopf.

»Ihre Antwort interessiert uns auch«, erwiderte sie und verschränkte die Arme vor der Brust.

Es war ganz still, bis auf den schweren Atem von Dorothea Winterscheid-Fink. Ein Auto fuhr jenseits der Schallschutzwand die Landstraße entlang. Stefan Fink rang mit sich und den Geistern der Vergangenheit.

»Katharina und Maria haben es gewusst«, gab er schließlich zu. »Maria war seit Jahren Götz' Alibi gewesen, weil er schon ziemlich früh gewusst hat, dass er nicht auf Mädchen steht. Und Katharina hatte sofort gemerkt, dass da zwischen uns was war. Die anderen, die ... die haben es erst erfahren, als ... als Götz ... als Götz tot war.«

»Weiter!«, presste seine Frau zwischen zusammengebissenen Zähnen hervor.

»Ich habe mit Götz Schluss gemacht an diesem Abend. Ich habe ihm gesagt, dass ich *dich* liebe, Doro!«, flüsterte Fink beschwörend. Seine Schultern sackten nach vorne, er sah plötzlich aus wie ein alter Mann. »Deswegen hat er sich so sehr betrunken, dass er von dem Felsen ins Meer gestürzt ist. Ich bin schuld, dass Götz tot ist, und das habe ich nicht gewollt. Diese Schuld lastet seit fünfunddreißig Jahren auf meiner Seele. Es gibt keinen Tag, an dem ich nicht an ihn denke.«

Dorothea Winterscheid-Fink sah ihren Mann an.

»Warum habt ihr behauptet, es wäre wegen Katharina gewesen?« Sie flüsterte auch, als ob sie ihrer Stimme nicht traute. »Weshalb hat sie nie die Wahrheit gesagt? Wieso hat sie die Feindseligkeit meiner Mutter ertragen?«

Stefan Fink wich ihrem Blick aus. Selbst jetzt schaffte er es nicht, wirklich aufrichtig zu sein.

»Heike und Alexander meinten, es sollte für dich und deine Eltern nicht noch schlimmer werden. Wir ... wir wollten euch schonen. Deine Eltern hätten Katharina niemals geglaubt, wenn ihr Wort gegen unseres gestanden hätte.«

Eine ganze Weile blieb Dorothea Winterscheid-Fink stumm. Sie schloss ihre Hände zu Fäusten und öffnete sie wieder. Nicht nur die Nachricht als solche hatte sie tief erschüttert, sondern vor allen Dingen der unverzeihliche Verrat, den ihr Ehemann an ihr begangen hatte.

»Diese miesen, verlogenen Schmarotzer«, stieß sie hervor. »Ich will keinen von denen mehr sehen. Und dich, du Feigling, auch erst mal nicht. Ich weiß nicht, ob ich dir jemals wieder vertrauen kann.«

Und damit verschwand sie im Haus.

* * *

Bodenstein fand auf seinem Handy drei Anrufe seines Bruders, als sie das Haus der Finks verließen, und bekam einen Schrecken. Ein Anruf von Quentin zu so später Uhrzeit ließ ihn immer befürchten, ihren weit über achtzigjährigen Eltern sei etwas zugestoßen. Er reichte Pia die Autoschlüssel und rief seinen Bruder zurück. Während er darauf wartete, dass Quentin dranging, fiel ihm ein, dass es auch um Sophia gehen könnte.

»Na los, jetzt geh schon dran«, murmelte er, und als ob sein Bruder ihn gehört hatte, nahm er ab.

»Wir haben eben deine missratene Stieftochter und zwei Kerle dabei erwischt, wie sie unseren Stall anzünden wollten!«, rief

Quentin aufgebracht ins Telefon, und Bodenstein traute seinen Ohren nicht. »Sie haben die Strohballen im Durchgang mit einer Art Molotowcocktail angesteckt, und die brannten schon lichterloh. Glücklicherweise haben die Hunde angefangen zu bellen, und Vater hat sie rausgelassen und gleich die Sprinkleranlage angestellt. Ich bin gerade aus dem Feld gekommen, wir haben heute mit der Maisernte angefangen, da sind mir die drei Früchtchen fast unter den Traktor gelaufen!«

»Habt ihr den Brand löschen können?«, erkundigte Bodenstein sich.

»Ja, Gott sei Dank. Es sind nur drei Rundballen abgefackelt und die Decke vom Durchgang ist schwarz. Nichts passiert, was man nicht wieder reparieren kann. Aber was mache ich jetzt mit den dreien?«

Bodenstein wurde vor Erleichterung ganz flau. Seinen Eltern ging es gut. Sophia war gesund und munter. Doch dann flammte Zorn in ihm auf. Dieser Anschlag hatte ihm und Sophia gegolten, das war eindeutig. Er hatte Gretas Anrufe, ihre geschriebenen und gesprochenen Nachrichten konsequent ignoriert, und diese Nichtbeachtung konnte das Mädchen nicht ertragen. Dass sie in ihrer Gekränktheit wirklich so weit gehen und versuchen würde, den Pferdestall anzuzünden, in dem sie Sophias Pony wähnte, war ungeheuerlich.

»Ruf die Polizei an!«, riet er seinem Bruder. »Das ist Brandstiftung und muss strafrechtlich verfolgt werden. Ich bin in zwanzig Minuten da!«

»Was ist denn passiert?«, wollte Pia wissen. Bodenstein erzählte es ihr.

»Das Mädchen gehört in die geschlossene Psychiatrie!«, regte er sich auf. »Sie ist gemeingefährlich! Stell dir vor, die Hunde hätten nicht gebellt und das Feuer hätte auf die Stallungen und das Wohnhaus übergegriffen!«

Er war außer sich. Kleider zerschneiden und ein Auto zerkratzen, das konnte man noch als böse Streiche durchgehen lassen, bei Brandstiftung mittels eines Brandbeschleunigers war Schluss mit lustig.

»Soll ich mitkommen?«, fragte Pia.

»Nein. Fahr nach Hofheim«, erwiderte Bodenstein.

»Unsinn. Du lässt mich am Krankenhaus raus und fährst direkt weiter nach Hause«, entgegnete Pia. »Christoph kann mich morgen früh zur Arbeit fahren, das ist kein Problem.«

»Dann musst du aber durch den dunklen Wald laufen«, sagte Bodenstein, der dankbar für den Vorschlag seiner Kollegin war, aber dennoch ein schlechtes Gewissen hatte. »Um diese Uhrzeit!«

»Das sind nur fünfhundert Meter«, beruhigte Pia ihn. »Der Fußgängerweg ist beleuchtet, außerdem habe ich meine Dienstwaffe dabei. Schon okay.«

Sie bog an der Conti-Kreuzung rechts ab und hielt eine Minute später in der Einfahrt, die für Rettungsfahrzeuge reserviert war. Sie stiegen aus, damit Bodenstein hinter dem Steuer Platz nehmen konnte.

»So eine Aufregung hat mir gerade noch gefehlt!« Bodenstein fuhr sich mit beiden Händen durchs Haar. »Cosima geht es besser, es kann jederzeit so weit sein mit der OP. Und mit dem Fall kommen wir nicht weiter!«

»Doch, das tun wir«, beruhigte Pia ihn. »Ich glaube, wir haben heute für ordentlich Unruhe gesorgt, das wird etwas in Gang setzen. Morgen sprechen wir mit dem Notar und mit Maria Hauschild. Wir werden den Verlag auf den Kopf stellen und Waldemar Bär finden. Er ist unser Mann, das hab ich im Gefühl.«

»Er ist der Gärtner«, antwortete Bodenstein und musste lächeln, obwohl ihm gar nicht danach zumute war. »Das ist ein Klischee.«

»Klischees sind nur deshalb welche, weil sie so oft wahr sind.« Pia grinste. »Jetzt fahr schon los. Wir sehen uns morgen um 7 im Büro.«

***

Julia schreckte mitten in der Nacht aus dem Schlaf hoch. Die Bilder ihres Traums noch ganz deutlich vor Augen, begriff sie plötzlich, was sie beschäftigt hatte, seitdem sie das Manuskript von Katharina Winterscheid gelesen hatte. Es war die Katze gewesen! *Fleur de Sel*, die schwarze Katze mit den weißen Pfoten! Jetzt wusste sie, woran sie sie die ganze Zeit erinnert hatte, und das konnte kein Zufall sein. Diese Katze war ihr vor Jahren in einem Buch begegnet! Sie knipste die Nachttischlampe an, sprang aus dem Bett, und trat an ihr Bücherregal. Wo war das Buch bloß? Hatte sie es überhaupt mitgenommen oder war es unter den Büchern gewesen, die sie vor ihrem Umzug von Berlin nach Frankfurt aussortiert und in einen öffentlichen Bücherschrank gestellt hatte? Während sie morgens um halb vier ihr umfangreiches Bücherregal nach einem Taschenbuch absuchte, das sie zuletzt vor mehr als zehn Jahren gelesen hatte, dachte sie über ihren gestrigen Besuch bei Henning Kirchhoff in der Rechtsmedizin nach. Es hatte sie beeindruckt, Kirchhoff in seinem eigentlichen Element zu erleben. Nachdem sie den Bericht über die gerichtsmedizinische Untersuchung der Leiche von Katharina Winterscheid gelesen hatten, hatte Julia Kirchhoff Fragen zu seiner Arbeit gestellt. Aus seinen beiden Krimis wusste sie bereits einiges, aber das war eben nur Theorie. Sie hatte ihm gestanden, dass sie noch nie in ihrem Leben eine Leiche gesehen hatte, und da hatte er sie in den Keller des Instituts geführt und eines der Kühlfächer geöffnet. Sie hatte mit Verwesungsgeruch und einem schrecklichen Anblick gerechnet, aber der Tote, ein junger Mann, der an einer Überdosis Drogen gestorben war, hatte ausgesehen, als schliefe er friedlich. Nur seine Blässe und die bläulichen Lippen waren ein Hinweis darauf gewesen, dass dieser Schlaf endgültig war.

»Sind Frau Wersch und Herr Roth auch hier?«, hatte sie mit einem leisen Gruseln gefragt, und Kirchhoff hatte bejaht und sie gefragt, ob sie sie sehen wolle, doch dieses Angebot hatte sie ausgeschlagen. Ein toter Fremder war etwas völlig anderes als tote Arbeitskollegen, zumal Kirchhoff sie gewarnt hatte, dass diese beiden Leichname nicht schön anzusehen seien.

Auf dem Weg zurück nach oben hatte sie Kirchhoff gefragt, ob er und seine Ex-Frau früher tatsächlich oft die Wochenenden und Feiertage in den Sektionsräumen verbracht hatten, wie die entsprechenden Charaktere seiner Krimis, und er hatte es ihr bestätigt. Letztlich sei deshalb seine Ehe gescheitert, weil ihm die

Arbeit immer wichtiger gewesen sei als seine Frau. Er mochte sie noch immer sehr, das hatte Julia an der Art und Weise gemerkt, wie er über sie sprach und was er von ihr erzählte. Seine zweite Ehe mit einer Schulfreundin seiner Ex-Frau schien jedenfalls vom ersten Moment an ein Desaster gewesen zu sein, und Kirchhoff hatte von Frauen offenbar die Nase voll, mit Ausnahme von Pia, der er mit seiner Ermittlerin Ina Grevenkamp ein Denkmal gesetzt hatte. Vielleicht lebte er ja deshalb alleine in der winzigen Wohnung im Dachgeschoss des Institutsgebäudes. Allmählich hatte Julia Schwierigkeiten, Realität und Fiktion auseinanderzuhalten, denn auch die Charaktere im Manuskript von Katharina Winterscheid schienen reale Vorbilder zu haben.

»Ha! Da bist du ja!«, stieß sie hervor und zog das Taschenbuch von einem der oberen Bretter ihres Bücherregals. Es war zerlesen und schon etwas speckig, in der Mitte des Buches steckte eine signierte Autogrammkarte, auf der statt eines Fotos der Autorin das Buchcover abgebildet war. Sie nahm das Buch mit in die Küche, löffelte Kaffeepulver in die Kaffeemaschine und begann in dem Buch zu blättern, während der Kaffee durchlief. Es dauerte nicht lange, bis sie die Stelle fand, nach der sie gesucht hatte, und ein wildes Glücksgefühl erfasste sie. Da war sie, die schwarze Katze mit den weißen Pfoten! Wie im Manuskript von Katharina Winterscheid! Sie las die Stelle noch einmal und ein drittes Mal. Nein, sie hatte sich nicht geirrt. Das Glücksgefühl ließ nach und machte einer tiefen Befriedigung Platz. Julia griff zu ihrem Handy und schrieb ihrem Chef eine Nachricht, und es war ihr völlig egal, dass es erst vier Uhr morgens war. Sie musste mit ihm reden, so schnell wie möglich. Denn das, was sie entdeckt hatte, konnte sein ganzes Leben verändern. Und nicht nur seines.

Tag 6

Dienstag, 11. September 2018

»Um Gottes willen! Das kann doch nicht wahr sein!« Der Notar Philipp Eberwein, ein schütterer Mann Mitte fünfzig mit weichen Gesichtszügen und spärlichem Haar, wurde unter seiner Kreuzfahrt-Sonnenbräune blass, als er vom gewaltsamen Tod seiner Mandantin erfuhr.

»Doch, leider ist es wahr«, sagte Bodenstein, der ein seltsames Déjà-vu erlebte. Vor zehn Jahren hatte er in genau diesem Raum der Ärztin Daniela Lauterbach gegenübergesessen und ihr mitgeteilt, dass jemand ihre Freundin Rita Cramer von einer Fußgängerbrücke gestürzt hatte. Die Anwaltssozietät Eberwein Straumann Hübner hatte die Räumlichkeiten in der Königsteiner Fußgängerzone vor neun Jahren übernommen und kaum etwas daran verändert. Große, helle Räume mit hohen Decken und glänzenden Parkettfußböden, die bei jedem Schritt knarzten, an den Wänden der Flure hingen statt der düsteren Bilder von damals gerahmte Poster und kunstvolle Drucke, und auf dem Aktenschrank im Büro des Notars hatte juristische Fachliteratur die medizinische von Frau Dr. Lauterbach ersetzt. Die Fenster hinter dem Schreibtisch boten jedoch noch denselben schönen Ausblick über den Kurpark auf die Burgruine.

»Heike hat mich vor zehn Tagen angerufen, wir waren gerade im Hafen von Bari.« Eberwein schüttelte bei der Erinnerung betroffen den Kopf. »Sie drängte auf einen kurzfristigen Termin, weil sie ihr Testament ändern wollte. Sie müssen wissen, dass ich Heike schon sehr lange kenne. Wir waren zusammen auf der Schule.«

»Ach, tatsächlich?« Pia betrachtete den Mann mit neuem Interesse. »Auf welcher denn?«

»Auf dem Friedrich-Schiller-Gymnasium in Kelkheim.«

»Dann kannten Sie auch Alexander Roth?«

»Ja, natürlich kenne ich Alex Roth. Aber wieso sprechen Sie in der Vergangenheitsform von ihm?«

»Weil Herr Roth am vergangenen Sonntag verstorben ist«, erwiderte Pia.

»Das ist ja furchtbar!« Eberweins Kiefermuskeln arbeiteten heftig; die schlechten Neuigkeiten nahmen ihn sichtlich mit.

»Standen Sie Frau Wersch oder Herrn Roth nahe?«, wollte Pia wissen.

»Für Alex habe ich vor Jahren ein Haus protokolliert«, antwortete der Notar. »Mit Heike, also Frau Wersch, war ich enger befreundet. Sie hatte mich darum gebeten, die Vormundschaft für ihren Vater zu übernehmen, sollte ihr etwas zustoßen, bevor er verstorben ist.«

»Der Fall ist jetzt eingetreten«, sagte Pia.

»Ja, bedauerlicherweise.« Notar Eberwein hatte sich wieder gefangen. »Aber das ist keine Belastung für mich. Ich habe Herrn Wersch immer gemocht und erfülle meine Aufgabe gerne.«

Pia, die das Testament gelesen hatte, glaubte ihm aufs Wort, denn Eberwein würde für seine Dienste aus dem Nachlass von Frau Wersch fürstlich bezahlt werden. Viel Geld für wenig Arbeit, schließlich war Herr Wersch im Pflegeheim und dement dazu; der Notar würde ihn nicht mal zu Weihnachten besuchen oder an Geburtstagen anrufen müssen.

»Weshalb hat Frau Wersch ausgerechnet Herrn Bär als ihren Alleinerben eingesetzt?«, erkundigte Bodenstein sich.

»In einer früheren, handschriftlichen Fassung ihres letzten Willens hatte sie die Götz-Winterscheid-Stiftung zum alleinigen Erben ihres Vermögens bestimmt, aber das wollte sie ändern«, antwortete der Notar. »Sie fragte mich damals um Rat, was sie tun solle. Heike hatte keine Abkömmlinge, keinen Partner, nicht mal ein Patenkind. Ich hatte das Gefühl, dass es in ihrem Umfeld niemanden gab, dem sie wirklich vertraute. Herrn Bär kannte sie schon sehr lange. Er hat ihr oft geholfen und Dinge für sie erledigt, die sonst vielleicht ein Ehemann erledigt: Sachen repariert,

Gartenarbeit, Lampen aufgehängt, so etwas in der Art. Heike hat ihn dafür bezahlt, sie wollte keine Freundschaftsdienste, aber sie hat Herrn Bär sehr geschätzt. Deshalb hat sie sich dazu entschieden, ihn zum Alleinerben zu bestimmen.«

Bodenstein gähnte verstohlen. Er war erst um vier Uhr ins Bett gekommen und hatte kaum geschlafen. Quentin hatte die Polizei gerufen, man hatte die drei Übeltäter auf die Kelkheimer Polizeiwache gebracht, erkennungsdienstlich behandelt und in getrennte Zellen gesteckt, bevor man ihre Eltern informiert hatte. Die beiden Jungen waren ortsbekannte Tunichtgute, beide noch minderjährig, aber mit ellenlangen Vorstrafenregistern wegen Ladendiebstählen, Schwarzfahrens, Körperverletzung und Verstößen gegen das Betäubungsmittelgesetz. Ihre Eltern hatten es nicht für nötig befunden, ihre missratenen Sprösslinge abzuholen, aber Karoline war natürlich aufgetaucht und hatte darauf bestanden, ihre Tochter mit nach Hause zu nehmen. Als man ihr dieses Ansinnen verwehrt hatte – Greta war volljährig und damit voll strafmündig –, hatte sie ihn angerufen. Es war ihr völlig gleichgültig gewesen, dass es halb drei morgens war, und sie hatte ihn angebettelt, seine Beziehungen spielen zu lassen. Das hatte er abgelehnt, denn die Kollegen würden Greta ohnehin ein paar Stunden später laufen lassen. Ein paar Stunden in einer Zelle brachten sie vielleicht zum Nachdenken. Diesmal würde ihr Verhalten ernsthafte Konsequenzen haben, denn Brandstiftung wurde als Straftatbestand von Amts wegen verfolgt.

»Warum niemanden von ihren Freunden?«, fragte Pia gerade, und Bodenstein klinkte sich gedanklich wieder in das Gespräch ein. »Ihre beste Freundin Maria Hauschild, zum Beispiel? Oder Alexander Roth, ihren langjährigen Kollegen?«

»Die beiden hatten nach Heikes Meinung schon genug eigenes Vermögen«, antwortete der Notar glatt. »Maria ist ja sehr wohlhabend, und Alexander und seiner Frau geht es finanziell auch nicht schlecht. Ich glaube, sie wollte, dass Herr Bär abgesichert ist.«

»Eine sehr noble Geste«, fand Pia und musste sich Mühe geben, nicht sarkastisch zu klingen. »Aber dann hat sie ihre Meinung geändert. Warum?«

Eberwein zögerte kurz. Er schien zu erwägen, ob er gegen seine Verschwiegenheitspflicht als Notar verstieß, wenn er eine Antwort auf diese Frage gab. Doch er hatte ja noch nichts protokolliert.

»Angeblich hatte Bär der Geschäftsleitung ihres Arbeitgebers verraten, dass sie einen eigenen Verlag gründen und Autoren abwerben wollte«, sagte er. »Ich war ja mit der Verlagsgründung befasst und hatte ihr dringend davon abgeraten, so etwas zu tun, solange sie noch im Arbeitsverhältnis stand. Leider hat sie meinen Rat in den Wind geschlagen, wie so oft. Sie war empört über Bärs Verhalten, nannte ihn einen Verräter, einen Mistkerl und Schlimmeres.«

Bodenstein und Pia bedankten sich bei Eberwein für die Auskünfte und verabschiedeten sich.

»Warum hat Carl Winterscheid Cem und mir nicht sagen wollen, von wem er die Information über Heike Werschs Pläne hatte?«, fragte Pia, als sie die Fußgängerzone entlang Richtung Parkplatz gingen. »Welchen Grund kann er dafür gehabt haben?«

»Das fragen wir ihn jetzt. Wir fahren nach Frankfurt und besuchen ihn«, erwiderte Bodenstein. »Und danach sprechen wir mit Maria Hauschild.«

Die Durchsuchungsbeschlüsse für das Verlagshaus und die Privatwohnung von Waldemar Bär waren da. Kröger wartete nur auf den Startschuss. Kai hatte Kollegen aus Frankfurt gebeten, das Ehepaar Winterscheid und Hellmuth Englisch, sofern er sich noch in der Villa Winterscheid aufhielt, zur Vernehmung nach Hofheim aufs Revier zu bringen. Im Labor hatte man an dem blutbefleckten T-Shirt die DNA von Alexander Roth sichern können, was den Verdacht nahelegte, dass es sich um sein T-Shirt gehandelt hatte und nicht um das von Götz Winterscheid. Das Blut hingegen stammte nicht von Roth. Wenn es das Blut von Götz war, war es möglich, dass Heike Wersch das T-Shirt von Roth als Druckmittel gegen ihn aufbewahrt hatte. Die ›Ewigen‹ waren wahrhaftig keine Freunde gewesen. Jeder hatte jeden belogen.

Alle hatten Geheimnisse gehabt, von denen die anderen nichts wussten. Aber jetzt fiel ihnen die Heimlichtuerei vor die Füße. Das Ehepaar Fink hatte garantiert keine angenehme Nacht hinter sich, und auch die alten Winterscheids hatten einigen Stoff zum Nachdenken bekommen.

Bodenstein setzte sich hinter das Steuer und manövrierte den Dienstwagen vom überfüllten Parkplatz durch das nicht minder überfüllte Königstein, dessen Infrastruktur für das hohe Verkehrsaufkommen nicht ausgelegt war. Er wünschte sich, den Fall so schnell wie möglich abschließen zu können, und das war nicht klug, denn in der Eile konnten Fehler passieren. Sobald die Ärzte grünes Licht gaben, würde er alles stehen und liegen lassen und ins Krankenhaus fahren. Das Köfferchen stand bereits fertig gepackt in seinem Hotelzimmer. Anfänglich hatte er die Operation, die auf ihn zukam, nur als lebensrettende Maßnahme für Cosima betrachtet, doch je näher der Termin rückte, desto unwohler wurde ihm bei dem Gedanken, in Narkose versetzt und aufgeschnitten zu werden. Als Siebzehnjähriger hatte er nach einem schweren Reitunfall Wochen im Krankenhaus verbracht und war mehrfach operiert worden; das war damals notwendig gewesen, aber jetzt war er gesund und begab sich sehenden Auges in eine Situation, die ihn zunächst einmal krank machen würde. Ja, er konnte sogar sterben, nicht mehr aus der Narkose aufwachen oder bei der Operation verbluten. Hatte er wirklich die richtige Entscheidung getroffen? Und was, wenn seine Leberspende Cosima gar nicht helfen und sie trotzdem sterben würde? Sein Unbehagen wurde verstärkt von der Tatsache, dass mittlerweile viel zu viele Leute davon wussten; ihm wäre es erheblich lieber gewesen, wenn die ganze Sache ohne großes Aufsehen über die Bühne gegangen wäre. Seine Familie mochte in ihm den selbstlosen, heldenhaften Lebensretter sehen, seine Kollegen wohl eher den opferbereiten Trottel, der er schon immer gewesen war, wenn es um Cosima gegangen war. Wer von ihnen hatte recht? Was würden sie über ihn denken, wenn er jetzt einen Rückzieher machte? Verdammt, was zum Teufel interessierte es ihn überhaupt, was andere dachten? Bei der Befragung durch die Psychologin im Krankenhaus hatte er behauptet, er würde die Lebendleberspende aus freiem Willen machen wollen – aber stimmte das eigentlich? Andererseits hätte das niemand von ihm, dem betrogenen Ex-Mann, erwartet, am wenigsten wohl Cosima selbst. Ob sie wohl dasselbe für ihn tun würde?

Pias Handy klingelte, und sie ging dran. Sie lauschte einen Moment, bedankte sich und beendete das Gespräch.

»Das war Kai. Das Labor hat in der Wodkaflasche, die Tariq gefunden hat, und in einer der Flaschen aus dem Müllcontainer des Verlages Rückstände von Methanol festgestellt«, teilte Pia ihm mit, als er am Blitzer stadtauswärts vorbeifuhr. »Und zwar in einer so hohen Konzentration, dass ein paar Schlucke genügt haben müssen, um den Tod herbeizuführen.«

»Das bedeutet, dass Roth vergiftet wurde«, sagte Bodenstein.

»Das sehe ich auch so.« Pia nickte. »Wir haben zwei Wodkaflaschen mit Methanol-Rückständen. Roth muss am Donnerstag eine letale Dosis zu sich genommen haben. Irgendjemand hat ihm den Wodka untergejubelt, und zwar gleich zwei Flaschen, um sicher zu sein, dass er ihn trinken würde.«

»Wir müssen herausfinden, woher die beiden Flaschen kamen«, sagte Bodenstein mit gefurchter Stirn und gab mehr Gas. »Tariq und Cem sollen das machen. Und Kathrin soll Informationen über alle noch lebenden ›Ewigen‹ zusammentragen, und vor allen Dingen auch über Katharina Winterscheid. Das Motiv unseres Täters liegt in der Vergangenheit. Und wir übersehen etwas. Etwas Entscheidendes.«

* * *

»Bitte, Frau Bremora, ich habe dafür jetzt wirklich keine Zeit«, wehrte Carl Winterscheid ab, als Julia sich ihm in den Weg stellte. »Ich weiß gerade nicht, wo mir der Kopf steht. Können wir das nicht später besprechen?«

»Ich weiß, dass Sie viel zu tun haben. Trotzdem, das hier ist wichtig!«, beharrte Julia. Seit ihrer Entdeckung heute Nacht hatte sie ihrem Chef mehrere Nachrichten mit der Bitte um Rückruf geschrieben, auf die er nicht reagiert hatte, deshalb hatte sie beschlossen, in die Offensive zu gehen. Sie war direkt hoch in den fünften Stock gefahren, um mit ihm zu reden, aber seine Assistentin Alea hatte ihr verraten, dass er heute erst um zehn in den Verlag kommen würde. Also hatte sie an der Straßenecke mit Blick auf das Hotel, in dem ihr Chef wohnte, Position bezogen. Sie musste eine Viertelstunde warten, bis er tatsächlich um fünf vor zehn die Straße überquerte. Hier konnte er ihr nicht ausweichen, ohne unhöflich zu sein.

»Also gut. Ich höre.« Der Verleger stieß einen resignierten Seufzer aus. »Aber ich habe nur wenig Zeit.«

Julia kam es so vor, als ob sie ihrem Chef in drei Minuten ein Buch pitchen müsste. Deshalb entschied sie sich dazu, gleich mit der Prämisse der Geschichte anzufangen und alles, was sie ihm sonst ausführlicher geschildert hätte, auf zwei kurze Sätze einzudampfen.

»Ihre Mutter hat sich nicht das Leben genommen. Sie wurde vom Balkon gestoßen«, sagte sie deshalb. Das war wohl die kürzeste Zusammenfassung aller Zeiten, aber wohl auch die beste, die sie sich je hatte einfallen lassen, denn Carl Winterscheid blieb stehen und starrte sie mit einer Mischung aus Unglauben und Verärgerung an.

»Wie bitte?«, fragte er.

»Höchstwahrscheinlich hat sie auch noch viel mehr geschrieben als nur das Manuskript, das Ihnen zugeschickt wurde«, fuhr Julia eilig fort. »Ich bin über diese Widmung gestolpert: *Wie immer, für immer – für Carl, meinen größten Schatz.* Wie immer! Das schreibt man doch nur, wenn man etwas schon öfter getan hat. Ich meine, wenn man etwas zum ersten Mal tut, sagt man ja nicht ...«

»Ja, ja, das habe ich schon verstanden«, unterbrach Carl Winterscheid sie. »Wie kommen Sie darauf, dass meine Mutter vom Balkon gestoßen wurde?«

Julia holte tief Luft.

»Das Manuskript, das Ihre Mutter geschrieben hat, erzählt eine wahre Geschichte, in der nur die Namen der Charaktere verändert wurden. Mittendrin hört es auf. Ich konnte mir nicht vorstellen, dass sie einfach von ihrer Schreibmaschine aufsteht, auf den Balkon geht und sich über die Brüstung stürzt, deshalb habe ich ein bisschen nachgeforscht und Professor Kirchhoff, der ja mein Autor ist, um Unterstützung gebeten. Im Archiv haben wir den Bericht über die gerichtsmedizinische Untersuchung der Leiche Ihrer Mutter gefunden, und Kirchhoff ist stutzig geworden, als er auf den Fotos Abschürfungen an der linken Hüfte und die Abdrücke von Fingernägeln am Oberarm Ihrer Mutter entdeckt hat.«

Carl Winterscheid schob nachdenklich die Unterlippe vor.

»Weiter«, sagte er mit ausdrucksloser Miene.

»Kirchhoff ist der Meinung, dass seine Kollegen diese Spuren damals übersehen oder nicht richtig beurteilt haben, weil die Lei... äh ... der Körper Ihrer Mutter nach einem Sturz aus dem fünften Stock naturgemäß übel zugerichtet war. In ihrem Blut sind übrigens keine Spuren von Medikamenten festgestellt worden, und sie hatte nur ganz wenig Alkohol getrunken, maximal ein Glas Wein. Wir konnten natürlich nur das Protokoll der Leichenöffnung einsehen, aber Kirchhoff sagte, dass die Staatsanwaltschaft Unterlagen in Leichensachen dreißig Jahre lang aufhebt. Angehörige können Akteneinsicht beantragen, und das sollten Sie tun! Außerdem meint Kirchhoff, die Sache könnte neu aufgerollt werden, falls seinen Vorgängern damals wirklich eine Fehleinschätzung unterlaufen ist. Und dann sollten wir ... ich meine natürlich: dann sollten *Sie* die Kripo einschalten. Außerdem bin ich ...«

»Ich verspreche Ihnen, dass ich darüber nachdenke«, unterbrach Carl Winterscheid sie und lief auf das Verlagsgebäude zu. »Aber im Moment habe ich andere Sorgen. Es wird nach achtundzwanzig Jahren wohl nicht auf ein paar Tage ankommen.«

Sie hatten das Verlagshaus fast erreicht, und da sah Julia, welche Sorgen ihr Chef hatte. Direkt vor dem Haupteingang parkten zwei Streifenwagen, ein silberner Opel und drei blaue VW-Busse. Mehrere Menschen in weißen Ganzkörperoveralls, auf deren Rücken das Wort POLIZEI prangte, waren damit beschäftigt, Koffer und Kisten auszuladen.

Alea Schalk, Winterscheids Assistentin, hielt händeringend Ausschau und kam erleichtert auf sie zugelaufen, als sie ihren Chef erblickte. Sie warf Julia einen seltsamen Blick zu, dann begann sie, auf Winterscheid einzureden. Julia schnappte die Wörter ›Durchsuchungsbeschluss‹ und ›Spurensicherung‹ auf. Sie blieb stehen und blickte ihrer Kollegin und ihrem Chef nach.

»Vielleicht kommt es ja doch auf ein paar Tage an«, murmelte sie und wollte ihnen folgen, aber sie kam nicht weit.

»Frau Bremora!«

Julia drehte sich um.

»Guten Morgen, Frau Hauschild«, begrüßte sie Henning Kirchhoffs Agentin überrascht. »Wollen Sie zu mir? Hatten wir einen Termin?«

»Nein. Ich habe einen Termin mit den Kripobeamten, die wegen Heike ermitteln«, erwiderte Maria Hauschild. »Carl spricht gerade mit ihnen. Da drüben.«

Julia blickte zu ihrem Chef, der mit einem großen, dunkelhaarigen Mann und einer Frau mit einem kurzen blonden Pferdeschwanz sprach.

»Oh, wow!«, staunte sie. »Tristan von Buchwaldt und Ina Grevenkamp!«

»In Wirklichkeit heißen sie Oliver von Bodenstein und Pia Sander«, entgegnete die Agentin schmunzelnd. »Henning hat sich bei seinen Charakteren wirklich sehr eng an der Realität orientiert.«

»Ja, tatsächlich.« Julia kam es vor, als wäre sie unversehens in einem von Kirchhoffs Kriminalromanen gelandet. Neugierig betrachtete sie Pia, Kirchhoffs Ex-Frau, der er seinen neuesten Roman gewidmet hatte. Sie war ziemlich groß und schlank, trug eine enge, ausgewaschene Jeans und weiße Sneaker, dazu ein graues T-Shirt mit V-Ausschnitt. Das blonde Haar hatte sie zu einem kurzen Pferdeschwanz gebunden, und an der Hüfte trug sie ein martialisch wirkendes Pistolenhalfter mit ihrer Dienstwaffe. Ihre Körperhaltung war lässig und selbstbewusst, und sie sah haargenau so aus, wie Julia sich die Kriminalhauptkommissarin vorgestellt hatte. Auch ihren adeligen Chef, der mit verschränkten Armen dastand und Carl Winterscheid lauschte, hatte Kirchhoff gut beschrieben: groß, dunkelhaarig und ziemlich gut aussehend mit einem markanten Gesicht, Dreitagebart und Sonnenbrille, ebenfalls in Jeans, dazu trug er Hemd und Sakko und braune Lederschuhe.

Was war da wohl im Gange, wenn die Polizei mit einem solchen Großaufgebot anrückte? Sogar die Spurensicherung war da. Mit blauen VW-Bussen, ganz genau wie Kirchhoff es in *Eine unbeliebte Frau* und *Mordsfreunde* beschrieben hatte. Und einer der Männer in den Overalls war sicherlich Kris Krüger, wie auch immer er in Wirklichkeit heißen mochte.

Passanten blieben neugierig stehen.

»Was machen die wohl hier im Verlag?«, fragte Julia die Agentin.

»Das weiß ich auch nicht«, antwortete Maria Hauschild. »Sie wollen mit mir sprechen, ich denke mal, wegen Heike und Alexander. Frau Sander hat mir vorgeschlagen, hierherzukommen.«

Julia überlegte, ob die Gelegenheit günstig war, Maria Hauschild nach dem Manuskript von Katharina Winterscheid zu fragen. Durfte sie das einfach tun, ohne Carl Winterscheid vorher um Erlaubnis zu bitten? Obwohl er ihr am Samstag gesagt hatte, sie sei die Einzige, der er vertraute, schien sie bei ihm in Ungnade gefallen zu sein, warum, das war ihr nicht klar. Sie hatte zwar Verständnis dafür, dass er gerade viel um die Ohren hatte, aber warum hatte er ihr das Manuskript überhaupt gegeben, wenn er danach nichts darüber hören wollte? Von Alea wusste sie, dass die Geschäftsleitung eine Entscheidung treffen musste, ob man die Teilnahme des Verlages an der bevorstehenden Buchmesse wegen Alexander Roths Unfalltod kurzfristig absagen sollte oder nicht. Und die Sache mit Severin Velten war auch noch nicht ausgestanden, zumal niemand zu wissen schien, wo sich der Autor derzeit aufhielt. Aber hatte Henning Kirchhoff nicht gestern gesagt, man solle die Polizei über seinen Verdacht, dass es sich beim Tod von Katharina Winterscheid möglicherweise nicht um einen Suizid gehandelt hatte, informieren? Und wer, wenn nicht Maria Hauschild, die eng mit Katharina Winterscheid befreundet gewesen war, könnte ihr sagen, ob Carls Mutter mehr als nur dieses eine, unvollendete Manuskript verfasst hatte?

»Ist wirklich schlimm, das mit Herrn Roth.« Julia wollte nicht mit der Tür ins Haus fallen und entschied sich deshalb für einen unverfänglichen Gesprächseinstieg.

»Ja, das ist es wirklich«, bestätigte Maria Hauschild. »Ich habe ihn fast mein ganzes Leben lang gekannt, genau wie Heike.«

»Ich glaube, ich war die Letzte, die ihn lebend gesehen hat«, sagte Julia. »Am Freitag hatte er spätabends noch von irgendjemandem Besuch im Verlag. Ein paar Stunden später muss er den Unfall gehabt haben.«

»Haben Sie das schon der Polizei erzählt?«, erkundigte sich Maria Hauschild. »Das könnte wichtig sein.«

»Nein, ich hab's niemandem erzählt«, antwortete Julia. »Ich meine, vielleicht hatte er eine Geliebte, mit der er sich heimlich getroffen hat, und das wäre für seine Frau doch schlimm, wenn sie das jetzt erfahren würde, oder?«

»Ich kann mir nicht vorstellen, dass Alex eine heimliche Geliebte hatte. Dafür war er nicht der Typ«, sagte die Agentin kopfschüttelnd. »Ah, sie scheinen mit Carl fertig zu sein. Kommen Sie, wir gehen rüber zu den Herrschaften von der Kripo. Sie lernen die Vorbilder für Hennings Romanfiguren kennen und können ihnen von Ihrer Beobachtung erzählen.«

Wenig später stand Julia Kriminalhauptkommissarin Pia Sander gegenüber, und Maria Hauschild stellte sie vor.

»Sie sind also die Frau, der es im letzten Moment gelungen ist, diese alberne Widmung zu verhindern.« Ein fester Händedruck, ein prüfender Blick aus blauen Augen, ein Lächeln.

»Ja, die bin ich«, erwiderte Julia, die plötzlich von einer eigentümlichen Aufregung ergriffen war. »Ich freue mich, Sie endlich persönlich kennenzulernen. Ihr Ex-Mann hat mir schon viel von Ihnen erzählt.«

»Na, hoffentlich nur Gutes.« Pia Sander lächelte freundlich.

»Frau Bremora hat am Freitagabend etwas beobachtet«, mischte sich Maria Hauschild ein. »Das wollte sie Ihnen erzählen.«

»Ach ja?« Die unverbindliche Freundlichkeit verschwand. Pia Sander musterte Julia aufmerksam und ohne zu lächeln. »Dann lassen Sie uns reingehen. Herr Winterscheid stellt uns netterweise einen Raum zur Verfügung, in dem wir uns ungestört unterhalten können.«

* * *

Carl Winterscheid wollte sich nichts dabei gedacht haben, als er Pia und Cem am Freitag die Identität seines Informanten verschwiegen hatte. Gleich mehrere Leute hätten ihn von Heike Werschs Verlagsgründungsplänen unterrichtet, behauptete er, Hausmeister Waldemar Bär sei nur einer von ihnen gewesen. Das klang glaubwürdig, dennoch blieb in Pia ein Rest Argwohn zurück, als sie in Begleitung von Maria Hauschild und Julia Bremora, Hennings Lektorin, das Foyer des Verlagshauses betrat. Der Verleger selbst zeigte Kröger die Werkstatt und das Büro von Waldemar Bär, der wie vom Erdboden verschluckt war. Winterscheid hatte ihn seit gestern Morgen nicht mehr gesehen, sein Handy war ausgeschaltet. Bodenstein sprach mit der Empfangsdame, einer anderen als bei Pias Besuch am Freitag. Das Namensschild auf dem Rezeptionstresen wies sie als Steffi Lotz aus, und sie wirkte kompetenter als ihre junge Kollegin von neulich. Pia bat Frau Hauschild und Hennings Lektorin, kurz zu warten, und ging zu ihrem Chef. Gerade, als sie nach Hausmeister Bär fragen wollte, kam Dorothea Winterscheid-Fink die Treppe herunter, ihr Handy in der Hand und einen Packen Unterlagen unter den Arm geklemmt. Sie erkannte Bodenstein und Pia und kam auf sie zu. Sie sah übernächtigt aus.

»Guten Morgen. Kann ich Ihnen helfen?«, fragte sie, ohne zu lächeln.

»Wir möchten mit Ihrem Hausmeister, Herrn Bär, sprechen«, sagte Pia. »Ist er da?«

»Das weiß ich nicht.« Die Vertriebschefin wandte sich an die Empfangsdame. »Frau Lotz, haben Sie Herrn Bär heute schon gesehen?«

»Nein, heute noch nicht.« Steffi Lotz schüttelte bedauernd den Kopf. »Gestern allerdings auch nicht. Ich dachte, er hat vielleicht Urlaub.«

»Nicht dass ich wüsste. Ich rufe ihn mal an.« Dorothea Winterscheid-Fink zückte ihr Handy, tippte auf eine Kurzwahlnummer und wartete ein paar Sekunden lang, dann legte sie wieder auf. »Tut mir leid, scin Handy ist wohl ausgeschaltet. Was wollen Sie von ihm?«

»Wo könnte er sein?« Bodenstein überhörte ihre Frage. »Könnten Sie uns bitte seine Telefonnummern geben, mobil und Festnetz, falls er eines hat? Und haben Sie vielleicht ein aktuelles Foto von ihm?«

»Ich habe keine Ahnung, wo Herr Bär sein könnte. Vielleicht ist er noch zu Hause.« Sie beugte sich über den Empfangstresen, nahm sich einen Block und einen Kugelschreiber und notierte zwei Telefonnummern, ohne in ihrem Handy nachsehen zu müssen. »Hier. Mit einem Foto kann ich leider nicht dienen. Kann ich sonst noch etwas für Sie tun?«

Sie erwähnte den gestrigen Abend mit keinem Wort, aber man sah ihr deutlich an, wie sehr ihr das, was sie erfahren hatte, zusetzte. Alle positive Energie, die sie sonst ausstrahlte, war erloschen, genauso wie ihr fröhliches Grübchenlächeln. Sie war über Nacht um zehn Jahre gealtert.

»Haben Sie in der Zwischenzeit mit Ihren Eltern gesprochen?«, wollte Bodenstein wissen.

»Das geht Sie nichts an. Das sind Familienangelegenheiten«, entgegnete Dorothea Winterscheid-Fink scharf. Ihre Augen hinter den Gläsern der pinkfarbenen Brille funkelten drohend. »Lassen Sie meine Eltern in Ruhe. Sie sind alt, mein Vater ist krank. Und alles, was sie getan haben mögen, haben sie ohne böse Absicht getan.«

»Das glauben wir Ihnen«, sagte Pia, ohne zu erwähnen, dass das Ehepaar Winterscheid und der Schriftsteller Hellmuth Englisch gerade im Streifenwagen auf dem Weg nach Hofheim saßen, wenn alles glatt gelaufen war. »Aber wir müssen mit jedem sprechen, von dem wir denken, dass er uns hilfreiche Informationen geben kann.«

»Und Sie glauben, das legitimiert Sie zu allem?« Dorothea Winterscheid-Fink machte einen Schritt auf Pia zu und stemmte eine Hand in die Hüfte. »Wissen Sie eigentlich, was Sie da tun? Sie schnüffeln in der Intimsphäre von Menschen herum und zerstören Leben mit einer Achtlosigkeit, die ihresgleichen sucht. Ihnen ist es vollkommen egal, was Sie damit anrichten, wenn Sie irgendwelche abstrusen Verdächtigungen aussprechen! Kollateralschäden interessieren Sie nicht. Was kümmert es Sie auch, ob Ehen oder Familien zerbrechen? Hauptsache, Sie können am Ende eine Akte zuklappen und sich gegenseitig auf die Schultern klopfen. Ich wünsche Ihnen, dass Sie nie selbst schuldlos in eine solche Situation geraten und zusehen müssen, wie erfolgsgeile Polizisten ohne Rücksicht auf Verluste das Leben Ihrer Familienmitglieder und Freunde ruinieren.«

»Sind Sie fertig?«, fragte Pia kühl.

»Ja. Allerdings. Mit Ihnen bin ich fertig«, erwiderte die Vertriebschefin frostig. »Lassen Sie mich meine Arbeit machen, und stehlen Sie mir nicht länger meine Zeit.«

»Wir wollen auch unsere Arbeit machen«, entgegnete Pia. »Es ist nämlich unsere Aufgabe, Mordfälle aufzuklären, denn es ist nun einmal nicht erlaubt, Leute umzubringen, die einem nicht in den Kram passen. Wir würden am liebsten nirgendwo herumschnüffeln müssen, aber dazu sind wir leider gezwungen, weil wir permanent belogen werden. Sie müssten doch eigentlich am besten nachvollziehen können, wie es uns jeden Tag bei unserer Arbeit ergeht, schließlich sind Sie doch selbst Ihr ganzes Leben lang belogen worden: von Ihrem Bruder, Ihren Eltern, den Freunden Ihres Bruders und sogar von Ihrem Ehemann.«

Pias Worte trafen mitten ins Schwarze, so, wie sie es beabsichtigt hatte. Es machte ihr keinen Spaß, aber manchmal musste man Menschen, die sich in einer seelischen Ausnahmesituation befanden, zusätzlich unter Druck setzen, um Dinge in Erfahrung zu bringen, die sie im Normalfall nicht preisgeben würden.

»Er kann ja nicht viel Vertrauen in Sie haben, sonst hätte er Ihnen erzählt, dass er von Heike Werschs Verlagsplänen wusste. Sie hatte ihn gebeten, Ihnen das zu verschweigen, damit Sie es Ihrem Chef nicht frühzeitig verraten. Und das hat er getan.«

Der Blick von Dorothea Winterscheid-Fink begann zu flackern.

»Von der Tagebuchkopie, die man ihm anonym geschickt hat, wissen Sie wahrscheinlich auch nichts, oder?« Pia betrachtete aufmerksam das Gesicht der Vertriebschefin, wartete gespannt auf verräterische Signale, aber Dorothea Winterscheid-Fink blickte weder ertappt zur Seite, noch wurde sie rot oder blass.

»Nein, davon weiß ich nichts«, knirschte sie. »Es ist übrigens nicht gelogen, wenn ich Ihnen sage, dass ich Heike nicht umgebracht habe. Aber sie hat gekriegt, was sie verdient hat! Ich bin froh, nein, ich bin überglücklich, dass sie tot ist! Und Alexander auch! Ich weine den beiden keine Träne nach! Und jetzt können Sie von mir aus denken, was Sie wollen.«

Sie drehte sich um, und ihr Blick fiel auf Maria Hauschild.

»Hallo, Doro«, begrüßte die Agentin sie arglos.

»Wage es nie wieder, mich anzusprechen, du verlogenes, hinterhältiges Subjekt!«, fauchte Dorothea Winterscheid-Fink sie hasserfüllt an. »Sollte ich erfahren, dass du jemals wieder mit meinen Eltern sprichst oder ihr Haus betrittst, werde ich dir die Hölle heißmachen, das schwöre ich bei meinem toten Bruder, den ihr auf dem Gewissen habt, du und deine verlogenen *Freunde*!«

Damit marschierte sie davon in Richtung Treppe. Maria Hauschild und Hennings Lektorin blickten ihr völlig konsterniert nach. Die Empfangsdame räusperte sich.

»Ähm, soll ich Ihnen jetzt den Raum zeigen?«, fragte sie unsicher.

»Ja, das wäre sehr freundlich«, sagte Bodenstein.

Frau Lotz führte sie in ein Besprechungszimmer im Erdgeschoss, und Pia bat Maria Hauschild, noch einen Augenblick zu warten, bis sie mit Hennings Lektorin, von der er in den höchsten Tönen schwärmte, gesprochen hatte. Sie notierte sich Namen und Telefonnummer der jungen Frau und hörte sich an, was sie zu sagen hatte. Julia Bremora hatte am vergangenen Freitag gegen 21:30 Uhr Feierabend gemacht und das Verlagsgebäude durch die Hintertür verlassen wollen, da der Haupteingang ab 20:00 Uhr verschlossen war. Sie hatte den Aufzug gehört und Schritte und sich aus irgendeinem Grund im Gang zur Poststelle versteckt. Deshalb hatte sie auch nicht gesehen, sondern nur gehört, wie Alexander Roth jemanden mit den Worten »Danke, dass du herkommen konntest« hereingelassen hatte. Dann war er mit seinem Besuch zum Aufzug gegangen und hoch in sein Büro gefahren. Leider konnte Frau Bremora nicht sagen, ob es sich bei dem Besucher um einen Mann oder eine Frau gehandelt hatte, insofern war ihre Beobachtung zwar interessant, aber nicht wirklich hilfreich. Dennoch bedankte Pia sich bei der jungen Frau und gab ihr eine ihrer Visitenkarten, bevor sie sich von ihr verabschiedete und Maria Hauschild hereinbat.

»Danke, dass Sie hierherkommen konnten«, sagte Pia und bot der Agentin einen Platz am Besprechungstisch an. »Ist es okay, wenn ich unser Gespräch aufzeichne?«

»Natürlich.« Maria Hauschild stand sichtlich noch unter dem Eindruck der hasserfüllten Attacke von Dorothea Winterscheid-Fink. Sie war ganz blass, und ihre Hand zitterte, als sie eine Wasserflasche aus ihrer Tasche nahm und aufschraubte.

»Sie hat alles erfahren, oder?«, fragte sie, als Pia ihr Smartphone auf die Tischfläche gelegt hatte.

»Was meinen Sie?«

»Die Sache mit Götz. All die Lügen, die die erste Lüge nach sich gezogen hat.« Maria Hauschild stieß einen tiefen Seufzer aus und schloss die Augen. »Fünfunddreißig Jahre lang hatte ich Angst vor diesem Tag, weil ich wusste, dass er irgendwann kommen würde.«

»Wieso haben Sie das nicht viel eher aufgeklärt?«, fragte Bodenstein. »Es muss doch furchtbar sein, unter so einem Damoklesschwert zu leben. Besonders dann, wenn man ständig mit den Leuten zu tun hat, die man belügt.«

Maria Hauschild schlug die Augen wieder auf und blickte ihn an.

»Ja, da haben Sie völlig recht«, gab sie zu. »Es ist die Hölle. Und man denkt sich dauernd: Jetzt sage ich's. Jetzt packe ich aus und lege alle Karten auf den Tisch. Aber dann traut man es sich doch nicht, weil die Umstände nicht passen. Und so vergeht eine Woche, ein Monat, ein Jahr. Und plötzlich sind es fünfunddreißig Jahre. Eine Lüge ist wie ein Krebsgeschwür. Sie wächst und wächst und bildet Metastasen, die auch weiterwachsen und alles vergiften. Man kann sie nicht mehr so einfach entfernen.«

»Warum haben Sie Götz Winterscheids Eltern damals nicht gleich die Wahrheit gesagt?«, wollte Pia wissen. »Sie hatten doch mit seinem Tod nichts zu tun.«

»Doch, das hatte ich«, erwiderte Maria Hauschild. »Ich habe seine Freundin gespielt, sogar seine Verlobte, nur, damit niemand merkt, dass er schwul war. Am Anfang, in der Schule, waren wir ein richtiges Paar mit allem, was dazugehört. Auf der Abi-Abschlussfahrt nach Paris gestand Götz mir, dass er einen Jungen aus dem Physik-LK süß fand. Ich war zuerst wie vor den Kopf gestoßen; es ist ein blödes Gefühl für eine Frau, wenn der Freund einem plötzlich mitteilt, dass er homosexuell ist. Man denkt, man sei irgendwie daran schuld, was natürlich Unsinn ist. Danach waren wir wie Geschwister. Er war in der schlimmsten Zeit meines Lebens an meiner Seite, er hatte immer ein offenes Ohr für mich, er war mein bester Freund und mein Vertrauter.«

»Sie meinen den Tod Ihres Vaters?«, warf Pia ein.

»Ja, richtig.« Maria Hauschild nickte. »Ich war sechzehn und meine Mutter war mit meiner Schwester übers Wochenende verreist. Mein Vater kam spät aus dem Büro und ging in die Sauna, das machte er im Winter ein paarmal pro Woche. Morgens habe ich ihn gesucht, weil das Licht überall brannte und sein Auto in der Garage stand. Ich habe ihn tot in der Sauna gefunden, und diesen Anblick werde ich nie vergessen. Er war erst 49. Keiner weiß, was passiert ist, auch eine Obduktion hat nichts ergeben. Es muss Kreislaufversagen gewesen sein.«

»Später haben Sie auch Ihren Mann verloren.«

»Im Oktober 2005«, bestätigte die Agentin. »Erik war Diabetiker. Es war Buchmesse. Viele Veranstaltungen, viel Stress, viel Alkohol. Er ist noch mal in die Agentur gefahren, wir wollten uns später auf einer Verlagsparty in der Schirn treffen, aber er kam nicht. Ich dachte mir nichts dabei, es gibt während der Buchmesse zig Veranstaltungen, vielleicht war er irgendwo hängen geblieben. Am nächsten Morgen hat ihn eine Mitarbeiterin gefunden. Er lag tot vor dem Kühlschrank, in dem er sein Insulin aufbewahrte. Er war auch erst 53.«

Sie klang gefasst.

»Warum hat Götz Winterscheid solch ein Geheimnis aus seiner Homosexualität gemacht?«, fragte Bodenstein. »Gerade seine Eltern, die viel mit Künstlern zu tun haben, von denen einige auch damals schon offen homosexuell lebten, müssten doch tolerant gewesen sein.«

»Nein, das waren sie kein bisschen, sie taten nur so«, erwiderte Hennings Agentin. »Sie waren im Grunde genommen Spießer. Götz sollte eines Tages den Verlag leiten. Margarethe behandelte mich von Anfang an so, als würde ich eines Tages die Mutter ihrer Enkel sein, das war manchmal wirklich seltsam. Aber deshalb ist es mir leichtgefallen, diese Rolle zu spielen. Auch aus unserer Clique schöpfte niemand Verdacht. Doch dann verliebte Götz sich in Stefan, und dadurch wurde alles anders. Ich war Götz' Alibi, ich deckte die beiden, so gut ich konnte.«

»Katharina Winterscheid hat Sie aber sofort durchschaut.«

»Ja.« Maria Hauschild lächelte bei der Erinnerung daran. »Katharina kam im Winter 1982 in unsere WG, zu der auch Josefin und Heike gehörten. Die andere Mitbewohnerin war im Sommer ausgezogen. Götz und ich wollten zu dem Zeitpunkt ganz allmählich unsere offizielle Freundschaft auflösen, denn er hatte mir gegenüber ein schlechtes Gewissen, weil er fand, dass er mich ausnutzte. Katharina wusste sofort Bescheid, nachdem sie Götz, Stefan und mich zusammen erlebt hatte. Sie wollte den Jungs Mut machen, sich zueinander zu bekennen, aber die beiden trauten sich nicht. Stefans Eltern waren vielleicht noch etwas konservativer als die Winterscheids, außerdem stand ihre Druckerei in wirtschaftlicher Abhängigkeit zum Verlag. Katharina verliebte sich in John Winterscheid und er sich in sie. John, der ja um einiges älter und lebenserfahrener war als wir, riet seinem Neffen, sich nicht zu outen. John kannte seinen Bruder und seine Schwägerin, und vor allen Dingen auch seinen Vater, der ja damals noch lebte und das Sagen hatte. Also haben wir das Spiel weitergespielt. Bis zum bitteren Ende.«

»Sie waren also nie eifersüchtig auf Katharina?«, fragte Pia.

»Eifersüchtig?« Maria Hauschild war verwundert. »Im Gegenteil. Wir waren Freundinnen. Eigentlich war sie sogar meine einzige echte Freundin, nachdem Götz gestorben war. John und sie sind aus der Villa ausgezogen, und ich war oft bei ihnen, habe Katharina mit Carl geholfen. Deshalb haben John und sie mich auch gebeten, Carls Patin zu sein.«

»Dann ist Katharinas Mann gestorben ...«

»Ja. 1988 im Mai. Er war geschäftlich in den USA, hatte dort einen tödlichen Herzinfarkt. Aus heiterem Himmel. Vorher war er nie krank gewesen. Das hat Katharina das Herz gebrochen. Sie war nie mehr wie vorher. John war die Liebe ihres Lebens gewesen. Von ihm hatte sie die Hälfte des Verlages geerbt und von Johns Vater Carl August senior, der sie sehr gemocht hat, das Liebman-Archiv. Katharina hatte nie etwas mit dem Verlag zu tun gehabt, das hatten Henri und Margarethe nicht gewollt, aber nach Johns Tod hat sie sich einen Platz in der Geschäftsleitung des Verlages erkämpft.«

»Und sie bekam Ihren Job im Verlag.«

»Genau. Es war meine Idee, dass sie in die Lizenzabteilung kommt«, sagte Maria Hauschild. »Ich fand es dort eintönig, und ich konnte mich sowieso mit Hochliteratur nie wirklich anfreunden. Mein Ding ist die Vielfalt, und ich hatte gerade eine Stelle in der Agentur Hauschild angeboten bekommen. Ich war ziemlich froh, als ich mich endlich von der letzten Winterscheid-Tentakel befreien konnte. Die Arbeit in der Stiftung hatte ich ja schon ein paar Jahre zuvor beendet.«

»Was geschah, nachdem Katharina sich das Leben genommen hatte? Wer hat ihre Wohnung ausgeräumt, und was ist mit ihren persönlichen Sachen passiert?«

»Ich habe schon einige liebe Menschen in meinem Leben verloren. Aber Katharinas Tod war so ziemlich das Schlimmste, was ich erleben musste.« Maria Hauschilds Gesicht verdunkelte sich, und es dauerte einen Moment, bis sie weitersprach. »Sie hatte nach Johns Tod Anfälle von Melancholie. Dann verkroch sie sich in ihrer Wohnung und wollte niemanden sehen. Irgendwann wurden aus den Anfällen wochenlange Zustände, in denen sie nur noch lethargisch im Bett lag. Auf mein Drängen hin begab sie sich in ärztliche Behandlung und bekam Medikamente gegen Depressionen verschrieben, danach ging es ihr eine ganze Weile gut. Aber an dem Tag muss irgendetwas geschehen sein, was sie vollkommen aus der Bahn geworfen hat. Ich hatte schon geschlafen, als Margarethe mich anrief und ins Telefon schrie, Katharina sei tot. Ich habe das erst nicht richtig begriffen, und bis ich an Katharinas Wohnung war, war Dorothea mit Carl schon zur Villa gefahren. Die Polizei war da. Wir durften die Wohnung nicht betreten. Erst zwei Tage später war sie wieder freigegeben, und ich bin zusammen mit Dorothea hingefahren, um Kleider und Spielzeug für Carl zu holen. Margarethe hatte eine Entrümpelungsfirma engagiert – nur zwei Tage nach Katharinas Tod! Ich konnte nicht verhindern, dass sie die Wohnung komplett leer räumen ließ, abgesehen von ein paar Möbeln.«

»Und die persönlichen Sachen?«, wiederholte Pia.

»Sie meinen das Tagebuch?« Maria Hauschild schüttelte leicht den Kopf. »Ich weiß es nicht. Vielleicht hat Waldemar Dinge mitgenommen, er hat Katharina ja geliebt und bewundert. Wahrscheinlicher ist aber, dass Margarethe alles eingepackt und durchsucht hat. Das meiste wird sie weggeworfen haben.«

»Dann glauben Sie, dass Margarethe Winterscheid die Kopien der Tagebucheinträge verschickt hat?«, fragte Bodenstein.

»Nein, nein, ganz sicher nicht Margarethe«, erwiderte die Agentin. »Ich würde das Dorothea zutrauen. Sie hat uns nie leiden können, und das kann man ihr nicht mal übel nehmen. Ihr ganzes Leben ist sie zu kurz gekommen. Ihre Eltern zogen uns ihr vor. Und Heike hatte fünfundzwanzig Jahre lang ein Verhältnis mit ihrem Vater.«

»Am Samstag im Krankenhaus, als ich mich mit ihr unterhalten habe, hatte ich den Eindruck, Frau Winterscheid-Fink würde Sie alle als Freunde betrachten«, sagte Pia. »Sie hat nur gut von Ihnen gesprochen.«

»Dorothea war schon immer gut darin, sich genau so zu verhalten, wie man es von ihr erwartet«, entgegnete Maria Hauschild.

»Sie macht das automatisch. Nicht aus Falschheit, sondern als eine Art Selbstschutz.«

»Aber weshalb sollte sie die Tagebuchkopien ausgerechnet jetzt verschickt haben?«

»Na ja.« Maria Hauschild zog eine Klarsichthülle aus ihrer Tasche und schob sie Pia und Bodenstein hin. »Das hier ist die Kopie, die ich bekommen habe, zusammen mit dem Anschreiben. Ich habe auch den Umschlag aufgehoben. Der Poststempel darauf ist vom 13. August. Heike ist Ende Juni bei Winterscheid rausgeflogen, danach ist sie vors Arbeitsgericht gegangen und hat Anfang August eine üble Schmutzkampagne gegen Carl und den Verlag losgetreten. Vielleicht war das der Tropfen, der für Dorothea das Fass zum Überlaufen gebracht hat, und sie hat beschlossen, sich an uns allen zu rächen.«

»Haben Sie mit Ihren Freunden über diese Kopien gesprochen?«

»Nur mit Heike und Stefan. Der hat übrigens geglaubt, ich hätte dieses Tagebuch. Zu Josi habe ich kaum Kontakt. Heike war auch davon überzeugt, dass Dorothea dahinterstecken würde.«

»Was für einen Text hat Frau Wersch erhalten?«

»Ich weiß es nicht.« Maria Hauschild zuckte die Schultern. »Heike hat das Schreiben angeblich sofort in den Müll geschmissen. Nur Feiglinge würden anonyme Briefe schreiben, meinte sie.«

»Alexander Roth hat diese Tagebuchkopie allerdings vollkommen aus der Bahn geworfen«, sagte Bodenstein. »Seine Frau hat uns erzählt, dass sie ihn eines Abends betrunken und weinend in der Garage gefunden hatte. Er hatte Angst, es könnte herauskommen, dass seine Karriere auf eine Lüge begründet sei.«

»Diese Angst hätte ich an seiner Stelle auch gehabt«, erwiderte Maria Hauschild. »Ich weiß nicht, welchen Abschnitt er bekommen hat, aber es ist ja offensichtlich, dass es um den Sommer ging, in dem Götz gestorben ist. Und wir wussten ja nun alle, dass wir damals eine riesige Lüge in die Welt gesetzt hatten.«

»Wann haben Sie Alexander Roth das letzte Mal gesehen?«

»Das war irgendwann im Frühsommer, kurz nachdem Carl

ihn zum Programmleiter gemacht hatte. Er hat eine kleine Feier veranstaltet, zu der ich auch eingeladen war. Beruflich hatte ich nichts mit ihm zu tun, denn ich habe keine Autoren, die von ihm betreut wurden.«

»Wo waren Sie am vergangenen Montagabend?«

»Da war ich noch länger im Büro, weil ich eine Auktion mit dem Buch eines meiner amerikanischen Klienten laufen hatte«, erinnerte sich die Agentin, ohne sich über Pias Frage verärgert zu zeigen. »Ich muss so gegen halb acht nach Hause gefahren sein. Ich wohne in Kronberg. Dort habe ich dann noch weitergearbeitet, bis ungefähr halb zwölf.«

Es klopfte an der Tür, und Christian Kröger streckte den Kopf herein.

»Pia, Oliver, kann ich euch mal kurz sprechen?«

»Entschuldigen Sie uns bitte einen Moment«, bat Pia, nahm ihr Handy vom Tisch und folgte ihrem Chef hinaus in den Flur.

»Was gibt's?«, erkundigte Bodenstein sich beim Leiter der Spurensicherung. Statt zu antworten, hielt Kröger ihnen mit einem erwartungsvollen Lächeln drei Beweismittelbeutel vor die Nase. In einem Beutel befand sich eine Rolle mit ZipLoc-Frischhaltebeuteln, in einem anderen eine Flasche Methanol und im dritten Beutel mehrere Trichter und Pipetten.

»Das haben wir in der Werkstatt des Hausmeisters gefunden«, erklärte Kröger. »An der Verpackung der Beutel haben wir eine mikroskopisch kleine Blutspur festgestellt. Ich würde beinahe eine Wette eingehen, dass der Beutel, in dem sich der Fleischklopfer befunden hat, von exakt dieser Rolle stammt.«

»Sehr gut.« Bodenstein nickte anerkennend. »Das ist doch mal was.«

»Wir sind hier so gut wie fertig«, sagte Kröger. »Sollen wir uns als Nächstes seine Wohnung vornehmen?«

»Ja. Wenn Bär nicht zu Hause ist, verschafft ihr euch Zugang. Und ruf bitte Kai an, er soll Bär zur Fahndung ausschreiben. Vielleicht findet ihr in seiner Wohnung ein Foto, das man verwenden kann. Sobald wir hier fertig sind, kommen wir rüber.«

»Okay.« Kröger nickte und verschwand mitsamt seiner Beute.

»Hört sich für mich alles ziemlich schlüssig an, was Frau Hauschild uns erzählt«, sagte Pia. »Was denkst du?«

»Ich kann mich mit deiner Theorie, dass Bär und Dorothea Winterscheid-Fink gemeinsame Sache gemacht haben, immer mehr anfreunden«, erwiderte Bodenstein. »Dorothea hatte einen gewaltigen Hass auf Heike Wersch, und als die Drohung mit dem Tagebucheintrag nicht die gewünschte Wirkung gezeigt hat, sind Bär und sie zu ihr hingefahren und Bär hat sie getötet.«,

»Sie haben beide kein gescheites Alibi«, sagte Pia. »Und weil Roth ihnen auch ein Dorn im Auge war, haben sie ihn vergiftet und die Spuren so manipuliert, dass sie auf ihn als Täter hinweisen.«

»Aber warum hat Bär die Frischhaltebeutel und die Methanolflasche nicht verschwinden lassen?«, überlegte Bodenstein. »Das stört mich.«

»Weil er kein Profi ist«, antwortete Pia. »Und weil er nicht damit gerechnet hat, in den Fokus der Ermittlungen zu geraten.«

»Trotzdem. Wenn jemand einen so ausgeklügelten Plan austüftelt, dann lässt er solche Beweise nicht einfach zurück«, fand Bodenstein.

»Sehen wir zu, dass wir mit Frau Hauschild fertig werden. Ich will die Wohnung von Bär sehen.« Pia legte die Hand auf die Türklinke, doch dann fiel ihr noch etwas ein. »Wer kann der Besucher sein, den Roth am Freitagabend ins Verlagsgebäude gelassen hat?«

»Im Prinzip jeder«, sagte Bodenstein. »Vielleicht hat er sich telefonisch verabredet. Tariq soll mal seine Verbindungsnachweise vom Handy und dem Bürotelefon unter die Lupe nehmen.«

»Okay, ich schreibe ihm.«

»Welches Motiv könnte Waldemar Bär gehabt haben?«, fragte Bodenstein.

»Loyalität«, erwiderte Pia. »Erinnerst du dich, was er am Sonntag zu uns gesagt hat? Frau Wersch hätte ihn enttäuscht, denn man würde nicht die Hand beißen, die einen füttert. Bär könnte außerdem erfahren haben, dass Heike Wersch drauf und dran war, ihn aus ihrem Testament zu streichen. Der Mord an Heike Wersch war eine Affekttat, möglicherweise ausgeführt von Dorothea Winterscheid-Fink, egal, was sie jetzt behauptet. Die Vergiftung von Roth war allerdings sorgfältig geplant. Waldemar Bär hatte ein Motiv. Er hatte die Mittel und die Gelegenheit.«

»Dann ist er jetzt, was Roth betrifft, unsere Nummer eins.« Bodenstein nickte. »Gehen wir rein und schauen wir mal, ob Frau Hauschild wirklich nicht weiß, was 1983 passiert ist.«

Sie kehrten in den Besprechungsraum zurück und nahmen wieder ihre Plätze gegenüber von Maria Hauschild ein. Pia startete eine neue Aufnahme und legte ihr Handy vor sich auf den Tisch.

»Der Sommer 1983«, sagte sie. »Was genau ist damals vorgefallen?«

Die Agentin schien mit dieser Frage gerechnet zu haben.

»Wir waren schon zum vierten Mal zusammen im Haus von Winterscheids auf Noirmoutier. Es war eine Art Tradition geworden«, begann sie. »Aber in dem Sommer fühlte es sich von Anfang an falsch an. Unsere Freundschaft war eigentlich keine mehr, und es gab ständig Stress. Alex und Heike gingen Götz wahnsinnig auf die Nerven mit ihrem dauernden Gequatsche über Literatur und Autoren. Ich glaube, er wäre am liebsten mit Stefan alleine nach Noirmoutier gefahren, aber das wäre aufgefallen, deshalb hatte er die komplette Clique eingeladen, was sich als Fehler herausstellte. Götz konnte die Heimlichtuerei nicht mehr ertragen. Er hatte seinen Eltern ja schon verheimlicht, dass er Medizin studierte, und er hatte permanent die Befürchtung, sie könnten es herausfinden. Er wollte Arzt werden und mit Stefan zusammenleben, aber als er das von Stefan verlangte, hat der gekniffen. Und damit nahm die Tragödie ihren Lauf.«

»Wissen Sie, was an dem Abend passiert ist, als Götz Winterscheid gestorben ist?«, fragte Bodenstein.

»Na ja, Götz war extrem betrunken. Er war frustriert und traurig, weil Stefan ihm mitgeteilt hatte, dass es vorbei sei und dass er Dorothea liebe«, erwiderte die Agentin, und in ihrer Stimmte schwang Kummer mit. »Er wurde sehr ausfallend. Beschimpfte Heike, Josi und Alex. Sagte ihnen, sie sollten sich verpissen, er wolle sie nicht mehr sehen. Und keinen Fuß mehr in den Verlag oder die Villa seiner Eltern setzen. Er konnte Heike und Alex nicht mehr ertragen, ihren krankhaften Ehrgeiz und ihre Besessenheit. Nicht einmal mir ist es gelungen, ihn zu besänftigen, was ich sonst ziemlich gut hinbekommen habe, wenn er einen über den Durst getrunken hatte und anfing, die Leute zu beleidigen.«

Maria Hauschild machte eine Pause und hing ihren Erinnerungen nach.

»Ich bin dann hoch auf mein Zimmer gegangen«, sagte sie, und ihre Stimme klang heiser. »Es war das letzte Mal, dass ich Götz gesehen habe. Josi kam dann auch hoch. Sie weinte und fragte mich, ob sie bei mir schlafen könnte. Sie war enttäuscht von Alex – der war ja zu der Zeit ihr Freund –, weil er ihr nie beistand, wenn Götz sie beleidigte. Ich hatte nichts dagegen. Josi packte ihre Sachen und kam in mein Zimmer. Sie war fest entschlossen, am nächsten Morgen abzureisen.«

»Sie auch?«

»Nein.« Maria Hauschild schüttelte den Kopf. »Ich war froh, dass Josi abreisen wollte und hoffte, dass Heike und Alex auch verschwinden würden.«

Pia machte sich eine Notiz. Josefin Lintner hatte ihnen eine etwas andere Version erzählt.

»Katharina und John waren segeln gegangen und wollten am nächsten Tag zurück sein. Mit den beiden und Götz wäre es sicher schön gewesen. Ich habe mich an dem Abend ins Bett gelegt, weil ich auch mehr getrunken hatte, als ich vertrug. Götz hat unten immer noch herumgebrüllt. Irgendwann bin ich eingeschlafen, und als ich aufgewacht bin … da war Götz tot. Seine Leiche war an den Strand gespült worden.« Maria Hauschild verstummte und knabberte an ihrer Unterlippe. »Die Polizei war da. Die Haushälterin. Keiner von uns sprach wirklich gut Französisch, und wir waren froh, als John und Katharina zurückkamen. Stefan hat uns angebettelt, niemandem zu erzählen, dass er und Götz etwas miteinander gehabt haben. Da ist mir erst klar geworden, dass Heike und Alex zumindest geahnt hatten, was zwischen Stefan und Götz gelaufen ist. Die alten Winterscheids waren schon auf dem Weg nach Noirmoutier, überall waren Leute: Nachbarn, Polizei, ein Arzt. Heike und Alex haben sich die Geschichte ausgedacht, dass Götz sich aus Liebeskummer wegen Katharina so sehr betrunken hatte, und sie war damit einverstanden. Wahrscheinlich, weil sie auch unter Schock stand, wie wir alle. Wir haben uns geschworen, nie wieder darüber zu sprechen und nur genau das zu sagen, was besprochen war. Und so war es auch. Wir haben einen Pakt geschlossen und uns daran gehalten.«

»Frau Lintner hat uns eine andere Geschichte erzählt«, sagte Bodenstein. »Sie will an dem Abend, als Sie schon geschlafen haben, noch einmal aufgestanden sein und gesehen haben, wie Heike Wersch und Alexander Roth in Richtung Felsen gingen. Sie ist ihnen gefolgt und hat beobachtet, wie Alexander Roth Götz Winterscheid vom Felsen ins Meer gestoßen hat.«

Der Agentin wich alles Blut aus dem Gesicht. Ihre Augen wurden groß.

»Wir halten es für möglich, dass Heike Wersch Alexander Roth mit dieser Geschichte erpresst hat, als der ihr seine Unterstützung verweigert hat, und dass er sie deshalb getötet hat.«

»Alex?«, flüsterte Maria Hauschild bestürzt. »Nein, nein, das kann nicht sein! Er hat doch … Er war doch …« Sie brach ab. Ihr Blick irrte ziellos durch den Raum. Sie setzte wieder zu sprechen an, besann sich aber anders. Sie faltete die Hände wie zum Gebet und legte sie an ihre Lippen. Ihre Gedanken eilten in die Vergangenheit, arbeiteten sich durch die Jahre bis in die Gegenwart, dabei wechselte ihr Gesichtsausdruck von Unglauben über Fassungslosigkeit bis hin zu Erschütterung, und Pia begriff, dass die Agentin nicht über den Tod von Heike Wersch nachdachte, sondern über den von Götz Winterscheid, ihrem Freund und Vertrauten. Ähnlich wie Dorothea Winterscheid-Fink gestern Abend dämmerte ihr gerade das gigantische Ausmaß dieses Betrugs. Ihre ganze Welt fiel in Trümmer.

»Alexanders Rede auf Götz' Beerdigung«, sagte sie tonlos. »Seine Trauer um Götz. All die Gespräche mit Henri und Margarethe. Die Projekte der Stiftung, die Reden, die er im Laufe der Jahre gehalten hat, bei denen er immer von Götz erzählt hat … Das war alles nur gespielt?« Maria Hauschild blickte auf. »Wie kann das sein? Und Heike! Sie hatte ein Verhältnis mit Henri. Die drei haben sich dreißig Jahre lang jeden Tag gesehen, sie haben zusammen gearbeitet und gefeiert! Wie können Menschen so etwas tun?«

Maria Hauschild räusperte sich und versuchte krampfhaft, ihre Fassung zurückzuerlangen.

»Entschuldigen Sie bitte. Ich … das … ich bin völlig geschockt. Wenn das wahr ist, bekommt alles, was in den letzten fünfunddreißig Jahren geschehen ist, eine ganz andere Bedeutung. Heike wusste, was mir Götz bedeutet hatte, und hat mir nie die Wahrheit über seinen Tod gesagt! Ich war ihr offenbar gar nicht wichtig! Und ich hätte fast viel Geld in ihren Verlag investiert! Weil ich dachte, sie ist meine Freundin.«

»Wir haben im Haus von Heike Wersch ein blutverschmiertes T-Shirt und eine Brille gefunden. Wir nehmen an, dass beides ursprünglich Alexander Roth gehört hat und dass das Blut von Götz Winterscheid stammt«, setzte Pia wieder dort an, wo sie eben aufgehört hatte, aber die Agentin hörte ihr nicht richtig zu.

»Alex hat auf Götz' Beerdigung eine herzzerreißende Trauerrede gehalten und weinend Henri umarmt. Und dann hat er einfach Götz' Platz eingenommen, er hat sich das Vertrauen und die Zuneigung der Winterscheids erschlichen, und das konnte er tun, weil er genau wusste, dass Heike den Mund halten würde. Das ist einfach unglaublich.«

Endlich blickte sie auf.

»Vielleicht war es ja auch Josi, die Götz getötet hat. Sie hätte alles getan, wenn Alex es von ihr verlangt hätte. Vielleicht hat sie das ja so aus der Bahn geworfen, weil sie ein Gewissen hatte, im Gegensatz zu Alexander und Heike.«

Letztendlich spielte es keine Rolle mehr, ob Alexander Roth oder Heike Wersch den Freund ins Meer gestoßen hatte. Aber es machte aus der Möglichkeit, dass Dorothea Winterscheid-Fink und der ihrer Familie treu ergebene Waldemar Bär den Mord an Götz gerächt hatten, eine Wahrscheinlichkeit.

* * *

»… und dann hat der Kommissar gesagt, dass Alexander Götz von den Felsen ins Meer gestoßen hat, und Heike hat danebengestanden und zugesehen. Sie haben Götz umgebracht, meinen Götz, meinen besten Freund, nur, weil sie besessen davon waren, hier im Verlag zu arbeiten und er ihnen im Weg gewesen ist! Sie haben sich dreist in Götz' Familie und im Verlag breitgemacht, und sie hatten nicht mal ein schlechtes Gewissen!« Maria Hauschild war so weiß wie eine Wand, sie griff sich an die Kehle und schwankte leicht, und Julia befürchtete, die Agentin würde jeden Moment ohnmächtig werden. »Ich bin sprachlos. Und schockiert. Dorothea hat mich vorhin vor allen Leuten und den beiden Polizisten angebrüllt und mich als verlogenes, hinterhältiges Subjekt bezeichnet, dabei wusste ich doch selbst nichts davon, bevor Herr von Buchwaldt es mir erzählt hat.«

»Er heißt in Wirklichkeit Bodenstein«, sagte Julia. »Aber jetzt setzen Sie sich erst mal hin, Frau Hauschild.«

Sie ergriff ihren Arm und führte die am ganzen Körper zitternde Frau in Carl Winterscheids Büro zu einem Stuhl.

»Ich mache dir erst mal etwas zu trinken. Einen Gin Tonic?«, fragte der Verleger.

»Gin pur. Lass den Tonic weg.« Maria Hauschild atmete ein paarmal tief durch, sie stützte ihren Ellbogen auf die Tischplatte und ihr Gesicht in die Hand. Carl Winterscheid ging zu einem Schrank und öffnete eine Tür, hinter der sich eine volleingerichtete Bar auftat. Julia begegnete seinem Blick. Er schüttelte ganz leicht den Kopf, und Julia nickte, denn sie verstand, was er ihr sagen wollte. Das, was Frau Hauschild gerade erzählt hatte, entsprach auf unheimliche Weise exakt dem Plot des unvollendeten Manuskripts von Katharina Winterscheid. Carl servierte seiner Patentante den Gin, und sie stürzte ihn mit einem Schluck herunter. Der Alkohol brachte wieder etwas Farbe in ihr Gesicht, sie hörte auf zu zittern.

Julia hatte beschlossen, der Polizei von dem blauen Matchbox-Auto und dem Manuskript, das Carl Winterscheid anonym erhalten hatte, zu erzählen, aber nach dem Wutausbruch von Frau Winterscheid-Fink hatte sie vergessen, es Pia Sander gegenüber zu erwähnen. Sie hatte im Foyer darauf gewartet, dass Kirchhoffs Ex-Frau und deren Chef das Gespräch mit Maria Hauschild beendeten, um das Versäumte nachzuholen, aber dann hatte sie die Kripobeamten doch verpasst, denn der Verleger hatte sie zu sich hoch in sein Büro gerufen, um sich bei ihr für sein ruppiges Verhalten der letzten Tage zu entschuldigen. Tatsächlich hatte er in der Nacht das Manuskript seiner Mutter gelesen und teilte ihre Zweifel an einem Suizid. Ihn davon zu überzeugen, sie zu Henning Kirchhoff zu begleiten, der inzwischen die Akte von der Staatsanwaltschaft erhalten hatte, war deshalb nicht mehr schwierig gewesen. Gerade, als sie Carl Winterscheids Büro verlassen wollten, war Maria Hauschild aus dem Aufzug getreten, bleich wie ein Geist, und Julia beinahe in die Arme gekippt.

Carl schenkte seiner Patentante einen zweiten Gin ein, den sie ebenfalls herunterkippte, als wäre es Wasser.

»Die Polizei hält es für möglich, dass Alexander Heike getötet hat, weil sie ihn mit ihrem Wissen über den Mord an Götz erpressen wollte. Alles wegen ihrer Schnapsidee mit dem Verlag! Das war doch nur ein Egotrip der Eitelkeit!« Maria Hauschilds Stimme klang fast wieder normal. »Stellt euch das vor. Menschen, die man sein ganzes Leben gekannt hat und die man für Freunde gehalten hat, tun solche Dinge!«

Julia konnte kaum fassen, was sie hörte. Der nette, freundliche Herr Roth sollte die alte Hexe Wersch umgebracht haben? Am liebsten hätte sie ihren Chef auch um einen Gin gebeten. Alles, was in den letzten achtundvierzig Stunden passiert war, erschien Julia zunehmend wie ein verrückter Traum, und es kam ihr so vor, als wäre sie in einem Film gelandet, so, wie der Junge in dem alten Arnold-Schwarzenegger-Film *Last Action Hero*.

Carl setzte sich auf den Stuhl neben Maria Hauschild.

»Maria, du hast meine Mutter gut gekannt, oder?«, begann er.

»Ja, natürlich. Das weißt du doch«, erwiderte Hennings Agentin. »Sie war meine beste Freundin, nachdem das mit ... mit Götz passiert ist.«

»Weißt du, ob sie geschrieben hat?«

»Geschrieben?« Maria Hauschild blickte ihren Patensohn verwirrt an und stellte das leere Glas auf den Tisch. »Was meinst du? Tagebuch?«

»Romane. Bücher. Geschichten. So etwas in der Richtung«, half Carl ihr, und Julia wartete gespannt auf die Antwort.

»Dass sie Romane geschrieben hat, wage ich zu bezweifeln«, erwiderte Maria Hauschild. Ein Lächeln huschte über ihr Gesicht. »Aber das Schreiben an sich war eine ganze Weile ihr Hobby. Als wir zusammen in der WG gewohnt haben, hat sie in jeder freien Minute auf ihrer alten Reiseschreibmaschine herumgehackt. Das Klappern hat uns alle genervt. Aber wie kommst du plötzlich darauf?«

»Was ist mit dem, was sie geschrieben hat, passiert?« Carl überhörte die Frage seiner Patentante.

»Das meiste hat sie sofort vernichtet. Sie war extrem selbstkritisch, wenn ich sie mit den Autoren heutzutage vergleiche, die einem jeden Schrott schicken und überzeugt sind, den nächsten großen Bestseller geschrieben zu haben«, erinnerte sich die Agentin. »Wir hatten damals in der Küche so einen altmodischen Herd mit einer Feuerklappe. Da ist wohl der größte Teil hineingewandert. Sie hat uns nie etwas lesen lassen. Und als Heike behauptet hat, sie habe sich bloß an John Winterscheid, deinen Vater, rangemacht, um einen Verlag für ihre Manuskripte zu kriegen, da war es ganz vorbei. Sie ist kurze Zeit später ausgezogen, und ich habe sie nie wieder schreiben sehen.«

Ihr Blick wanderte von Carl zu Julia und wieder zurück.

»Warum fragst du mich das?«, wollte sie wissen. »Du hast immer abgewinkt, wenn ich mit dir über deine Mutter reden wollte.«

»Du weißt ja, warum.« Carl suchte wieder Julias Blick. »Frau Bremora und Henning Kirchhoff haben ein paar Nachforschungen zu ihrem Tod angestellt, und sie sind auf ... nun ja ... einige Ungereimtheiten gestoßen. Professor Kirchhoff hat Zweifel daran, dass meine Mutter sich das Leben genommen hat.«

Julia beobachtete, wie sich Maria Hauschilds Gesichtsausdruck veränderte.

»Er hat *Zweifel*?«, fragte sie ungläubig. »Warum? Und wie, denkt er, ist sie gestorben?«

»Er hält es für möglich, dass sie von jemandem über die Balkonbrüstung gestoßen wurde«, antwortete Julia an Carls Stelle.

»Großer Gott!«, stieß Maria Hauschild entsetzt hervor. »Aber … aber das wurde doch damals untersucht, oder nicht? Ich meine, ich … ich hatte daran immer Zweifel. Katharina war überhaupt nicht der Typ, der sich das Leben nehmen würde, und sie hat dich sehr geliebt, Carl, auch wenn du das nie hören wolltest. Du warst der wichtigste Mensch für deine Mutter, und ein paar Tage später war dein erster Schultag, auf den sie sich so gefreut hatte! Außerdem hatte sie Pläne für den Verlag. Sie wollte einiges verändern, denn ein Wirtschaftsprüfer hatte in ihrem Auftrag damals die Finanzen des Verlages unter die Lupe genommen. Dabei ist herausgekommen, dass Henri ziemlich liederlich gewirtschaftet hatte.« Sie hielt inne und legte die Stirn in Falten. »Ich hatte immer den Verdacht, dass Waldemar etwas damit zu tun hatte.«

»Waldemar Bär?«, fragten Carl und Julia wie aus einem Mund, Carl entgeistert und Julia überrascht. Die Agentin nickte.

»Er war verliebt in Katharina, aber sie hat ihn nur als Freund betrachtet«, erzählte sie. »Sie trauerte immer noch um deinen Vater, Carl. John war ihre große Liebe gewesen, da war kein Platz für einen anderen Mann.«

»Halten Sie es wirklich für möglich, dass Waldemar Bär so etwas getan hat?« Julia war fassungslos. Sie mochte den Hausmeister, seine unaufgeregte und zuvorkommende Art, und konnte sich beim besten Willen nicht vorstellen, dass er zu einer solchen Gewalttat fähig sein könnte.

»Enttäuschte Liebe ist ein starkes Motiv«, sagte Maria Hauschild geistesabwesend. »Ich kann mich nicht mehr genau an diese schreckliche Nacht erinnern, wohl aber daran, wie wir Katharinas Wohnung ausgeräumt haben – Margarethe, Dorothea, Waldemar und ich zusammen mit drei polnischen Entrümplern.

Da hat er die ganze Zeit geweint.« Ihre Miene wurde düster. »Allerdings hat auch Alexander bei der Beerdigung von Götz geheult wie ein Schlosshund. Das will also nichts heißen. Waldemar war schon immer schwer zu durchschauen. Stille Wasser sind tief.«

Julia betrachtete Carl Winterscheids Profil und fragte sich, was jetzt wohl in ihm vorging. Sie selbst hatte noch nie jemanden verloren. Diesen Schmerz kannte sie nicht. Ihre Familiengeschichte war übersichtlich und normal, es gab keine Geheimnisse und keine Brüche. Wie musste es sein, wenn man sein ganzes Leben geglaubt hatte, die Mutter habe sich umgebracht, ohne einen Gedanken daran zu verschwenden, was sie damit ihrem sechsjährigen Sohn antat? Es berührte sie tief, dass Carl Winterscheid ihr, einer Angestellten, Einblick in diesen wohl privatesten Bereich seines Lebens gestattete.

»Warum haben die Winterscheids mit Carl ... äh, ich meine natürlich mit Herrn Winterscheid ... nie über Katharina gesprochen?«, wagte sie zu fragen.

»›Carl‹ ist schon okay.« Der Verleger warf ihr einen Blick zu, der ihren Puls in die Höhe trieb. Mochte er sie vielleicht doch? Oder würde er ihr bei nächster Gelegenheit wieder eine Abfuhr erteilen? Julia musste sich eingestehen, dass sie sich zu Carl Winterscheid hingezogen fühlte. Doch sie würde sich eher die Zunge abbeißen, als ihn beim Vornamen zu nennen.

»Margarethe war immer eifersüchtig auf Katharina«, sagte Maria Hauschild. »Ihr Sohn, den sie sehr geliebt hatte, war tot, und dann bekam ihre Schwägerin einen Sohn, den sie auch noch nach ihrem Schwiegervater nannte. Katharina war außerdem eine ganz besondere Frau, Margarethe konnte ihr in keiner Hinsicht das Wasser reichen und jeder wusste, dass Henri sie nur wegen ihres Geldes geheiratet hatte. Abgesehen davon, dass Katharina schön war, war sie auch noch intelligent und warmherzig. Sie hatte eine sehr gewinnende Art, jeder mochte sie auf Anhieb. Auch der alte Carl August, der sonst nicht viel von Frauen hielt, war fasziniert von Katharina. Er hat stundenlang mit ihr geplaudert, sie allen Autoren vorgestellt und darauf bestanden, dass sie bei den Kaminabenden neben ihm saß, während Margarethe nur

Getränke nachschenken und Mäntel abnehmen durfte. Ja, der alte Carl August hat seine Schwiegertochter vergöttert, und er hat ihr sogar testamentarisch die Verwaltung des Liebman-Archivs übertragen, nicht etwa Margarethe. Er hat nie einen Hehl aus seiner Geringschätzung gemacht. Ich denke, das alles hat mit dazu beigetragen, warum Margarethe nie gerne über Katharina gesprochen hat. Genau wie Dorothea. Die beiden sind immer zu kurz gekommen.«

Maria Hauschild streckte ihre Hand aus und legte sie auf Carls.

»Ich kann dir viel über deine Mutter erzählen, wenn du das möchtest.«

»Ja, ich glaube, das möchte ich«, erwiderte er mit belegter Stimme. »Aber vorher fahren wir zu Kirchhoff. Ich will wissen, was in dem Polizeiprotokoll steht.«

* * *

»Es ist sogar denkbar, dass Margarethe Winterscheid auch am Mord an Heike Wersch beteiligt war«, sagte Pia, als Bodenstein und sie das Verlagshaus verließen und in den Dienstwagen stiegen, der allein vor dem Gebäude stand, nachdem Kröger und sein Team zur Villa Winterscheid gefahren waren. »Stell dir vor, welche Demütigungen sie ihr über die Jahre zugefügt hat! Und dann findet sie heraus, dass sie und Alexander Roth ihren Sohn umgebracht haben!«

»Wie soll sie das denn herausgefunden haben?«, fragte Bodenstein.

»Durch das Tagebuch, das sie aus Katharinas Wohnung mitgenommen hatte!«

»Und das sie erst jetzt gelesen hat?« Bodenstein schüttelte den Kopf. »Nein, das glaube ich nicht.«

»Dann hatte es eben jemand anderes, und es ist ihr erst vor Kurzem in die Hände geraten«, verteidigte Pia ihre Überlegung.

Bodensteins Telefon klingelte, und er betätigte den Knopf der Freisprechanlage.

»Ich bin's«, meldete sich Tariq. »Sorry, Chef, wir konnten die alten Winterscheids nicht herbringen. Sie haben sich geweigert, ihr Haus zu verlassen, und die Kollegen wollten die alten Leutchen nicht mit Gewalt in den Streifenwagen zerren.«

»Und wo sind sie jetzt?«

»In ihrem Haus im Büro der Stiftung, unter Bewachung. Cem und ich sind zur Verstärkung der Kollegen aus Frankfurt hergekommen«, antwortete Tariq.

»Ist dieser alte Schriftsteller auch dabei?«

»Nein. Hellmuth Englisch ist gestern Abend abgereist, hat die alte Frau Winterscheid gesagt.«

»Auch gut. Wir wissen ja, wo wir ihn finden können. Ist Kröger schon da?«

»Nein. Aber Dorothea Winterscheid-Fink und ihr Mann sind gerade aufgekreuzt. Sie verlangt, mit ihrer Mutter sprechen zu dürfen, und sie ist ganz schön aufgebracht.«

»Sie darf auf gar keinen Fall mit ihr reden, bis wir da sind!«, rief Pia. »Bringt die beiden in ein anderes Zimmer und passt auf, dass sie nicht die Wohnung des Hausmeisters betreten!«

»Okay. Mach ich. Ah, da kommt die SpuSi.«

»Wir sind auch in ein paar Minuten da«, sagte Bodenstein. »Seht zu, dass ihr bis dahin die Winterscheids getrennt haltet. Nehmt ihnen ihre Handys ab, und achtet darauf, dass sie keinen Zugang zu einem Festnetztelefon haben.«

Natürlich konnten sie längst mit Waldemar Bär telefoniert und ihn gewarnt haben, aber vielleicht hatten sie es auch noch nicht getan.

Auf der Eschersheimer Landstraße staute sich der Verkehr stadtauswärts wegen einer Baustelle, deshalb nahm Bodenstein den Gärtnerweg quer durchs Westend und bog dann in den Reuterweg ein, der direkt zum Campus Westend führte. Von dort aus war es nur noch ein kurzes Stück.

»Ich sag dir, ich hab recht. Du wirst sehen«, sagte Pia. Die Jagdbeute so nah vor der Nase zu haben, ließ sie innerlich vor Aufregung flattern. Nur Minuten später brauste Bodenstein durch das weit geöffnete Tor der Winterscheid'schen Villa und fuhr mit unverminderter Geschwindigkeit weiter, sodass die Schottersteinchen unter den Reifen aufspritzten und wie Maschinengewehrfeuer gegen den Unterboden des Dienstwagens prasselten. Vor dem Haus parkten neben zwei Streifenwagen der silberne Opel, mit dem Cem und Tariq gekommen waren, und ein schwarzer Volvo SUV mit dem Kennzeichen F-WV 889, sicher der Firmenwagen von Dorothea Winterscheid-Fink. Bodenstein fuhr um das Gebäude herum und hielt hinter der VW-Bus-Armada des Erkennungsdienstes.

»Der Verdächtige öffnet auch nach mehrmaligem Klingeln und Klopfen nicht«, sagte Kröger zur Begrüßung. »Wir machen jetzt die Tür auf.«

»Bitte.« Bodenstein war von derselben Anspannung erfasst worden wie Pia. Waren sie auf dem richtigen Weg? Hatten sie den Fall bald gelöst? Was erwartete sie hinter der grün gestrichenen Holztür? Wie immer, wenn sie in die Wohnung eines Verschwundenen eindrangen, mussten sie mit allem rechnen, auch damit, auf eine Leiche oder einen bewaffneten Irren zu stoßen. Pia und Bodenstein zogen ihre Dienstwaffen, als die Tür aufschwang. Sie tauschten einen Blick des Einverständnisses, holten Luft und betraten Rücken an Rücken die Wohnung. Langsam rückten sie vor, schauten in jedes der drei Zimmer, auch in Gäste-WC, Badezimmer und Küche samt Abstellkammer – und konnten Entwarnung geben.

»Die Wohnung ist sicher«, verkündete Bodenstein und steckte seine Waffe weg. »Niemand da.«

Auch Pia schob ihre Waffe zurück ins Holster und blickte sich um. Die Wohnung bestand aus einem Windfang, der in einen holzgetäfelten Flur überging. Der erste Raum auf der rechten Seite war die Küche, lichtdurchflutet und freundlich.

»Ich links, du rechts?«, fragte Bodenstein, und Pia nickte. Sie zogen Latexhandschuhe über und begannen, Waldemar Bärs Wohnung zu inspizieren. Kröger und sein Team warteten so lange draußen. In der Küche registrierte Pia einen abgespülten Kaffeebecher im Geschirrständer neben dem Spülbecken. Im dreigeteilten Mülleimer lagen Gemüsereste und Kaffeesatz im Komposteimer, die beiden anderen Eimer waren leer. Auf der Fensterbank standen violett und weiß blühende Orchideen in Porzellantöpfen. Auf der Arbeitsplatte ein Obstkorb mit Äpfeln. Die Schubladen waren ordentlich sortiert. In der Abstellkammer standen ein Staubsauger und Putzeimer, im Regal haltbare Lebensmittel und Konserven. Alles Zeichen eines ganz normalen Lebens. Auch im Badezimmer gab es nichts Ungewöhnliches, abgesehen davon, dass Waldemar Bär ein penibler Hausmann zu sein schien. Nichts lag herum, im Waschbecken keine Spuren von Zahnpasta oder Rasierschaum. Der Badmülleimer war geleert, Dusche und Badewanne waren picobello sauber.

»Pia?«, rief Bodenstein. »Komm mal her!«

»Wo bist du?«

»Letztes Zimmer links.«

Pia ging den Flur entlang und betrat ein großes Zimmer mit dunkler Holzdecke und Fenstertüren, die hinaus in einen Wirtschaftshof mit Garagen führte. Vor einem offenen Kamin stand eine abgewetzte Ledercouch. Den Parkettboden bedeckte ein Perserteppich, abgetreten und verblichen, aber immer noch schön. Fernseher, DVD-Player und Stereoanlage auf einem modernen TV-Rack aus Glas mit Aluminiumbeinen. Ein Schreibtisch, ein hässliches Monstrum aus Mahagoniholz mit geschnitzten Beinen, viel zu groß und zu wuchtig für das Zimmer und wahrscheinlich aus einem der Salons der Villa stammend.

»Er hat sein Handy hiergelassen.« Bodenstein wies auf die Schreibtischplatte, auf der ein Smartphone der älteren Generation lag. »Samt Ladekabel. Ich kann mir nicht vorstellen, dass er es vergessen hat.«

»Ich mir auch nicht. Er hat sich nicht überstürzt aus dem Staub gemacht. Er hat sich abgesetzt und das Handy hiergelassen, damit man ihn nicht orten kann«, nickte Pia. Auf einer hüfthohen Eichenholztruhe stand eine beachtliche Sammlung von Fotografien in Silber- oder Holzrahmen.

»Hier, Scheff, mein Scheff frääscht, ob mer losleesche kenne.« Im Türrahmen erschien einer von Krögers Mitarbeitern im weißen Overall mit Kapuze.

»Ja, könnt ihr«, erwiderte Bodenstein. »Am besten gleich hier im Wohnzimmer.«

Pia setzte ihre Lesebrille auf und betrachtete die Fotos, die alle älteren Datums waren.

»Ob das hier wohl Katharina Winterscheid ist?«, fragte Pia und deutete auf ein Bild, auf dem ein bedeutend jüngerer Waldemar Bär mit Bartflaum über der Lippe und bravem Seitenscheitel neben einer ausnehmend schönen dunkelhaarigen Frau stand, die ein Kind von etwa einem Jahr auf dem Arm hielt. Die Frau war auf mehreren Bildern zu sehen, manchmal mit einem attraktiven Mann, unverkennbar der Vater von Carl Winterscheid. Auch Carl war oft abgebildet: als Kleinkind mit seiner Mutter, zusammen mit einer jungen dunkelblonden Frau, auf einem Kettcar, als Jugendlicher mit ernstem Gesicht und als junger Mann mit schwarzem Umhang und Doktorhut. Es gab auch Schwarz-Weiß-Fotos von einem Ehepaar zu verschiedenen Gelegenheiten, möglicherweise die Eltern Bär. Der junge Waldemar, stolz lächelnd mit dem Mann, dessen Porträt im Büro von Carl Winterscheid hing.

Bodenstein zog die Schreibtischschublade auf, die die pedantische Persönlichkeit seines Benutzers widerspiegelte. Selbst die Bleistifte waren angespitzt und nach Größe sortiert.

»Nichts.« Bodenstein richtete sich enttäuscht wieder auf. »Kein Tagebuch.«

Pia ließ ihren Blick durch den Raum schweifen und überlegte, wo sie etwas verstecken würde, was man nicht sofort finden sollte, aber gelegentlich brauchte.

»Die Truhe«, sagte sie dann und begann eilig, alle Fotorahmen auf den Schreibtisch zu räumen. Bodenstein half ihr und gemeinsam klappten sie den Deckel auf, der erbärmlich quietschte. Pia zog zusammengefaltete Decken und Sofakissen aus der Truhe, sie stieß auf eine originalverpackte Kaffeemaschine, eine Saftpresse, mehrere Schuhpaare, einen Karton mit Einkaufstüten und auf eine abgeschabte Ledertasche mit Schulterriemen. Keinerlei Beweismittel, die einen Haftbefehl für Waldemar Bär rechtfertigen würden.

»Ich schaue mich mal im Schlafzimmer um.« Bodenstein klopfte ihr tröstend auf die Schulter und verließ das Wohnzimmer.

»Scheiße!«, fluchte Pia frustriert und angelte nach der Ledertasche. Sie war sich für einen Moment so sicher gewesen, dass sie hier etwas finden würden, was ihnen weiterhalf! Eine der rostigen Schnallen klemmte etwas, Pia zerrte ungeduldig daran und auf einmal schnappte sie auf und mehrere schwarze Kladden mit roten Ecken, drei dicke, braune A4-Umschläge und Fotos rutschten auf den Perserteppich. Ein goldener Ring rollte über den Teppich bis aufs Parkett, er prallte gegen die Sockelleiste und kippte mit einem leisen Klirren um. Pias Herz begann zu klopfen. Hatte sie aus dem unübersichtlichen Gewirr der Fährten, Informationen und Hinweise die richtigen Schlüsse gezogen und tatsächlich die entscheidende Spur entdeckt? Es fühlte sich ein bisschen so an wie früher beim Memory-Spielen, wenn man die zueinanderpassenden Kärtchen aufdeckte. Sie bückte sich und ergriff eine der schwarzen Kladden, um die ein dickes Gummiband gewickelt war. Solche hatte sie früher selbst gerne als Tagebücher benutzt. Sie waren eine Weile ein beliebtes Mitbringsel gewesen, ihre Freundinnen und sie hatten die Dinger oft in einem Krimskramsladen namens CriCri am Rossmarkt für ein paar Mark erstanden. Mit zittrigen Fingern zog Pia das Gummiband ab und begutachtete die Kladde von allen Seiten. Sie verströmte den muffigen Geruch alter Dachböden. In die linke obere Ecke des Buchdeckels waren mit pinkfarbenem Nagellack die Buchstaben ›KK‹ gemalt worden, und auf dem roten Gewebestreifen zwischen Brennfalz und Prägung stand in Druckbuchstaben 1983/1984. Pia schlug die Kladde auf. *Tagebuch von Katharina Komorowski, begonnen am 13. Januar 1983* stand da mit schwarzem Kugelschreiber in der schwungvollen Handschrift, die Pia von den Tagebuchkopien bereits vertraut war, geschrieben. *Beendet am 26. Juli 1984* war mit einem anderen Stift daruntergeschrieben worden.

»Chef!«, rief Pia. »Christian! Ich habe die Tagebücher gefunden!«

* * *

»Dies hier ist die Akte über die Todesermittlung in der Leichensache Katharina Winterscheid geborene Komorowski vom August 1990. Ich habe sie heute Morgen von der Staatsanwaltschaft

Frankfurt bekommen, und ich schicke gleich voraus, dass ich es für keine gute Idee halte, was wir hier tun.« Henning Kirchhoff stand hinter seinem Schreibtisch, ihm gegenüber saßen Julia, Carl Winterscheid und Maria Hauschild auf drei Besucherstühlen, die Hennings Sekretärin hereingetragen hatte.

»Weshalb hat es eine Todesermittlung gegeben?«, wollte Carl Winterscheid wissen. »Ist das bei einem Selbstmord üblich?«

»Das habe ich Frau Bremora schon erklärt«, erwiderte Henning und ließ sich auf seinem Chefsessel nieder. »Todesermittlungen werden grundsätzlich dann eingeleitet, wenn Zweifel daran bestehen, ob ein Mensch auf natürliche Weise zu Tode gekommen ist oder dieser von einem Dritten herbeigeführt wurde, und das ist bei einem Suizid immer der Fall. Die Polizei sichert Spuren am Fundort der Leiche und befragt Zeugen und Angehörige. Wenn nach diesen ersten Untersuchungen ein Verdacht besteht, dass der Tod nicht aufgrund einer natürlichen Ursache eingetreten sein könnte, ordnet die Staatsanwaltschaft eine Obduktion an. Neben äußeren Verletzungen werden vor allem die Leichenerscheinungen auf Stimmigkeit mit der Auffindesituation überprüft. Wenn sich bei diesen ersten Ermittlungen Anhaltspunkte für eine Beteiligung Dritter ergeben, wird ein Ermittlungsverfahren wegen eines Tötungsdeliktes eingeleitet. Da aber Fremdbeteiligung im Fall Ihrer Mutter ausgeschlossen wurde, wurde auf Suizid erkannt, die Akte geschlossen und die Leiche zur Bestattung freigegeben.«

»Warum zweifelst du an einem Selbstmord?«, fragte Maria Hauschild.

Kirchhoff zögerte.

»Es gibt Anhaltspunkte dafür, dass sich der Vorfall anders abgespielt haben könnte«, formulierte er vorsichtig. »Aber das sind wirklich nur Vermutungen. Die Beurteilung einer so komplexen Spurenlage nur aufgrund von Fotos und Zeugenaussagen ist immer schwierig.«

Julia war enttäuscht. Gestern hatte Kirchhoff doch noch ganz anders geklungen! Woher kam plötzlich seine Zurückhaltung? Was stand in der Akte der Staatsanwaltschaft?

»Aha.« Carl Winterscheid ließ sich nicht anmerken, was in ihm vorging. Sicherlich war er genauso enttäuscht wie Julia. Ihr war es unangenehm, dass sie fälschlicherweise Hoffnungen in ihm geweckt hatte.

»Aber gestern haben Sie doch selbst gesagt, dass diese Schürfwunden ein Hinweis darauf sein könnten, dass sie nicht freiwillig gesprungen ist, sondern über das Gelände geschoben wurde«, wandte sie ein, um vor ihrem Chef nicht gänzlich wie eine Wichtigtuerin dazustehen.

»Das stimmt«, räumte Henning Kirchhoff ein. »Man muss aber immer das Gesamtbild im Auge behalten. Ich habe nach wie vor Zweifel an einem Suizid. Und ich glaube, die Angelegenheit hat eine Chance, neu aufgerollt zu werden.«

Das klang schon besser!

»Darf ich die Akte sehen?«, bat Carl Winterscheid.

»Es wäre mir lieber, wenn Sie das offiziell bei der Staatsanwaltschaft beantragen würden«, erwiderte Kirchhoff höflich, aber bestimmt. »Als Angehöriger können Sie das ohne Weiteres tun.«

»Können Sie uns wenigstens sagen, ob es eine Zeugenaussage von einem Mann namens Waldemar Bär gibt?« Julia wollte nicht so schnell klein beigeben. Sie verstand Kirchhoffs Sinneswandel nicht.

»Warum?«, wollte der Rechtsmediziner wissen.

»Weil ich es für möglich halte, dass Waldemar Bär Katharina getötet hat«, mischte sich Maria Hauschild ein. »Katharina war meine beste Freundin. Ich wollte damals nicht glauben, dass sie sich umgebracht hat. Und ich weiß, dass Waldemar sehr in sie verliebt war. Er war oft in ihrer Wohnung. Hat sich um Carl und sie gekümmert, wenn Katharina viel zu tun oder eine depressive Phase hatte. Aber für Katharina war er nicht mehr als ein Freund, zumal er ja auch einige Jahre jünger war als sie.«

Kirchhoff schürzte nachdenklich die Lippen. Seine Finger vollführten einen Trommelwirbel auf dem Pappdeckel der Akte.

»Nein, tut mir leid«, antwortete er dann.

»Sie können doch kurz reinschauen«, drängte Julia ihn, aber Kirchhoff blieb unnachgiebig.

»Ich habe Verständnis für Ihre Neugier«, sagte er. »Aber sollten meine Feststellungen tatsächlich dazu führen, dass die Polizei Ermittlungen aufnimmt, komme ich in größte Schwierigkeiten, wenn ich Ihnen jetzt Zugang zu Informationen gebe. Wie gesagt: Nehmen Sie sich einen Anwalt, Herr Winterscheid, der sich direkt an die Staatsanwaltschaft wendet.« Er schaute Julia an. »Sie sollten dieses Manuskript, von dem Sie mir erzählt haben, unbedingt und so schnell wie möglich der Kriminalpolizei übergeben, Frau Bremora.«

»Was für ein Manuskript?«, fragte Maria Hauschild überrascht.

»Ich habe vor ein paar Tagen ein unvollendetes Manuskript mit anonymer Post erhalten«, erklärte Carl seiner Patentante. »Julia und ich glauben, dass es von meiner Mutter stammt. Es geht um eine Clique junger Leute, die auf der Insel Noirmoutier Urlaub machen, und im Verlauf der Handlung kommt einer von ihnen zu Tode.«

»Drei Wochen vorher hat jemand … äh … Carl … ein blaues Matchbox-Auto geschickt«, fügte Julia hinzu. Verflixt! Jetzt hatte sie ihn doch beim Vornamen genannt! »Auch anonym.«

»Deshalb hast du mich also gefragt, ob deine Mutter geschrieben hat.« Jetzt begriff die Agentin die Zusammenhänge.

»Ja.« Carl nickte. »Es ist wirklich gut. Leider fehlt das Ende. Und auch deshalb denken Julia und ich, dass sie sich nicht das Leben genommen haben kann. Sie hätte doch sicherlich die Geschichte fertigschreiben wollen.«

»Ein Manuskript von Katharina«, sagte Maria Hauschild leise. »Das ist ja unglaublich! Ich habe nie etwas von ihr lesen dürfen, was mich damals schon ein bisschen gekränkt hat. Lässt du es mich lesen, Carl?«

»Selbstverständlich.« Der Verleger lächelte traurig. »Es ist toll. Sie hatte wirklich Talent.«

»Wer kann es gehabt haben?«, fragte Julia die Agentin. »Und warum hat derjenige es Carl nicht viel eher geschickt?«

Diesmal ging ihr der Name ihres Chefs schon leichter über die Lippen. In der Handtasche der Agentin begann es zu klingeln.

»Entschuldigt bitte.« Sie kramte ihr Mobiltelefon hervor und warf ein Blick aufs Display. »Das ist eine Autorin. Oh Gott, ich habe einen Termin vergessen. Ich muss los.«

Sie erhob sich und verließ das Büro von Kirchhoff, ihr Handy am Ohr.

»Bitte, Frau Bremora. Herr Winterscheid«, sagte der Rechtsmediziner eindringlich. »Sie müssen die Kripo darüber informieren. Setzen Sie sich mit Frau Sander oder Herrn von Bodenstein in Verbindung! Sofort! Wenn Sie es nicht selbst tun, dann muss ich das machen.«

* * *

»Es ist eine Unverschämtheit, uns in unserem eigenen Haus gefangen zu halten und uns daran zu hindern, mit einem Anwalt zu telefonieren! Das ist Freiheitsberaubung, dafür werden Sie sich verantworten müssen!« Dorothea Winterscheid-Fink starrte Pia so wütend an, als ob sie persönlich für ihre Misere verantwortlich wäre.

»Beruhigen Sie sich erst mal«, sagte Bodenstein. »Wir entschuldigen uns für die Unannehmlichkeiten, die Ihnen entstanden sind.«

Cem hatte Dorothea Winterscheid-Fink und ihren Mann in das Büro der Stiftung im Erdgeschoss geführt, in dem ihre Eltern bereits seit mehreren Stunden saßen, ohne sich zu beklagen. Sie hatten es über sich ergehen lassen, dass Tariq ihnen Abstriche von der Mundschleimhaut abgenommen hatte, um die DNA der Blutflecken auf dem T-Shirt von Alexander Roth möglicherweise mit Götz Winterscheid in Verbindung bringen zu können. Seitdem saß Henri Winterscheid reglos mit geschlossenen Augen da, die Hände vor sich auf den Knauf seines Gehstocks gelegt. Auch jetzt schwieg er beharrlich. Seine Frau erwachte erst aus ihrer Versteinerung, als Stefan Fink den Raum betrat.

»Ich will diesen Menschen nie mehr in meinem Leben sehen«, sagte sie mit kalter Verachtung. »Geh mir aus den Augen, du verlogener Feigling.«

»Eine Weile müssen Sie ihn leider noch ertragen«, erwiderte

Pia. »Nehmen Sie bitte alle Platz. Ich setze Ihr Einverständnis voraus, dass ich unser Gespräch aufnehme.«

Niemand widersprach. Die Anwesenheit von vier uniformierten Polizisten und vier Kripobeamten schüchterte selbst Dorothea Winterscheid-Fink ein, die sich gehorsam auf einen Stuhl setzte.

»Wir haben bei der Durchsuchung des Büros und der Werkstatt von Herrn Bär Hinweise darauf gefunden, dass er die Morde an Heike Wersch und Alexander Roth begangen haben könnte«, begann Bodenstein. »Außerdem haben wir in seiner Wohnung Unterlagen und Tagebücher gefunden, die wir für den persönlichen Besitz der verstorbenen Katharina Winterscheid halten.«

Während er das sagte, behielt Pia Margarethe Winterscheid im Blick. Die alte Dame wirkte genauso überrascht wie ihre Tochter. Henri Winterscheid hatte sich nicht so gut unter Kontrolle. War das Erschrecken, was für eine Sekunde in seinen Augen aufblitzte? Warum?

»Aus diesen Tagebüchern wurden vor etwa drei Wochen Abschnitte an Herrn Roth, Frau Hauschild, Frau Lintner und Sie, Herr Fink, geschickt, mit einem Anschreiben, in dem stand: ›*Ich weiß, was du im Sommer 1983 getan hast.*‹ Der Inhalt der Tagebucheinträge bezieht sich auf den Tod von Götz Winterscheid.«

Dorothea Winterscheid-Fink presste die Lippen aufeinander, so fest, dass ihre Kiefermuskulatur zitterte. Noch etwas, was ihr Mann ihr verschwiegen hatte!

»Mittlerweile haben wir mit einer Augenzeugin gesprochen, die gesehen haben will, wie Alexander Roth Götz Winterscheid mit einem Tritt von einem Felsen ins Meer befördert hat«, fuhr Bodenstein fort. »Heike Wersch hat danebengestanden. Sie hatte …«

»Nein!« Margarethe Winterscheids Brust entrang sich ein Stöhnen, und plötzlich warf sie sich auf die Knie, legte den Kopf in den Nacken und stieß einen unmenschlichen Schrei aus, der zu einem Heulen wurde, ein entsetzliches Geräusch, das Pia eine Gänsehaut über den Rücken jagte. Diese unverhüllte Seelenqual war kaum zu ertragen. Niemand aus ihrer Familie machte einen Versuch, sie zu trösten, deshalb war es Pia, die in die Hocke ging und der alten Dame helfen wollte. Aber Margarethe Winterscheid riss sich von ihr los. Mit einer Behändigkeit, die Pia einer fast Achtzigjährigen nicht zugetraut hätte, kam sie auf die Füße und stürzte auf ihren Mann los. All der Kummer und der Hass, die sich über Jahrzehnte in ihrem Innern aufgestaut hatten, brachen aus ihr hervor.

»Du Schwein, du mieses Schwein!«, kreischte sie und schlug mit den Fäusten auf ihren gebrechlichen Ehemann ein, der nicht einmal den Versuch machte, sich zu schützen. »Du hast meinen Götz einfach ersetzt durch seinen *Mörder*! Und du hast mir zugemutet, sie jeden Tag zu sehen, diese rothaarige Schlampe, dieses verdammte, hinterhältige Miststück!« Sie schlug ihrem Mann die Brille von der Nase, sie prügelte auf ihn ein wie eine Wahnsinnige, während ihm die Tränen über die Wangen rannen, und Pia schoss der Gedanke durch den Kopf, ob sie in rasendem Zorn wohl genauso mit dem Fleischklopfer auf Heike Wersch eingedroschen hatte.

»Mama, hör auf! Bitte, Mama, bitte!« Dorothea Winterscheid-Fink war aufgesprungen. Sie schlang ihre Arme um den Oberkörper ihrer Mutter und versuchte, die Tobende wegzuziehen und zu beruhigen. Der Ausbruch endete so plötzlich, wie er gekommen war. Margarethe Winterscheid hörte auf zu schreien. Sie sackte kraftlos in sich zusammen und ließ sich von ihrer Tochter zu ihrem Stuhl führen.

»Wie können Sie so etwas tun?«, warf Dorothea Bodenstein wütend vor. »Kann man eine solche Nachricht nicht auch mit etwas mehr Fingerspitzengefühl überbringen?«

»Lass mich los!«, fuhr Margarethe Winterscheid ihre Tochter an. »Maria soll herkommen! Maria hat Götz genauso geliebt wie ich. Sie versteht mich. Sie hat mich immer verstanden.«

»Die hat dich doch auch belogen!« Erbost ließ Dorothea ihre Mutter los. Ihre Stimme wurde laut. »Willst du es nicht kapieren? Sie haben die Geschichte, dass Götz in Katharina verliebt gewesen ist, nur erfunden, und ihr wart so blöd, sie zu glauben!«

»Nein, nein, das stimmt nicht, das stimmt nicht!«, brabbelte ihre Mutter und starrte vor sich auf den Boden. »Maria hätte mich niemals belogen. Katharina hat mir meinen Jungen weggenommen und ihr den Verlobten!«

»Mutter!«, sagte Dorothea scharf. »Götz war in Stefan verliebt! Er war schwul, und die beiden hatten Angst, dass ihr und Stefans Eltern das herausfinden würdet! Katharina hat diese Lüge auf sich genommen, um Stefan zu schützen. Heike und Alexander haben Götz umgebracht und seinen Platz eingenommen, versteh das doch!«

Margarethe Winterscheid verstummte, aber ihre Lippen bewegten sich weiterhin lautlos.

»Frau Winterscheid«, wandte Pia sich an sie. »Wir wissen, dass Ihr Mann, Herr Englisch und Sie am vergangenen Montag nicht im Literaturhaus gewesen sind. Die Veranstaltung, die Sie uns genannt haben, hatte schon am Sonntag stattgefunden. Wo waren Sie am Montagabend?«

»Jetzt reicht es aber!«, schritt Dorothea Winterscheid-Fink energisch ein. Sie wandte sich mit blitzenden Augen an Bodenstein und Pia. »Meine Mutter hat Heike so wenig umgebracht wie ich! Lassen Sie sie in Ruhe! Sehen Sie denn nicht, dass es ihr schlecht geht? Sie musste gerade erfahren, dass ihr geliebter Sohn ermordet worden ist! Von Menschen, denen sie vertraut hat! Zeigen Sie mal etwas Respekt! Ihre Mördersuche rechtfertigt nicht alles!«

Bodenstein nickte. Und auch Pia zog sich ein Stück zurück. Eine gewisse Grausamkeit gehörte bisweilen zu ihrem Job, und oft gelang es ihnen auf diese unschöne Weise, Menschen zum Reden zu bringen, die eigentlich nicht reden wollten.

»Du bist wirklich eine gute Tochter, Doro.« Margarethe hob den Kopf und blickte ihre Tochter unter Tränen beinahe mitleidig an. »Du hast dir immer so viel Mühe gegeben, es allen recht zu machen. Aber dich hat auch nie jemand ernst genommen, genau wie mich. Dein Vater hat uns beide nie geliebt. Mich hat er gebraucht, wegen des Geldes, das ich mit in die Ehe gebracht habe, aber du warst ihm immer gleichgültig.«

»Das weiß ich doch, Mama«, erwiderte Dorothea. Sie ging vor ihrer Mutter in die Hocke und umfasste sanft deren Handgelenke. »Aber das macht mir schon lange nichts mehr aus. Vater ist mir egal. Carl und ich führen jetzt den Verlag, und das macht Spaß. Carl ist so geschäftstüchtig wie sein Vater und so schlau und gewinnend wie seine Mutter. Wir werden Erfolg haben, denn wir haben großartige Autoren und Mitarbeiter.« Es war ein eigenartig berührender, fast intimer Moment zwischen Mutter und Tochter. Dorothea Winterscheid-Fink hatte die Anwesenheit von sieben Polizisten völlig ausgeblendet und würdigte auch ihren Ehemann und ihren Vater keines Blickes. »Unsere Männer sind Angsthasen, Mama. Genau, wie Alexander einer war. Sie sind nicht so stark wie wir. Nur Angsthasen haben es nötig zu lügen.«

»Ach, mein Mädchen.« Eine Träne kullerte über die faltige Wange von Margarethe Winterscheid. Dorothea schmiegte ihr Gesicht an das ihrer Mutter. »Ich habe dir immer Unrecht getan.«

»Vergeben und vergessen. Das ist alles vorbei, Mama.« Aus ihren Worten sprachen echte Zuneigung und Wärme. »Wir machen einen neuen Anfang. Carl und ich haben so viele tolle Pläne.«

Bodenstein räusperte sich. Da Margarethe Winterscheid sich wieder einigermaßen gefangen hatte, stellte er ihr ein paar Fragen. Was nach Katharinas Tod mit deren persönlichen Dingen geschehen war, wusste sie nicht. Tagebücher hatte sie nie gesehen. Waldemar Bär hatte sie zuletzt am Montagabend gegen 17:30 Uhr gesehen, als er mit seinem Auto, einem anthrazitfarbenen BMW, zum Tor hinausgefahren war. Während Bodenstein auch die anderen wegen des Hausmeisters befragte, dachte Pia darüber nach, dass Stefan Fink durchaus auch ein Motiv gehabt hatte, Heike Wersch zum Schweigen zu bringen, wenn auch kein wirklich starkes. Aber wie hätte er die Mordwaffe in den Kühlschrank von Alexander Roth legen können? Hatte er überhaupt gewusst, dass es in seinem Büro einen Kühlschrank gab? Da fiel ihr ein, was ihr Hennings Lektorin vorhin erzählt hatte: Alexander Roth hatte am Freitagabend spät noch Besuch bekommen.

»Herr Fink, wo waren Sie am Freitagabend, so gegen 22 Uhr?«, fragte Pia den Noch-Ehemann von Dorothea Winterscheid-Fink. Sie hatte erhebliche Zweifel am Fortbestand dieser Ehe, nach allem, was seine Frau in den letzten vierundzwanzig Stunden über ihn erfahren hatte.

»Auf der Autobahn, zusammen mit meinem Betriebsleiter«, erwiderte er. »Wir hatten nachmittags einen Termin in Erfurt und sind dort gegen 20:00 Uhr losgefahren.«

»Kann meine Mutter bitte ihr Handy wiederhaben?«, wandte Dorothea Winterscheid-Fink sich an Bodenstein. »Sie möchte Maria anrufen und sie bitten herzukommen.«

»Ja, natürlich.« Bodenstein gab Tariq einen Wink, und der reichte Margarethe Winterscheid ihr Mobiltelefon. Dann hob Bodenstein ein gerahmtes Foto hoch, das er auf einen der Schreibtische gelegt hatte und präsentierte den Anwesenden das Bild. Es zeigte einen jungen, lächelnden Waldemar Bär mit einer hübschen jungen Frau mit braunen schulterlangen Locken und großen dunklen Augen, die sich an ihn lehnte und in die Kamera strahlte. Diese Frau war auf mehreren der gerahmten Fotografien abgebildet, meistens zusammen mit Katharina Winterscheid und dem kleinen Carl.

»Dieses Foto stammt aus dem Schlafzimmer von Waldemar Bär«, sagte er. »Können Sie mir sagen, wer diese Frau ist?«

»Waldemar hat ein Bild von ihr in seinem *Schlafzimmer*?«, fragte Margarethe ungläubig. »Wieso denn das?«

»Weil er in sie verliebt war, Mama«, entgegnete seine Tochter. »Und sie in ihn.«

»Und wer ist das?«, fragte Bodenstein.

»Das letzte Au-pair-Mädchen von Katharina«, erwiderte Dorothea. »Sie hieß Ségolène, daran kann ich mich erinnern. Ich habe sie damals nur drei oder vier Mal gesehen, sie kam ja erst nach Johns Tod zu Katharina, als sie schon nicht mehr in der Villa wohnte. Gesprochen habe ich, glaube ich, nie mit ihr.«

»Vielen Dank für die Auskunft.«

»Dürfen wir dann jetzt gehen?«, wollte Dorothea Winterscheid-Fink wissen, ihr Tonfall wurde sarkastisch. »Ich glaube, mein verlogener Ehemann hat diesmal die Wahrheit gesagt. Und meine Mutter und ich haben ganz sicher niemanden umgebracht.«

Da rührte sich Henri Winterscheid zum ersten Mal. Er stemmte sich hoch und stützte sich schwer auf seinen Stock.

»Aber ich habe jemanden umgebracht. Es war ein Unfall, und ich wollte das nicht«, krächzte er mit heiserer Stimme, und sein Gesicht war eine Grimasse des Selbsthasses. »Ich habe Katharina vom Balkon gestoßen.«

***

»Waldemar Bär ist unser Mann.« Bodenstein war guter Dinge, als sie an der Festhalle und der Messe vorbei Richtung Wiesbaden fuhren. Cem hatte Kai informiert, der Bärs Fahrzeug in die bundesweite Fahndung gegeben hatte. Es war nur eine Frage der Zeit, bis ihn jemand sehen oder er einer Streife auffallen würde. Henri Winterscheid war vollumfänglich geständig gewesen und aufgrund seines Alters und seiner angeschlagenen Gesundheit nun auf dem Weg ins Krankenhaus des Untersuchungsgefängnisses Kassel. Er hatte am späten Abend des 17. August 1990 angeblich in stark alkoholisiertem Zustand Katharina aufgesucht, um mit ihr zu reden. Sie hatte Unregelmäßigkeiten in der Buchhaltung des Verlages entdeckt und ein Wirtschaftsprüfungsunternehmen beauftragt, die Zahlen der vergangenen Jahre zu prüfen, und dabei waren Dinge herausgekommen, die für Henri ziemlich unangenehm zu werden drohten. Nichts wirklich Kriminelles, eher Schludrigkeiten, die aber in ihrer Gesamtheit dazu hätten führen können, dass er die Geschäftsführung hätte abgeben müssen. Katharina hatte sich uneinsichtig gezeigt, es war zum Streit zwischen ihnen gekommen, in dessen Verlauf er sie über die Balkonbrüstung in den Tod gestoßen hatte. In Panik hatte er das Weite gesucht und ungesehen entkommen können. Kai hatte bereits die Akte der Leichensache Katharina Winterscheid bei der Staatsanwaltschaft beantragt. Tariq hatte die Tagebücher aus der Truhe in Waldemar Bärs Wohnung mit nach Hofheim genommen und hatte den Auftrag, darin nach Hinweisen zu suchen, die die Geschichte, die Josefin Lintner ihnen über den Mord an Götz Winterscheid erzählt hatte, untermauern würden.

Waldemar Bär, der loyale Hausmeister der Winterscheids, war wütend und enttäuscht gewesen, weil Heike Wersch dem Verlag und Carl Schaden zugefügt hatte. Womöglich hatte er aus den Tagebüchern erfahren, was sie 1983 getan hatte. Bär hatte Götz Winterscheid gut gekannt, sie waren wie Geschwister aufgewachsen, außerdem hatte er jahrelang Margarethes Kummer erlebt. War es zu einem Streit zwischen Heike Wersch und Bär gekommen, in dessen Verlauf sie ihm mitgeteilt hatte, dass sie ihn aus ihrem Testament streichen würde? Hatte er sie deshalb erschlagen? Er hatte die alte Clique mit den anonymen Briefen unter Druck gesetzt, vielleicht hatte Alexander diesem Druck nicht standgehalten und dem Hausmeister sein Herz ausgeschüttet, woraufhin er ihn mit Methanol vergiftet hatte? Ihre Theorie hatte noch einige Schwachstellen, denn bisher hatten sie keinen einzigen Beweis, nur Indizien.

»Also, was ist Bärs Motiv gewesen?«, fragte Bodenstein, der offenbar dieselben Gedanken hatte wie Pia.

»Loyalität«, erwiderte Pia. »Erinnerst du dich, was er am Sonntag zu uns gesagt hat? Frau Wersch hätte ihn enttäuscht, denn man würde nicht die Hand beißen, die einen gefüttert hat. Außerdem könnten er und Dorothea das herausgefunden haben, was uns Josefin Lintner erzählt hat. Roth kann ihnen das gestanden haben, als er betrunken war. Und als Bär mit Heike Wersch gesprochen hat, könnte sie ihm damit gedroht haben, dass sie ihn aus ihrem Testament streichen will.«

»Nehmen wir mal an, dass es so gewesen ist – wieso hat Bär diese Tasche und die Tagebücher achtundzwanzig Jahre lang aufgehoben? Was haben ihm die persönlichen Hinterlassenschaften von Katharina Winterscheid bedeutet, wenn er doch in das Au-pair-Mädchen verliebt war?«

»Warum hat er die Sachen nicht Carl Winterscheid gegeben, dem sie als Erbe seiner Mutter gehören?«, überlegte Pia laut. »Immerhin hätte er dazu seit anderthalb Jahren die Gelegenheit gehabt.«

»Und weshalb hat er auch Henri Winterscheid eine Tagebuchkopie geschickt?« Das hatte ihnen der alte Mann vorhin erzählt, allerdings hatte er die Kopie längst durch den Reißwolf gelassen. »Angeblich war er doch so loyal.«

»Verdammt!« Bodenstein schlug mit der flachen Hand aufs Lenkrad. Seine gute Laune war verraucht. Immer mehr kleine Unstimmigkeiten tauchten auf und knirschten wie Sandkörner im Getriebe.

»Wer war wohl der Besucher, den Roth am Freitagabend ins Verlagsgebäude gelassen hat?«, fragte Pia, als ihr Handy klingelte. Es war Kai.

»Ich habe gerade mit der Staatsanwaltschaft telefoniert«, verkündete er. »Und stellt euch vor: Jemand anderes hatte auch schon Interesse an der Akte Katharina Winterscheid. Sie ist nicht mehr da.«

»Aha. Und wer war derjenige?«, fragte Pia.

»Dein Ex Professor Kirchhoff hat die Akte heute Morgen höchstpersönlich abgeholt.«

»Was? Warum denn das?« Pia war überrascht, aber ihre Überraschung schlug schnell in Verärgerung um. »Was soll das?«

»Das fragst du ihn am besten selbst. Wann seid ihr hier? Die Engel springt im Karree, weil ihr Henri Winterscheid festgenommen und nach Kassel geschickt habt. Sie meinte, Hausarrest und eine elektronische Fußfessel hätten es wohl auch getan.«

»Nicht, wenn Suizidgefahr besteht«, erwiderte Pia. »Ach, Kai, schau dir doch bitte mal bei Google Earth die Straßensituation beim Verlagshaus Winterscheid an, besonders den Hinterhof. Vielleicht kannst du feststellen, ob es in der Nähe irgendwo eine Verkehrskamera gibt oder Überwachungskameras, die das Tor zum Hof mit draufhaben.«

»Okay. Welcher Zeitraum genau interessiert dich?«

»Der Freitagabend. Zwischen 21:00 Uhr und der Uhrzeit, zu der Roth das Gebäude verlassen hat, um nach Hause zu radeln. Er hatte an dem Abend noch einen Besucher.« Pia hörte, dass ein weiterer Anrufer anklopfte und warf einen raschen Blick aufs Display. Henning!

»Ich schau mal, was ich machen kann«, sagte Kai und legte auf.

»Henning!« Pia musste sich beherrschen, um nicht zu schreien, als sie die Stimme ihres Ex-Mannes hörte.

»Hör zu, Pia«, fiel er ihr ins Wort. »Oliver und du, ihr solltet so schnell wie möglich herkommen.«

»Ja, das sollten wir wohl in der Tat! Und zwar, um dir in den Allerwertesten zu treten!«

»Carl Winterscheid und seine Lektorin sitzen bei mir im Büro«, fuhr Henning fort, als hätte sie nichts gesagt. »Sie müssen euch etwas Interessantes mitteilen.«

»Wir sind in einer Viertelstunde da«, antwortete Pia knapp und drückte das Gespräch weg.

»Rechtsmedizin?«, fragte Bodenstein, und Pia nickte. Er zog das Auto über zwei Fahrbahnen nach rechts, ignorierte ein paar verärgert hupende Autofahrer und erwischte am West-kreuz Frankfurt gerade noch die Abfahrt auf die A5 Richtung Darmstadt. Vor ihnen erstreckte sich ein vierspuriges kilometer-langes Meer aus roten Rückleuchten. Der übliche Feierabend-stau.

»So ein Mist! Setz das Blaulicht aufs Dach, sonst brauchen wir eine Stunde.«

»Wie ich so etwas hasse«, knurrte Pia verärgert.

»Was meinst du?«

»Wenn Leute meinen, sie könnten unseren Job machen, nur, weil sie Krimis lesen oder alte Ermittlungsakten abschreiben, so wie mein neunmalkluger Ex-Mann!«

Mit Sirene und Blaulicht ging es rasch vorwärts. Bereitwillig bildeten die Autofahrer eine Rettungsgasse, abgesehen von ein paar Ignoranten, die länger brauchten, weil sie auf ihr Smart-phone guckten statt in den Rückspiegel. Innerhalb von fünf Mi-nuten waren sie am Frankfurter Kreuz und nahmen von dort aus die B43 am Waldstadion vorbei.

»Ha!«, rief Bodenstein so unvermittelt, dass Pia erschrocken zusammenfuhr.

»Herrgott, was ist denn?«, fragte sie.

»Erinnerst du dich, dass ich gesagt habe, uns würden noch Figuren auf dem Spielfeld fehlen?«

»Deine Schach-Metapher. Klar, ich erinnere mich.« Und plötzlich fiel auch bei ihr der Groschen. »Das Au-pair-Mädchen?«

»Genau!« Bodenstein grinste aufgeregt. »Was ist die Aufgabe von Au-pair-Mädchen?«

»Keine Ahnung. Wir hatten nie eins.«

»Normalerweise gehen sie der Hausfrau zur Hand«, sagte Bodenstein. »Sie kümmern sich ein bisschen um den Haushalt und um ...«

»... die Kinder.«

»Exakt. Das Mädchen hat sich um Carl gekümmert, damit seine Mutter arbeiten gehen konnte. Waldemar hat Katharina verehrt, auf eine platonische Weise. Aber er hat sich in das Au-pair-Mädchen verliebt.«

»Und sie sich in ihn.«

»Er hat sie aber nicht geheiratet«, sagte Bodenstein.

»Woher weißt du das?«

»Es gab kein einziges Foto in Bärs Wohnung, auf dem sie älter war als maximal zwanzig.«

»Du bist ja ein Fuchs!«, grinste Pia.

»Danke, das weiß ich«, sagte Bodenstein bescheiden und grinste auch. »Weiter: Nach dem Tod von Katharina Winterscheid hat Margarethe den Jungen zu sich genommen, und das Au-pair-Mädchen war arbeitslos.«

»Und ist in seine Heimat zurückgekehrt«, kombinierte Pia.

»Dem Namen nach zu urteilen, war sie Französin.«

»Wie würdest du als Zwanzigjährige reagieren, wenn deine Chefin vom Balkon in den Tod stürzt und du plötzlich mutterseelenallein in einem fremden Land bist?«, wollte Bodenstein wissen.

»Ich würde wohl schnell meine Siebensachen packen und nach Hause fahren«, antwortete Pia.

»Ségolène ist verschwunden«, führte Bodenstein seinen Gedankengang fort. »1990 hatte noch kaum jemand ein Handy, mit dem man eine Nachricht schreiben konnte, und erst recht keine Snap-Map.«

»Eine was?«

»Ach, das ist eine Funktion von Snapchat. Da können die Kids sehen, wo auf der Welt sich ihre Freunde herumtreiben. Kenne ich von Sophia. Also, Ségolène war auf jeden Fall von jetzt auf gleich weg.«

»Ohne Waldemar Bescheid zu sagen?«

»Möglich.«

»Und sie hat die Tasche mitgenommen? Aber warum sollte sie das tun?«

»Frag doch nicht immer gleich ›warum‹!« Bodenstein hielt an der roten Ampel. »Lass uns einfach ein bisschen rumspinnen.«

»Grüner wird's nicht«, sagte Pia, und Bodenstein gab Gas. »Ach so, ich nehme wohl besser mal das Blaulicht vom Dach.«

»Sie hat also die Tasche mitgenommen.« Bodenstein schaltete die Sirene ab und fuhr in die Isenburger Schneise, die ein paar Hundert Meter weiter in die Kennedyallee überging. »Und da lag sie dann, die Tasche.«

»Wo?«

»Weiß ich auch nicht«, seufzte Bodenstein. »Es ist doch wirklich zum Mäusemelken! Immer, wenn alles gerade schön passt, taucht irgendein Stolperstein auf.«

* * *

»Was ist das?«, fragte Pia, als Carl Winterscheid einen Stapel maschinenbeschriebenes Papier vor Bodenstein und ihr auf den Besprechungstisch in Hennings Büro legte.

»Ein Manuskript, das meine Mutter geschrieben hat«, erwiderte der Verleger des Winterscheid-Verlags. »Ich habe es am Freitag in der Post gefunden. Es war in einem Umschlag ohne Absender, und dieses Foto lag dabei.«

Er schob ein Bild über den Tisch, das Pia und Bodenstein schon aus dem Nachlass von Heike Wersch kannten: sechs junge Leute auf einer Treppe vor einem weiß getünchten Haus. Pia nahm es und drehte es um. NOIRMOUTIER war mit Kugelschreiber auf die Rückseite geschrieben.

»Vor zwei oder drei Wochen habe ich schon einmal einen anonymen Brief bekommen.« Winterscheid griff in die Tasche seines

Sakkos und förderte ein blaues Matchbox-Auto zutage. »Dieses Auto hatte mir meine Cousine Dorothea geschenkt, als ich vier oder fünf Jahre alt war. Es war mein Lieblingsspielzeug.«

Sie saßen zu fünft an dem rechteckigen Tisch: Henning, Julia Bremora und Carl Winterscheid auf der einen Seite, Bodenstein und Pia ihnen gegenüber.

»Das Manuskript handelt von einer Gruppe junger Leute, die sich aus der Schule und von der Uni kennen. Sie verbringen gemeinsam ihren Sommerurlaub auf der Insel Noirmoutier«, ergriff die Lektorin das Wort. Sie war eher apart als hübsch und offenbar ziemlich uneitel, denn sie war nicht geschminkt und trug ihr langes dunkelbraunes Haar zu einem Zopf geflochten. »Die Parallelen zur wahren Lebensgeschichte von Katharina Winterscheid sind eklatant. Es geht um einen Buchverlag in Frankfurt, der Sohn des Verlegers stirbt während des Urlaubs, und seine Leiche wird an den Strand gespült.«

»Es sind nur 134 Seiten«, sagte Carl Winterscheid. »Mitten in der Handlung bricht es ab. Meine Mutter hat es mir gewidmet.«

Er beugte sich vor, zog die zweite Seite heraus und schob sie Pia und Bodenstein hin. »*Wie immer, für immer. Für Carl, meinen größten Schatz.*«

»Dadurch habe ich Zweifel an einem Selbstmord bekommen«, sagte Frau Bremora. Ihre Augen leuchteten. »Eine Frau, die ihren Sohn als ihren größten Schatz bezeichnet und mitten in der Arbeit an einem Buch steckt, springt doch nicht einfach vom Balkon!«

»Deshalb ist Frau Bremora zu mir gekommen«, übernahm Henning. »Wir haben uns das digitalisierte Protokoll der Leichenschau und der Obduktion vorgenommen, und ich bin auf Unstimmigkeiten gestoßen.«

Er klappte sein Laptop auf und zeigte Fotos der Leiche, wies auf Abschürfungen an der linken Körperseite hin und auf halbmondförmige Abdrücke an den Innenseiten der Oberarme. Seine Erklärungen, wie es zu diesen Verletzungen gekommen sein musste, klangen schlüssig.

»Dann habe ich mir die Polizeiakte von der Staatsanwaltschaft kommen lassen.«

»Henning, wir müssen kurz mit dir reden.« Pia erhob sich von dem unbequemen Plastikstuhl. »Komm bitte mit raus vor die Tür.«

Henning klappte seinen Laptop zu und folgte ihr, Bodenstein ebenfalls.

»Bist du jetzt total übergeschnappt?«, fuhr Pia ihren Ex-Mann mit gesenkter Stimme an, als der die Tür hinter sich geschlossen hatte. »Denkst du etwa, nur, weil du jetzt Krimis schreibst, bist du bei der Kripo und kannst mit deiner Lektorin und deinem Verleger eine kleine Krimi-Raterunde eröffnen? Wir sind seit Tagen am Grübeln, wieso deine zwei Gäste da unten im Kühlfach sterben mussten, und diese Geschichte hier könnte das Motiv sein! Und wie kommst du eigentlich dazu, dir diese Akte von der Staatsanwaltschaft zu holen, ohne uns vorher Bescheid zu sagen? Du überschreitest deine Kompetenzen gewaltig!«

»Ich habe Frau Bremora von Anfang an gesagt, dass sie mit euch reden soll!«, verteidigte Henning sich. »Sie wollte aber ihrem Chef nicht vorgreifen, schließlich geht es um seine Mutter.«

»Henning!« Pia musste sich anstrengen, nicht zu schreien. »Wenn ich eine Leiche finde und wissen will, warum dieser Mensch gestorben ist, dann schneide ich sie nicht mit der Geflügelschere auf meinem Küchentisch auf, sondern ich rufe dich an!«

Henning machte ein zerknirschtes Gesicht und wollte etwas zu seiner Verteidigung vorbringen, aber Pia ließ ihn nicht zu Wort kommen.

»Fünf Leute, die entweder tot oder des Mordes verdächtig sind, haben in den letzten Wochen anonyme Briefe mit Auszügen des Tagebuchs von Katharina Winterscheid erhalten«, fuhr sie fort. »Winterscheid hat offenbar von derselben Person dieses Spielzeugauto und das Manuskript erhalten. Was schließt du daraus?«

»Es ist nicht meine Aufgabe, daraus irgendwelche Schlüsse zu ziehen«, gab Henning zu.

»So ist es. Deshalb überlass so etwas bitte uns. Okay?«

»Okay.« Henning nickte und hob die Hände. »Ich entschuldige mich. Das wird nicht mehr vorkommen.«

Dann blickte er Bodenstein an.

»Dein Name taucht übrigens in der Polizeiakte auf«, sagte er. »Wusstest du das?«

»Ja. Ich kann mich an den Fall erinnern. Der Sohn der Toten war damals genauso alt wie Lorenz«, erwiderte Bodenstein. »Das hatte mich berührt.«

»Damals wurde etwas übersehen«, sagte Henning. »Ich bin davon überzeugt, dass die Frau durch Fremdeinwirkung gestorben ist.«

»Sie wurde ermordet«, antwortete Bodenstein. »Katharina Winterscheid wurde von ihrem Schwager Henri während eines Streits vom Balkon gestoßen. Er hat es uns eben gestanden und fährt gerade schon auf Kosten der Steuerzahler nach Kassel.«

Henning starrte ihn einen Augenblick sprachlos an.

»Das ist ... das ist ja ...«, stotterte er, hatte sich aber schnell wieder im Griff. »Normalerweise gefällt es mir, recht zu behalten. Aber das wird Winterscheid tief erschüttern. Er ist bei Henri Winterscheid und seiner Frau aufgewachsen! Ich bin froh, dass ich ihm diese Nachricht nicht überbringen muss.«

»Wir haben in den letzten Tagen leider schon jede Menge Leute tief erschüttern müssen«, sagte Pia und stieß einen Seufzer aus. »Es ist ein absolut beschissener Fall. Nichts als Lügen und Kollateralschäden.«

»Henning, wir wissen, dass du möglicherweise nicht ganz unvoreingenommen denken kannst.« Bodenstein schlug einen geschäftsmäßigen Tonfall an. »Deine Agentin und dein Verleger sind in den Fall verwickelt, zumindest kannten sie beide Toten gut. Wir haben die Tatwaffe in Roths Büro gefunden. Sie war in einen Frischhaltebeutel eingewickelt, die passende Rolle dazu war in der Werkstatt des Hausmeisters, ebenso eine Flasche Methanol. Zum Verlagsgebäude, vor allen Dingen zum Kühlschrank in einem Büro in einem der oberen Stockwerke, hat nicht jeder Zugang, deshalb kommen nur sehr wenige Leute infrage. Einige konnten wir bereits ausschließen. Aber was ist mit Carl Winterscheid? Du kennst ihn besser als wir. Hältst du es für möglich, dass er mit dem Hausmeister gemeinsame Sache gemacht und Frau Wersch und Roth umgebracht hat?«

»Das ist nicht dein Ernst, oder?« Henning Kirchhoff war entgeistert. »Der Mann hat seine Mutter verloren, als er noch ein Kind war. Er ist quasi ohne Familie aufgewachsen, aber er ist trotzdem seinen Weg gegangen und führt jetzt erfolgreich den Verlag, den sein Großvater gegründet hat. Sein Cousin wurde ermordet ...«

Er verstummte, denn er merkte selbst, dass seine Argumente nicht unbedingt für Carl Winterscheids Unschuld sprachen. Zwischen seinen Augenbrauen erschien eine steile Falte.

»Derjenige, der Heike Wersch erschlagen hat, war eindeutig Rechtshänder«, sagte er langsam. »Das kann man an dem Winkel, in dem die Schläge auf Kopf und Körper des Opfers trafen, klar erkennen. Winterscheid ist Linkshänder. Im Affekt benutzen Menschen automatisch ihre stärkere Hand, sie denken nicht darüber nach, ob man später irgendwelche Winkel berechnet. Und ihr sagt selbst, dass die Tötung von Heike Wersch ein Gewaltexzess war, also eindeutig eine Affekttat. Ich kann mir nicht vorstellen, dass jemand in einer solchen Situation voller Berechnung mit seiner schwächeren Hand zuschlägt, nur um falsche Spuren zu legen.«

»Winterscheid hätte Roths Wodka mit Methanol versetzen können«, merkte Pia an.

»Frau Bremora auch«, entgegnete Henning. »Genau wie wohl jeder Mitarbeiter des Verlagshauses.«

»Und deine Agentin? Sie hat Roth gut gekannt und wusste vielleicht, dass er einen Kühlschrank in seinem Büro hat. Agenten besuchen Verlage, reden mit Lektoren und Verlegern.«

»Natürlich könnte Maria Roth vergiftet haben. Sie könnte auch Heike Wersch erschlagen haben. Mit genug Wut im Bauch und mit der geeigneten Waffe kann das auch eine Frau.« Henning betrachtete Pia nachdenklich. »Und wahrscheinlich wäre es für sie kein Problem, einen Termin zum Beispiel mit Frau Bremora zu machen, um über mein neues Buch zu sprechen. Ein kleiner Umweg zu ihrem alten Freund Roth würde niemandem auffallen. Aber wieso sollte sie das getan haben? Ihr wisst wahrscheinlich viel mehr als ich, aber aus dem, was ich weiß, erschließt sich mir kein Motiv für zwei Morde.«

»Uns auch nicht«, räumte Bodenstein ein. »Lasst uns wieder reingehen. Wir müssen Winterscheid mitteilen, dass sein Onkel vor achtundzwanzig Jahren sein Leben zerstört hat.«

Bodenstein öffnete die Tür zu Hennings Büro. Der hielt Pia am Arm zurück.

»Bist du noch sauer auf mich?«, fragte er.

»Leider nicht«, antwortete sie und lächelte. »Du kennst mich doch. Ich kann überhaupt nie jemandem lange böse sein. Noch nicht einmal dir.«

Sie gingen zurück ins Büro. Carl Winterscheid stand am Fenster, in der Hand sein Smartphone. Er war leichenblass. Julia Bremora saß am Besprechungstisch und sah so schockiert aus, als wäre ihr gerade ein Axtmörder über den Weg gelaufen.

»Meine Cousine hat mich gerade angerufen«, sagte Winterscheid heiser. »Sie hat mir gesagt, dass Sie meinen Onkel festgenommen haben, weil er meine Mutter getötet hat. Ist das wahr?«

* * *

Julia fühlte sich unbehaglich. Sie gehörte nicht hierher. Es war nicht ihre Angelegenheit, aber als sie hatte gehen wollen, hatte Carl sie zurückgehalten und gebeten zu bleiben. Deshalb saß sie nun hier, am großen Besprechungstisch, zusammen mit Maria Hauschild und Dorothea Winterscheid-Fink, und ihr war deutlich bewusst, wie die Minuten verrannen. Niemand sagte etwas, weil eigentlich alles gesagt war und Worte an dem, was geschehen war, ohnehin nichts mehr ändern konnten. Die ungeheuerliche Wahrheit, die heute zum Vorschein gekommen war, lag jenseits aller Vorstellungskraft. Das Essen, das Julia vor zwei Stunden beim *Sushi Circle* an der Alten Oper geholt hatte, stand unberührt auf dem Tisch. Das Tageslicht vor den Fenstern schwand allmählich, und die Nacht senkte sich über die Stadt herab.

Carl saß seit einer halben Stunde in katatonischer Starre hinter seinem Schreibtisch und blickte unverwandt das Porträt seines Großvaters an. Was ging in ihm vor? Erhoffte er sich von seinem Vorfahren irgendeine Antwort? Eine Antwort auf was? Julias Herz blutete bei seinem Anblick, aber Worte oder Gesten des

Trostes waren in diesem Moment unvorstellbar. Seitdem er am Nachmittag erfahren hatte, dass sein Onkel vor achtundzwanzig Jahren seine Mutter getötet hatte, hielt er seine Emotionen mit eiserner Beherrschung unter Kontrolle. Er hatte sich all das, was die Polizisten ihm erzählt und aus dem Polizeiprotokoll vom August 1990 vorgelesen hatten, angehört, ohne eine Miene zu verziehen und ohne Fragen zu stellen, und Julia war sich nicht sicher, ob er überhaupt alles begriffen hatte. Man hatte in der Wohnung von Waldemar Bär eine mysteriöse Tasche gefunden, die offenbar einmal Carls Mutter gehört hatte. Von Tagebüchern war die Rede gewesen, aus denen Bär Seiten kopiert und anonym an verschiedene Leute, unter anderem an Heike Wersch und Alexander Roth, verschickt hatte. Die Polizisten waren sicher, dass von Bär auch das Spielzeugauto und das Manuskript gekommen waren, aber warum er das getan hatte, konnten sie sich nicht recht erklären. Sie waren zu Julias Bestürzung ziemlich fest davon überzeugt, dass Waldemar Bär Heike Wersch erschlagen und Alexander Roth mit Methanol vergiftet hatte. Ihre Gründe für diese Annahme hatten sie jedoch nicht näher erläutert. Es war schrecklich, wenn Menschen, die man gekannt und mit denen man zusammengearbeitet hatte, ermordet wurden. Aber noch viel schrecklicher war es, wenn man deren Mörder kannte und … mochte. Es wollte Julia nicht in den Kopf, dass Waldemar Bär ein Mörder sein sollte. Das passte einfach nicht zu ihm! Aber war es nicht oft so, dass Nachbarn und Bekannte entsetzt und fassungslos reagierten, wenn ein Mensch, den sie zu kennen glaubten, des Mordes verdächtigt wurde?

Als sie die Rechtsmedizin verlassen hatten, hatte Carl seine Cousine und seine Patentante angerufen und gebeten, ins Verlagshaus zu kommen. Sie hatten geredet und geweint und Carl umarmt, aber sie hatten schnell gemerkt, dass er Distanz wollte, keine Umarmungen. Und seitdem saßen sie da und schwiegen, und die Stille brachte, wenn man sich auf sie einließ, Klarheit. Julia merkte, wie sich ihre Gedanken sortierten und die Bruchstücke von Informationen plötzlich einen Sinn ergaben, den sie vorher nicht erkannt hatte.

Wann war es gewesen, dass sie diese Papiertüte im Büro des Hausmeisters bemerkt und ihn auf den Spruch, der darauf abgedruckt war – *Le dernier espace de liberté sur la terre, c'est la mer –*, angesprochen hatte, weil er ihr so gut gefallen hatte? Am nächsten Tag hatte die Tüte sauber gefaltet bei ihr auf dem Schreibtisch gelegen, und sie hatte sich später bei Bär dafür bedankt. Das war noch nicht so lange her. Vielleicht drei Wochen, maximal einen Monat. Es war auf jeden Fall vor dem ganzen Theater mit Severin Velten und Heike Werschs beleidigenden Äußerungen in der Presse gewesen.

»Waren Sie in Frankreich?«, hatte sie den Hausmeister gefragt.

»Ja, aber nur kurz«, hatte er erwidert und gelächelt. »Ich habe eine alte Freundin besucht, die sehr krank ist.«

Eine alte Freundin. In Frankreich. Was hatte Kommissar Bodenstein vorhin noch gesagt? Waldemar war in Ségolène, das Aupair-Mädchen verliebt, das bei Katharina Winterscheid gearbeitet hatte. *Eine alte Freundin.* Aber hatte nicht Maria Hauschild behauptet, er sei in Katharina verliebt gewesen? Sie hatte das Aupair-Mädchen gar nicht erwähnt. Komisch.

»Wie alt war Ségolène, das Au-pair-Mädchen, damals?« Julias Stimme klang seltsam in der Stille.

»Anfang zwanzig, schätze ich«, erwiderte Maria Hauschild, erleichtert, etwas sagen zu können.

»Ja, ungefähr Anfang zwanzig«, bestätigte Dorothea Winterscheid-Fink. »Warum fragen Sie?«

»Nur so.« Julia verspürte das dringende Bedürfnis, aufzuspringen und in ihr Büro zu laufen, um nach dieser Papiertüte zu suchen. Sie erinnerte sich dunkel, dass unter dem Spruch eine Webadresse aufgedruckt war. Die Polizei suchte Bär in ganz Deutschland, aber vielleicht war er ja gar nicht mehr im Land, sondern in Frankreich. Bei seiner alten Freundin, die sehr krank war.

»Ich kann mich an sie erinnern«, sagte Carl plötzlich. »Sie hat mir französische Lieder vorgesungen, und ich habe sie immer berichtigt, wenn sie im Deutschen Fehler gemacht hat. Sie sagte mir, dass ihr Name auf Deutsch ›Sieglinde‹ bedeutet, was ich sehr lustig fand. Wir waren oft zusammen im Freibad. Sie hat sich getraut, vom Sieben-Meter-Brett zu springen. Und wir haben mit der Ritterburg gespielt und mit dem Parkhaus ...« Er verstummte. Sein Blick begegnete dem von Julia. »Komisch. Seitdem ich mir nicht mehr verbiete, an meine Mutter zu denken, erinnere ich mich auf einmal an so viele Dinge.«

Er stand auf und streckte sich. Seine Lebensenergie schien zurückgekehrt, und er wirkte wie befreit von einer schweren Last, die er sein Leben lang mit sich herumgeschleppt hatte. Nun hatte er Gewissheit. Und auch, wenn diese Gewissheit schrecklich war, so wusste er jetzt, dass seine Mutter ihn nicht aus egoistischen Motiven im Stich gelassen hatte.

»Als ich das Manuskript gelesen habe, das sie mir gewidmet hat, hat es sich ein bisschen so angefühlt, als würde sie mit mir sprechen.« Er griff in die Sushi-Box, die auf dem Tisch stand, nahm sich eine California Roll heraus und schob sie sich in den Mund.

»Was für ein Manuskript?«, fragte Dorothea überrascht.

»Ein mit Maschine geschriebenes. Meine Mutter hatte einen wunderbaren Schreibstil. Nicht wahr, Julia?«

»Das stimmt. Ich habe ...« Julia verstummte. Plötzlich fiel ihr ein, wie sie das Buch, an das Katharinas Manuskript sie erinnerte, aus ihrem Bücherregal gezogen und beinahe auf Anhieb die Stelle gefunden hatte, nach der sie gesucht hatte. »In Katharinas Roman kommt eine Katze vor, eine schwarze Katze mit vier weißen Pfötchen ...«

»... die Fleur de Sel heißt, so wie unsere Katze«, ergänzte Carl. »Maria, du erinnerst dich sicher an Selli, oder?«

»Selli! Oh, mein Gott, natürlich erinnere ich mich!« Maria Hauschild war so ergriffen, dass ihr beinahe die Stimme versagte. »Katharina hatte sie aus dem Hafenbecken gefischt.«

»Ich erinnere mich auch«, sagte Dorothea. »Sie ist uralt geworden. Du hattest sie ja mit in die Villa gebracht.«

Julia überlegte, ob sie von ihrer erstaunlichen Entdeckung berichten sollte, aber dann entschied sie sich dagegen. Bevor sie Maria Hauschild und Dorothea Winterscheid davon erzählte, wollte sie mit Carl darüber sprechen. Auf jeden Fall war Julia sich ganz sicher, dass Katharina mehr als nur dieses eine Manuskript verfasst hatte, und sie hatte einen ziemlich konkreten Verdacht, was mit den anderen Manuskripten geschehen war.

»Schade, dass Katharina mich nie etwas hat lesen lassen.« Maria Hauschild lächelte wehmütig. »Ach, Carl, ich kann dir viel über deine Mutter erzählen. Ich vermisse sie immer noch.«

»Ich auch«, flüsterte Dorothea Winterscheid-Fink und brach völlig unvermittelt in Tränen aus.

»Es tut mir so leid, so furchtbar leid!«, schluchzte sie. »Ich wollte, ich könnte das, was mein Vater getan hat, irgendwie wiedergutmachen!«

Da stand Carl von seinem Schreibtisch auf und ging zu seiner Cousine hin. Er zog sie in seine Arme und wiegte sie sanft.

»Du musst gar nichts wiedergutmachen, Doro«, sagte er leise. »Du konntest doch nichts dafür. Aber wir zwei, wir machen etwas Großes aus diesem Verlag. Ich habe mich gerade mit unserem Großvater darüber unterhalten, und er findet meine Idee gut.«

»Welche Idee?«, schniefte Dorothea und nickte dankend, als Julia ihr ein Papiertaschentuch reichte.

»Wir werden den Verlag umbenennen.« Carl lächelte. »Er soll wieder Liebman-Verlag heißen, so wie früher.«

* * *

»Wie weit bist du mit den Tagebüchern gekommen?«, fragte Pia Tariq, als sie den Besprechungsraum betreten hatten.

»Weißt du, wie viel diese Frau geschrieben hat? All die Namen und Abkürzungen da drin, da muss man erst mal durchblicken«, beschwerte sich Tariq. »Das dauert Tage, auch wenn Kathrin mir hilft. Ich habe mit dem letzten Tagebuch angefangen, das einen Tag vor Katharinas Tod endet.«

»Ich bin eine Schnellleserin, aber es ist absolut unmöglich, sie alle heute Abend noch zu lesen!«, ergänzte Kathrin. »Ich bin mit dem ersten durch, aber wir müssen uns ja auch immer noch Notizen machen.«

»Da habe ich vielleicht eine Lösung«, mischte sich Kriminaldirektorin Nicola Engel ein. »Severin Velten hat ein fotografisches Gedächtnis. Ich gehe runter und frage ihn, ob er uns helfen kann.«

Sie stellte ihre Kaffeetasse auf den Besprechungstisch und verließ den Raum.

»Jede Hilfe ist mir recht«, sagte Tariq frustriert. »Dann wäre der B.S.U.L. ja wenigstens noch für irgendetwas gut.«

Bodenstein zog sich in sein Büro zurück und widmete sich der Polizeiakte. Die Lektüre ließ seine Erinnerungen an damals lebendig werden, und beim Betrachten der Fotos fielen ihm wieder Details ein: die laue Sommernacht, der Hinterhof mit den vielen Balkonen, von denen trotz der späten Uhrzeit Neugierige hinunterstarrten. Die blutüberströmte Leiche der jungen Frau im Licht des Scheinwerfers, die wie eine kaputte Gliederpuppe mit verdrehten Armen und Beinen auf dem Kopfsteinpflaster lag. Der weinende Junge, der von einer jungen Frau zu einem Auto getragen wurde. Nachbarn, die nichts gesehen und gehört haben wollten. Bodenstein sah die Zeugenprotokolle durch. Man war nicht besonders sorgfältig gewesen, hatte nur mit Margarethe und Dorothea Winterscheid gesprochen sowie mit Maria Hauschild, die damals noch Molitor geheißen hatte, Waldemar Bär, drei Hausbewohnern, mehreren Arbeitskolleginnen aus dem Winterscheid-Verlag, dem Hausarzt der Toten, aber nicht mit dem Au-pair-Mädchen, das nur in einer knappen Notiz seines damaligen Chefs erwähnt wurde, die Bodenstein zwei Mal lesen musste, bevor er sie verstand: *Oper-Mädchen???*, hatte Oberkommissar Menzel notiert. Bis auf Waldemar Bär hatten alle behauptet, Katharina Winterscheid habe nach dem Tod ihres Mannes unter starken Depressionen gelitten, weshalb sie sogar in ärztlicher Behandlung gewesen sei. Ihr Arzt hatte jedoch ausgesagt, er habe ihr nur ein einziges Mal ein mildes Beruhigungsmittel verschrieben, nämlich kurz nach dem Tod ihres Mannes. In der Wohnung war kein Abschiedsbrief gefunden worden, und die Verlagskollegen, mit denen sie an dem Abend auf einer Veranstaltung gewesen war, hatten zu Protokoll gegeben, dass Katharina Kopfschmerzen gehabt und deshalb früher, etwa gegen 21:45 Uhr, die Veranstaltung verlassen habe.

Bodenstein versuchte zu verstehen, wie sich die Situation für seinen Chef damals dargestellt haben musste. Aus heutiger Perspektive und mit dem Wissen, das er jetzt hatte, bemerkte er eklatante Ermittlungsmängel. Wer war bei dem Jungen gewesen, während seine Mutter auf der Veranstaltung gewesen war? Das Au-pair-Mädchen? Wieso hatte niemand mit ihr gesprochen? Bodenstein betrachtete noch einmal die Fotos der Wohnung, die er damals nicht betreten hatte. Wie war Henri Winterscheid in die Wohnung gelangt? Weshalb hatte er seine Schwägerin so spät am Abend aufgesucht? Wenn sie um 21:45 Uhr die Veranstaltung am Museumsufer verlassen hatte, konnte sie nicht vor 22:30 Uhr zu Hause gewesen sein. Bodenstein blätterte zurück. Der Notruf eines Nachbarn war um 22:42 Uhr bei der Leitstelle eingegangen, da musste Katharina gerade vom Balkon gefallen sein, der Nachbar aus der Erdgeschosswohnung des gegenüberliegenden Hauses hatte ihren Körper auf dem Pflaster aufschlagen sehen und sofort zum Telefon gegriffen. Henri Winterscheid hatte also keine Viertelstunde gebraucht, um einen Streit vom Zaun zu brechen und seine Schwägerin vom Balkon zu stoßen. Was hatte das Au-pair-Mädchen in dieser Zeit gemacht? Hatte die junge Frau versucht, den Streit zu schlichten, oder war sie in ihrem Zimmer gewesen? Oder bei Carl Winterscheid?

»Chef?« Pia steckte ihren Kopf zur Tür herein. »Christian ist gerade gekommen. Sie sind in Bärs Wohnung auf etwas gestoßen, was dich interessieren wird.«

»Und ich bin in dem Polizeiprotokoll auf etwas gestoßen.« Bodenstein erhob sich von seinem Schreibtisch. »Es wurde damals ziemlich schlampig gearbeitet. Ich habe das Gefühl, dass mit dem Au-pair-Mädchen etwas nicht gestimmt hat. Sie wurde weder vernommen, noch taucht ihr Name irgendwo auf.«

Sie betraten den Besprechungsraum. Alle Mitarbeiter des K11 waren anwesend, außerdem Kriminaldirektorin Nicola Engel, die Velten aus dem Keller geholt hatte. Bodenstein sah den Schriftsteller durch die geöffnete Tür eines unbesetzten Büros über einen Stapel Papier gebeugt an einem Tisch sitzen, neben sich einen Stapel Tagebücher und eine Flasche Wasser.

»Was liest er da?«, erkundigte sich Bodenstein bei seiner Chefin.

»Dieses Manuskript, das ihr mitgebracht habt. Dann nimmt er sich die restlichen Tagebücher vor.«

»Kriegt er das hin?«

»Er meint, er braucht ungefähr zwanzig Minuten für das Manuskript und zwei Stunden für alle Tagebücher«, erwiderte sie. »Es ist faszinierend. Er liest die *FAZ* innerhalb von einer Viertelstunde durch und kennt danach jeden Artikel im Wortlaut.«

»Wow.« Bodenstein wandte sich seinen Kollegen zu.

»Waldemar Bär hat von seinen anonym verschickten Briefen Kopien angefertigt und in seinem Schlafzimmer aufbewahrt«, sagte Kröger und reichte Bodenstein ein Blatt in einer Klarsichthülle. »Wir haben sie in einer der Nachttischschubladen gefunden.«

»Erinnerst du dich an die Tagebuchstelle, die mir Maria Hauschild gestern Abend als Foto geschickt und heute Morgen gegeben hat?«, fragte Pia, und ihre Stimme vibrierte vor Aufregung. »Laut Bärs Unterlagen hatte er diese Stelle aber an Heike Wersch geschickt, nicht an Maria Hauschild. Die hat eine völlig andere erhalten. Nämlich diese hier!«

Frau
Maria Hauschild
c/o Literarische Agentur Hauschild
Untermainanlage 211
60311 Frankfurt am Main

Ich weiß, was du im Sommer 1990 getan hast. Und du weißt es auch.

Frankfurt, 5. August 1990
Maria geht mir derart auf den Geist!!! Ich könnte mir in den Hintern beißen, daß ich ihr mal etwas von mir zu lesen gegeben habe! Keine Ahnung, wie sie das angestellt hat, aber sie hat doch tatsächlich diesem Erik ein Manuskript von mir

gegeben, und der ist jetzt ganz scharf drauf, es zu veröffentlichen! Sie muß es mir geklaut haben, und ich habe es nicht gemerkt, und jetzt tut sie doch wirklich so, als würde sie mir einen Gefallen tun! Ich habe ihr in aller Deutlichkeit gesagt, daß NIEMALS ein Buch von mir unter einem Pseudonym in einem anderen Verlag als meinem eigenen erscheinen wird, und ich werde garantiert nicht mit Erik sprechen. Der ist genauso lästig wie Maria! Das ist ein Vertrauensbruch, und ich ärgere mich wahnsinnig darüber!!! Es sind MEINE Geschichten! Ich will nicht, daß andere sie lesen, solange ich das nicht gestatte! Jeden Abend hockt sie hier und glotzt mich aus ihren Kuhaugen an. Gestern hat sie doch sogar echt wieder geheult und mir vorgeworfen, ich würde ihr nicht gönnen, daß sie eine Festanstellung bei Hauschild bekommt. Hallo??? Dann soll sie halt Autoren finden, die einen Agenten suchen! Ich habe ihr gesagt, daß ich meinen Wohnungsschlüssel wiederhaben will. Ihr Argument, sie würde sich um Carl kümmern, zieht nicht mehr. Dafür habe ich Ségolène, wenigstens noch bis September, und danach schaue ich weiter. Aber Maria will ich nicht mehr sehen. Ich kriege eine Gänsehaut, wenn ich nur an sie denke …

»Das klingt ja nicht gerade so, als ob sie so dicke Freundinnen gewesen wären«, sagte Bodenstein.

»Allerdings nicht. Sie hat mich belogen. Ich hätte auf mein Bauchgefühl hören müssen. Ihre Sorge um Heike Wersch war irgendwie übertrieben. Und wie sie das Fenster der Küchentür eingeschlagen hat! Jetzt ist mir auch klar, weshalb sie so entsetzt ausgesehen hat, als die Küche picobello sauber war und nirgendwo eine Leiche lag. Sie hatte mit etwas ganz anderem gerechnet.« Pia riss Bodenstein das Blatt beinahe aus der Hand. »Weißt du, was es bedeutet, dass sie den Text hatte, den Bär Heike Wersch geschickt hatte?«

»Natürlich. Heike Wersch hatte den anonymen Brief nicht weggeworfen.« Bodenstein nickte. »Der Einbruch. Das war Maria Hauschild. Wegen dieses Briefes. Wie ich schon vermutet hatte.«

»Sorry, dass ich dran gezweifelt habe, Chef«, sagte Cem.

»Nur warum?« Pia furchte die Stirn. »Was ist denn so schlimm an diesem Text, mal abgesehen davon, dass er sie in keinem guten Licht dastehen lässt?«

»Welche Textstelle hat er Henri Winterscheid geschickt?«, erkundigte sich Bodenstein.

»Hier. Diese.« Christian reichte ihm ein anderes Blatt.

Herrn
Henri Winterscheid
August-Siebert-Straße 61
60323 Frankfurt am Main

Ich weiß, was du im Sommer 1990 getan hast.

Frankfurt, 11. Juli 1990
Henri ist ein widerliches Schwein!!! Er kann einfach seine Pfoten nicht bei sich lassen. Ségolène war außer sich, das arme Mädchen! Ich werde ihn heute zur Rede stellen, ein allerletztes Mal kriegt er eine Ansage, und diesmal mache ich ernst und rede mit Margarethe. Ich bin für das Mädchen verantwortlich, und ich werde ihn anzeigen, wenn er noch mal in meiner Abwesenheit in meine Wohnung kommt und sie begrapscht! Wie kann ein Mann bloß so schwanzgesteuert sein???

Nicola Engel verzog angewidert das Gesicht.

»Alles klar. Ich sehe es ein«, sagte sie. »Der Mann hat wahrhaftig keine Sonderbehandlung mit Fußfessel und Hausarrest verdient.«

»Für Waldemar Bär muss eine Welt zusammengebrochen sein, als er feststellen musste, wem er da all die Jahre seine Loyalität geschenkt hat«, vermutete Bodenstein.

»Im ersten Tagebuch von 1982 hat Katharina übrigens schon nichts Gutes über Maria geschrieben«, meldete sich Kathrin zu Wort. »Sie war gerade in diese WG gezogen, da hatte ihr Heike

Wersch erzählt, Maria habe ihren Vater wohl in der Sauna eingesperrt, weil der ihr verboten hat, mit der Clique irgendwohin zu fahren. Wartet mal, ah, hier ist es: ›*Es ist eigenartig mit diesen Leuten. Sie tun so, als ob sie die dicksten Freunde wären, aber sobald einer von ihnen weg ist, lästern sie über ihn und machen sich gegenseitig schlecht. Wenn das stimmt, was Heike erzählt hat, dann hat Maria ihren eigenen Vater umgebracht?!? Nein, das glaube ich nicht. Oder vielleicht doch? Die ist mir auf jeden Fall unheimlich. Sie hat so was Berechnendes an sich. Und sie ist eifersüchtig, weil ich mich mit Götz gut verstehe. Als er mich neulich eingeladen hat, im nächsten Sommer mit nach Frankreich zu kommen, ist sie doch echt in Tränen ausgebrochen und hat herumgeschrien. Kindergarten!*‹«

Bodenstein atmete tief durch. Sein Blick begegnete dem von Pia. War das der Durchbruch? War Maria Hauschild diejenige, die sie suchten? Zwar hatte er sie nie ganz ausgeschlossen, aber sie war in ihrer Dringlichkeitsliste nach unten gerutscht, weil bei ihr kein Motiv erkennbar gewesen war. Auch jetzt wollte ihm nicht wirklich einleuchten, weshalb sie einen oder sogar zwei Morde begangen haben sollte.

»Cem«, sagte er. »Finde heraus, wo Maria Hauschild gerade ist, und bring sie hierher. Ich denke, wir sollten uns noch einmal mit ihr unterhalten.«

»Wird gemacht. Chef.« Cem verließ den Besprechungsraum und ging in sein Büro, um zu telefonieren.

»Ich fasse es nicht!«, murmelte Pia.

»Kai, besorg so schnell wie möglich ein Bewegungsprofil für das Handy von Maria Hauschild«, ordnete Bodenstein an. »Und hast du schon gecheckt, ob es am Hinterhof des Verlagsgebäudes irgendwo Kameras gibt?«

»Bin noch dabei«, erwiderte Kai. »Dafür war ausnahmsweise der Telefonanbieter von Waldemar Bär schnell. Ich habe die Einzelverbindungsnachweise der letzten vier Wochen von seinem Handy bekommen. Er hat sieben Mal eine Nummer mit französischer Vorwahl angerufen, zuletzt am Montag um 11:37 Uhr. Es handelt sich um eine Festnetznummer. Eingetragen im Telefonbuch. *Entrepreneur de construction Bonnaire & Fils* in der Rue de la Paix 112 in Noirmoutier. Die Firma existiert nicht mehr, aber den Telefonanschluss gibt es noch immer.«

»Nun wissen wir also auch Ségolènes Nachnamen«, sagte Pia.

»Sie muss diese Tasche mitgenommen haben, als sie nach Frankreich zurückgekehrt ist, nachdem Henri Winterscheid ...« Bodenstein hielt inne. »Vielleicht war er ja deshalb so spät in der Wohnung, weil er genau wusste, dass Katharina nicht da und Carl um diese Uhrzeit schon im Bett sein würde.«

»Er wollte zu Ségolène«, sagte Nicola Engel.

»Dann kam Katharina früher als erwartet nach Hause«, ergänzte Bodenstein. »Es ging nicht um den Bericht eines Wirtschaftsprüfers. Henri Winterscheid hat möglicherweise das Mädchen belästigt, und Katharina hat ihn dabei erwischt.«

»So ein Dreckschwein«, sagte Kathrin angewidert. »Wenn wir sie finden und sie sagt gegen ihn aus, dann kommt er nie wieder aus dem Gefängnis raus.«

Die Zeiger der Uhr über der Tür rückten auf elf vor, aber niemand dachte daran, Feierabend zu machen.

»Am Montag hat Bär genau 15 Sekunden mit dieser französischen Nummer telefoniert.« Kai blickte auf. »Was sagt man in 15 Sekunden?«

»Hallo, Ségolène, wie geht's dir? Ich habe zwei Leute umgebracht und muss hier verschwinden. Kann ich zu dir nach Noirmoutier kommen?«, sagte Pia wie aus der Pistole geschossen. »So etwas in der Art.«

Tariq saß am Tisch und blätterte hektisch in den schwarzen Kladden.

»Irgendwo hab ich's doch gesehen!«, murmelte er. »Ich bin ganz sicher, dass ich irgendwo diesen Namen gelesen hatte! Verdammt, in welchem Jahr war das? Und in welchem Zusammenhang? Ich hab's!«, rief Tariq triumphierend. »Katharina schrieb am 23. Juli 1987: *Ein traumhafter Tag mit Marie-Hélène, Hervé und den Kindern auf dem Boot! Wir haben vor dem Plage de Dames geankert und gepicknickt, und John und Hervé sind mit den*

Kindern zum Strand gerudert. Dabei kann man Ségolène wohl kaum noch als Kind bezeichnen, sie ist schon eine richtige junge Dame! Wenn sie in zwei Jahren mit der Schule fertig ist, kommt sie für ein ganzes Jahr zu uns …«

Während er vorlas, tippte Kai auf der Tastatur seines Laptops herum.

»Hervé Bonnaire war der Geschäftsführer des Bauunternehmens«, teilte er seinen Kollegen mit. »Die Website der Firma ist uralt. 2007 wurde sie zuletzt aktualisiert.«

»Jede Wette, dass Waldemar Bär zu seiner Jugendliebe geflüchtet ist«, sagte Pia. »Er war so clever, sein Handy hierzulassen, damit man es nicht orten kann, aber er hat nicht daran gedacht, dass wir so schnell an seine Einzelverbindungsnachweise kommen.«

»Wie gehen wir vor?«, fragte Bodenstein. »Bitten wir die französischen Kollegen um Amtshilfe?«

»Auf welcher Grundlage?«, wollte Nicola Engel wissen. »Mit dieser dünnen Beweislage bekommen wir wohl kaum einen internationalen Haftbefehl für den Mann.«

»Für Maria Hauschild noch weniger«, sagte Pia düster und ließ sich auf einen Stuhl fallen.

* * *

»Das ist völlig verrückt! Fahren wir jetzt wirklich nach Frankreich?« Julia musste lachen, obwohl es eigentlich gar nichts zu lachen gab.

»Na klar!« Carl grinste und wies auf das Navigationsgerät seines Autos, in das Julia den Zielort eingegeben hatte. »1037 Kilometer, Fahrzeit 10 Stunden und 38 Minuten. Morgen früh um 9 sind wir laut Navi am Meer!«

»Und wie finden wir Herrn Bär?«

»Wir fragen uns durch. Du sprichst doch perfekt Französisch.« Carl setzte den Blinker und steuerte den schwarzen Volvo auf die A5.

»Äh … ja.« Jetzt duzte ihr Chef sie auch noch!

»Na also. Für alles andere haben wir meine Kreditkarte.«

War diese Fahrt eine Übersprunghandlung, nachdem er heute so furchtbare Dinge erfahren hatte? Manche Menschen reagierten auf schockierende Nachrichten mit rastloser Aktivität, nur um irgendwann zusammenzubrechen.

»Ich kann mich auf einmal an so viele Dinge erinnern«, sagte Carl, und Julia betrachtete sein Gesicht, das von der grünlichen Beleuchtung des Armaturenbretts angestrahlt wurde. Er lächelte gelöst, seine Distanziertheit war verschwunden, als wäre ein Schalter umgelegt worden. »Dabei war ich erst sechseinhalb, als ich Ségolène zuletzt gesehen habe. Aber immer, wenn ich an früher gedacht habe, hatte ich ihr Gesicht vor Augen und ihre Stimme im Ohr. Meine Mutter ist irgendwie nur ein Schatten ohne Gesicht, das Klappern der Schreibmaschine, der Duft von einem Parfüm – sie benutzte wohl gerne Calèche von Hermès – und ein unbestimmtes Gefühl der Geborgenheit. Ségolène ist für mich … Fröhlichkeit. Spaß. Wir haben immer Wettrennen in der Schillerstraße veranstaltet, wenn wir meine Mutter im Verlag besucht haben.«

»Und was ist, wenn ich mich geirrt habe?«, fragte Julia. »Wenn sie gar nicht dort ist? Und Bär auch nicht?«

Sie hatte vorhin gewartet, bis Dorothea Winterscheid – ohne Fink in Zukunft, wie die Vertriebschefin gesagt hatte – und Maria Hauschild gegangen waren, dann war sie mit Carl in ihr Büro marschiert und hatte die Papiertüte in einer ihrer Schreibtischschubladen gefunden. Sie hatte Carl erzählt, was Waldemar Bär ihr über seine alte kranke Freundin gesagt hatte, und er hatte den Zusammenhang sofort erkannt.

»Er ist also zu Ségolène gefahren, in die er früher verliebt gewesen ist!«, hatte Carl gesagt und die Stirn gerunzelt. »Sie ist krank. Ich würde sie so gerne noch mal sprechen.« Er hatte Julia angesehen. »Haben Sie heute Abend noch etwas vor?«

»Äh, nein …«, hatte sie geantwortet. »Warum?«

Und da hatte er gelacht, übermütig wie ein kleiner Junge.

»Kommen Sie mit! Ich habe eine Idee!«

Sie hatte damit gerechnet, dass er irgendwelche Nachforschungen anstellen oder Waldemar Bär eine Nachricht schreiben würde, aber nicht damit, auf einen Roadtrip nach Frankreich mitgenommen zu werden. Es war verrückt, aber irgendwie auch spannend.

»Wenn sie nicht dort sind, haben wir halt ein Abenteuer erlebt. Dann gehen wir barfuß am Strand spazieren und essen ein paar Austern«, antwortete Carl auf Julias Frage und lächelte leicht. »Ich war nur einmal als kleines Kind auf Noirmoutier. Mein Onkel und meine Tante hatten ja nach Götz' Tod das Haus verkauft, und sie waren nie mehr dort, aber meine Eltern haben auch danach weiterhin die alten Freunde meines Vaters besucht, die Eltern von Ségolène. Nach allem, was ich in den letzten Tagen gehört habe, bin ich jetzt richtig neugierig auf die Insel.«

Ein verspätetes Flugzeug im Landeanflug flog über sie hinweg, und die Lichter des Frankfurter Flughafens huschten vorbei. Carl trat aufs Gaspedal. Die vierspurige Autobahn war bis auf ein paar Lkw so gut wie leer.

»Ich neige eigentlich nicht zu verrückten Aktionen«, gestand er Julia. »Mein ganzes Leben lang musste ich vernünftig sein, denn ich war immer auf die Gnade fremder Menschen angewiesen und konnte mich nie sicher fühlen. Später, als ich erwachsen war, war dieses Gefühl nicht mehr so dominierend, aber es gibt im Leben eines jeden Menschen eine bestimmte Zeitspanne, in der sein Charakter für immer geprägt wird, und meistens ist das die späte Jugend. Ich habe früh gelernt, nur mir selbst zu vertrauen und Gefahren frühzeitig zu erkennen. Deshalb ist aus mir wahrscheinlich ein disziplinierter Kopf-Mensch geworden, der Dinge immer vom Ende her denkt. Ich analysiere alles genau und löse Probleme dann mit Logik und Vernunft, nicht mit Emotionen. Die Leute reagieren meistens mit Mitleid, wenn sie erfahren, dass man früh seine Eltern verloren hat. Sie glauben, so etwas würde einen schwächen. Ich glaube, das Gegenteil ist der Fall. Auf sich selbst gestellt zu sein, macht einen eher stark.« Er warf Julia einen raschen Seitenblick zu und lächelte. »Aber manchmal mache ich auch gerne verrückte Sachen.«

»Ich bin auch ein bisschen so«, erwiderte Julia.

»Ich weiß«, sagte Carl zu ihrer Überraschung. »Vielleicht

ist das auch der Grund, warum ich dir vertraue. Du bist stark, selbstbewusst und mutig. Aber trotzdem nicht respektlos und egoistisch.«

»Ich bin eigentlich nicht so besonders mutig«, entgegnete Julia.

»Doch, das bist du.« Carl lächelte. »Wie du Hellmuth Englisch in seine Schranken verwiesen und dich für deine Autoren eingesetzt hast, war mutig.«

»Hm.« Sie überlegte, wie sie ihn ansprechen sollte, dann beschloss sie, ihn nun auch zu duzen. Sie würden eine ganze Weile zusammen im Auto sitzen, sie konnte die direkte Anrede nicht ständig umgehen. »Darf ich dich etwas Persönliches fragen?«

»Natürlich.« Als er sich ihr zuwandte, wurde ihr heiß. Sie wagte kaum, ihn anzusehen.

»Du hast heute so schlimme Sachen erfahren«, sagte sie und hoffte, dass ihre Stimme nicht zitterte. »Wie schaffst du es, trotzdem ... weiterzumachen?«

Carl dachte einen Moment nach, bevor er ihr antwortete.

»Es gibt immer zwei Möglichkeiten«, sagte er dann. »Aufgeben oder weitermachen. Aufgeben war noch nie eine Option für mich. Wenn man als Waisenkind aufwächst, ist einem das Schlimmstmögliche, was einem widerfahren kann, schon passiert. Die meisten Leute leben in der ständigen Angst, ihre Eltern könnten sterben. Ich nicht. Und dass ich heute erfahren habe, dass mein Onkel meine Mutter umgebracht hat, hat mich ... erleichtert, auch wenn das seltsam klingen mag. Mein Onkel ist mir gleichgültig, er ist eine unbedeutende Figur für mich und er ist schon bestraft genug, weil er nur eine unfähige Marionette war und das auch weiß. Ich bin froh zu wissen, dass ich meiner Mutter nicht egal war. Das ist mir wichtig.« Er wechselte auf die rechte Spur. »Man sollte seine Energie nicht auf Dinge verschwenden, an denen man nichts mehr ändern kann. Und ich sehe nicht ein, dass ich mir mein Leben von Menschen zerstören lasse, die mir nichts bedeuten. Meine Eltern haben mir den Verlag hinterlassen, und daraus mache ich etwas.«

Sie fuhren eine Weile, ohne etwas zu sagen und das Schweigen ließ Julia Carls Gegenwart noch intensiver wahrnehmen, seine gelassene Ausstrahlung, seine Kraft. Er war kein Narzisst, wie Lennart, ihr verrückter Ex.

»Was hast du vorhin über das Manuskript meiner Mutter sagen wollen, als du plötzlich aufgehört hast zu reden?«, wollte Carl wissen. »Warum hast du nicht weitergesprochen?«

»Weil ...« Julia zögerte. Wie aufmerksam er war! »Ich wollte zuerst mit dir darüber sprechen. Ich habe nämlich etwas festgestellt.«

Und während sie mit hundertsechzig Stundenkilometern durch die Nacht brausten, erzählte sie ihm, was ihr aufgefallen war.

* * *

»Schildert mir bitte noch einmal alle Fakten«, bat die Kriminaldirektorin. Während Bodenstein und Kai ihrer Aufforderung nachkamen und abwechselnd alle Ermittlungsergebnisse rekapitulierten, setzte Pia ihre Lesebrille auf und kramte in der Tasche herum, die sie bei Bär gefunden hatte. Sie betrachtete den Ehering und las die Gravur: *Für immer dein – Johannes – 14. November 1983*. In einem der braunen Umschläge befand sich das Familienstammbuch von Johannes und Katharina Winterscheid, ausgestellt vom Standesamt Frankfurt am Main am 14. November 1983, außerdem die Geburtsurkunde von Carl August Winterscheid, die Sterbeurkunde von Johannes Carl Winterscheid sowie notariell beglaubigte Abschriften der Testamente von Johannes Carl Winterscheid und von Carl August Winterscheid, wahrscheinlich dem Großvater des jetzigen Carl August. Im zweiten Umschlag befand sich ein maschinengeschriebenes Manuskript mit dem Titel ›Die Familie Winterscheid‹, verfasst von Katharina Winterscheid mit einem Umfang von 384 Seiten. Außerdem sechs Seiten, die von einer Büroklammer zusammengehalten wurden, mit einer Auflistung, sauber mit Maschine getippt.

Im Wind der Camargue, 283 Seiten, verfasst 1979 bis 1980, las Pia. *Die Götter der Provence*, 317 Seiten, verfasst 1980. *Die Frau vom Trocadéro*, 362 Seiten, verfasst 1982. Zu jedem Titel, es handelte sich offenbar um Bücher, gab es eine halbseitige Inhaltsangabe. Pia blätterte bis zur letzten Seite. Ganz unten auf der Liste stand *In ewiger Freundschaft*, begonnen 1990.

Meistens sickerte eine Erkenntnis langsam ins Bewusstsein, aber diesmal war es, als ob jemand Pia einen Eimer Wasser ins Gesicht geschüttet hätte. Sie zwang sich zur Ruhe und ging in Gedanken alles durch, was sie erfahren und gehört hatte. Sie prüfte Fakten und eliminierte nach und nach sämtliche Widersprüche, und was schließlich übrig blieb war die Wahrheit, so unglaublich sie auch erscheinen mochte.

»Leute«, sagte sie, aber niemand hörte sie. Deshalb klatschte sie in die Hände. Bodenstein verstummte. Die Kriminaldirektorin drehte sich zu ihr um. Kai blickte von seinem Laptop hoch. Tariq und Kathrin hörten auf, in den Tagebüchern zu blättern.

»Ich weiß, um was es Maria Hauschild gegangen ist«, sagte Pia und hielt die Liste mit den Titeln hoch. »Sie hat damals ihrer Freundin Katharina Winterscheid insgesamt fünfzehn Manuskripte gestohlen und höchstwahrscheinlich auch veröffentlicht. Für sie als Literaturagentin sollte das ein Kinderspiel gewesen sein. Ich denke, Heike Wersch wusste darüber Bescheid und hat versucht, sie mit diesem Wissen zu erpressen. Darum hat Maria Hauschild sie umgebracht. Alexander Roth drohte, die Nerven zu verlieren und alles zu verraten, deshalb musste auch er sterben.«

»Bringt man wegen Manuskripten Menschen um?«, fragte Bodenstein skeptisch.

»Wegen irgendwelcher Manuskripte sicher nicht«, sagte jemand, und alle wandten sich überrascht zur Tür um. Severin Velten stand im Türrahmen, unrasiert und mit zerzaustem Haar. Er sah erschöpft aus, aber seine blutunterlaufenen Augen leuchteten. »Aber wenn sie Millionen eingebracht haben und der rechtmäßige Erbe plötzlich wieder auf der Bildfläche erscheint, dann vielleicht schon.«

»Millionen eingebracht?«, fragte Nicola Engel ihn erstaunt. »Was meinen Sie damit?«

»Das Manuskript, das ich gerade gelesen habe, stammt aus der Feder der Bestsellerautorin Anita Kahr. Dafür würde ich meine Hand ins Feuer legen«, antwortete Velten. »Es ist exakt dieselbe Art des Erzählens. Der gleiche Schreibstil. Der Aufbau der Plots. Die Tonalität. Die stereotypen Charaktere. Gut aussehender Mann, wunderschöne Frau, ein Schicksalsschlag oder der drohende Ruin. Massentauglicher Mainstream. Das soll nicht despektierlich klingen, schließlich hat der Erfolg Anita Kahr recht gegeben. Sie war seit Mitte der Neunziger fünfzehn Jahre lang eine der erfolgreichsten Autorinnen Deutschlands. Ihre Bücher wurden in 24 Sprachen übersetzt und sogar in den USA und England ein Erfolg, außerdem werden sie verfilmt.«

Pia grinste, zufrieden damit, dass Veltens Behauptung ihren eigenen Eindruck untermauerte.

»Als mich Henning nach unserer Hochzeit zum Hausfrauendasein gezwungen hat, habe ich unwahrscheinlich viel gelesen«, sagte sie. »Ganz besonders habe ich für Anita Kahr geschwärmt. Ich habe jedes ihrer Bücher gelesen.«

»Ich auch«, gab Kathrin zu. »Herzschmerz pur!«

»Fand ich auch«, pflichtete Nicola Engel ihr bei. »Ich habe sie trotzdem alle gelesen. Nur die Verfilmungen waren schlecht.«

»Ich fand die Bücher schrecklich«, sagte Severin Velten. »Ich habe sie nur gelesen, weil meine Mutter sie las. Ich musste schon immer alles lesen, was mir in die Finger fiel, das war ein innerlicher Zwang. Ist es bis heute.«

»Alle Bücher von Anita Kahr spielten in Frankreich«, fuhr Pia fort. »Und Anita Kahr ist nie in der Öffentlichkeit aufgetreten.«

»Richtig.« Severin Velten nickte zustimmend. »Es gab nicht mal ein Autorenfoto auf ihren Büchern, keine Lesungen, keine Interviews. Die Frau war ein Phantom. Das hat mich immer gestört. Ich will ein Bild zu demjenigen, dessen Bücher ich lese, im Kopf haben.«

Pia ging zu einem der Whiteboards, auf dem noch ein wenig Platz war, nahm einen Folienstift und schrieb ANITA KAHR an.

Ihre Kollegen und Severin Velten sahen ihr aufmerksam zu. Bei Kai fiel der Groschen zuerst.

»Nicht zu fassen!«, sagte er.

»Krass!« Tariq grinste anerkennend.

»Dreist würde ich das eher nennen«, fand Nicola Engel.

»Ein Pseudonym«, murmelte Severin Velten.

»Nein, kein Pseudonym«, sagte Pia. »Ich vermute eher, ein falscher Name, um Diebstahl oder Unterschlagung zu verbergen.«

»Ich kapiere mal wieder gar nichts«, beschwerte sich Kathrin.

»Warte!« Pia schrieb die Buchstaben des Namens der Autorin in anderer Reihenfolge ein Stück darüber. Und plötzlich stand KATHARINA an der weißen Tafel.

In dem Augenblick kehrte Cem in den Besprechungsraum zurück.

»Maria Hauschild müsste jeden Moment eintreffen.« Er rieb sich die Hände. »Ich habe sie in ihrem Haus in Kronberg erreicht. Sie war schon zu Bett gegangen, aber sie wollte sich sofort anziehen und hierherkommen.«

Bodenstein stieß einen Seufzer aus.

»Sie hat dich an der Nase herumgeführt. Sie kommt ganz sicher nicht«, entgegnete er. »Schick sofort eine Streife hin! Und auch zu ihrer Agentur in Frankfurt! Kai, wir leiten eine Fahndung nach ihr und ihrem Auto ein.«

»Was ist denn los?« Cem blickte verwirrt in die Runde.

Pia klärte ihn über die neuesten Erkenntnisse auf.

»Verdammt!«, fluchte er. »Wie kann ich nur so leichtgläubig sein!«

»Das frage ich mich auch«, bemerkte Nicola Engel missbilligend. »Also, wie machen wir weiter?«

Bodenstein betrachtete stirnrunzelnd den Namen, den Pia an die Tafel geschrieben hatte. *Denk nach!*, vernahm er im Kopf die Stimme seines ehemaligen Chefs, der im Fall Katharina Winterscheid zwar schlampig ermittelt hatte, aber ansonsten ein sehr guter Polizist und Lehrer gewesen war. *Folge den Spuren. Wohin führen sie?*

Folge den Spuren! Natürlich! Wie hatte er so blind sein können! Die Spuren waren so breit wie eine Autobahn und führten auf die Insel Noirmoutier!

»Wir müssen mit dem früheren Au-pair-Mädchen sprechen, bevor es Maria Hauschild tun kann«, sagte Bodenstein und bemühte sich, ruhig zu bleiben. »Waldemar Bär hat mit Ségolène telefoniert, und ich bin mir ziemlich sicher, dass er jetzt bei ihr ist. Maria Hauschild konnte sich ganz sicher daran erinnern, dass er damals in das Mädchen verliebt war. Nachdem die Tagebucheinträge aufgetaucht sind, hatte sie es vielleicht nicht gleich begriffen, aber mittlerweile dürfte sie eins und eins zusammengezählt haben.«

»Carl Winterscheid und seine Lektorin haben zusammen mit ihr bei Henning im Büro gesessen!«, rief Pia. »Vielleicht weiß er mehr als wir!«

»Dann schmeiß ihn aus dem Bett und frag ihn«, sagte Bodenstein. »Ruft bei Carl Winterscheid an und bei der Lektorin, Henning hat sicher ihre Telefonnummer. Tariq, finde heraus, wie man am schnellsten auf diese Insel kommt.«

»Nach Noirmoutier? Willst du wirklich dahin?«, fragte Nicola Engel. »Wir könnten die Polizei dort bitten, die Frau aufzusuchen.«

»Wenn es so war, wie ich denke, dann ist diese Ségolène außer Maria Hauschild die Einzige, die von der Existenz der Manuskripte wusste«, entgegnete Bodenstein. »Eine von beiden hat die Gelegenheit genutzt, sie an sich zu bringen, als Katharina Winterscheid tot war. Ich tippe dabei auf Maria Hauschild.«

»Sie war so schlau, mit der Veröffentlichung noch ein paar Jahre zu warten«, ergänzte Pia. »Und auf ihrer Webseite steht nichts von Anita Kahr. Sie war also auch schlau genug, sie nicht als Autorin ihrer Agentur zu führen.«

»Die Bücher von Anita Kahr sind bei einem bis dahin eher unbedeutenden Verlag in Luxemburg erschienen«, meldete sich Severin Velten zu Wort. »Éditions Guy Manesse …«

»Maria Hauschild stammt aus Luxemburg«, sagte Kai. »Ihr Vater, Jean Molitor, hatte dort eine eigene Anwaltskanzlei, bevor er nach Frankfurt gekommen ist.«

Pia liebte diese aufregenden Momente, wenn ein Puzzlestück nach dem anderen an die richtige Stelle fiel und auf einmal das ganze Bild zu erkennen war.

»Maria Hauschild ist die Patentante von Carl Winterscheid«, sagte sie. »Sie kann nicht wollen, dass er herausfindet, was sie getan hat.«

»Wenn wir recht haben, hat Maria Hauschild bereits zwei Menschen getötet.« Bodenstein blickte seine Chefin an. »Vielleicht auch ihren Vater und möglicherweise ihren Ehemann, der angeblich an einem Zuckerschock gestorben ist. Diese Frau schreckt vor nichts zurück. Ségolène Bonnaire ist in großer Gefahr. Und Waldemar Bär auch, wenn er bei ihr ist, wovon ich ausgehe.«

»Am schnellsten kommt man nach Noirmoutier, wenn man nach Nantes fliegt«, hatte Tariq dem Internet entlockt. »Morgen früh um 7:05 Uhr geht ein Flug mit Air France. Er landet um 9:20 Uhr in Nantes. Von dort aus bis auf diese Insel sind es noch mal ungefähr 75 Kilometer über Landstraßen. Mit dem Helikopter ist man allerdings in zwanzig Minuten dort.«

»Buch zwei Flüge für Pia und mich«, wies Bodenstein ihn an.

»Und einen Heli von Nantes auf die Insel«, fügte Nicola Engel hinzu. »Wie ihr dann weitermacht, klären wir noch. Es wird dort ja wohl irgendeine Art von Polizei geben.«

Das war eine unerwartet großzügige Geste ihrer ansonsten notorisch knauserigen Chefin. Pia hatte sich schon in einem Zug in der 2. Klasse sitzen sehen.

»Alle anderen sind morgen früh um 5:30 Uhr hier«, übernahm die Kriminaldirektorin die Regie. »Kröger, Sie auch, und zwar mit Ihrer ganzen Truppe. Ich kümmere mich um einen internationalen Haftbefehl für Maria Hauschild und Durchsuchungsbeschlüsse für ihr Privathaus und ihre Agenturräume.«

»Den Aufwand können Sie sich sparen, glaube ich«, ließ sich Severin Velten vernehmen.

»Bei allem Respekt, Herr Velten, mit Polizeiarbeit kennen Sie sich nicht so gut aus wie wir«, erwiderte Nicola Engel.

»Ich will auch nicht respektlos sein, nach allem, was Sie für mich getan haben«, sagte Velten. »Aber Sie glauben doch nicht, dass eine Frau, die so clever ist und zwanzig Jahre lang die Identität einer erfundenen Bestsellerautorin geheim halten konnte, irgendetwas in ihrem Haus oder Büro herumliegen lässt, womit Sie ihr einen Mord oder sogar zwei nachweisen können, oder?«

Bodenstein musste schmunzeln. So weltfremd, wie er sich gab, war der Kranich gar nicht!

»Und was schlagen Sie vor, was wir tun sollen?«, fragte Nicola Engel, und in ihrem Tonfall schwang mehr als nur ein Hauch von Sarkasmus mit, was Velten jedoch nicht bemerkte.

»Also, wenn diese Geschichte der Plot für einen Krimi wäre, dann würde ich an Ihrer Stelle nach einem Unterschlupf in Luxemburg suchen«, sagte er ganz ernsthaft. »Und wenn ich Maria Hauschild wäre, dann hätte ich dafür gesorgt, dass es hier in Deutschland keinerlei Hinweise auf diesen Unterschlupf gibt. Dafür hätte ich an ihrer Stelle die Identität eines Autors benutzt, der in Luxemburg lebt und auch dort versteuert. Möglicherweise hätte ich diese Identität auch nur erfunden. Das Finanzamt fragt ja nicht groß, solange es Geld bekommt.«

»Aha.« Die Kriminaldirektorin verschränkte die Arme vor der Brust und betrachtete den Schriftsteller mit neuem Interesse. »Klingt plausibel.«

»Übrigens kann ich mich daran erinnern, dass Frau Hauschild und ihr Mann kurz vor der Trennung standen, als er gestorben ist«, schickte Velten nach. »In dem Jahr hatte ich meinen ersten literarischen Erfolg, und Erik Hauschilds Tod war auf der Buchmesse ein großes Thema. Sie sollten mal nachforschen, ob Maria und er sich damals wegen Anita Kahr überworfen haben. Vielleicht wurde ihm der Erfolg unheimlich, oder er wollte die Autorin endlich persönlich kennenlernen.«

Einen Moment war es ganz still im Besprechungsraum, und alle warteten gespannt auf die Reaktion ihrer Chefin.

»Vielleicht begleiten Sie uns morgen einfach«, sagte Nicola Engel. »Und wenn Sie uns nur mit Ihrem fotografischen Gedächtnis helfen.«

»Gut. Ich bin morgen um 5:30 Uhr bereit.« Velten nickte. »Ich nehme die Tagebücher mit runter, wenn es Ihnen recht ist. Dann kann ich beim Lesen wenigstens rauchen.« Er wandte sich schon zum Gehen, doch dann fiel ihm noch etwas ein. »Mir ist mittlerweile übrigens klar, dass ich Heike nicht umgebracht habe. Auch, wenn sie wirklich ganz schön geblutet hat.«

* * *

Es war kurz nach Mitternacht, als Bodenstein zu seinem Porsche ging, den Lorenz auf dem Parkplatz der RKI abgestellt hatte. Im Schein der Laterne glänzte der Lack in jungfräulichem Schwarz.

»Hallo, Oliver«, sagte jemand hinter ihm. Bodenstein bekam vor Schreck beinahe einen Herzinfarkt und fuhr herum. Vor ihm stand seine Ehefrau.

»Karoline! Herrje! Was machst du denn hier?«, stieß er hervor.

»Ich weiß immer, wo du bist.« Sie lächelte schmallippig. »Wir haben doch diese *Wo ist*-App auf unseren Handys.«

»Aha.« Bodenstein beschloss, die App noch heute Abend zu löschen und die Standort-Funktion seines Handys umgehend zu beschränken. Es störte ihn nicht, dass Karoline sehen konnte, wo er sich gerade aufhielt, schließlich hatte er nichts vor ihr zu verbergen, aber der Gedanke, dass Greta das auch konnte, wenn sie sich das Handy ihrer Mutter nahm, gefiel ihm ganz und gar nicht. »Was willst du? Es ist schon spät, und ich muss morgen früh nach Frankreich fliegen.«

»Ich werde bei Gräfin von Rothkirch kündigen«, sagte Karoline. »Ich habe es ihr heute mitgeteilt. Sie wusste gar nicht, dass … dass du mich verlassen hast und ist aus allen Wolken gefallen. Allerdings hat sie mir vorher erzählt, dass du Cosima einen Teil deiner Leber spenden wirst.«

»Ja, das habe ich vor«, bestätigte Bodenstein.

»Und dazu hast du dich gerade erst entschlossen?« Karolines Gesicht war bleich und starr, wie eine Maske.

»Nein. Schon vor einiger Zeit«, erwiderte Bodenstein ehrlich. »Ich hatte es dir eigentlich sagen wollen, aber du bist jedes Mal, wenn Cosimas Name gefallen ist, vor Eifersucht fast geplatzt und hast mir Szenen gemacht.«

»Das stimmt.« Karoline war erstaunlich einsichtig. »Ich hatte immer das sichere Gefühl, dass du dich wieder für sie entscheiden würdest. Und ich hatte recht.«

»Nein, ich entscheide mich nicht für sie.« Bodenstein schüttelte den Kopf und hob grüßend die Hand, als erst Pia und dann Cem an ihm vorbeifuhren. »*Du* hast dich nie für *mich* entschieden, das ist der Punkt. Ich habe Greta, ihren Vater und seine Frau von Anfang an akzeptiert, aber du hast meine Familie noch nicht einmal kennenlernen wollen.«

»Greta hat mich sehr gebraucht«, behauptete Karoline. »Ich dachte, du verstehst das.«

»Ich habe versucht, das zu verstehen. Aber das mit Greta und dir, das ist kein normales Mutter-Tochter-Verhältnis, das ist eine ungesunde Symbiose«, sagte Bodenstein. »Da war nie wirklich Platz für mich.«

»Sie hat heute Morgen versucht, sich umzubringen.« Karolines Stimme bebte, und Bodenstein verkniff sich in letzter Sekunde die boshafte Bemerkung *Ach, wieder mal?*. Greta hatte schon oft damit gedroht, sich das Leben zu nehmen, wenn sie nicht genügend Aufmerksamkeit von ihrer Mutter bekam, und ein paar Mal hatte sie halbherzig mit einer Rasierklinge an ihren Unterarmen herumgesäbelt, ohne sich ernsthaft in Gefahr zu bringen.

»Hast du sie in die Psychiatrie einweisen lassen?«, wollte er wissen, obwohl er ihre Antwort schon kannte.

»Nein. Ich kam ja rechtzeitig. Sie hatte Schlaftabletten geschluckt. Jetzt geht es ihr wieder besser.«

Ganz sicher. Greta hatte die Aufmerksamkeit bekommen, die sie wollte.

»Karoline, ich kann und ich will dir nicht mehr helfen«, sagte Bodenstein. »Du hast nie auf meine Ratschläge gehört und wirst es auch jetzt nicht tun. Greta macht mit dir, was sie will. Hör endlich auf, ihr immer alle Steine aus dem Weg zu räumen! Sie ist volljährig und muss endlich lernen, die Konsequenzen für ihr Handeln zu tragen.«

»Aber sie ist doch mein Kind! Ich bin ihre Mutter! Wer soll ihr denn sonst helfen, wenn ich das nicht tue?«

Bodenstein seufzte und schüttelte den Kopf. Es war aussichtslos.

»Deine Tochter braucht professionelle Hilfe«, sagte er, wie er es schon hundert Mal gesagt hatte. »Du kannst ihr nicht mehr helfen. Du machst es nur immer schlimmer, siehst du das denn nicht?«

»Was soll ich denn tun?« Karoline war ehrlich verzweifelt. Wie immer.

»Sie nicht mehr in dein Haus lassen und ihr kein Geld mehr geben, solange sie nicht bereit ist, sich in psychologische Behandlung zu begeben.«

»Ich kann doch nicht zusehen, wie mein Kind untergeht!«, rief sie.

»Sie ist doch längst untergegangen.« Bodenstein betätigte die Fernbedienung seines Autos und ließ die Zentralverriegelung aufspringen. »Sie hat keinen Schulabschluss, keinen Job, treibt sich mit ortsbekannten Kriminellen herum und wirft Molotowcocktails auf einen Pferdestall!«

»Sie hätte eben einen Vater gebraucht«, sagte Karoline. »Ich bin schuld, dass sie so geworden ist.«

»Sie hat einen leiblichen Vater, der sich intensiv um sie bemüht hat, bis Greta seiner Frau Geld gestohlen und ihre Geschwister zum Rauchen und Klauen animiert hat.« Bodenstein ging allmählich die Geduld aus. »Und sie hatte mich, fünf Jahre lang. Ich habe mich auch bemüht, so, wie ich mich um meine eigenen Kinder bemüht habe, gelegentlich eben auch mit Strenge und Konsequenz, aber das hast du mir verboten.«

»Sie liebt dich«, behauptete Karoline nun. »Komm zurück, Oliver. Bitte. Rede mit ihr!«

»Wenn das Liebe sein soll, dann habe ich Angst«, sagte Bodenstein. »Ich komme nicht zurück. Es ist aus, Karoline. Und Greta liebt mich nicht. Sie will einfach nur ihren Willen durchsetzen, mit allen Mitteln. Ich habe wahrhaftig alles getan, was ich tun konnte. Jetzt bin ich raus aus der Sache. Viel Glück!«

Er wollte in sein Auto steigen.

»Oliver! Warte!«, bat sie.

»Ja?«

»Ich habe dich so sehr geliebt, wie ich das eben konnte«, sagte sie.

Bodenstein betrachtete das Gesicht seiner Frau, die seltsam glasige Augen hatte. Vergeblich versuchte er sich daran zu erinnern, was er einmal für sie empfunden hatte.

»Das weiß ich, Karoline«, erwiderte er.

»Willst du dich scheiden lassen?«

»Ich denke, darauf läuft es hinaus. Aber lass uns das zu einem anderen Zeitpunkt besprechen, okay?«

Trotz allem, was zwischen ihnen schiefgelaufen war, tat ihm die Bitterkeit in ihrer Stimme weh.

»Okay.« Sie nickte emotionslos. Bodenstein lief es bei ihrem Anblick kalt den Rücken herunter.

»Pass auf dich auf, Karoline«, sagte er. »Ich rufe dich an.«

Damit setzte er sich in sein Auto, ließ den Motor an und fuhr an ihr vorbei vom Parkplatz.

Tag 7

Mittwoch, 12. September 2018

Kurz hinter Paris hatten sie einen zweiten Tankstopp eingelegt, das Auto vollgetankt, die Toiletten aufgesucht und ein paar Süßigkeiten, Getränke und eingeschweißte Sandwiches gekauft, nicht unbedingt eine Delikatesse, aber allemal gut gegen einen knurrenden Magen. Julia hatte das Steuer übernommen, damit Carl auf dem Beifahrersitz für eine Weile die Augen zumachen konnte. Sie hatte ihre Müdigkeit übergangen und war hellwach. Schon nach ein paar Kilometern schlief Carl tief und fest, sein zusammengeknülltes Sakko diente ihm als Kopfkissen. Die Autobahn war angenehm leer und die Straße trocken, abgesehen von den Mautstationen gab es kaum eine Abwechslung, aber Julia fuhr gerne nachts Auto, erst recht ein so komfortables wie Carls Firmenwagen. Sie hatte den Tempomat auf 136 Stundenkilometer eingestellt und das Navigationsgerät stumm geschaltet. Jetzt hing sie ihren Gedanken nach, während die breiten Reifen des SUV die Kilometer fraßen. Die ganze Strecke bis Paris hatten sie geredet, und Julia hatte sich bereitwillig von Carl über ihre Familie ausfragen lassen. Sie war selbst erstaunt gewesen, wie unkompliziert es war, mit ihm zu reden und sie hatte sich gelegentlich in Erinnerung rufen müssen, dass es sich bei ihm um ihren Chef handelte. Julias Gedanken wanderten zu Henning Kirchhoff und zu seiner toughen Ex-Frau, die ihr großen Respekt einflößte. Warum hatten die beiden sich getrennt? Warum zerbrachen Beziehungen von zwei Menschen, die scheinbar gut zusammenpassten? Sie warf dem leise schnarchenden Carl einen Blick zu. Wie unglaublich jung und verletzlich er im Schlaf aussah! Carl vertraute ihr wirklich, und dieses Wissen erfüllte sie mit Wärme.

Was erwartete sie wohl am Ziel ihrer verrückten Reise durch die Nacht? Würden sie Waldemar Bär und Ségolène tatsächlich antreffen? Was, wenn sie zu spät kamen und die Frau gestorben war? Als der Hausmeister ihr von seiner alten, kranken Freundin erzählt hatte, hatte er besorgt geklungen. Julia hoffte sehr, dass Carl nicht noch eine Enttäuschung erleben musste, denn es konnte ja auch sein, dass Maria Hauschild und Ségolène bei den Manuskripten von Carls Mutter gemeinsame Sache gemacht hatten. Sie war sich mittlerweile sicher, dass Anita Kahr ein Pseudonym war. In den späten neunziger Jahren war es sicher noch leichter gewesen, einen solchen Betrug zu begehen, als es noch kein Internet und erst recht keine Social Media gegeben hatte.

Kurz hinter Le Mans teilte sich die Autobahn. Links ging es auf der A11, der L'Océane, nach Nantes und Angers und rechts in Richtung Rennes, in die Bretagne.

Carl wachte auf, als sie bei Nantes die Autobahn verließen. Hinter ihnen, im Osten, dämmerte der Morgen herauf. Julia sah im Rückspiegel ein rosafarbenes Band, das sich über den Horizont zog, und die Helligkeit breitete sich am Himmel aus, während vor ihnen noch Nacht herrschte.

»Du hättest mich doch wecken können! Jetzt bist du die ganze Strecke ab Paris alleine gefahren!« Carl zwinkerte verschlafen und gähnte, setzte sich auf und öffnete das Handschuhfach. »Magst du einen Wachmacher?«

»Klar. Gerne« Julia nickte. Carl öffnete die Dose, die von der Klimaanlage im Handschuhfach eiskalt war, und reichte sie ihr. Ein durchdringender Geruch nach Gummibärchen erfüllte den Innenraum des Autos. Julia war kein großer Fan der süßen Plörre, aber sie erfüllte ihren Zweck und vertrieb die Müdigkeit, die sich jetzt doch langsam in ihrem Kopf und ihren Gliedern bemerkbar machte. Sie tauschten noch einmal die Plätze. Julia angelte nach ihrem Rucksack und kramte ihr Handy heraus.

»Oh! Ich habe zwei Anrufe von Henning Kirchhoff auf dem Handy!«, stellte sie fest. »Er hat gestern Abend um halb zwölf versucht, mich zu erreichen!«

»An mein Handy habe ich gar nicht gedacht.« Carl öffnete die

Klappe des Fachs zwischen den Sitzen und holte sein Smartphone heraus. Es war aus. »Mist! Ich hätte es besser mal an den Strom hängen sollen.«

Julia öffnete die Einstellungen, tippte auf ›Mobilfunk‹ und schaltete das Datenroaming ein. In der nächsten Sekunde gab ihr Telefon eine Kakophonie von Tönen von sich. Mehrere Anrufe, Nachrichten und Sprachnachrichten von Henning Kirchhoff und von einer unbekannten Nummer poppten auf. Sie ging auf die erste Sprachnachricht. Gerade, als sie sie anhören wollte, gab auch ihr Handy mit einem Piepen den Geist auf.

»Hast du ein Ladekabel dabei?«, fragte sie Carl.

»Nein, ich fürchte nicht«, erwiderte der und grinste schief. »Daran habe ich bei unserer überstürzten Abreise gestern Abend nicht gedacht.«

»Ich auch nicht.« Sie steckte das Handy wieder zurück in den Rucksack. »Dann sind wir wohl beide erst mal offline.«

Es fühlte sich ein bisschen komisch an, nicht erreichbar zu sein und auch nicht mal schnell ins Internet gehen zu können, aber irgendwie war es befreiend. Allerdings hatten sie nun keinen blassen Schimmer, wo auf dieser Insel sie Ségolène und Waldemar Bär suchen mussten! Sie hatten sich so intensiv unterhalten, dass sie den Zweck ihrer Fahrt vorübergehend aus den Augen verloren und auch vergessen hatten, Carls Cousine um die Adresse des ehemaligen Winterscheid-Hauses als Orientierungspunkt zu bitten, wie sie es eigentlich vorgehabt hatten. Da fiel Julia ein, dass die Notizen, die sie sich beim Lesen des Manuskripts gemacht hatte, in ihrem Rucksack steckten. Sie fand die Zettel in einer Seitentasche und atmete erleichtert auf. Mochte Katharina Winterscheid auch die Charaktere ihrer Geschichte fiktionalisiert haben, die realen Örtlichkeiten hatte sie beibehalten, das hatte Julia beim Lesen bereits überprüft. Auf Noirmoutier gab es tatsächlich ein Café Noir, und der Ort, in dem das Haus stand, hieß L'Herbaudière. Das war doch schon mal was!

»Da, schau mal!« Carl wies auf ein Straßenschild. »Noirmoutier, 65 Kilometer! Noch anderthalb Stunden, dann sind wir da.«

***

Nicola Engel hatte Wort gehalten und alles perfekt organisiert. Als die Maschine der Air France um 9:10 Uhr auf dem Flughafen von Nantes landete und auf eine Außenposition rollte, schaltete Pia sofort ihr Handy ein, und tatsächlich hatte Kai schon versucht, sie zu erreichen. Sie steckte ihre Earpods in die Ohren und rief Kai zurück. Alle Passagiere wurden aufgefordert, auf ihren Plätzen zu bleiben, und kaum, dass das Flugzeug zum Halten gekommen und das Kreischen der Triebwerke verstummt war, bat die Stewardess Bodenstein und Pia, ihr zu folgen, und sie durften als Erste das Flugzeug über eine Außentreppe verlassen.

»Wir haben noch immer nichts von Carl Winterscheid und Julia Bremora gehört«, informierte Kai sie. »Ihre Handys sind ausgeschaltet, Winterscheid war heute Nacht nicht in seinem Hotel und bei Frau Bremora zu Hause öffnet niemand. Winterscheids Auto ist nicht da, und wir befürchten, dass die beiden in der Gewalt von Maria Hauschild sein könnten. Von ihr fehlt auch nach wie vor jede Spur. Ihr Auto steht im Hof ihrer Agentur, ihr Handy ist auch aus.«

»Verdammt.« Pia hoffte sehr, dass Hennings Lektorin und ihrem Chef nichts zugestoßen war. Waren sie Maria Hauschild auf die Schliche gekommen, und hatte diese das gemerkt? Letzte Nacht hatten Kai und auch Henning mehrfach versucht, die beiden zu erreichen. Da waren ihre Handys noch nicht ausgeschaltet gewesen. Was hatte das zu bedeuten? Vielleicht war Maria Hauschild ja nach Luxemburg gefahren, um Spuren zu verwischen! Wenn sie tatsächlich hinter Anita Kahr steckte, dann hatte sie im Laufe der Jahre Millionen gescheffelt und konnte es sich leisten, mehrere Autos zu haben.

»Hast du Dorothea Winterscheid angerufen?«

»Ja, habe ich«, erwiderte Kai. »Sie hat alle drei zuletzt gestern Abend gesehen. Sie waren zusammen in Winterscheids Büro im Verlagsgebäude. Aber sie haben angeblich nur über Belanglosigkeiten gesprochen. Dorothea hat gemeinsam mit Maria Hauschild das Gebäude verlassen.«

»Okay, dann halt mich …«

»Warte, Pia! Ich hab noch was. Vorhin hat sich ein Taxifahrer gemeldet, der den Fahndungsaufruf nach Maria Hauschild gelesen hat. Er hat am Freitagabend um ungefähr 21:00 Uhr einen etwas dickeren Umschlag bei der Literaturagentur Hauschild abgeholt, und zwar bei Maria Hauschild persönlich. Er konnte sich gut daran erinnern, weil sie ihm hundert Euro gegeben hat und keine Quittung dafür wollte. Er sollte das Päckchen zu ihrem Haus nach Kronberg bringen und dort einfach hinter einem Blumenkübel neben der Haustür deponieren.«

In Pias Kopf arbeitete es.

»Ungefähr um 21:30 Uhr hat Julia Bremora gehört, wie Alexander Roth jemanden zur Hintertür hereingelassen hat«, half Kai ihr auf die Sprünge. »Ich wette, Frau Hauschild hat ihr Handy mit dem Taxi zu sich nach Hause geschickt, damit sie ein Alibi hat, falls wir ein Bewegungsprofil ihres Handys erstellen würden. Diese Frau ist wirklich äußerst clever, Pia! Sie denkt an alle Eventualitäten!« Seine Stimme klang besorgt. »Wir haben ihre Schwester ausfindig gemacht, sie lebt in Hannover, und ich werde gleich mit ihr telefonieren.«

»Ruf mich an«, sagte Pia. »Und vielen Dank, Kai.«

»Keine Ursache. Passt auf euch auf!«

Am Rande des Rollfelds erwartete sie ein Polizeiauto mit zwei Beamten der *Police judiciaire*, einer Frau und einem Mann in Zivil, deren Namen weder Bodenstein noch Pia auf Anhieb verstanden. Glücklicherweise sprach die Kriminalpolizistin ein recht passables Deutsch und erklärte, dass ihr Kollege Yves und sie, Régine, Pia und Bodenstein nach Noirmoutier begleiten würden. Sie fuhren im Streifenwagen zu einem anderen Teil des recht überschaubaren Flughafens. Auf einem mit Maschendraht umzäunten Areal wartete ein Hubschrauber, dessen Rotoren sich träge im Leerlauf bewegten. Der Pilot nickte ihnen zu, als sie auf die Rückbank kletterten und die Gurte anlegten.

»Wir werden in ungefähr zwanzig Minuten auf Noirmoutier sein!«, rief Régine, die vorne neben dem Piloten Platz genommen hatte. Sie war eine zierliche Person mit einem Gesicht voller Sommersprossen, kurzen, dunklen Locken und einem fröhlichen Lächeln, die Ungeduld und Energie ausstrahlte, ganz im Gegensatz zu ihrem Kollegen. Yves wirkte eher gemütlich, er war groß und kräftig, seine Bewegungen waren bedächtig. Aber sein Äußeres täuschte sicherlich, denn sein Blick war hellwach und aufmerksam.

»Jemand von der *Police Municipale* holt uns ab«, erklärte Régine. »Die *Gendarmerie* auf der Insel ist nur im Sommer besetzt, wenn viele Touristen da sind.«

»Haben Sie herausgefunden, wo wir hinmüssen?«, erkundigte sich Bodenstein in einem erstaunlich passablen Französisch, was den neben ihm sitzenden Yves gleich zu einem Wortschwall animierte.

»Ja, wir kennen die Adresse«, übersetzte Régine für Pia.

Der Pilot schob die Leistungshebel nach vorne, und das sanfte Flappen der Rotorblätter verwandelte sich in ein ohrenbetäubendes Knattern.

* * *

Sie waren über die Brücke auf die Insel gelangt und fuhren auf einer zweispurigen Straße, die immer wieder von Kreisverkehren unterbrochen wurde, Richtung Noirmoutier-en-l'Île, dem Hauptort. Links und rechts lagen Kartoffeläcker und Maisfelder, überall lockten Schilder mit Aufschriften wie *Bar aux Huitres*, *Dégustation de Crustacés & Coquillages*, *Pommes de Terres del'Île*.

»Es ist erst kurz vor neun«, sagte Julia. »Kann man um diese Uhrzeit einfach bei fremden Leuten reinplatzen?«

»Na ja, erst mal müssen wir sie finden, bevor wir irgendwo reinplatzen«, erwiderte Carl. »Ich schlage vor, wir fahren in diesen Ort, holen uns irgendwo Croissants und Kaffee und fragen die Leute dort nach Ségolène.«

»Croissant und Kaffee klingt gut«, meinte Julia. Ihr Magen knurrte. Es war Stunden her, seitdem sie das letzte der pappigen Autobahnraststätten-Sandwiches verzehrt hatte. Sie war ein kleines bisschen enttäuscht von der Insel, die sich bisher eher hässlich und öde präsentierte. Vielleicht hatte sie nach den enthusiastischen Beschreibungen in Katharinas Manuskript auch einfach zu romantische Erwartungen gehabt. Sie kamen an Hin-

weissschildern vorbei, die zur Besichtigung eines Schmetterlings-
parks einluden, an einem Gewerbegebiet mit Intermarché und
anderen Läden. Sie wunderte sich auch über den fauligen Geruch,
der hereinströmte, doch dann erblickte Julia einen Salzbauern bei
der Arbeit in seinem Salzgarten. Er stand am Rand eines niedrigen, mit Wasser gefüllten Beckens und zog mit einem langen
Schieber das Salz zu sich heran. Zwischen den einzelnen Becken
war das Salz zu kleinen schneeweißen Pyramiden aufgeschichtet.

»Schau mal da!«, jauchzte sie begeistert. »Fleur de Sel!«

Sie folgten der Umgehungsstraße Richtung L'Herbaudière,
kamen an riesigen Parkflächen vorbei, die im Sommer wahrscheinlich voller Wohnmobile waren, und plötzlich zeigte die Insel das Gesicht, das Julia erwartet hatte. Die weißen Häuser mit
den hellblauen oder grauen Schlagläden, die Salzgärten links und
rechts der Straße. Ein schneeweißer Wasserturm, ein *Château
d'eau*, eine alte Windmühle. Einzelne Pferde auf den sonnenverbrannten Wiesen, durch die sich Kanäle zogen, und Holzmasten
mit Stromleitungen, undenkbar in Deutschland, aber typisch für
Frankreich. Der Hafen von L'Herbaudière befand sich am äu-
ßersten westlichen Ende der Insel. Carl fand einen Parkplatz,
sie stiegen aus und streckten ihre steifen Glieder. Der rechte Teil
des Hafenbeckens war Sportbooten und Jachten vorbehalten,
der linke Teil noch ein richtiger Fischereihafen. Gerade tuckerte
ein Fischkutter herein, umschwärmt von kreischenden Möwen.
Julia sah sich um. Kleine Lädchen, die Nippes für Touristen, Seg-
lerbedarf und Strandutensilien anboten, Cafés und Restaurants
drängten sich am Hafenbecken.

»Da drüben an der Ecke ist eine *Boulangerie*«, sagte Carl und
wies auf die Häuserpromenade oberhalb des Hafens. In dem Moment bemerkte Julia das Firmenschild an einem flachen grauen
Eckgebäude mit großen Schaufenstern auf der anderen Seite des
großen Parkplatzes.

»Wir sind hier richtig! Das Geschäft da drüben heißt *Comptoir
de la mer*!«, sagte sie. »Daher hatte Herr Bär die Papiertüte, die
Webadresse stand drauf.«

»Na, dann haben wir die Fahrt wohl nicht umsonst gemacht.«

Carl lächelte. »Komm, wir kaufen uns erst mal was zu essen und du interviewst die Leute in der Bäckerei. Vielleicht können sie uns weiterhelfen.«

Sie gingen zur Bäckerei, vor der sich eine Schlange gebildet hatte, die rasch kürzer wurde. Leute kamen mit frischen Baguettes unterm Arm heraus. Julia lief das Wasser im Mund zusammen, als sie den Laden betraten und sie die Leckereien in der Auslage erblickte.

»Ich muss unbedingt ein Schokoladen-Éclair essen«, sagte sie und wandte sich zu Carl um, dabei stieß sie gegen einen Mann, der gerade mehrere Baguettes gekauft hatte.

»*Pardon!*« Sie lächelte den Mann entschuldigend an, aber dann wurden ihre Augen groß. »Oh! Hallo, Herr Bär!«

* * *

Der Hubschrauber hob senkrecht ab und beschrieb eine leichte Kurve nach links, bevor er mit gesenkter Nase Richtung Südwesten flog. Pia, die ganz rechts saß, glaubte in der Ferne im Morgendunst schon das Meer zu sehen. Ein schöner Spätsommertag zog herauf, und sie wünschte, Christoph wäre jetzt hier und sie könnten einen entspannten Tag am Meer verbringen, ein paar Muscheln essen und ein oder zwei Gläser Sancerre trinken. Stattdessen erwartete sie auf der Insel, auf der sich vor fünfunddreißig Jahren ein nie entdecktes Verbrechen abgespielt hatte, nichts als Ungewissheit. Maria Hauschild hatte jede Menge zu verlieren und würde kaum die Konfrontation suchen. Sie konnte nicht ahnen, dass sie ihr auf die Schliche gekommen waren, was die beiden Morde betraf. Oder doch? Was wusste sie? Und hatte sie wirklich ihren Vater und ihren Mann auf dem Gewissen?

Ihr Handy vibrierte. Henning! Pia nahm den Anruf entgegen. Wegen des Lärms konnte sie ihn nicht verstehen, er sie aber hoffentlich schon. Sie teilte ihm mit, dass Carl Winterscheid und seine Lektorin sowie seine Agentin verschwunden seien, und wenn er etwas Wichtiges zu sagen habe, solle er ihr bitte eine WhatsApp schreiben.

Der Hubschrauber jagte über das flache, von glitzernden Wasserläufen durchzogene Marschland, aus dem hier und da gewaltige Windräder emporragten. Sie überflogen kleine Ortschaften mit spitzen Kirchtürmen, weißen Häusern und Gewerbegebieten, schließlich drehte der Pilot die Maschine ein wenig nach rechts, und da lag das Meer vor ihnen, blau und endlos bis zum Horizont im Westen. Die Insel war nicht sehr weit vom Festland entfernt, man konnte sie über eine Brücke erreichen und eine ungewöhnliche Gezeitenstraße, die nur bei tiefster Ebbe befahrbar war. Der Hubschrauber ging in den Sinkflug über und landete wenige Minuten später sanft hinter einem flachen, weiß getünchten Gebäude auf einer Wiese mit kurz geschorenem, sonnenverbranntem Gras. Yves öffnete die Tür des Hubschraubers, ließ Bodenstein aussteigen und reichte Pia galant die Hand.

»*Merci*«, sagte sie und lächelte.

»*Avec plaisir, Madame*«, erwiderte Yves und erwiderte ihr Lächeln.

Die Luft war frisch, und es duftete nach trockenem Gras und Pinien.

Der junge Mann, der sie erwartete, stellte sich als Rémy Nachname unverständlich vor. Er trug eine dunkelblaue Uniform, war höchstens fünfundzwanzig Jahre alt, hatte Segelohren und ein gebräuntes Kindergesicht.

›Könnte glatt mein Sohn sein‹, schoss es Pia durch den Kopf, und automatisch fühlte sie sich alt. Sie überließ es Bodenstein, mit den drei französischen Kollegen zu diskutieren, und checkte ihr Handy. Keine Nachricht von Henning. Keine Nachricht von Kai. Es war fünf vor zehn. Zeit, Ségolène, die mit Nachnamen nicht mehr Bonnaire, sondern Thibault hieß, einen Besuch abzustatten.

* * *

Das Haus, in dem Ségolène lebte, lag am Ortsrand von L'Herbaudière und war ein echter Schandfleck. Auf dem großen Grundstück, das von einer hüfthohen Natursteinmauer umgeben war, befanden sich mehrere marode Schuppen und Gebäude, die dem Abriss geweiht waren. Auf einem verblichenen Schild an der Vorderseite einer ehemaligen Lagerhalle konnte man mit einiger

Mühe noch die Aufschrift *Entrepreneur de construction Bonnaire & Fils – Votre premier choix sur l'île* entziffern. Ein schief in den Angeln hängendes Tor. Rostige Baumaschinen, zerbrochene Gerätschaften, Hunderte alter Autoreifen, und sogar Teile eines Krans standen herum und waren von Unkraut überwuchert. Ein deprimierender Anblick, der die traurige Geschichte des Niedergangs eines früher offenbar sehr erfolgreichen Familienunternehmens erzählte.

»Es sieht aus wie in der Walachei, ich weiß«, entschuldigte sich Waldemar Bär bei Carl, als wäre er persönlich für den verwahrlosten Zustand verantwortlich. »Man müsste hier mal ordentlich aufräumen, aber Ségolène kann das nicht mehr bewerkstelligen. Sie ist letztes Jahr zur Beerdigung ihrer Mutter zurück nach Noirmoutier gekommen, und da hat sie es schon so vorgefunden.«

Sie hatten ihr Auto auf einem leeren Flecken zwischen einem ausgetrockneten Brunnen und einem Berg Gerümpel abgestellt. Das einzige Gebäude, das einigermaßen bewohnbar schien, war ein zweistöckiges Haus im Stil der Insel, auch wenn die Farbe von Mauerwerk und Fensterläden abblätterte und das Dach mit Moos und den Nadeln einer mächtigen Monterey-Zypresse bedeckt war.

»Ségolènes Vater lebt schon lange nicht mehr, Geschwister hatte sie nicht«, erzählte Bär. »Sie hat fünfundzwanzig Jahre auf Martinique in der Karibik gemeinsam mit ihrem Mann ein Hotel betrieben, aber die Ehe ist geschieden. Kurz nach der Scheidung ist sie krank geworden. Krebs. Vor zwei Monaten haben ihr die Ärzte gesagt, dass man nichts mehr machen kann. Sie haben sie zum Sterben nach Hause geschickt, aber ein wirkliches Zuhause hatte sie nicht mehr, deshalb ist sie in ihr Elternhaus gezogen. Auf dem Dachboden hat sie die Tasche gefunden, die sie damals aus Frankfurt mitgenommen hatte, weil Katharina – Ihre Mutter –, sie darum gebeten hatte. Die Tasche hatte dort achtundzwanzig Jahre lang gelegen, und Ségolène hatte nicht mehr an sie gedacht, sie hatte ihre Existenz verdrängt – warum, das werden Sie noch erfahren –, aber nun wollte sie sie zurückgeben, allerdings wusste sie nicht, wie sie das anstellen sollte. Deshalb hat sie mir einen

Brief geschrieben.« Waldemar Bär hielt inne, und als er weiter-sprach, klang seine Stimme heiser. »Ich hatte sie achtundzwanzig Jahre lang nicht mehr gesehen. Sie war nach ... nach dem Tod Ihrer Mutter einfach verschwunden, ohne sich von mir zu ver-abschieden. Ich ... ich hatte ihr mehrere Briefe geschrieben, die sie nie beantwortet hat. Und ganz plötzlich, nach all den Jahren, bekam ich einen Brief von ihr. Sie schrieb, sie sei sehr krank und müsse bald sterben, aber vorher würde sie mich gerne noch ein-mal sehen, denn sie hätte mich nie vergessen.«

Der liebenswürdige, hilfsbereite Mann, der in Jeans und Polo-hemd völlig anders aussah, als Julia ihn sonst kannte, legte die Baguettes umständlich auf das Dach seines Autos, um sich die Nase zu putzen. Was für eine traurige Geschichte, die auch kein Happy End haben würde!

»Ich habe nicht gezögert und bin sofort hierhergefahren, das war Anfang August«, fuhr Bär fort. Ein feines Lächeln huschte über sein Gesicht. »Ich hatte ja nicht mehr damit gerechnet, Ségo-lène wiederzusehen. Sie ist die Liebe meines Lebens, das kann ich wohl mit Fug und Recht behaupten. Es ist kein Tag vergangen, an dem ich nicht an sie gedacht und mich gefragt habe, warum sie mich einfach verlassen hatte. Es ist schlimm, wenn man keine Antwort auf eine solche Frage hat.«

»Das kann ich mir vorstellen«, sagte Julia mitfühlend.

»Nun ja.« Bär atmete ein paarmal tief durch. »Es war wunder-bar, sie wiederzusehen, und gleichzeitig schrecklich, weil sie so krank ist und mir klar war, dass wir keine zweite Chance haben würden. Sie gab mir diese Tasche, in der sich unter anderem die Tagebücher Ihrer Mutter befanden, Herr Winterscheid, und ich hatte die Absicht, Ihnen die Tasche sofort zu übergeben, schließ-lich gehört sie Ihnen. Aber als ich zurück nach Frankfurt kam, hatte Frau Wersch gerade mit ihrem Rachefeldzug begonnen, und ich fand keinen passenden Moment. Ich ließ mich dazu hinrei-ßen, das Manuskript zu lesen, das in der Tasche war und das ich Ihnen dann geschickt habe.«

»Genauso wie das blaue Matchbox-Auto«, sagte Carl.

»Ja, richtig. Das war auch in der Tasche gewesen. Ségolène

hatte es damals mitgenommen.« Bär nickte. »Sie müssen wissen, dass ich als Kind und Jugendlicher jeden Sommer auf dieser Insel verbringen durfte. Ich bin mit Götz und Dorothea aufgewachsen, als wären wir Geschwister, und Winterscheids haben mich freundlicherweise immer mit in den Sommerurlaub genommen, weil ich schon als Kind unter Asthma litt. Bei der Lektüre des Manuskripts habe ich alles wiedererkannt, und natürlich habe ich sofort begriffen, worum es in der Geschichte ging. Es stand mir nicht zu, die Tagebücher zu lesen, aber ich war neugierig geworden. Bitte verzeihen Sie mir, Herr Winterscheid.«

»Schon in Ordnung, Herr Bär«, erwiderte Carl.

»Mir wurde klar, dass nichts so gewesen ist, wie ich immer geglaubt hatte. Ich war erschüttert. Und … wütend. Aber nicht nur ich bin getäuscht worden, sondern vor allen Dingen Herr und Frau Winterscheid. Ich war ratlos. Und ich musste hilflos mit ansehen, wie Frau Wersch versuchte, den Verlag zu zerstören. Da kam mir die Idee, ihnen allen eine Lektion zu erteilen. Ich wollte sie … bestrafen, ihnen Angst machen. Deshalb habe ich ihnen Seiten aus den Tagebüchern geschickt: Frau Wersch. Herrn Roth. Frau Hauschild. Frau Lintner. Herrn Fink. Es war naiv zu glauben, sie würden Reue empfinden. Der Einzige, der Angst bekam, war Herr Roth.«

»Sie haben meinem Onkel auch eine Tagebuchseite geschickt«, sagte Carl, als Bär verstummte. »Warum?«

»Henri Winterscheid ist die größte Enttäuschung meines Lebens.« Der Hausmeister schüttelte den Kopf. Seine Augen waren plötzlich feucht, aber es war keine Trauer, sondern kalter Zorn, der aus seinen nächsten Worten sprach. »Ich war diesem Mann mein Leben lang treu ergeben, obwohl ich wusste, dass er kein guter Mensch war. Ich hatte dem alten Herrn Winterscheid, Ihrem Großvater, auf dem Totenbett versprochen, dass ich seine Familie nie im Stich lassen würde, und daran habe ich mich gehalten, auch wenn ich oft gegen meine Werte handeln und wegsehen musste. Aber … aber … was dieses … dieses *Schwein* getan hat und wofür er nie zur Rechenschaft gezogen wurde, ist … es ist …«

Zu Julias Entsetzen begann er zu schluchzen.

»Herr Bär.« Carl legte dem Mann vorsichtig seine Hand auf den Arm. »Wir wissen, was Henri getan hat. Er hat gestern der Polizei gestanden, dass er meine Mutter vom Balkon in den Tod gestoßen hat. Er ist im Gefängnis.«

Waldemar Bär warf Carl einen ungläubigen Blick zu. Sein zuckender Kehlkopf verriet seinen inneren Aufruhr, der ihm seine Stimme und seine Fassung raubte.

»Dieses Schwein hat Ségolène vergewaltigt!«, flüsterte Bär mit tränenerstickter Stimme. »Sie war erst neunzehn Jahre alt und … und noch unberührt, aber das war ihm egal! Er hat sie vergewaltigt und geschlagen und gewürgt, während … während Sie, Carl, nebenan im Kinderzimmer geschlafen haben! Er … er dachte, Katharina würde erst spät nach Hause kommen, aber … aber sie k… kam an diesem Abend früher heim als erwartet.«

»Oh, mein Gott«, murmelte Julia und griff nach Carls Hand. Seine Finger schlossen sich um ihre und er hielt ihre Hand ganz fest. Er war genauso fassungslos und schockiert wie sie.

»Katharina hat … hat Henri von Ségolène weggezerrt«, fuhr Bär fort. »Sie … sie war so mutig! Sie wollte die Polizei rufen, aber … aber dieser Unmensch hat ihr das Telefon aus der Hand gerissen. Dann … dann ist Katharina auf den Balkon gerannt und wollte um Hilfe schreien, aber … aber … dieses *Schwein* hat sie über die Balkonbrüstung gestoßen. Bevor er abgehauen ist, hat er Ségolène am Hals gepackt und ihr gedroht, sollte sie jemals irgendjemandem davon erzählen, dann … dann würde er ihre Familie ruinieren, denn er würde den Bürgermeister und alle wichtigen Leute auf Noirmoutier kennen und wüsste genau, dass ihr Vater krumme Geschäfte mache.«

Bärs Schultern sackten nach vorne. Sein Gesicht war von Kummer und Schmerz verwüstet. Er musste sich gegen sein Auto lehnen.

»Meine arme Ségolène war vor Angst wie von Sinnen«, sagte er. »Sie ist nach Hause geflüchtet und wollte nie wieder … nie wieder an die Zeit in Frankfurt denken! Sie ist nach Martinique gegangen, weil sie eine Stellenanzeige in der Zeitung gelesen hat, sie hat den erstbesten Mann geheiratet, der sie wollte. Dabei hat sie mich immer geliebt.« Bärs Stimme brach. Er beugte sich nach vorne, bedeckte sein Gesicht mit beiden Händen und weinte. »Ausgerechnet der Mann, dem ich immer treu ergeben war, hat Katharinas Leben zerstört und damit auch Ihres, Carl. Er hat das Leben von Ségolène zerstört und meines auch, und als ich das erfahren habe, da hätte ich ihn am liebsten getötet, aber ich war zu feige oder zu anständig oder was auch immer, deshalb habe ich ihm diese Tagebuchseite geschickt, damit er Angst kriegt, so eine schreckliche Angst, wie Ségolène sie haben musste!«

Julia musste auch weinen, so furchtbar war das alles, erst recht, als Carl seinen Arm um die Schulter des Hausmeisters legte und ihm tröstend die Hand drückte. Dass Henri Winterscheid bis zum Ende seiner Tage im Gefängnis sitzen würde, war nur ein geringer Trost. Nichts konnte Waldemar Bär und Ségolène die verlorene Zeit zurückgeben oder Katharina wieder lebendig machen, dennoch hatte es Bär erleichtert, dieses schreckliche Geheimnis endlich loszuwerden. Er holte tief Luft, putzte sich noch einmal die Nase und tupfte sich die Tränen von den Wangen.

»Kommen Sie«, sagte er dann und nahm die Brote vom Autodach. »Ségolène freut sich sicher sehr darüber, Sie, Carl, wiederzusehen.«

Carl und Julia folgten ihm zu dem zweistöckigen Haus, das aus der Nähe noch baufälliger erschien. Bär öffnete die Tür, und sie gelangten in eine kleine Küche. Er legte das Baguette auf die Arbeitsplatte.

»*Je suis de retour!*«, rief er. »*Et j'ai emmené des visiteurs!*«

Sie betraten einen großen Salon. Helles Sonnenlicht strömte durch die Fenster und fiel auf ein mit geblümtem Stoff bezogenes Sofa, auf dem reglos eine bis auf die Knochen abgemagerte Frau saß, deren Gesicht schon vom Tod gezeichnet war. Sie trug ein blaues Kopftuch, ihre Haut hatte einen ungesunden gelblichen Farbton und sie starrte sie aus weit aufgerissenen Augen ängstlich an. Julia hörte, wie Carl, der vor ihr ging, scharf die Luft einzog. Er blieb so abrupt in der Küchentür stehen, dass sie gegen ihn prallte.

»Maria! Nein! Tu das nicht! Ich habe sie doch gerade erst ...«, stammelte Waldemar Bär.

»Halt die Klappe, Waldi«, zischte Maria Hauschild. »Ich hätte mir denken können, dass du hier auftauchen würdest, Carl. Ich dachte nur, du brauchst länger. Dann wäre das hier alles schon erledigt.«

Julias Hände umklammerten Carls Arm. Zuerst begriff sie nicht, was eigentlich los war. Was tat Maria Hauschild hier? Erst dann sah sie die Waffe in ihrer Hand, die auf Ségolènes Kopf gerichtet war, und ihr Herz begann zu rasen. Das Blut pochte ihr so sehr in den Schläfen, dass sie keinen klaren Gedanken fassen konnte.

»Mach doch keine Dummheiten, Maria.« Carls Stimme klang bewundernswert ruhig angesichts der Tatsache, dass seine Patentante eine Pistole in der Hand hielt. »Leg die Waffe weg. Wir können doch über alles reden.«

»Genau diesen Fehler werde ich nicht machen.« Sie lachte böse. »Ich ärgere mich bei Filmen immer, dass die Leute so viel herumlabern, bevor sie schießen. Ich tue das nicht.«

Ihr Finger krümmte sich am Abzug. Julia presste ihr Gesicht an Carls Schulter. Sie wollte nicht dabei zusehen, wie diese Frau Ségolène erschoss. Und sie wollte auch nicht, dass sie den Hausmeister erschoss oder Carl! Und sie wollte nicht, dass das gehässige Lachen von Maria Hauschild das letzte Geräusch war, das sie hörte, bevor sie selbst starb. Ihr Blick fiel auf die Weißbrotstangen, die Bär auf die Arbeitsplatte gelegt hatte. Sie ließ Carls Arm los, griff nach einem der Baguettes und holte tief Luft. Im nächsten Moment geschahen mehrere Dinge gleichzeitig: Julia drängte sich an Carl vorbei und schleuderte Maria Hauschild mit einem Schrei das Brot ins Gesicht, Waldemar Bär warf sich schützend über die Frau auf dem Sofa, Carl hechtete an Julia vorbei und bekam die Hand von Maria Hauschild, mit der sie die Pistole hielt, zu fassen. Die beiden kämpften verbissen miteinander, als sich plötzlich ein Schuss löste.

* * *

Pia gefror vor Schreck das Blut in den Adern, als sie durch ein Fenster in ein großes, dunkel möbliertes Wohnzimmer blickte und Carl Winterscheid sah, der mit einer Pistole in der Hand vor einer weit geöffneten doppelflügeligen Fenstertür stand und auf zwei Menschen zielte, die sich auf einem Sofa zusammenkauerten. Sie duckte sich wieder und griff nach ihrer Dienstwaffe, doch an ihrer Hüfte hing kein Holster. Verdammt! Sie hatte die Pistole ja in Deutschland gelassen! Ihr Herz hämmerte gegen ihre Rippen, und sie versuchte zu begreifen, was sie gesehen hatte.

»*Que se passe-t-il là-dedans? Est-ce que quelqu'un a une arme?*«, zischte Régine, die neben ihr hockte, aber Pia verstand nicht, was sie sagte.

Als sie gerade den Volvo von Carl Winterscheid und ein anderes Fahrzeug mit Frankfurter Kennzeichen zwischen Bauschutt und rostigem Schrott erblickt hatte, war Pia das Herz in die Hose gerutscht, und Bodenstein hatte die Kollegen gewarnt, die Situation könnte möglicherweise unübersichtlich sein, denn es war zu befürchten, dass Maria Hauschild auch im Haus war. Und jetzt war es Carl Winterscheid, der eine Waffe in der Hand hatte! Hatten sie sich geirrt? War alles völlig anders, als sie dachten?

»Pia!«, flüsterte Bodenstein eindringlich. »Was ist da drin los?«

»Carl Winterscheid hat eine Pistole in der Hand!«, flüsterte sie zurück, und Bodenstein erklärte den französischen Kollegen die Lage. Yves und Régine zögerten nicht lange. Sie sprangen auf und stürmten das Haus, absolut leichtsinnig, wie Pia dachte, ohne kugelsichere Westen!

»*Lâchez l'arme! Lâchez l'arme! Immédiatement!*«, hörte sie Régine und Yves brüllen. Sie hatten ihre Waffen gezogen und auf Carl Winterscheid gerichtet. Der stand mit erhobenen Händen mitten im Raum und starrte die Polizisten verstört an. Durch die weit geöffnete Tür wirbelte ein Windstoß. Auf der Couch lag Hausmeister Bär und hielt eine kränklich aussehende Frau in seinen Armen, und auf dem Fußboden hockte Hennings Lektorin mit panisch aufgerissenen Augen. Julia Bremora rief irgendetwas auf Französisch, dann fiel ihr Blick auf Pia und Bodenstein, und sie wechselte ins Deutsche.

»Es ist nicht Carls Waffe!« Ihre Stimme überschlug sich fast. »Er hat sie Maria abgenommen!«

»Maria? Maria Hauschild?«, fragte Bodenstein. »Wo ist sie?«

»Sie wollte uns erschießen! Sie ist vor ein paar Sekunden da hinausgelaufen!« Julia Bremora deutete auf die Tür, sie zitterte am ganzen Körper. Yves und Régine gingen mit gezogenen Waffen durchs Erdgeschoss, stellten fest, dass niemand dort war, und steckten die Waffen weg. Yves zog sich Handschuhe an, bevor er die Pistole aufhob. Er entnahm das Magazin, sicherte die Waffe und steckte sie in einen Beweismittelbeutel. Carl Winterscheid hielt Julia Bremora in seinen Armen, er streichelte beruhigend ihren Rücken, und Waldemar Bär rappelte sich von der Couch hoch. Alle drei redeten durcheinander, bis Bodenstein sich Gehör verschaffte und Carl Winterscheid bat, kurz zu schildern, was geschehen war. Aber bevor er etwas sagen konnte, kam der junge Ortspolizist durch die Fenstertür hereingestürzt. Er redete empört auf Yves und Régine ein, gestikulierte wild mit beiden Händen und wies immer wieder nach draußen.

»Ich glaube, Maria hat ihn fast über den Haufen gefahren«, übersetzte Julia, die sich wieder etwas beruhigt hatte. »Er weiß, was sie für ein Auto fährt, und hat sich das Kennzeichen gemerkt.«

Es ging noch kurz auf Deutsch und Französisch hin und her, bis die französischen Kollegen begriffen hatten, dass es sich bei der Frau, die eben beinahe Rémy umgefahren hatte, um die Gesuchte handelte, gegen die wegen zweifachen Mordes ein internationaler Haftbefehl vorlag.

»*Venez, venez!*«, befahl Régine ungeduldig und winkte Pia und Bodenstein zum Zeichen, ihr zu folgen.

»Wir kommen gleich wieder«, versicherte Bodenstein Carl Winterscheid. »Ist hier alles in Ordnung?«

»Jetzt ja.« Der Verleger nickte. »Sie wird wohl kaum zurückkommen.«

Eine Minute später saßen sie im Polizeiwagen, Rémy am Steuer, Yves auf dem Beifahrersitz, und rasten in halsbrecherischem Tempo eine schmale Landstraße entlang, während Rémy beim

Fahren hektisch in ein Funkgerät schrie und offenbar um Unterstützung bat.

»Wir kriegen Verstärkung, immerhin drei seiner Kollegen«, erklärte Régine, und Bodenstein übersetzte für Pia. »Wissen Sie, ob die Frau ortskundig ist?«

»Ich denke, sie kennt sich hier ein bisschen aus«, erwiderte Bodenstein. »Sie war früher jeden Sommer auf der Insel.«

»Es gibt nur zwei Möglichkeiten, die Insel mit dem Auto zu verlassen«, sagte Régine. »Einmal die Brücke, und die wird von Kollegen von der Gendarmerie Fromentine abgesperrt. Und den *Gois*, das ist die Gezeitenstraße.«

»Der tiefste Stand der Ebbe liegt zwei Stunden zurück.« Yves hatte auf seinem Smartphone die Zeiten der Tide überprüft. »Das wird sie kaum noch schaffen. Sie muss die Brücke nehmen.«

»Meine Chefin informiert die Kollegen in Beauvoir, auf der anderen Seite.« Rémy überholte einen Traktor und schaltete Sirene und Blaulicht ein. Er hatte die Zungenspitze zwischen die Lippen gesteckt, seine Ohren glühten knallrot. Von einer waschechten Verfolgungsjagd hatte er wahrscheinlich bisher nur geträumt, und dann galt die Jagd auch noch einer potenziellen Mörderin! Der junge Mann würde in den nächsten Wochen in seiner Stammkneipe genug zu erzählen haben.

»Was wird sie tun?«, fragte Pia ihren Chef leise. »Sie muss doch wissen, dass sie keine Chance mehr hat.«

»Sie wird trotzdem versuchen zu fliehen«, antwortete Bodenstein. »Maria Hauschild ist nicht der Typ, der aufgibt.«

»Hoffentlich hat sie nicht noch eine Waffe«, sagte Pia.

Rémy raste durch einen Kreisel, die Fliehkraft presste Pia gegen Régine, die zwischen ihr und Bodenstein saß. Die französische Kollegin schien tatkräftig und besonnen zu sein, eine gute Kombination für eine Polizistin, und Pia bedauerte ein wenig, dass sie sich nicht mit ihr unterhalten konnte. Das Funkgerät knarzte und piepste die ganze Zeit, offenbar verstand Rémy seine Kollegen, denn er reduzierte etwas das Tempo, als sie nun den Hauptort der Insel passierten und die Landstraße kurvig wurde. Mittlerweile wussten alle, dass Maria Hauschild in einem silbernen Renault

Mégane unterwegs war, einem Mietwagen mit französischem Kennzeichen.

»Die Kollegen von der Ortspolizei werden nicht versuchen, die Frau mit einer Straßensperre aufzuhalten«, übersetzte Bodenstein, was ihm Yves gesagt hatte. »Sie sind nicht bewaffnet. Auf dem Festland wird sie dann von Kollegen von der *Gendarmerie Nationale* erwartet, die sind für solche Fälle ausgerüstet.«

Es war dann schließlich das Schicksal, das eingriff. Im Kreisel bei Barbâtre war ein Traktor mit einem Anhänger voller Austernschalen umgekippt und versperrte die Straße, die zur Brücke führte, deshalb musste Maria Hauschild wohl oder übel die Gezeitenstraße nehmen.

»Da ist sie!«, rief Rémy. »Sie wird doch nicht wirklich versuchen, über den Gois zu fahren! Wir haben Vollmond, da ist die Flut besonders hoch!«

Links und rechts der Straße parkten Autos. Menschen, bepackt mit Eimern und Keschern, kamen ihnen entgegen und sprangen erschrocken zur Seite, als der silberne Mégane auf sie zuraste. Einige versuchten, die Fahrerin zu stoppen, und fuchtelten mit den Armen, aber Maria Hauschild fuhr unbeirrt weiter. Rémy bremste neben einer Hinweistafel, die in mehreren Sprachen – sogar auf Deutsch – auf die Gefahren hinwies, die die Straße bei Flut barg. Sie stiegen aus. Pia legte die Hand über die Augen. Das silberne Auto entfernte sich schnell und zog Wasserfontänen hinter sich her.

»Sie schafft es!«, rief sie. »Sie kommt durch!«

»Nein, sie hat keine Chance«, erwiderte Rémy, der Einheimische. »Das Wasser kommt hier so schnell wie ein galoppierendes Pferd. Der Gois ist viereinhalb Kilometer lang. Spätestens in der Mitte ist Schluss.«

»Und was dann?«, wollte Bodenstein wissen.

»Das Auto wird von der Strömung mitgerissen«, erklärte Rémy gleichmütig. »Neben der Straße sind Löcher, die zum Teil sechs bis acht Meter tief sind. Leider verlieren jedes Jahr leichtsinnige Menschen ihr Leben, weil sie meinen, sie würden es doch noch schaffen, oder weil sie bei der *Pêche à pied* die Zeit vergessen.«

»Aber wir können doch nicht seelenruhig mit ansehen, wie ein Mensch ertrinkt!«, rief Pia aufgebracht.

»Wir können ihr aber nicht mehr helfen.«

Rémys Kollegen trafen ein und stiegen aus ihren Autos aus. Die Leute, die sich das Spektakel des schnell steigenden Wassers ansehen wollten, wurden darauf aufmerksam, dass hier irgendetwas Spannendes vor sich ging. Alle blickten auf die Straße, die innerhalb weniger Minuten vollkommen vom Wasser bedeckt war, manche hielten ihre Handys hoch und filmten. Yves ließ sich von Rémy ein Fernglas geben. Er kletterte auf die Mauer und hob den Daumen.

»Was heißt das?«, wollte Pia wissen. Sie war empört darüber, dass man jemanden einfach so in den sicheren Tod laufen ließ. »Was sagt er?«

»Keine Sorge, Madame«, wandte sich ein älterer Kollege von Rémy an Pia und Bodenstein übersetzte. »Die Dame hat sich auf einer *balise* in Sicherheit gebracht. So heißen die Rettungstürme mit Plattform, die in Abständen von einem Kilometer am Gois stehen. Sie haben schon vielen Leuten das Leben gerettet. Es gibt sogar immer wieder Einheimische, die von der Flut überrascht werden, obwohl sie eigentlich die Gefahren kennen sollten.«

»Und was jetzt?«

Sie mussten ein Stück zurückweichen, weil ihnen das Wasser mit jeder Welle näher kam.

»Entweder wir warten jetzt sechs Stunden bis zum tiefsten Stand der Ebbe«, erwiderte der ältere Polizist und grinste. »Oder die Kollegen von der Küstenwache kommen aus Pornic rüber und holen sie von der *balise* runter. Alleine kommt sie da jetzt nicht weg.«

Pia war erleichtert. Was auch immer Maria Hauschild getan hatte, sie würde sich dafür vor einem Gericht verantworten müssen und bestraft werden, aber nicht mit dem Tod durch Ertrinken im Atlantik, sondern mit einer angemessenen Haftstrafe. Wenn sie ihr die beiden Morde nachweisen konnten. Und das würde ihnen gelingen.

Bodensteins Handy klingelte. Es war Nicola Engel, die sich

nach dem Stand der Dinge erkundigte. Er erklärte ihr, was geschehen war und warum sie möglicherweise ein paar Stunden warten mussten, bis sie Maria Hauschild festnehmen und die Insel mit ihr verlassen konnten. Mit etwas Glück würden sie den Abendflug von Nantes über München nach Frankfurt um 20:30 Uhr erwischen, aber vorher wollten sie noch mit Waldemar Bär, dem ehemaligen Au-pair-Mädchen, Carl Winterscheid und Julia Bremora sprechen.

»Velten hatte übrigens den richtigen Riecher.« Pia hörte die Stimme ihrer Chefin klar und deutlich. Hier, an der westlichsten Ecke Europas, hatte man besseren Empfang als im Rhein-Main-Gebiet. »Wir sind in Maria Hauschilds Klientenliste tatsächlich auf eine Autorin gestoßen, die in Luxemburg lebt. Sie ist mittlerweile 97 und wohnt in einem noblen Seniorenheim. Praktischerweise ist sie hochgradig dement, wie man uns mitgeteilt hat. Wir werden jetzt die Wege nachverfolgen, die das Geld aus den Einnahmen von Anita Kahr genommen hat. Übrigens, Frau Hauschild vertritt insgesamt nur sieben Autorinnen und Autoren. Sie hat keinen einzigen Angestellten, mal abgesehen von einer Putzfrau.«

»Sonst wäre der Betrug mit Anita Kahr wahrscheinlich aufgeflogen«, meinte Bodenstein.

»Ich habe keine Ahnung, wie sie das gedreht hat, aber die Anfragen an die Luxemburger Behörden laufen«, sagte die Kriminaldirektorin. »Vielleicht kooperiert sie ja auch mit uns, wenn ihr klar wird, dass sie überführt ist. Ostermann hat mit ihrer Schwester gesprochen, und die hält es für möglich, dass die Hauschild ihren Vater in der Sauna eingesperrt und ihren Mann mit einer Insulinspritze getötet hat. Wir haben auch eine ehemalige Agenturmitarbeiterin ausfindig gemacht, die sich gut daran erinnert, dass die Hauschilds in den Wochen vor Erik Hauschilds Tod nur noch gestritten haben. Da war von Trennung die Rede, auch von Scheidung.«

»Haben wir genug gegen sie in der Hand, um ihr die Morde an Heike Wersch und Alexander Roth nachweisen zu können?«, fragte Bodenstein.

»Ostermann hat sich die Videobänder der Überwachungskamera des Schuhgeschäfts, das sich den Hinterhof mit dem Winterscheid-Verlag teilt, angesehen. Dreimal darfst du raten, wer am Freitagabend um kurz vor halb zehn in den Hof marschiert kam und den Hof um 23:25 Uhr in Begleitung von Alexander Roth und seinem Fahrrad wieder verlassen hat: Maria Hauschild.«

»Das ist noch kein Beweis.« Bodenstein furchte die Stirn.

»Stimmt. Allerdings wird es schwer für sie, zu erklären, wie sie an den Tagebucheintrag von Heike Wersch gekommen ist.« Nicola Engel klang ungewöhnlich aufgeräumt. »Aber das Beste habe ich mir natürlich bis zum Schluss aufgehoben. Ihr kennt mich doch. Alexander Roth hat Gewissensbisse bekommen, als er gemerkt hat, dass seine Lebenslügen auffliegen würden. Seine Frau war heute Mittag hier und hat uns einen sechsseitigen handschriftlichen Brief ihres verstorbenen Mannes übergeben, den dieser am 5. September, also zwei Tage nach dem Mord an Heike Wersch, verfasst und seinem Anwalt gegeben hat. Zu öffnen im Fall seines Todes. In diesem Brief schreibt er sich alles von der Seele, angefangen beim Mord an Götz Winterscheid, den er im Beisein, aber ohne aktives Zutun von Heike Wersch begangen haben will. Roth schreibt, Heike Wersch habe ihn damit erpressen wollen, außerdem habe sie ihm erzählt, dass Maria Hauschild Manuskripte von Katharina Winterscheid unterschlagen und unter einem Pseudonym veröffentlicht habe. Damit habe Heike Wersch wiederum Maria Hauschild erpressen wollen. Am Montag war Roth bei Frau Wersch abgeblitzt und hat sich danach eine Flasche Wodka gekauft, um sich Mut anzutrinken, weil er noch einmal mit ihr sprechen wollte. Er ist wieder zu ihrem Haus zurückgelaufen und hat das Grundstück betreten, denn in der Küche brannte Licht. Durch das Küchenfenster hat er beobachtet, wie Heike Wersch und Maria Hauschild gestritten haben. Die Tür war geschlossen, deshalb konnte er nicht hören, worum es ging. Aber dann hat die Hauschild eine Küchenschublade nach der anderen geöffnet und hatte plötzlich etwas Silbernes in der Hand. Damit hat sie auf Frau Wersch eingeschlagen. Roth ist dann weggelaufen.«

»Unglaublich.« Bodenstein schüttelte den Kopf.

»Kein Wunder, dass Roth so nervös war, als Cem und ich bei ihm waren«, sagte Pia. »Von wegen Filmriss!«

»Als Frau Hauschild am Freitagabend im Verlag war, hat sie wahrscheinlich die Mordwaffe bei Roth in den Kühlschrank gelegt«, fuhr Nicola Engel fort.

»Und das Methanol und die Rolle mit den Frischhaltebeuteln in Bärs Werkstatt«, ergänzte Bodenstein. »Aber wieso sollte Maria Hauschild Roth umbringen?«

»Weil er drauf und dran war, die Nerven zu verlieren und alles zu verraten«, sagte Nicola Engel.

»Aber er muss schon am Donnerstag das Methanol zu sich genommen haben«, warf Pia ein.

»Ach, stimmt ja, da war noch was!« Man konnte Nicola Engel beinahe lächeln sehen. »Eine öffentliche Personenfahndung ist schon was Feines. Die Nachbarin von Frau Domski hat doch tatsächlich Maria Hauschild am frühen Abend des 5. September, Mittwoch letzter Woche, mit Alexander Roth auf der Terrasse seines Hauses sitzen sehen. Trinkend! Sie konnte sich an das Auto erinnern, einen weißen Smart mit Frankfurter Kennzeichen, weil der auf dem Parkplatz stand, den sie sonst immer benutzt.«

»Puh!«, machte Bodenstein zweifelnd.

»Mach dir keine Sorgen. Wir werden die Hauschild morgen so in die Zange nehmen, dass sie ein Geständnis ablegt, das weiß ich«, sagte die Kriminaldirektorin im Brustton der Überzeugung. »Wenn wir Glück haben, findet Kröger in ihrem Haus oder an ihrer Kleidung Blutspuren. Das wäre dann das Tüpfelchen auf dem i.«

Über die glitzernde Wasserfläche näherte sich von Westen her mit hoher Geschwindigkeit ein Boot und hielt auf sie zu.

»Ich muss Schluss machen«, sagte Bodenstein. »Ich glaube, da kommt gerade schon die Küstenwache, um Frau Hauschild aus ihrer misslichen Lage zu befreien. Wir melden uns, wenn wir absehen können, ob wir es heute noch schaffen.«

Er beendete das Gespräch und sah Pia an.

»Was ist denn mit der los?«, fragte er verwundert. »So guter Laune habe ich sie ja nur selten erlebt.«

»Vielleicht steckt der Kranich dahinter«, entgegnete Pia. »Keine Ahnung, was zwischen den beiden läuft, aber auf jeden Fall irgendetwas, was sie glücklich macht. Ist doch schön.«

Das Boot der Küstenwache hatte ein paar Meter entfernt beigedreht, und die Männer von der *Police Municipale* verständigten sich laut rufend mit den Kollegen an Bord.

Bodensteins Handy fiepte, und er warf einen Blick aufs Display. Eine SMS. Er öffnete sie und las die Nachricht, ohne eine Miene zu verziehen.

»Alles okay?«, erkundigte Pia sich, als er sein Handy kommentarlos in die Tasche steckte.

»Wie man's nimmt.« Bodenstein seufzte und schaute hinaus aufs Wasser. »Morgen muss ich ins Krankenhaus. Cosima ist stabil genug. Die Operation soll am Nachmittag stattfinden.«

»Oh.« Pia trat neben ihn. »Dann sehen wir mal zu, dass wir die Hauschild in eine Zelle bringen und mit Winterscheid & Co. reden.«

Das Boot der Küstenwache hatte abgedreht und fuhr langsam zu dem Rettungsturm, auf dem sich Maria Hauschild in Sicherheit gebracht hatte.

»Wahnsinn«, murmelte Bodenstein fasziniert. »Von der Straße ist nichts mehr zu sehen! Und das innerhalb von zehn Minuten!«

»Die Flut kommt so schnell wie ein galoppierendes Pferd«, wiederholte Pia. Sie spürte, wie die Anspannung von ihr abfiel. Maria Hauschild würde ihnen nicht mehr entkommen. Ihr Fall war gelöst.

Epilog

Frankfurt, 22. September 2018

»Hier ist ja richtig was los«, staunte Christoph, als sie zusammen mit Cem Altunay und Tariq Omari, beide begleitet von ihren Ehefrauen, Christian Kröger und Kathrin Fachinger über das weitläufige Gelände des Campus Westend auf das IG-Farben-Hochhaus zuschlenderten. Hinter einer Absperrung drängten sich bei herrlichem Spätsommerwetter schon Hunderte von Menschen mit erwartungsfrohen Gesichtern und warteten geduldig auf Einlass.

»Findet hier etwa irgendwo ein Konzert statt?«, fügte er grinsend hinzu.

»Christoph!« Pia schüttelte mahnend den Kopf. Um 16 Uhr begann die Buchpremiere von Hennings neuem Krimi *Mordsfreunde*, der es bereits kurz nach seinem offiziellen Erscheinungstermin auf Platz 4 der Bestsellerliste geschafft hatte.

»Die sind doch alle nur aus Neugier da!«, behauptete Kröger.

»Die da nicht«, sagte Cem mit Blick auf die lange Schlange der Wartenden. Dann nickte er nach vorne. »Aber die da drüben ganz sicher.«

Vor dem Eingang hatte sich eine große Gruppe von Medienvertretern versammelt, sogar Fernsehteams waren angereist. Ganz sicher nicht nur wegen Henning und seinem neuen Krimi. Die Festnahme von Henri Winterscheid wegen Mordes an seiner Schwägerin vor fast dreißig Jahren hatte deutschlandweit für Aufsehen gesorgt und dem ehemaligen Verleger einen eher zweifelhaften Ruhm beschert. Mindestens genauso spannend fand die Öffentlichkeit die Aufdeckung der wahren Identität von Anita Kahr und die Tatsache, dass die Agentin des Bestsellerautors Kirchhoff zwei Morde begangen haben sollte.

»Darüber schreibt der Leichenschnippler sicher sein nächstes Buch«, behauptete Kröger. »Fantasie hat er nämlich gar keine. Genau genommen schreibt er alte Fallakten ab und ändert nur die Namen.«

»Na ja, ganz so einfach macht er es sich nicht«, verteidigte Kathrin Fachinger Pias Ex-Mann. »Ich finde seine Bücher ziemlich spannend und vor allem authentisch. Außerdem finde ich es cool, dass wir alle drin vorkommen.«

»Nicola Engel als Nadine Teufel!«, kicherte Tariq. »Das ist echt der Knaller.«

Der Winterscheid-Verlag hatte offenbar mit dem Ansturm gerechnet und Absperrgitter errichten lassen. Der Einlass wurde von Security-Leuten in schwarzen Uniformen kontrolliert. Dank der VIP-Karten, die Henning ihnen spendiert hatte, gelangten sie in das Foyer, in dem in wenigen Minuten der Sektempfang beginnen würde. Eine Buchhandlung bot auf großen Tischen Hennings Bücher zum Verkauf an, daneben hatte der WEISSE RING, dem die Einnahmen der Veranstaltung zugutekommen würden, einen Infostand. Kai Ostermann war schon da und auch Wotan Velázquez, der Revierförster, dem Henning offenbar tatsächlich die versprochenen VIP-Karten geschickt hatte. Pia sah die Polizeipräsidenten von Frankfurt und Westhessen, Hennings Kollegen von der Rechtsmedizin, den Dekan der Uni und jede Menge anderer Honoratioren. Zu ihrem Erstaunen standen plötzlich Professor Elard Zeydlitz-Lauenburg – ehemals Kaltensee – und sein Lebensgefährte Marcus Nowak vor ihr. Es war nur selten der Fall, dass sie früheren Verdächtigen begegnete, und kurz wunderte sie sich, doch dann fiel ihr ein, dass Elard Henning natürlich kannte, schließlich hatte er früher dem Lehrkörper der Uni angehört, und Elard wurde als Emeritus noch immer zu Veranstaltungen eingeladen. Und natürlich war Henning bei ihrem Abenteuer in den Schlossruinen in Polen vor elf Jahren auch dabei gewesen. Pia erfuhr, dass Vera Kaltensee vor zwei Jahren in der Haft verstorben war, auch Siegbert war tot. Jutta Kaltensee war Europa-Abgeordnete in Brüssel, und Marleen Ritter führte erfolgreich die KMF. Elard und Marcus Nowak wohnten auf dem Mühlenhof, das Kulturhaus am Römer gab es noch immer. Die beiden sahen entspannt aus. Die Schrecken der Vergangenheit lagen lange hinter ihnen. Das Schloss am Dobensee, in dessen Keller Pia einige der schlimmsten Minuten ihres Lebens erlebt hatte, war längst restauriert und beherbergte jetzt ein Hotel.

»Pia«, raunte ihr jemand ins Ohr. Sie wandte sich um und erblickte ihre Chefin. »Komm mal mit.«

Pia entschuldigte sich, ergriff Christoph an der Hand und folgte Nicola Engel durch die Menge. Neben dem Büchertisch hatten sich alle Kollegen versammelt.

»Was ist denn los?«, fragte Pia.

»Wir machen für den Chef eine Live-Schaltung«, verkündete Kai und hob sein Tablet hoch. »Da musst du dabei sein.«

»Ja, klar.« Pia lächelte erfreut.

Bodenstein und Cosima hatten ihre Operationen gut überstanden. Am vergangenen Mittwoch waren Pia und ihr Chef tatsächlich noch rechtzeitig nach Nantes gelangt und hatten die letzte Maschine nach Frankfurt erreicht. Maria Hauschild hatte in einer Zelle der *Police Municipale* gewartet, bis Bodenstein und Pia mit Ségolène Thibault gesprochen und von ihr erfahren hatten, was sich im August 1990 wirklich zugetragen hatte. Carl Winterscheid hatte ihr Gespräch gefilmt, Hennings Lektorin hatte übersetzt. Es gab keinen Zweifel am Wahrheitsgehalt der Aussage. Auch wenn die Vergewaltigung längst verjährt war, der Mord an Katharina Winterscheid war es nicht und die Staatsanwaltschaft würde gegen Henri Winterscheid Anklage erheben. Maria Hauschild hatte die Aussichtslosigkeit ihrer Lage eingesehen. Bei ihrer Vernehmung war Bodenstein nicht mehr dabei gewesen, aber Pia hatte ihm später haarklein berichtet, was Hennings ehemalige Agentin gesagt hatte. Sie hatte vollumfänglich zugegeben, dass sie die Manuskripte von Katharina Winterscheid an sich gebracht und nach und nach unter dem Pseudonym Anita Kahr veröffentlicht hatte. Das Geld, das sie damit verdient hatte, würde nun Carl Winterscheid zufallen, als rechtmäßigem Erben. Alle Bücher würden neu überarbeitet und unter dem Namen der wahren Autorin bei Winterscheid in Neuauflage erscheinen. Nach diesem

Geständnis war es mit Maria Hauschilds Aussagebereitschaft vorbei gewesen, aber Nicola Engel und Pia waren zuversichtlich, dass sie genügend Indizien zusammentragen konnten, damit die Staatsanwaltschaft sie wegen Mordes an Heike Wersch und Alexander Roth anklagen konnte. Ob sie als Sechzehnjährige ihren Vater in der Sauna eingesperrt und seinen Tod billigend in Kauf genommen hatte, würde ihr nicht mehr nachzuweisen sein, genauso wie die Ermordung ihres Ehemannes mittels einer Insulinspritze.

Carl Winterscheid hatte vor ein paar Tagen auf einer Pressekonferenz verkündet, dass der Winterscheid-Verlag wieder den Namen seines ursprünglichen Gründers annehmen und zukünftig Liebman-Verlag heißen würde. Gemeinsam mit seiner Cousine Dorothea hatte er große Pläne, und Pia war davon überzeugt, dass auch Julia Bremora bei diesen Plänen eine Rolle spielen würde. Mit dem Geld von Anita Kahr wollte Carl das frühere Haus seiner Familie auf Noirmoutier kaufen, außerdem wollte er einiges in eine neue Götz-Winterscheid-Stiftung investieren, die in Zukunft Stipendien für Medizinstudenten vergeben sollte.

Während Kai noch auf dem Tablet herumtippte, wanderte Pias Blick durch das Foyer, und sie erblickte Henning im Gespräch mit Josef Moosbrugger. Henning warf ihr einen hilfesuchenden Blick zu. Jeder Literaturagent Deutschlands wusste natürlich, dass Henning Kirchhoff derzeit ohne Agentin war, und Moosbrugger würde nicht der letzte sein, der sein Glück bei ihm versuchte.

Pia winkte ihren Ex-Mann herbei, der mit erleichterter Miene auf sie zukam. Vor der Lesung graute ihm nicht, er war schließlich daran gewöhnt, vor Hunderten von Studenten Vorlesungen zu halten und war eine echte Rampensau, aber Small Talk bei Empfängen hatte er schon immer gehasst.

»Danke, Pia, du hast mich gerettet«, sagte er.

»Wir sind so weit!«, rief Kai und drehte das Tablet.

Auf dem Bildschirm erschien das lächelnde Gesicht von Bodenstein.

»Hey, Chef, wie geht's dir?«, riefen Tariq und Kathrin.

»Hallo, Oliver!« Henning hob sein Glas. »Auf deine Gesundheit!«

»Danke, Henning«, erwiderte Bodenstein. »Wenn ich jetzt etwas zu trinken hätte, würde ich allerdings auf dich trinken. Auf dein neues Buch!«

»Auf dein neues Buch!« Sie hoben alle ihre Gläser und prosteten Henning zu, sogar Christoph, der seinen Arm um Pias Schulter gelegt hatte, war kein Spielverderber.

»Ich danke euch«, sagte Henning, sichtlich gerührt. »Schön, dass ihr da seid und mit mir feiert. Das bedeutet mir wirklich viel. Ohne euch gäbe es das Buch immerhin nicht.«

»Hört, hört!«, rief Cem.

»Ich freue mich besonders, dass du da bist, Christoph«, wandte Henning sich an Pias Ehemann. »Ich weiß, dass du ein bisschen sauer warst, aber es war nicht meine Absicht, dich zu ärgern.«

»Herr Dr. Kirchhoff, wir wollen jetzt die Leute hereinlassen.« Julia Bremora tauchte neben Henning auf. »Können wir loslegen?«

»Klar.« Henning grinste. »Oliver, viel Vergnügen und werd' schnell gesund! Und euch natürlich auch viel Spaß.«

Er ging durch die Menge, und sie folgten ihm langsam, um ihre reservierten Plätze einzunehmen. Kai saß in der ersten Reihe, damit Bodenstein eine gute Sicht hatte. Es dauerte gut zwanzig Minuten, bis alle Premierengäste saßen, um zuerst der Ansprache des Präsidenten der Universität zu lauschen und danach einer kurzen Rede von Carl Winterscheid. Dann endlich betrat Henning die Bühne. Er setzte sich an den Tisch, schlug das Buch auf und begann zu lesen.

»Donnerstag, 15. Juni 2006. Es war Viertel vor acht in der Frühe, als Tristan von Buchwaldt vom Summen seines Handys um die Aussicht auf einen freien Tag gebracht wurde ...«

»Oh Gott«, flüsterte Christoph Pia ins Ohr. »Hoffentlich liest er nicht die Stelle, wo der Zoodirektor in den Graben kotzt!«

»Ich wette, dass er das tun wird«, entgegnete Pia und grinste.

Danksagung

Aus einer Idee, die ich schon vor einigen Jahren hatte, ist nun der zehnte Fall für Pia Sander, Oliver von Bodenstein und ihr Team geworden. Ein Teil des Buches ist auf der Insel Noirmoutier entstanden, die ich seit meiner Kindheit wie eine zweite Heimat liebe, was Sie sicherlich gemerkt haben.

Ich hoffe, Sie, meine lieben Leserinnen und Leser, hatten genauso viel Vergnügen beim Lesen wie ich beim Schreiben!

Ich danke allen, die mich beim Schreiben von »In ewiger Freundschaft« unterstützt haben: allen voran meinem Ehemann Matthias Knöß und meiner Stieftochter Zoé. Meinen Eltern Bernward und Carola Löwenberg danke ich für moralische Unterstützung und fürs Zuhören, denn manchmal muss man einfach laut denken, und das geht am besten mit aufmerksamen Zuhörern. Danke, Papa und Mama, für all die schönen gemeinsamen Sommer auf Noirmoutier!

Ich danke meinen tollen und schnellen Probeleserinnen für ihre vielen hilfreichen Anmerkungen, ihre Begeisterung und ihr wertvolles Feedback – meinen wunderbaren Schwestern Claudia Löwenberg-Cohen und Camilla Altvater, Simone Jakobi und meiner lieben Freundin Catrin Runge, die ich zu jeder Tages- und Nachtzeit um Rat bitten durfte.

Ein Riesendankeschön gilt meiner Agentin Andrea Wildgruber für motivierende Telefonate, Verständnis, Ansporn und die Vermittlung von Fachwissen über das Verlagswesen im Allgemeinen und die Arbeit einer Literaturagentin im Besonderen.

Danke an meine Lektorin Marion Wichmann, der ich dieses Buch, meinen zehnten Krimi, von Herzen widme. Sie hat mich im Januar 2008 zum Ullstein Verlag geholt und damit mein Leben verändert. Sie hat vom ersten Moment an mich geglaubt. Wir sind schon einen langen und wunderbaren Weg miteinander gegangen, und ich hoffe, dass wir ihn noch sehr lange gemeinsam weitergehen werden.

Ich danke dem Ullstein Verlag und all seinen Mitarbeitern und Mitarbeiterinnen für das große Vertrauen in mich und die unkomplizierte und wunderbare Zusammenarbeit.

In meinen Büchern kommen immer sehr viele Personen vor, daher bin ich ständig auf der Suche nach Namen. Es ist toll, dass es so viele Menschen gibt, die mir ihren Namen anvertraut haben. Dafür danke ich Julia Bremora, Anja Dellamura, George Dragon, Stefan Fink, André Grenda, Mathis Haas, Manja Hilgendorf, Kristina Jagow, Marcel Jahn, Daniel Klee, Josefin Lintner, Steffi Lotz, Petra-Maria Mayer-Büchele, Claus-Peter Sniehotta, Silvia Wittich, Marina Bergmann-Ickes, Robert Sachtleben, Shannon Schwarz, Alea Schalk, Christine Weil, Klaus Wiedebusch, Philipp Eberwein, Millie Fischer und Eckwart List.

Und zum Schluss danke ich natürlich ganz besonders herzlich allen Buchhändlerinnen und Buchhändlern und allen meinen Leserinnen und Lesern. Ohne euch wären wir Autorinnen und Autoren nichts.

Nele Neuhaus
September 2021

Liste der zur Recherche verwendeten Texte:

Ingo Wirth, Hansjörg Strauch: Rechtsmedizin: Grundwissen für die Ermittlungspraxis. 2., neu bearbeitete Auflage 2006. Kriminalistik-Verlag, Heidelberg

https://www.gesund-vital.de/kompakt/azidose

 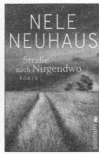